TERAPIA COGNITIVA DE LOS TRASTORNOS DE PERSONALIDAD

Psicología
Psiquiatría
Psicoterapia

Últimos títulos publicados:

B. Biain de Touzet - *Tartamudez. Una influencia con cuerpo y alma*
E. Joselevich (comp.) - *AD/HD: Qué es, qué hacer*
C. Botella, R. M. Baños y C. Perpiñá (comps.) - *Fobia social*
J. Corsi (comp.) - *Maltrato y abuso en el ámbito doméstico*
S. Velázquez - *Violencias cotidianas, violencia de género*
M. M. Linehan - *Manual de tratamiento de los trastornos de personalidad límite*
B. L. Duncan - *Psicoterapia con casos «imposibles»*
B. D. Friedberg y M. McClure - *Práctica clínica de terapia cognitiva con niños y adolescentes*
I. Caro - *Psicoterapias cognitivas*
M. Garrido, P. Jaén y A. Domínguez (comps.) - *Ludopatía y relaciones familiares*
J. Navarro Góngora - *Enfermedad y familia. Manual de intervención psicosocial*
H. Fernández-Álvarez y R. Opazo (comps.) - *La integración en psicoterapia. Manual práctico*
E. Kuipers, J. Left y D. Lam, *Esquizofrenia. Guía práctica de trabajo con las familias*
E. Joselevich - *¿Soy un adulto con AD/HD?*
J. Balbi - *La mente narrativa*
M. A. Álvarez y M. Trapaga - *Principios de neurociencias para psicológos*
E. Dio Bleichmar - *Manual de psicoterapia de la relación padres e hijos*
J. A. García Madruga y otros - *Comprensión lectora y memoria operativa*
C. F. Newman, R. L. Leahy, A. T. Beck, N. A. Reilly-Harrington y L. Gyulai - *El trastorno bipolar. Una aproximación desde la terapia cognitiva*
J. Corsi - *Psicoterapia integrativa multidimensional*
A. T. Beck, A. Freeman, D. D. Davis y otros - *Terapia cognitiva de los trastornos de personalidad*
K. J. Gergen - *Construir la realidad. El futuro de la psicoterapia*
B. Bertolino - *Terapia orientada al cambio con adolescentes y jóvenes*
C. Cunillera - *Personas con problemas de alcohol*
H. Chappa - *Tratamiento integrativo del trastorno de pánico*
A. Carr - *Psicología positiva*
L. Cancrini - *Océano borderline*
M. Ceberio - *Ficciones de la realidad, realidades de la ficción*
W. Riso - *Terapia cognitiva*
M. L. Friedlander, V. Escudero y L. Heatherington - *La alianza terapéutica. En la terapia familiar y de pareja*
J. Moix y F. M. Kovacs (coord.) - *Manual del dolor. Tratamiento cognitivo conductual del dolor crónico*
S. Green y D. Flemons (comp.) - *Manual de terapia breve sexual*
F. Tustin, *Autismo y psicosis infantiles*
A. Beck, N. A. Rector, N. Stolar y Paul Grant - *Esquizofrenia. Teoría cognitiva, investigación y terapia*
J. W. Worden - *El tratamiento del duelo: asesoramiento psicológico y terapia*
K. J. Gergen y M. Gergen - *Reflexiones sobre la construcción social*
R. O. Benenzon - *Musicoterapia. De la teoría a la práctica. Nueva edición ampliada*

Aaron T. Beck, Arthur Freeman,
Denise D. Davis y otros

TERAPIA COGNITIVA DE LOS TRASTORNOS DE PERSONALIDAD

Tercera edición

PAIDÓS
Barcelona
Buenos Aires
México

Título original: *Cognitive therapy of personality disorders*, de Aaron T. Bek, Arthur Freeman Denise D. Davis y otros
Publicado en inglés por The Guilford Press, a Division of Guilford Publications, Inc., Nueva York

Traducción de Jorge Piatigorsky y Rafael Santandreu

Cubierta de Diego Feijóo

1ª edición, febrero 1995
5ª impresión, enero 2015

Espasa Libros, S. L. U.,
Avda. Diagonal, 662-664. 08034 Barcelona, España
Paidós es un sello editorial de Espasa Libros, S. L. U.
www.paidos.com
www.planetadelibros.com

ISBN: 978-84-493-1804-7
Depósito legal: B. 7.954-2010

Impreso en Book Print

El papel utilizado para la impresión de este libro es cien por cien libre de cloro y está calificado como papel ecológico

Impreso en España – *Printed in Spain*

SUMARIO

COLABORADORES

James Pretzer, doctor en psicología, Cleveland Center for Cognitive Therapy, Cleveland, Ohio; Facultad de Psiquiatría de la Case Western Reserve University School of Medicine, Cleveland, Ohio.

Barbara Fleming, doctora en psicología, Cleveland Center for Cognitive Therapy, Cleveland, Ohio; Facultad de Psiquiatría de la Case Western Reserve University School of Medicine, Cleveland, Ohio.

Arnoud Arntz, doctor en medicina, Departamento de Psicología Clínica y Experimental de la Universidad de Maastricht, Maastricht, Países Bajos.

Andrew Butler, doctor en psicología, Beck Institute for Cognitive Therapy and Research, Bala Cynwyd, Pensilvania; Facultad de Psiquiatría, University of Pennsylvania School of Medicine, Filadelfia, Pensilvania.

Gina Fusco, licenciada en psicología, Philadelphia College of Osteopathic Medicine, Filadelfia, Pensilvania; Alternative Behavioral Services, Yardley, Pensilvania.

Karen M. Simon, doctora en psicología, Cognitive Behavioral Therapy of Newport Beach, Newport Beach, California.

Judith S. Beck, licenciada en psicología, Beck Institute for Cognitive Therapy and Research, Bala Cynwyd, Pensilvania; Facultad de Psiquiatría, University of Pennsylvania School of Medicine, Filadelfia, Pensilvania.

Anthony Morrison, psicólogo clínico, Facultad de Psicología, University of Manchester, Manchester, Reino Unido.

Christine A. Padesky, doctora en psicología, Center for Cognitive Therapy, Huntington Beach, California, <www.padesky.com>

Julia Renton, psicóloga clínica, Bolton, Salford and Trafford Mental Health Trust, Manchester, Reino Unido.

Hemos listado a estos autores en un orden que intenta rendir mérito a su contribución y, como segundo criterio, alfabéticamente dentro de cada grupo de trabajo.

AGRADECIMIENTOS

En la publicación de un libro se dan sucesivamente cinco hechos significativos. El primero es el estremecimiento y la excitación que producen la conceptualización y el desarrollo iniciales. En esta primera etapa, las ideas se presentan, se desarrollan, se modifican, se descartan, se reevalúan y se reformulan. Las dos ediciones de este libro derivaron, lo mismo que gran parte de todo nuestro trabajo, tanto de la necesidad clínica como de la curiosidad científica. Entre los casos de prácticamente todos los terapeutas de nuestro centro había pacientes con algún trastorno de la personalidad. La idea de esta obra surgió de los seminarios clínicos semanales dirigidos por Aaron T. Beck y, a medida que se desarrollaba, contamos con las aportaciones y los *insights* clínicos de nuestros colegas de la Universidad de Pensilvania y de los diversos Centros de Terapia Cognitiva de todo Estados Unidos; reciban aquí nuestro reconocimiento. Muchos de esos colegas se convirtieron en coautores y tuvieron una influencia significativa en la dirección y el contenido del primer libro y de la presente edición. Su brillantez y sagacidad clínica se reflejan en este volumen.

El segundo punto importante de algunos libros es decidir si se va a llevar a cabo un trabajo de revisión o no. En nuestro caso, llevamos a cabo muchas reuniones junto con el editor para decidir si valía la pena el proyecto y, en caso positivo, cómo íbamos a enfocarlo. Una de las decisiones más importantes fue crear la figura del director del proyecto para asegurar la consistencia y oportunidad de todo el conjunto.

El tercer acontecimiento más importante en el nacimiento de un libro es la reunión y el cotejo de los originales. Las ideas ya se han concretado y se han volcado en el papel. Para la segunda edición de este volumen, Denise D. Davis se encargó de la dirección del proyecto, lo cual incluyó la revisión de todos los manuscritos y la edición final.

El cuarto momento importante se produce cuando se envía al editor el borrador del original. Seymour Weingarten, gerente editorial de The Guilford Press, ha sido simpatizante de la terapia cognitiva durante muchos años. (Gracias a la sabiduría y previsión de Seymour se publicó el ahora clásico *Cognitive Therapy of Depression* hace más de dos décadas). Su apoyo, aliento e insistencia ayudaron a que tanto la primera como la segunda edición de este libro avanzaran hacia su estado final. Carolyn Graham, Craig Thomas y el resto del personal de Guilford nos proporcionaron un apoyo y guía constante para poder redactar esta segunda edición.

Aunque la tecnología moderna ha reducido mucho nuestra necesidad de asistencia técnica a la hora de producir el borrador final, querríamos dar las gracias a todos aquellos que han contribuido a esta gran empresa.

La terapia cognitiva partió de unos orígenes humildes para convertirse en una de las formas de psicoterapia de mayor proyección del mundo. Estoy especialmente orgulloso de la presente edición revisada de *Terapia cognitiva de los trastornos de personalidad* porque representa el esfuerzo conjunto de muchos de los miembros de mi familia profesional (entre los que se incluye, por supuesto, mi hija Judith). Quiero expresar mi reconocimiento a todos aquellos que han contribuido a este libro, especialmente a Denise Davis y Art Freeman, responsables de la dirección de la revisión.

AARON T. BECK

En 1977, empecé a trabajar en el Centro de Terapia Cognitiva de la Universidad de Pensilvania, dando inicio a una larga colaboración de 25 años con Tim Beck. Tengo que decir que ése fue un giro decisivo en mi vida, tanto en el plano personal como profesional. Tim ha sido colega, consejero, colaborador, crítico y amigo. Denise Davis ha trabajado conmigo durante dos décadas; es una profesional de gran valía, pero no sólo eso, también es una estupenda colaboradora y amiga. Mi esposa, Sharon, es la persona con la que comparto mi vida. Su amor, creatividad y ternura me han proporcionado siempre toda la fuerza y el apoyo que he necesitado.

ARTHUR FREEMAN

Tim Beck y Art Freeman han liderado e inspirado, durante muchos años, el desarrollo de la terapia cognitiva. Quiero expresarles mi agradecimiento por su amistad y su generosa colaboración. Su confianza es para mí un valiosísimo tesoro. Todas las personas que han trabajado en este libro se han portado maravillosamente; han sido instructivas y muy receptivas ante mis inacabables peticiones. Estoy muy agradecida por haber tenido la oportunidad de aprender de su trabajo. También me gustaría dar las gracias a la persona que me ayuda y asiste permanentemente en mi vida, Charles Sharbel, por el apoyo que me ha dado también en este proyecto.

DENISE D. DAVIS

Finalmente, nos gustaría expresar nuestro más sincero agradecimiento a los pacientes con los que hemos trabajado a lo largo de los años por habernos permitido compartir con ellos su carga. Su dolor y su angustia fueron nuestra motivación para desarrollar las teorías y las técnicas denominadas «terapia cognitiva». Nos enseñaron mucho y esperamos haberles ayudado a llevar vidas más plenas y completas.

La quinta etapa de este libro, la última, llega con la publicación. Con todo lo que ha sucedido hasta el momento, esto es casi un anticlímax. Nuestro trabajo queda entonces en manos de ustedes, nuestros colegas y sus pacientes, a quienes esperamos les resulte útil.

AARON T. BECK
ARTHUR FREEMAN
DENISE D. DAVIS

PREFACIO

En las más de dos décadas que han transcurrido desde que Aaron T. Beck y sus colegas publicaron *Cognitive Therapy of Depression*, la terapia cognitiva se ha desarrollado de una manera casi exponencial. Partiendo de los tratamientos primitivos de la depresión, el modelo progresó y se aplicó a todos los síndromes que se ven comúnmente en la clínica, entre ellos los trastornos por ansiedad, los trastornos de pánico, los trastornos alimentarios, las dependencias y abusos de sustancias y los trastornos del pensamiento asociados con las psicosis. Los estudios de resultados han demostrado la eficacia de este modelo con una amplia gama de trastornos clínicos. Además de su aplicación, con modificaciones, a prácticamente todas las poblaciones clínicas, la terapia cognitiva ha tratado casos de todas las edades (niños, adolescentes, pacientes geriátricos) y ha sido utilizada en diversas circunstancias y modalidades terapéuticas (en régimen ambulatorio o de internación, con parejas, grupos y familias).

El interés por el trabajo clínico con pacientes que presentan trastornos de la personalidad ha crecido junto con el refinamiento y la habilidad clínica de los terapeutas cognitivos. La primera edición de este volumen fue el primer enfoque cognitivo que se dedicó específicamente a este difícil grupo. Nuestra segunda edición refleja tanto la evolución de nuestra sofisticación clínica como una demostrada capacidad de tratar con eficacia unos trastornos que han sido considerados, a menudo, como intratables.

El trabajo en terapia cognitiva ha despertado interés en todo el mundo y se han creado centros (o grupos de estudio) en todos los continentes a excepción de la Antártida.

Prochaska y Norcross (2003) afirmaron lo siguiente en la quinta edición de su libro *Systems of Psychotherapy*:

> Probablemente la predicción más segura de la dirección que tomará la terapia cognitiva es la de la mejora continua. Las terapias cognitivo-conductuales en general y la de Beck, en particular, son las orientaciones que crecen con mayor rapidez y a las que se dedica mayor investigación en el panorama actual. Las razones de su popularidad son manifiestas: la terapia cognitiva está muy bien explicada, es relativamente breve, se ha evaluado mucho, es compatible con la medicación y está cen-

> trada en los problemas. Pongámoslo de esta manera: si nos viésemos obligados a comprar acciones de cualquier forma de terapia psicológica, la cognitiva de Beck sería la apuesta más segura, por lo menos de aquí a cinco años (pág. 369).

El interés por los enfoques cognitivos entre los terapeutas se ha incrementado en un 600 % desde 1973 (Norcross, Prochaska y Gallagher, 1989).

La motivación original de este volumen procedió de los terapeutas formados en el Centro de Terapia Cognitiva de la Universidad de Pensilvania o de los que éstos, a su vez, formaron. El contenido fue creciendo a partir de las primeras discusiones de casos y de seminarios dirigidos por Beck a lo largo de muchos años. Cuando decidimos escribir un libro para difundir los conocimientos adquiridos en nuestro trabajo, nos dimos cuenta de que sería imposible que una o dos personas fuesen expertas en el tratamiento de todos los trastornos. Por lo tanto, reclutamos un grupo de terapeutas con talento formados en el Centro de Terapia Cognitiva como coautores que habrían de escribir sobre sus áreas de especialidad. Rechazamos la idea de una recopilación de observaciones desarticuladas (o redundantes). En interés de la uniformidad y congruencia de la presentación, nos decidimos por un libro que fuera una producción de todos los autores en colaboración.

Distintos profesionales asumieron la responsabilidad de abordar diferentes temas o aplicaciones clínicas. Hicimos circular los borradores sobre cada uno de los temas para estimular la fecundación recíproca y favorecer la congruencia. Finalmente, todo el manuscrito fue revisado y editado por uno de nosotros para asegurar la continuidad del estilo, lenguaje y contenido. Si bien el libro es el producto de varios autores, todos ellos asumen la responsabilidad de todo el contenido. No obstante, los responsables principales de cada uno de los capítulos se especifican más adelante. La integración, la compaginación final, la continuidad del volumen y la dirección de la revisión de la segunda edición fueron obra de Denise D. Davis.

Fueron varias las razones que nos movieron a llevar a cabo una revisión del volumen original. Primero, vimos que era necesaria una actualización ya que la terapia cognitiva de los trastornos de la personalidad ha seguido evolucionando durante los muchos años que han pasado desde la primera edición. Nuestra experiencia como terapeutas cognitivos ha crecido y ahora vemos mucho más claramente el valor y las posibilidades de este enfoque terapéutico. Entre otras cosas, en estos momentos disponemos de mucha más evidencia empírica. Varios de los autores que contribuyeron a la primera edición han podido aportar toda una década de experiencia de trabajo clínico de gran riqueza y profundidad. También hemos contado con la ayuda de varios autores que, en los últimos años, han contribuido notablemente en sus propias áreas de conocimiento, lo cual añade a nuestro trabajo original una importante perspectiva actualizada. Otra de nuestras motivaciones para llevar a cabo este trabajo fue ampliar la oferta original en las áreas de evaluación clínica y profundizar en el papel de las emociones y la relación terapéutica en el tratamiento cognitivo de los trastornos de la personalidad.

Este libro está organizado en dos secciones. La primera ofrece una amplia visión general de los aspectos históricos, teóricos y terapéuticos. Siguen a esta sección los capítulos clínicos que detallan el tratamiento individualizado de trastornos específicos de la personalidad. Los capítulos clínicos se ordenan de acuerdo con los tres agrupamientos descritos en la cuarta edición revisada del *Diagnostic and Statistical Manual of Mental Disorders* (DSM-IV-TR; American Psychiatric Association, 2000). El grupo A, de trastornos descritos como «raros o excéntricos», está formado por los trastornos paranoide, esquizoide y esquizotípico. El grupo B incluye los trastornos antisocial, límite, histriónico y narcisista, que son descritos como «dramáticos, emotivos e imprevisibles». El grupo C comprende a las personas «ansiosas o temerosas», que pertenecen a las categorías de los trastornos por evitación, dependencia y obsesivo-compulsivo. Después de mucha consideración, el trastorno de personalidad pasivo-agresivo fue incluido en nuestra segunda edición, a pesar de ser retirado de la lista de trastornos de la personalidad del DSM-IV-TR, donde figura entre las nuevas categorías que necesitan mayor investigación. Nosotros, sin embargo, creemos en la relevancia clínica de este trastorno.

El material de la Primera Parte fue desarrollado por Aaron T. Beck, Arthur Freeman, Andrew Butler, Denise D. Davis y James Pretzer. En el capítulo 1, Freeman y Pretzer empiezan bosquejando el enfoque cognitivo-conductual de los problemas generales de la derivación, el diagnóstico y el tratamiento de los pacientes con trastornos de la personalidad. Una discusión del concepto de la formación de esquemas y su efecto en la conducta le ofrece al lector una introducción a esta cuestión de vital importancia, que se desarrollará en los capítulos ulteriores. A continuación, en el mismo capítulo se examinan los estudios clínicos e investigaciones realizados hasta la fecha que son relevantes para el tratamiento cognitivo-conductual de los trastornos de la personalidad.

En el capítulo 2, Beck explica cómo se forman los procesos de la personalidad y de qué modo cumplen funciones adaptativas en la vida del individuo. A partir de un enfoque evolucionista, desarrolla el modo en cómo los esquemas (y las combinaciones idiosincráticas de esquemas) contribuyen a generar diversos trastornos. Se perfilan entonces las estrategias básicas para la adaptación, junto con las creencias/actitudes básicas de cada uno de los trastornos de la personalidad. El procesamiento de la información y los tipos específicos de distorsión de la información disponible se vinculan luego a las características esquemáticas, como la densidad, la actividad y la valencia de los esquemas. En cada trastorno de la personalidad predominan ciertas creencias y estrategias que dan forma a un perfil característico. Beck identifica con más detenimiento las típicas estrategias hiperdesarrolladas e infradesarrolladas de cada trastorno. Sostiene que esas estrategias pueden compensar o derivar de particulares experiencias del desarrollo. Ofreciendo perfiles cognitivos que incluyen la visión de sí mismo, la visión de los demás, las creencias nucleares y condicionales y las principales estrategias compensatorias, el autor sitúa los trastornos en una perspectiva que permite la aplicación de la amplia gama de intervenciones cognitivas y conductuales.

En el capítulo 3, Andrew Butler discute aspectos sobre la evaluación de los trastornos de la personalidad, entre los que se incluyen temas conceptuales, metodológicos y estratégicos inherentes a la comprensión de este complejo dominio de la psicopatología. También se habla de los instrumentos de medida (cognitivos) de la patología de la personalidad, especialmente de uno desarrollado en los últimos años llamado Personality Belief Questionnaire. En el capítulo 4, Beck y Freeman revisan los principios generales de la terapia cognitiva de los trastornos de la personalidad. Los esquemas nucleares pueden inferirse a primera vista de los pensamientos automáticos del paciente. Mediante el empleo de la evocación de imágenes y reactivando experiencias traumáticas pasadas, es posible movilizar esos esquemas nucleares. Las creencias arraigadas en esos esquemas pueden entonces examinarse en el contexto terapéutico. El capítulo también describe las técnicas básicas de la terapia cognitiva, con particular énfasis en el desarrollo de la conceptualización de los casos. También se habla de la colaboración terapéutica, el descubrimiento guiado y la importancia de la transferencia y la contratransferencia. Por último, el capítulo hace una revisión de las técnicas cognitivas y conductuales para modificar esquemas.

El capítulo 5, el último de esta sección, ha sido reformulado para destacar cómo entiende el enfoque cognitivo la relación terapéutica en el tratamiento de los trastornos de la personalidad. Basándose en el trabajo anterior de Beck y Freeman sobre las distintas razones por las que no se da la colaboración terapéutica, Denise Davis añade consideraciones culturales y de gestión del proceso terapéutico. Además, amplía el dominio interpersonal en el contexto del tratamiento de los trastornos de la personalidad y ofrece una conceptualización de la transferencia y la contratransferencia basada en el modelo cognitivo. Este capítulo ilustra las estrategias específicas que pone en marcha la terapia cognitiva para tratar las emociones del paciente y del terapeuta. Esta revisión de las características emocionales e interpersonales de la intervención cognitiva es complementada después, en cada capítulo, con apartados específicos dedicados a cada trastorno.

Cada uno de los capítulos de la Segunda Parte dedicados a los trastornos específicos sigue un formato que describe primero las características clave y las maneras en que se puede presentar el trastorno en un contexto clínico, seguido por un resumen de las perspectivas históricas del mismo. Después, se habla de las investigaciones más importantes y de los datos empíricos disponibles, para continuar con una breve discusión sobre el diagnóstico diferencial. Acto seguido, cada autor ofrece una conceptualización o explicación cognitiva del trastorno, además de por una visión general de cómo puede aplicarse el modelo al paciente real. En el apartado de la estrategia de colaboración, hablamos de las creencias y estrategias específicas que afectan a la colaboración y las posibles vías para solucionar estos problemas. Finalmente, se ofrecen sugerencias para el mantenimiento del progreso. Aunque cada uno de los autores de estos capítulos ha seguido un esquema similar, ofrecen muchas ideas y aplicaciones diferentes dentro del modelo cognitivo.

El capítulo 6, revisado por el autor original, James Pretzer, abre la sección de las aplicaciones clínicas con una introducción al problema del trastorno paranoide de la personalidad. Este grupo, poco estudiado, presenta varios problemas idiosincráticos, uno de los cuales, y no precisamente el menos importante, es el alto grado de desconfianza. En el nuevo capítulo 7, Anthony Morrison y Julia Renton describen los trastornos esquizoide y esquizotípico. Estos autores ofrecen recomendaciones prácticas y fundamentadas para la diferenciación de tales trastornos, para el tratamiento clínico de los pensamientos y creencias que contribuyen a los mismos y para implicar a este habitualmente desinteresado sujeto en el tratamiento. En el capítulo 8, Arthur Freeman y Denise Davis reformulan la visión original de Davis del trastorno antisocial de la personalidad, introduciendo así los trastornos del grupo B. Además, se trata la particular tendencia del paciente a la evitación y manipulación, el establecimiento de límites, la realización de tareas terapéuticas en casa y la enseñanza de habilidades funcionales.

En el capítulo 9, Arnoud Arntz habla sobre la personalidad límite y resume las contribuciones empíricas y teóricas que se han llevado a cabo durante la última década. También expone el tratamiento de este trastorno usando la modificación cognitiva de esquemas. En el capítulo 10, Barbara Fleming actualiza su descripción original del trastorno histriónico de la personalidad, incluyendo un fascinante resumen de las influencias sexistas históricamente asociadas a este trastorno. Además conceptualiza el trastorno en términos cognitivos e ilustra el protocolo de tratamiento que trata principalmente el exceso emotivo del paciente. Denise Davis revisa su exposición original sobre el trastorno narcisista de la personalidad en el capítulo 11 desde una perspectiva cognitiva. Se describen las creencias y supuestos claves y un modelo para tratar este problema que empieza descubriendo las primeras creencias operativas que pueden ser modificadas.

En el capítulo 12, Barbara Fleming revisa su trabajo original sobre el trastorno de la personalidad por dependencia, introduciendo los trastornos del grupo C, formado por pacientes ansiosos y temerosos. La autora ofrece un resumen de las distintas opciones que existen para tratar las creencias de los pacientes dependientes relativas a su capacidad, al abandono y a la independencia. También se habla de la posible frustración del terapeuta ya que los pacientes dependientes tienden a aceptar el trabajo de una manera superficial sólo para mantener una relación de dependencia con el terapeuta. La autora ofrece, finalmente, eficaces estrategias para manejar la dependencia del paciente. Christine A. Padesky y Judith S. Beck vuelven a colaborar en el capítulo 13, que versa sobre el tratamiento del trastorno de personalidad por evitación. Este capítulo trata de los temas de la autoacusación, la expectativa de rechazo y la creencia de que toda emoción o encuentro que desagrade son intolerables. Como en la primera edición, se hace hincapié en el tratamiento de la componente de ansiedad y en la necesidad de entrenamiento de habilidades específicas. Los autores, además, amplían la exposición de casos con ilustraciones más detalladas de las técnicas de intervención.

En el capítulo 14, Karen M. Simon actualiza y amplía el capítulo original sobre el trastorno obsesivo compulsivo de la personalidad. Aunque este trastorno comprende rasgos valorados por la sociedad, entre los que se incluyen el control emocional, la disciplina, la perseverancia, la fiabilidad y la diplomacia, Simon ilustra cómo estas estrategias constructivas se convierten fácilmente en rigidez disfuncional, perfeccionismo, dogmatismo, rumiación e indecisión. También se habla de los problemas asociados de depresión, sexuales y psicosomáticos. En el capítulo 15, una nueva autora, Gina Fusco, considera la personalidad pasivo-agresiva o negativista. Este capítulo revisa la historia conceptual de este controvertido trastorno y se centra en los principales temas de la ambivalencia, la dependencia y la pobre asertividad que suelen impedir el correcto funcionamiento de estos individuos. A través de ejemplos clínicos, Fusco describe ampliamente el enfoque cognitivo para la resolución de los típicos impases en la terapia de estos problemas.

Finalmente, en el capítulo 16, James Pretzer ofrece una síntesis y bosqueja las perspectivas futuras del enfoque cognitivo del tratamiento de los trastornos de la personalidad.

Primera parte

HISTORIA, TEORÍA E INVESTIGACIÓN

CAPÍTULO 1

VISIÓN GENERAL DE LA TERAPIA COGNITIVA DE LOS TRASTORNOS DE LA PERSONALIDAD

La terapia de pacientes con distintos trastornos de la personalidad ha sido sometida a examen en la literatura clínica desde el inicio de la historia conocida de la psicoterapia. Los casos clásicos de Anna O. (Breuer y Freud, 1893-1895/1955) y del Hombre de las Ratas (Freud, 1909/1955), de Sigmund Freud, pueden rediagnosticarse como trastornos de la personalidad según los criterios actuales. Con el desarrollo del primer *Diagnostic and Statistical Manual of Mental Disorders* (DSM-I) de la American Psychiatric Association (1952) y hasta la versión actual del manual (DSM-IV-TR; American Psychiatric Association, 2000), se han ido ampliando y refinando gradualmente las definiciones y los parámetros que permiten comprender estos estados graves y crónicos. La literatura general sobre el tratamiento psicoterapéutico de los trastornos de la personalidad es más reciente y crece con rapidez. La principal orientación teórica en la literatura actual sobre los trastornos de la personalidad, o en la literatura psicoterapéutica en general, ha sido psicoanalítica (Chatham, 1985; Goldstein, 1985; Horowitz, 1977; Kernberg, 1975, 1984; Lion, 1981; Masterson, 1985; Reid, 1981; Saul y Warner, 1982; Waldinger y Gunderson, 1987).

El enfoque cognitivo-conductual de los trastornos de la personalidad

Más recientemente, terapeutas conductuales (Linehan, 1987a, 1993; Linehan, Armstrong, Suárez, Allmon y Heard, 1991) y cognitivo-conductuales (Fleming y Pretzer, 1990; Freeman, Pretzer, Fleming y Simon, 1990; McGinn y Young, 1996; Pretzer y Beck, 1996) empezaron a concebir y plantear un enfoque de tratamiento cognitivo-conductual. En su origen, los enfoques cognitivos abrevaron en las ideas de los «analistas del yo», derivadas de las obras de Adler, Horney, Sullivan y Frankl. Aunque los psicoanalistas consideraban radicales sus innovaciones terapéuticas, las terapias cognitivas primitivas eran en muchos sentidos «terapias de insight» que empleaban en gran medida técnicas introspectivas para modificar la «personalidad» manifiesta del paciente (Beck, 1967; Ellis 1962). Beck, Ellis y sus colegas fueron de los primeros en emplear una amplia gama de técnicas conductuales de tratamiento que incluían «los deberes» estructurados *in vivo*. Todos ellos subrayaron sistemáticamente el efecto terapéutico de las técnicas cognitivas y conductuales, no sólo sobre las estructuras sintomáticas, sino también sobre los «esquemas» cognitivos o creencias controladoras. Tales esquemas proporcionan las instrucciones que guían el centro, la dirección y las cualidades de la vida diaria, así como las contingencias especiales.

Los teóricos de la terapia cognitiva comparten con los psicoanalistas la idea de que en el tratamiento de los trastornos de la personalidad es, por lo general, más productivo identificar y modificar los problemas «nucleares». Los dos enfoques difieren en su visión de la naturaleza de dicha estructura nuclear; para la escuela psicoanalítica, esas estructuras son inconscientes y no fácilmente accesibles para el paciente. Desde el punto de vista cognitivo, los productos de ese proceso son en gran medida conscientes (Ingram y Hollon, 1986) y, con un entrenamiento especial, aún pueden resultar más accesibles a la conciencia. Los sentimientos y las conductas disfuncionales (siempre para la teoría de la terapia cognitiva) se deben en gran medida a la función de ciertos esquemas que tienden a producir sistemáticamente juicios tendenciosos y una tendencia asociada a cometer errores en ciertos tipos de situaciones. La premisa básica del modelo de la terapia cognitiva es que la fuente principal del afecto y la conducta disfuncionales en los adultos reside en la distorsión atributiva, y no en la distorsión motivacional o de respuesta (Hollon, Kendall y Lumry, 1986; Zwemer y Deffenbacher, 1984). Otros trabajos han demostrado que las pautas cognitivas clínicamente pertinentes están relacionadas con la psicopatología del niño, en correlación con las pautas afectivas y cognitivas de relación que se encuentran entre los adultos (Quay, Routh y Shapiro, 1987; Ward, Friedlander y Silverman, 1987), y que una terapia cognitiva eficaz puede seguir una línea similar en niños y adultos (DiGiuseppe, 1989).

Lo típico es que estos pacientes recurran a la terapia no presentando como problema trastornos de personalidad, sino por lo general quejas de depresión, ansiedad o situaciones externas que los empujan a buscar ayuda. Los pacientes con trastornos de personalidad a menudo ven los problemas que tienen en el trato con otras personas como independientes de su propia conducta o percepción. A menudo se describen como víctimas de los otros o, más globalmente, del «sistema». Esos pacientes suelen no darse cuenta de cómo llegaron a ser lo que son, de cómo contribuyen a crear sus propios problemas, y tampoco saben cómo cambiar. Otros, sin embargo, se dan cuenta del papel de los elementos auto-provocadores de sus problemas (por ejemplo, una dependencia exagerada, inhibiciones o evitaciones en exceso), pero no aciertan a ver la contribución de los aspectos de personalidad o el de su propia voluntad de cambio.

Entre los signos heurísticos que pueden indicar la posibilidad de problemas del Eje II se cuentan los siguientes ítems:

1. Un paciente o un conocido suyo informa: «Oh, siempre ha hecho eso, desde que era un niño», o bien el paciente dice «Siempre he sido así».
2. El paciente no acepta el régimen terapéutico. Si bien esta no conformidad es común en muchos problemas y por muchas razones, la no conformidad actual debe utilizarse como señal para una mayor exploración de problemas del Eje II.
3. La terapia parece llegar a una interrupción súbita sin ninguna razón aparente. El clínico que trabaja con estos pacientes a menudo les ayuda a reducir los problemas de la ansiedad o la depresión, pero queda bloqueado en el trabajo terapéutico ulterior por el trastorno de la personalidad.
4. Los pacientes no parecen tener la menor conciencia del efecto de su conducta sobre los demás. Hablan de las respuestas de los otros, pero no ven la conducta provocativa o disfuncional que pueden presentar ellos mismos.
5. El paciente le «hace la cama» a la terapia pues expresa interés y voluntad de cambio pero no sigue las prescripciones. Se da cuenta de la importancia del cambio, pero de una manera u otra, consigue evitar toda variación.
6. Los problemas de personalidad del paciente le parecen aceptables y naturales. Ve los problemas como aspectos fundamentales de su «yo» y habla de ello en los siguientes términos: «Así es como soy; esto es lo que soy. No me veo de otra forma».

Las acciones que el terapeuta conceptualiza como un trastorno del Eje II pueden haber sido funcionales para el sujeto a lo largo de muchas situaciones vitales. Se trata de conductas positivas quizás en el trabajo, pero con un gran coste personal. Por ejemplo, se puede citar el caso de una programadora, muy perfeccionista y diligente que vivía muy insatisfecha. Sufría una tremenda presión en el trabajo ya que iba siempre atrasada, y estaba abandonando su vida social porque trabajaba hasta tarde y se llevaba trabajo a casa los fines de semana. Todo para alcanzar los nivel de perfección que se autoexigía. Los rasgos compulsivos de su personalidad habían sido recompensados antes en la escuela y en el hogar. Los profesores siempre habían calificado su trabajo como prolijo y perfecto, de modo que siempre obtuvo notas excelentes. Otro paciente, un anciano de sesenta y seis años al que se le diagnosticaron trastornos de la personalidad obsesivo-compulsivo y personalidad por dependencia, decía: «El mejor momento de mi vida lo pase en el ejército. No tenía que preocuparme por qué ropa ponerme, qué hacer, a dónde ir o qué comer». Su facilidad para seguir órdenes y normas le había asegurado una exitosa carrera militar, pero como civil las cosas le resultaban mucho más difíciles.

En vista de la naturaleza crónica de los problemas y del precio que paga este paciente en términos de aislamiento, dependencia o necesidad de aprobación externa, debemos preguntarnos por qué se mantienen esas conductas disfuncionales, capaces de provocar dificultades en el trabajo, la escuela o la vida personal. En algunos casos, es la sociedad quien las refuerza (por ejemplo, el lema «haz siempre las cosas lo mejor que puedas»). A menudo, esos esquemas de conducta que el paciente sabe que son «erróneos» son los más refractarios al cambio. Dos factores parecen ser los más importantes a la hora de explicar la tenacidad de esos esquemas disfuncionales: en primer lugar, como lo ha señalado DiGiuseppe (1986), el problema puede deberse en parte a la dificultad que tienen las personas (incluso los terapeutas de orientación científica) para realizar un «cambio de paradigma», renunciando a una determinada hipótesis a veces precisa por otra menos familiar; en segundo término, como lo ha advertido Freeman (1987; Freeman y Leaf, 1989), suele suceder que la gente encuentra modos de adaptarse y de extraer beneficios a corto plazo con esquemas fundamentalmente desviados que a largo plazo restringen o limitan su capacidad para enfrentarse a los desafíos de la vida. Con respecto al primer problema, DiGiuseppe (1989) recomienda el uso terapéutico de una variedad de ejemplos del error que produce un esquema particular (de modo que pueda verse cómo gravita su efecto de distorsión sobre amplias áreas de la vida del paciente). Después, se puede llevar a cabo una explicación repetida de las consecuencias de una alternativa no distorsionada.

El segundo problema no es tan susceptible de ser tratado. Por ejemplo, cuando los pacientes adaptan su vida para compensar sus ansiedades, el cambio pasa por enfrentarse a esas ansiedades alterando el anterior sistema de adaptación. Una postura difícil de adoptar. Veamos, por ejemplo, el caso de la programadora compulsiva mencionado con anterioridad. Con su pasado y estilo vital general, nosotros no pretenderemos que acepte unos deberes terapéuticos que impliquen asumir el riesgo de cometer errores en el trabajo o que lleve a cabo sus tareas a nivel meramente «suficiente». Antes de ello, debemos reformular sus expectativas acerca del objetivo de la terapia, el tiempo que durará y los procedimientos que se usarán. Así, la ayudaremos a conseguir algunos beneficios inmediatos y concretos para desarrollar una relación de colaboración y respeto mutuo.

Una historia desdichada puede sumarse al carácter coercitivo de los esquemas desviados y al desarrollo de los trastornos de la personalidad. Hallamos un ejemplo de esto en los datos comunicados por Zimmerman, Pfohl, Stangl y Coryell (1985). Estos autores estudiaron una muestra de mujeres que habían sido hospitalizadas por padecer episodios depresivos agudos, codificados como trastornos del Eje I del DSM-III. Los autores dividieron la muestra en tres grupos según el grado de estrés psicosocial o la gravedad de acontecimientos vitales negativos (Eje IV). El resultado es que los tres grupos dieron resultados similares en cuanto a sus síntomas depresivos. La diferencia estaba en otros aspectos, más relacionados con la dificultad en su tratamiento clínico. De entre el total del 30 % de las pacientes que intentaron suicidarse durante el lapso del estudio, la tasa de intentos en el grupo de alto estrés psicosocial cuadruplicaba la del grupo de bajo estrés. Los trastornos de personalidad eran evidentes en el 84,2 % de los miembros del grupo de alto estrés, en el 48,1 % del grupo de estrés moderado, y sólo en el 28,6 % del grupo de bajo estrés. Los investigadores interpretaron que el hecho de que los acontecimientos vitales negativos frecuentes estuvieran asociados con el trastorno de la personalidad y la severidad del caso se debía, por lo menos en parte, a la cronicidad de los acontecimientos y a la respuesta del paciente a esa cronicidad. Si uno ha sufrido muchos eventos negativos en su vida, es probable que desarrolle una visión pesimista de sí mismo, del mundo y de su futuro. Por el contrario, las personas que evitan o escapan a esos estresantes vitales pueden vivir en un mundo personal relativamente seguro en el que se da un porcentaje muy bajo de trastornos de personalidad (al menos, *clínicamente evidentes*).

La eficacia de la terapia cognitiva en un momento dado depende del grado de acuerdo entre las expectativas del paciente acerca de las metas u objetivos terapéuticos y las del terapeuta (Martin, Martin y Slemon, 1987). Son importantes la confianza mutua y el reconocimiento por el terapeuta de los requerimientos del paciente (Wright y Davis, 1994), como en cualquier otra situación médica (Like y Zyzanski, 1987). La naturaleza cooperativa del proceso de establecer las metas es uno de los rasgos más importantes de la terapia cognitiva (Beck, Rush, Shaw y Emery, 1979; Freeman y otros, 1990). Una de las consideraciones más importantes en el tratamiento de pacientes con trastornos de la personalidad es que se debe tener conciencia de que la terapia provocará ansiedad, ya que se moverá su identidad y sentido del yo. Por más incómodos, limitantes y solitarios que puedan ser sus esquemas de acción, el cambio significa entrar en un nuevo y extraño territorio. No sólo se les pide que cambien una parte de su cadena conductual o que reencuadren una simple percepción, sino que renuncien a lo que son y a cómo se han definido a sí mismos durante muchos años y en muchos contextos. El reconocimiento, por parte de paciente y terapeuta, del potencial de la ansiedad generada por el cambio es crucial para el tratamiento exitoso del paciente con un trastorno de la personalidad. En ese sentido, podemos hacer uso de algunas de las herramientas que existen para manejar la ansiedad (por ejemplo, Beck y Emery con Greenberg, 1985), además de un estilo tranquilo y seguro por parte del terapeuta (véase el capítulo 5).

Las estrategias que se necesitan para trabajar con eficacia con trastornos de la personalidad deben adoptar un enfoque tripartito. No dará resultado una perspectiva estrictamente cognitiva que intente discutir con los pacientes sus propias distorsiones. Hacer que los pacientes reaccionen en la sesión sus fantasías o recuerdos tampoco será eficaz por sí mismo. Desarrollar una relación terapeuta-paciente cálida y disponible no es suficiente para alterar los elementos conductuales, cognitivos y afectivos de sus esquemas disfuncionales. Nosotros creemos que es esencial atender las tres áreas (cognitiva, conductual y afectiva), así como usar los tres componentes terapéuticos (cognitivo, expresivo y relacional).

Estudios clínicos e investigación empírica

Cuando publicamos la primera edición de este libro, la investigación sobre el papel de la cognición en los trastornos de la personalidad y la eficacia de la terapia cognitiva para el tratamiento de los trastornos de personalidad, estaban en su infancia. Había muchos informes sobre casos clínicos, pero pocos estudios empíricos. Durante los años subsiguientes, la situación ha mejorado mucho. Todavía se necesita más investigación empírica, pero ya disponemos de una cantidad respetable de estudios sobre ambos aspectos mencionados (el papel de la cognición y la eficacia de la terapia).

La validez de las conceptualizaciones cognitivas de los trastornos de personalidad

Las conceptualizaciones cognitivas de los trastornos de personalidad son cosa reciente. Por ello, se dispone de poca investigación sobre la validez de las mismas. Existen dos estudios pioneros que examinaron la relación general entre cogniciones disfuncionales y trastornos de personalidad. O'Leary y otros (1991) estudiaron las creencias y presupuestos disfuncionales en el trastorno de personalidad límite o borderline. Los sujetos con trastorno de personalidad límite dieron puntuaciones significativamente más altas en cuanto a creencias disfuncionales que los del grupo de control y esas puntuaciones estaban entre las más altas de todos los grupos de diagnóstico recogidos hasta el momento. Además, sus resultados no estaban relacionados con la presencia o ausencia de una depresión mayor, el haberla padecido en el pasado o su situación clínica actual. En otro estudio, Gasperini y otros (1989) investigaron la relación entre trastornos del estado de ánimo, trastornos de personalidad, el Automatic Thoughts Questionnaire (ATQ) y el Self Control Schedule (SCS) mediante un análisis factorial. Este autor encontró que el primer factor que emergía del análisis factorial de los ítems del ATQ y el SCS reflejaba la presencia de un «grupo B» con trastornos de personalidad (narcisista, histriónica, borderline y antisocial), mientras que el segundo factor reflejaba la presencia de un «grupo C» con otros trastornos de personalidad (compulsiva, por dependencia, por evitación y pasivo-agresiva). Aunque el «grupo A» (personalidad paranoica, esquizoide y esquizotípica) no estaba relacionado con ninguno de los factores que emergieron del análisis factorial, en realidad hubo poco sujetos clasificados en este grupo y la falta de relación puede deberse simplemente a ello. Estos dos estudios, por lo tanto, apoyan la idea general de que las disfunciones cognitivas juegan un papel importante en los trastornos de personalidad, aunque hacen poca referencia a las conceptualizaciones presentadas en este libro porque no se examinaron las relaciones específicas entre cogniciones disfuncionales y trastornos de personalidad que han hipotetizado los autores contemporáneos.

Otros estudios más recientes han estudiado las relaciones entre el conjunto de creencias que juegan, según hipótesis, un papel en cada uno de los trastornos de personalidad (Beck, Freeman y otros, 1990; Freeman y otros, 1990) y el estatus diagnóstico. Arntz, Dietzel y Dreesen (1999) encontraron que la subescala del Personality Disorder Beliefs Questionnaire que, según hipótesis, contenía creencias características del trastorno de personalidad límite discriminaba a los sujetos con personalidad límite o borderline de los que se situaban en el grupo C. Beck y otros (2001) usaron una medida similar, el Personality Belief Questionnaire, que estaba formado por nueve subescalas diseñadas para evaluar las creencias que, según hipótesis, jugaban un papel en cada uno de los nueve trastornos de personalidad del DSM-III. Estos investigadores encontraron que para los trastornos de personalidad por evitación, por dependencia, obsesivo-compulsiva, narcisista y paranoica, los sujetos con esos trastornos solían sostener las creencias que, según hipótesis, jugaban un papel en ese trastorno y puntuaron significativamente más alto en la subescala correspondiente que los otros pacientes sin trastorno de personalidad. Los otros trastornos de personalidad no fueron estudiados debido a la falta de sujetos. Estos hallazgos apoyan la hipótesis de que las creencias disfuncionales están relacionadas con los trastornos de personalidad de manera consistente con la teoría cognitiva, pero no nos dan datos acerca de casualidades o acerca de la eficacia de la terapia cognitiva como tratamiento para sujetos con trastornos de personalidad.

La eficacia de la terapia cognitiva en los trastornos de personalidad

La terapia cognitiva se ha revelado eficaz como tratamiento para muchos trastornos del Eje I. Sin embargo, la investigación referente a la eficacia de los enfoques cognitivo-conductuales para sujetos con trastornos de personalidad es más limitada. La tabla 1.1 nos proporciona una mirada general en cuanto a la eficacia de las intervenciones cognitivo-conductuales con sujetos diagnosticados de trastornos de personalidad. Viendo esta tabla, nos damos cuenta rápidamente de que ha habido muchos estudios clínicos no controlados que afirman que el tratamiento es eficaz. Sin embargo, hay pocos estudios controlados que sustenten esas aseveraciones, lo que ha hecho que algunos autores consideren demasiado grande el riesgo de aceptar la rápida expansión de estas teorías sin el debido apoyo de la investigación empírica (Dobson y Pusch, 1993). Lo cierto es que, afortunadamente, ya disponemos de algunos estudios empíricos que apoyan la actual práctica clínica.

TABLA 1.1. La eficacia del tratamiento cognitivo-conductual sobre los trastornos de personalidad

Trastorno de la personalidad	*Informes clínicos no controlados*	*Estudios con diseños de caso único*	*Estudios sobre los efectos de los trastornos de la personalidad en el resultado del tratamiento*	*Estudios controlados de resultados*
Antisocial	+	–	+	a
Por evitación	+	+	±	±
Límite	±	–	+	±
Por dependencia	+	+	+	
Histriónico	+		–	
Narcisista	+	+		
Obsesivo-compulsivo	+	–		
Paranoide	+	+		
Pasivo-agresivo	+		+	
Esquizoide	+			
Esquizotípico				

Los efectos de los trastornos de personalidad comórbida en el tratamiento de trastornos del Eje I

Muchos sujetos con trastornos de personalidad y un trastorno del Eje I empiezan el tratamiento sin ningún interés, en el que se atiende a su trastorno del Eje II. ¿Es posible tratar el problema del Eje I sin atender al trastorno del Eje II? Hay bastantes estudios sobre el tema y algunos de ellos han determinado que la presencia de un problema del Eje II disminuye significativamente la probabilidad de éxito del tratamiento. Por ejemplo, Turner (1987) encontró que los pacientes aquejados de fobia social sin trastornos concurrentes de la personalidad mejoraban notoriamente después de un tratamiento grupal de quince semanas, y conservaban esa mejoría en un seguimiento realizado al año. No obstante, los sujetos que satisfacían los criterios diagnósticos de los trastornos de la personalidad además de su fobia social presentaban poca o ninguna mejoría en el postratamiento y en el seguimiento al año. De la misma forma, Mavissakalian y Hamman (1987) hallaron que el 75 % de los sujetos agorafóbicos con baja puntuación en trastornos de la personalidad respondían bien a un tratamiento conductual y farmacológico de tiempo limitado. No obstante, sólo el 25 % de los sujetos con puntuación alta en trastornos de la personalidad respondían a este tratamiento. Otros estudios han hallado que los sujetos con trastornos de la personalidad y problemas del Eje I responden al tratamiento cognitivo-conductual, pero más lentamente (Marchand, Goyer, Dupuis y Mainguy, 1988).

Sin embargo, otras investigaciones demuestran que el impacto de los trastornos de personalidad comórbida en el tratamiento de trastornos del Eje I es más complejo que lo expuesto. Algunos estudios han hallado que la presencia de diagnósticos de trastornos de la personalidad no influye en el resultado (Dreesen, Arntz, Luttles y Sallaerts, 1994) o que los sujetos con trastornos de personalidad presentan una sintomatología más grave, pero que responden igualmente bien al tratamiento (Mersch, Jansen y Arntz, 1995). Otros estudios han hallado que los diagnósticos de trastorno de la personalidad influyen en los resultados sólo bajo determinadas circunstancias (Fahy, Eisler y Russell, 1993; Felske, Perry, Chambless, Renneberg y Goldstein, 1996; Hardy y otros, 1995), que los clientes con trastornos de personalidad tienen más probabilidades de terminar el tratamiento prematuramente, pero que los que finalizan la terapia tienen buenos resultados (Persons, Burns y Perloff, 1988; Sanderson, Beck y McGinn, 1994) y que con algunos trastornos de la personalidad se podían predecir peores resultados que con otros (Neziroglu, McKay, Todaro y Yaryura-Tobias, 1996). Kuyken, Kurzer, De Rubeis, Beck y Brown (2001) hallaron que no era la presencia del diagnóstico de trastorno de personalidad *per se* lo que influía en el resultado, sino la presencia de creencias desadaptativas paranoides o por evitación las que hacían predecir un mal resultado.

Es interesante observar que algunos estudios aportan evidencia de que el tratamiento centrado en los trastornos del Eje I puede tener efectos beneficiosos sobre los trastornos concomitantes del Eje II. Por ejemplo, en un estudio sobre el tratamiento de la agorafobia, Mavissakalian y Hamman (1987) hallaron que cuatro de siete sujetos que cumplían los criterios diagnósticos de un solo trastorno de la personalidad antes del tratamiento dejaron de cumplirlos después del tratamiento. En contraste, los sujetos a los que se había diagnosticado más de un trastorno de la personalidad no obtuvieron tal mejoría.

Tomados en conjunto, los resultados de estos estudios sugieren que el tratamiento cognitivo-conductual de un trastorno del Eje I cuando está también presente un problema del Eje II, es a veces ineficaz, otras veces, eficaz y, en ocasiones, la mejoría incluye también a los problemas del Eje II. Poco se sabe acerca de los factores que determinan si el tratamiento del trastorno del Eje I será eficaz o no. Una de las más importantes limitaciones de los estudios que se han ocupado de la efectividad del tratamiento cognitivo-conductual de los trastornos del Eje I con sujetos que también tienen trastornos de personalidad es que los enfoques de tratamiento usados en estos estudios no tuvieron en cuenta la presencia de trastornos de personalidad. Esto deja desatendida la cuestión de si los protocolos de tratamiento diseñados para tener en cuenta la presencia de trastornos de personalidad se demostrarían más efectivos.

Estudios no controlados sobre el tratamiento cognitivo-conductual de los trastornos del Eje II

Toda una serie de estudios se han centrado en investigar qué resultados arroja el tratamiento cognitivo-conductual sobre los trastornos de personalidad. Turkat y Maisto (1985) usaron estudios de caso único para investigar la efectividad del tratamiento individualizado cognitivo-conductual para los trastornos de personalidad. Sus investigaciones demuestran que algunos pacientes con trastornos de la personalidad pueden ser tratados con eficacia, pero también que los investigadores no tuvieron éxito con muchos de los sujetos de su estudio.

Un estudio reciente ha intentado comprobar la eficacia de la intervención propuesta por Beck y otros (1990) usando una serie de casos individuales de medidas repetidas (Nelson-Gray, Johnson, Foyle, Daniel y Harmon, 1996). Los nueve casos de este estudio fueron diagnosticados de trastorno de depresión mayor y uno o más trastornos de personalidad añadidos. Cada uno de los sujetos fue evaluado antes de la terapia, después de la terapia y al cabo de un *follow up* de tres meses para medir el grado de depresión existente y de trastorno de personalidad. Después de 12 semanas de tratamiento, seis de los ocho sujetos que respondieron al *follow up* manifestaron una disminución significativa en su grado de depresión, dos sujetos manifestaron una mejora en las dos medidas de la sintomatología de la personalidad, otros dos no mostraron ninguna mejoría en la personalidad y cuatro arrojaron resultados diversos. Hay que tener en cuenta, como ya señalaron los autores de este estudio, que 12 semanas es un tiempo inferior al que Beck y otros (1990) dedican a los trastornos de personalidad.

Finalmente, Springer, Lohr, Buchtel y Silk (1995) informaron que una terapia grupal cognitivo-conductual de corto plazo produjo una mejoría significativa en una muestra de sujetos hospitalizados por varios trastornos de personalidad y que, incluso, un análisis secundario de un subgrupo de sujetos con personalidad límite dio resultados similares. Además, los sujetos afirmaron que la terapia grupal había sido útil en su vida fuera del hospital.

Estudios controlados sobre el tratamiento cognitivo-conductual de los trastornos del Eje II

Al menos, tres trastornos de personalidad han sido el objeto de estudios controlados. En un estudio sobre el tratamiento de adictos al opio en un programa de mantenimiento con metadona, Woody, McLellan, Luborsky y O'Brien (1985) encontraron que los sujetos que satisfacían los criterios diagnósticos del DSM-III para la depresión grave y el trastorno antisocial de la personalidad respondían bien al tratamiento con la terapia cognitiva y a una psicoterapia de apoyo y expresión sistematizada de Luborsky (Luborsky, McLellan, Woody, O'Brien y Auerbach, 1985). Estos sujetos presentaron una mejoría estadísticamente significativa en 11 de las 22 variables de resultado empleadas, que incluían síntomas psiquiátricos, uso de drogas, empleo y actividad ilegal. Los sujetos que satisfacían los criterios del trastorno antisocial de la personalidad, pero no de la depresión grave, respondieron poco al tratamiento, mejorando sólo en 3 de las 22 variables. Esta pauta de resultados se mantuvo en un seguimiento realizado a los siete meses. Los sujetos a los que no se diagnosticó un trastorno antisocial manifiesto respondieron al tratamiento mejor que los sociópatas; no obstante, con los sociópatas que estaban inicialmente deprimidos, los resultados fueron sólo ligeramente peores que con los no sociópatas, mientras que fueron mucho peores con los sociópatas no deprimidos.

Los primeros estudios sobre el tratamiento del trastorno de personalidad por evitación mostraron que tanto un curso breve en habilidades sociales como ese curso combinado con las intervenciones cognitivas eran igualmente efectivos a la hora de incrementar la interacción social y disminuir la ansiedad social (Greenberg y Stravynski, 1985; Stravynsky, Marks y Yule, 1982). Inicialmente, la equivalencia de los dos tratamientos fue interpretada como demostrativa de la «falta de valor» de las intervenciones cognitivas (Stravynski y otros, 1982). Sin embargo, debería subrayarse que los dos tratamientos fueron igualmente efectivos, que ambos fueron dirigidos por un solo terapeuta (que también era el investigador principal) y que solo se usó una de las posibles intervenciones cognitivas (la disputa de las creencias irracionales). En un estudio posterior, Greenberg y Stravynski (1985) observan que el miedo al ridículo del cliente evitativo parece influir en la terminación prematura del tratamiento en muchos casos y sostienen que las intervenciones que modifican aspectos importantes de las cogniciones del cliente pueden suponer una aportación sustancial a la eficacia de la intervención. Un estudio mucho más reciente (Felske y otros. 1996) halló que los pacientes con un trastorno de personalidad por evitación mejoraban significativamente con un enfoque de tratamiento cognitivo-conductual basado en la exposición. Sin embargo, esos pacientes estaban mucho peor que los pacientes con fobia social que no cumplían los criterios de trastorno de la personalidad por evitación. A pesar de su mejoría en el curso del tratamiento, los pacientes con personalidad por evitación siguieron estando más incapacitados que los que tenían fobia social y recibieron el mismo tratamiento. Los autores sugieren que la presencia de una depresión concomitante puede ser la explicación de la limitada respuesta al tratamiento observada.

La terapia dialéctica conductual es un tipo de tratamiento cognitivo-conductual que desarrollaron Linehan y sus colaboradores para tratar el trastorno de personalidad límite (Linehan, 1987a, 1987b, 1993). Este enfoque combina la perspectiva cognitivo-conductual y conceptos derivados del materialismo dialéctico y del budismo. El resultado es un marco teórico más bien complejo y un método de tratamiento cognitivo-conductual del tipo *problem solving*. Para la terapia dialéctica es importante la colaboración, la formación en habilidades, la clarificación y manejo de contingencias, además de una serie de puntos que afectan específicamente a la gente con personalidad límite (para una exposición detallada de esta forma de tratamiento, véase Linehan, 1993).

En un conjunto de artículos (Linehan y otros, 1991; Linehan, Heard y Armstrong, 1993; Linehan, Tutek y Heard, 1992), Linehan y sus colegas han comunicado los datos obtenidos en un estudio comparativo de resultados sobre la terapia conductual dialéctica y en el «tratamiento usual» con una muestra de sujetos límite con una historia crónica de tentativas de suicidio. Después de un año de tratamiento, encontraron que los pacientes en terapia conductual dialéctica tenían una tasa de deserción significativamente más baja y una conducta de autolesión significativamente menor que los sujetos que recibían el «tratamiento usual» (Linehan y otros, 1991). Los sujetos sometidos a una terapia dialéctica conductual mostraron mejores puntuaciones en cuanto a las medidas de ajuste interpersonal y social, ira, adaptación al trabajo y rumiación ansiosa (Linehan y otros, 1992). No obstante, los dos grupos presentaron sólo una mejoría general modesta en la depresión u otra sintomatología, y no diferían significativamente en esas áreas (Linehan y otros, 1991). En el *follow up* al cabo de un año, los sujetos que habían seguido una terapia dialéctica conductual mostraron un funcionamiento global superior al del otro grupo. Durante el *follow up* a los 6 meses mostraron menor conducta parasuicida, menos ira y un mayor ajuste social (según su propia valoración). En el segundo *follow up* a los 6 meses, sus resultados comparativos fueron menos días de hospitalización y un mayor ajuste social (esta vez, según un entrevistador).

Es alentador encontrar que un año de tratamiento cognitivo-conductual pudo producir una mejoría duradera en una muestra de sujetos que no sólo satisfacían los criterios diagnósticos del trastorno límite de la personalidad, sino que además eran parasuicidas crónicos, tenían historias de múltiples hospitalizaciones psiquiátricas y no conservaban sus empleos, debido a sus síntomas psiquiátricos. Esos sujetos estaban en peores condiciones que muchos individuos que cumplen los criterios diagnósticos de trastorno de la personalidad ya que no son, en términos generales, parasuicidas, se los hospitaliza pocas veces y pueden conservar sus empleos.

Comparación con otros enfoques de tratamiento

No existen muchas investigaciones que comparen la terapia cognitiva con otros enfoques en el tratamiento de trastornos de personalidad. En un estudio sobre el tratamiento de adictos a la heroína con trastorno de personalidad antisocial, Woody y otros (1985) hallaron que tanto la terapia cognitiva como la psicoterapia de apoyo y expresión sistematizada eran efectivas para los sujetos antisociales que estaban deprimidos al inicio del tratamiento y que ninguno de los dos enfoques fue eficaz con los sujetos antisociales no deprimidos. En otro estudio que llevó a cabo el National Institute of Mental Health Treatment of Depression Collaborative Program, desarrollado en diferentes centros, se halló cierta diferencia (estadísticamente no significativa) a favor de la terapia cognitiva sobre los demás enfoques (interpersonal o farmacológica) con pacientes con trastornos de personalidad. Aunque hay que subrayar que los pacientes con otros tipos de trastornos no respondieron mejor a la terapia cognitiva (Shea y otros, 1990). Un pequeño estudio que compara diferentes tratamientos para el trastorno de ataque de pánico (Black, Monahan, Wesner, Gabel y Bowers, 1996) encontró que la terapia cognitiva producía una mayor disminución de las puntuaciones (en un autoinforme sobre características del trastorno de la personalidad) que la medicación psicotrópica (fluvoxamina) o una pastilla de placebo. Finalmente, Hardy y otros (1995) encontraron que los sujetos con un trastorno de personalidad tipo grupo B obtenían peores resultados con la psicoterapia interpersonal que con terapia cognitiva (no se evaluaron personalidades correspondientes al grupo A o C). Estos cuatro estudios son alentadores, pero está claro que no proporcionan suficientes datos como para sacar conclusiones acerca de la terapia cognitiva en comparación con otros tratamientos para los trastornos de personalidad.

Los efectos de los trastornos de personalidad en la «vida real» de la práctica clínica

En la práctica clínica, la mayor parte de terapeutas no aplican protocolos de tratamiento estandarizados con muestras homogéneas de individuos que comparten una diagnosis común. En vez de ello, los clínicos se enfrentan a una amplia variedad de clientes y, consecuentemente, utilizan enfoques individualizados. Un estudio sobre la efectividad de la terapia cognitiva bajo tales condiciones «reales» proporciona un importante apoyo al uso de la terapia cognitiva frente a los trastornos de la personalidad. Persons y otros (1988) llevaron a cabo un interesante estudio empírico sobre clientes que recibieron terapia cognitiva para la depresión en centros privados. En concreto, se trataba de 70 pacientes que fueron tratados en los despachos privados del doctor Burns o el doctor Persons. Ambos son terapeutas cognitivos reconocidos con muchas publicaciones a sus espaldas y, en este estudio, ambos terapeutas llevaban a cabo la terapia cognitiva como suelen hacer normalmente. Esto significa que se aplicó un tratamiento abierto, individualizado más que estandarizado y que, cuando era necesario, se usaba medicación e ingresos clínicos.

El primer objetivo del estudio era identificar predictores del abandono de la terapia (*drop out*) y el resultado de la terapia cognitiva en casos de depresión. Sin embargo, es interesante para nuestros propósitos tener en consideración que el

54,3 % de los sujetos cumplían los criterios del DSM-III para ser diagnosticados de trastorno de personalidad y que los investigadores consideraron la presencia de un diagnóstico de trastorno de personalidad como potencial predictor de un abandono prematuro de la terapia y del resultado terapéutico. Los investigadores hallaron que los pacientes con trastornos de la personalidad presentaban muchas más probabilidades de abandonar la terapia prematuramente que los pacientes sin trastorno de personalidad, pero que aquellos que seguían con la terapia mostraban una gran mejoría. De hecho, los clientes con trastornos de la personalidad que no abandonaron la terapia no difirieron significativamente en grado de mejoría con respecto de los demás. Hallazgos similares comunican Sanderson y otros (1994) en un estudio sobre terapia cognitiva en casos de ansiedad generalizada. Los sujetos diagnosticados de trastorno de personalidad comórbida tenían más probabilidades de abandono, pero el tratamiento fue efectivo tanto a la hora de reducir la ansiedad y la depresión para aquellos que siguieron con la terapia durante un tiempo mínimo.

Implicaciones para la práctica clínica

Durante las pasadas dos décadas hemos asistido a toda una serie de avances en la teoría y en la práctica clínica de la terapia cognitiva de los trastornos de personalidad que aventaja a la investigación empírica (Dobson y Pusch, 1993). Aunque esta discrepancia proporciona motivos de legítimo interés, es difícil suspender el trabajo clínico y teórico hasta que se lleve una investigación empírica más actualizada. El clínico se enfrenta a la difícil situación de no poder rechazar un tipo de trastorno que se presenta en tal cantidad que llega a ser del 50 % en los casos de tratamiento no hospitalario. Afortunadamente, hay ya bastante evidencia que señala que el tratamiento cognitivo-conductual puede ser efectivo para clientes con trastornos de personalidad. Como ilustraremos en los siguientes capítulos, el desarrollo y la validación de estas estrategias de tratamiento para los trastornos de personalidad está a la vanguardia de la terapia cognitiva.

CAPÍTULO 2

TEORÍA DE LOS TRASTORNOS DE LA PERSONALIDAD

La terapia cognitiva de cualquier trastorno depende de la conceptualización de ese trastorno y su adaptación a las características únicas de un caso específico. Este capítulo presenta una teoría de los trastornos de la personalidad en el contexto global del origen, el desarrollo y la función de la personalidad. Esta exposición se centra inicialmente en cómo se forman los procesos de la personalidad y operan al servicio de la adaptación. Antes de presentar una sinopsis de nuestra teoría del trastorno de la personalidad, reseñaremos nuestros conceptos de la personalidad y a continuación los relacionaremos con dichos trastornos.

Iniciamos esta exposición con una explicación especulativa del modo como los prototipos de nuestras pautas de personalidad pueden derivarse de la herencia filogenética. Las «estrategias» genéticamente determinadas que facilitaron la supervivencia y la reproducción fueron presumiblemente favorecidas por la selección natural. Derivados de esas estrategias primitivas pueden observarse en forma exagerada en los síndromes sintomáticos tales como los trastornos por ansiedad y la depresión, así como en los trastornos de la personalidad, como el trastorno por dependencia.

A continuación avanzamos a lo largo del continuo que va desde las estrategias basadas en la evolución hasta una consideración del modo como el procesamiento de la información, que incluye los procesos afectivos, precede a la puesta en práctica de esas estrategias. En otras palabras: la evaluación de las exigencias particulares de una situación es anterior y desencadena una estrategia adaptativa (o inadaptada). La manera de evaluar una situación depende por lo menos en parte de las creencias subyacentes pertinentes. Esas creencias están insertadas en estructuras más o menos estables, denominadas «esquemas», que seleccionan y sintetizan los datos que ingresan. La secuencia psicológica pasa entonces de la evaluación a la activación afectiva y motivacional, y finalmente a la selección e instrumentación de la estrategia pertinente. Consideramos que las estructuras básicas (esquemas) de las que dependen estos procesos cognitivos, afectivos y motivacionales, son las unidades fundamentales de la personalidad.

Los «rasgos» de la personalidad identificados con adjetivos tales como «dependiente», «retraída», «agobiante», o «extravertida» pueden conceptualizarse como expresiones abiertas de estas estructuras subyacentes. Al asignar significados a los acontecimientos, las estructuras cognitivas inician una reacción en cadena que culmina en los tipos de conducta abierta (estrategias) que se atribuyen a los rasgos de la personalidad. Las pautas conductuales que comúnmente adscribimos a los rasgos o disposiciones de la personalidad («honesto», «tímido», «sociable»), representan en consecuencia estrategias interpersonales desarrolladas a partir de la interacción entre las disposiciones innatas y las influencias ambientales.

Atributos tales como la dependencia y la autonomía, conceptualizados en las teorías motivacionales de la personalidad como impulsos básicos, pueden considerarse como funciones de conglomerados de esquemas básicos. En términos conductuales o funcionales, los atributos pueden denominarse «estrategias básicas». Estas funciones específicas se observan de modo hipertrofiado en algunas de las pautas conductuales abiertas atribuidas, por ejemplo, a los trastornos de la personalidad esquizoide o por dependencia.

Pasamos ahora al tema de la activación (y sus modalidades) de los esquemas, y su expresión en la conducta. Habiendo sentado las bases de nuestra teoría de la personalidad, pasamos a reseñar la relación de estas estructuras con la psicopatología. La activación pronunciada de esquemas disfuncionales está en el núcleo de los denominados trastornos del Eje I, como por ejemplo la depresión. Los esquemas más idiosincrásicos, disfuncionales, desplazan a los más adaptativos, orientados a la realidad, en funciones tales como el procesamiento de la información, el recuerdo y la previsión. Por ejemplo, en la depresión, la modalidad organizada en torno al tema de la autonegación se vuelve dominante. En los trastornos de ansiedad, hay un predominio de la modalidad correspondiente al peligro personal; en los trastornos por angustia, se moviliza la modalidad correspondiente a la catástrofe inminente.

Las creencias disfuncionales típicas y las estrategias mal adaptadas que se expresan en trastornos de la personalidad hacen a los individuos sensibles a experiencias vitales que inciden en su vulnerabilidad cognitiva. Así, el trastorno de la personalidad dependiente se caracteriza por una sensibilidad a la pérdida de amor y ayuda; el narcisista es sensible al atentado contra su autoestima; el histriónico, al fracaso cuando intenta manipular a los demás para obtener atención y apoyo. La vulnerabilidad cognitiva se basa en creencias extremas, rígidas e imperativas. En un terreno especulativo, pensamos que esas creencias disfuncionales se originan en la interacción de la predisposición genética del individuo con su exposición a influencias indeseables de otras personas y a hechos traumáticos específicos.

La evolución de las estrategias interpersonales

Nuestra concepción de la personalidad tiene en cuenta el papel desempeñado por la historia evolutiva en la conformación de nuestras pautas de pensamiento, sentimiento y acción. Podemos comprender mejor las estructuras, funciones y procesos de la personalidad si examinamos las actitudes, los sentimientos y la conducta a la luz de su posible relación con estrategias etológicas.

Gran parte de la conducta que observamos en animales no humanos se considera en general «programada». Los procesos subyacentes están programados y se expresan en la conducta manifiesta. El desarrollo de esos programas a menudo depende de la interacción con la experiencia de las estructuras determinadas genéticamente. Se puede suponer que en los seres humanos existen procesos evolutivos similares (Gilbert, 1989). Es razonable considerar que en nuestros procesos automáticos (el modo como construimos los acontecimientos, sentimos y nos disponemos a actuar) influyen procesos cognitivo-afectivo-motivacionales antiguos. Los programas involucrados en el procesamiento cognitivo, el afecto, la excitación y la motivación, pueden haber evolucionado como consecuencia de su capacidad para sostener la vida y promover la reproducción.

Es presumible que la selección natural haya generado algún tipo de ajuste entre la conducta programada y las exigencias del ambiente. Pero nuestro ambiente ha cambiado con más rapidez que nuestras estrategias adaptativas automáticas —en gran medida como resultado de las modificaciones que nosotros mismos le hemos impuesto al medio social—. Así, las estrategias de predación, competencia y sociabilidad que fueron útiles en entornos más primitivos ya no se adecuan al sistema actual de una sociedad altamente individualizada y tecnológica, con su propia organización cultural y social especializada. Una inadecuación puede ser un factor en el desarrollo de la conducta que diagnosticamos como «trastorno de la personalidad».

Con independencia del valor para la supervivencia que tuvieron en sus escenarios más primitivos, algunas de estas pautas derivadas de la evolución se vuelven problemáticas en nuestra cultura actual porque obstaculizan el logro de las metas personales o entran en conflicto con las normas grupales. Por ejemplo, las estrategias predatonias o competitivas altamente desarrolladas que podían promover la supervivencia en condiciones primitivas quizá no se adecuen al medio social y desemboquen en un «trastorno antisocial de la personalidad». De modo análogo, un tipo de comportamiento exhibicionista, que en la vida salvaje habría atraído ayuda y contribuido a obtener pareja, puede ser excesivo o inapropiado en la sociedad contemporánea. Es sumamente probable que esas pautas causen problemas si son inflexibles y relativamente incontroladas.

Los síndromes sintomáticos (trastornos del Eje I) pueden también conceptualizarse en términos de principios evolucionistas. Por ejemplo, la pauta de lucha o fuga, si bien fue presumiblemente adaptativa en situaciones de emergencia arcaicas con peligro físico, podría formar el sustrato de un trastorno por ansiedad o de un estado de hostilidad crónico. La misma pauta de respuesta que se activaba a la vista de un predador, es también movilizada por la amenaza de traumas psicológicos tales como el rechazo o la desvalorización (Beck y Emery con Greenberg, 1985). Cuando esta respuesta psicofisiológica —percepción del peligro y excitación del sistema nervioso autónomo— es desencadenada por la exposición a un espectro amplio de situaciones interpersonales potencialmente aversivas, el individuo vulnerable puede manifestar un trastorno por ansiedad diagnosticable.

De modo análogo, la diversidad de dotación genética explicaría las diferencias individuales de personalidad. Así, un individuo puede estar predispuesto a «quedarse frío» frente al peligro, otro a atacar, un tercero a evitar toda fuente de peligro potencial. Estas diferencias de conducta manifiesta o de estrategia —que pueden tener valor de supervivencia en ciertas situaciones— reflejan características relativamente duraderas, típicas de ciertos «tipos de personalidad» (Beck y otros, 1985). Una exageración de esas pautas lleva a un trastorno de la personalidad; por ejemplo, el trastorno de la personalidad por evitación tal vez refleje una estrategia de retraimiento o evitación ante cualquier situación que suponga la posibilidad de desaprobación social.

¿Por qué aplicamos el término «estrategia» a características tradicionalmente denominadas «rasgos de personalidad» o «pautas de conducta»? Las estrategias en este sentido pueden considerarse formas de conducta programada destinadas a servir a metas biológicas. Aunque el término implica un plan racional, consciente, aquí no lo empleamos en ese sentido, sino más bien como lo hacen los etólogos, para indicar conductas estereotipadas, altamente pautadas, favorables a la supervivencia individual y la reproducción (Gilbert, 1989). Se puede considerar que estas pautas de conducta tienen como meta final la supervivencia y la reproducción: la «eficacia reproductiva» o la «capacidad de adaptación». Estas estrategias evolutivas fueron descritas hace doscientos años por Erasmus Darwin (1791; citado por Eisely, 1961), abuelo de Charles Darwin, como expresiones de hambre, deseo sexual y deseo de seguridad.

Aunque los organismos no se percatan de la meta final de estas estrategias biológicas, son conscientes de los estados subjetivos que reflejan su modo de operación (el hambre, el miedo o la excitación sexual), así como de las recompensas y los castigos que acompañan a su satisfacción o no satisfacción (principalmente. el placer o el dolor). Nos sentimos incitados a comer para aliviar el malestar del hambre, pero también para obtener una satisfacción. Buscamos relaciones sexuales para reducir la tensión sexual y también para lograr gratificación. Nos vinculamos a otras personas para aliviar la soledad, pero también para obtener el placer de la camaradería y la intimidad. En suma, cuando experimentamos una presión interna que apunta a la satisfacción de ciertos deseos inmediatos —como por ejemplo obtener placer y aliviar la tensión— por lo menos en alguna medida podemos estar realizando metas evolutivas muy amplias.

En los seres humanos, el término «estrategia» puede aplicarse análogamente a formas de conducta que pueden ser adaptativas o inadaptadas, según las circunstancias. El egocentrismo, la competitividad, el exhibicionismo y la evitación de lo desagradable pueden ser adaptativos en ciertas situaciones, pero muy inadaptados en otras. Debido a que podemos observar sólo la conducta externa de los demás, se nos impone la cuestión de cómo están relacionados nuestros estados internos (pensamientos, sentimientos y deseos) con las estrategias. Si examinamos las pautas cognitivas y afectivas, advertimos una relación específica entre ciertas creencias y actitudes, por una parte, y la conducta por la otra.

Un modo de ilustrar esta relación consiste en examinar los procesos exagerados que se observan en individuos con diversos trastornos de la personalidad, y comparar las actitudes típicas específicas asociadas a esos desórdenes con las estrategias correspondientes. Como se ve en la tabla 2.1, es posible señalar una actitud típica asociada con cada uno de los trastornos tradicionales de la personalidad. Puede verse que la estrategia específica representativa de un trastorno particular se desprende lógicamente de esta actitud característica.

Esta tabla no incluye el trastorno límite ni el trastorno esquizotípico. Estos dos trastornos —a diferencia del resto— no presentan un conjunto idiosincrásico típico de creencias y estrategias. Por ejemplo, en el trastorno límite puede haber una amplia variedad de creencias y pautas de conducta típicas que son características de toda la gama de los trastornos de la personalidad. El desorden esquizotípico se caracteriza más precisamente por peculiaridades del pensamiento y no por un contenido idiosincrásico.

En la primera columna de la tabla 2.1 vemos los trastornos de la personalidad; la segunda presenta las actitudes correspondientes que subyacen en la conducta manifiesta, y la tercera columna traduce a una estrategia la pauta conductual idiosincrásica. Se sigue lógicamente que un trastorno de la personalidad por dependencia, caracterizado por una conducta de apego excesivo, se desprenderá de un sustrato cognitivo basado en parte en el miedo al abandono; la conducta de evitación derivará del miedo a ser dañado, y las pautas pasivo-agresivas se originarán en la preocupación por ser dominado. Las observaciones clínicas de las que se han extraído estas formulaciones serán examinadas en capítulos posteriores.

Decimos que tales estrategias podrían analizarse en términos de sus posibles antecedentes en nuestro pasado evolutivo. La conducta dramática de la personalidad histriónica, por ejemplo, tal vez tiene sus raíces en los rituales de exhibición de los animales no humanos; la antisocial, en la conducta predatoria, y la dependiente, en la conducta de apego observada en todo el reino animal (véase Bowlby, 1969). Considerando en estos términos la conducta inadaptada, podemos reseñarla con más objetividad y reducir la tendencia a rotularla peyorativamente como «neurótica» o «inmadura».

La idea de que la conducta humana puede verse productivamente desde una perspectiva evolucionista fue desarrollada por McDougall (1921), quien elaboró en detalle la concepción de la transformación de los «instintos biológicos» en «sentimientos». Sus escritos prepararon el camino para algunos de los actuales teóricos biosociales, como por ejemplo Buss (1987), Scarr (1987) y Hogan (1987). Buss ha examinado diferentes tipos de conducta desplegados por los seres humanos (como la competitividad, el dominio y la agresión), rastreando su semejanza con las conductas de los otros primates. En particular, enfocó de este modo el papel de la sociabilidad.

TABLA 2.1. Creencias básicas y estrategias asociadas con los trastornos tradicionales de la personalidad

Trastorno de la personalidad	*Creencias/ actitudes básicas*	*Estrategia (conducta manifiesta)*
Por dependencia	«Estoy desvalido.»	Apego
Por evitación	«Pueden hacerme daño.»	Evitación
Pasivo-agresivo	«Podría ser dominado.»	Resistencia
Paranoide	«La gente es peligrosa.»	Cautela
Narcisista	«Soy especial.»	Autoexaltación
Histriónico	«Necesito impresionarles.»	Dramatismo
Obsesivo-compulsivo	«Los errores son malos. No debo equivocarme.»	Perfeccionismo
Antisocial	«Los demás están para dominarlos.»	Ataque
Esquizoide	«Necesito mucho espacio.»	Aislamiento

Hogan postula una herencia filogenética, en virtud de la cual en la secuencia evolutiva surgen mecanismos programados biológicamente. Según este autor, la cultura proporciona ocasiones para que se expresen las pautas genéticas. Este autor considera que la fuerza impulsora de la actividad humana adulta —el esfuerzo por conseguir aceptación, estatus, poder e influencia— es análoga a la observada en los primates y en otros mamíferos sociales. En su teoría evolucionista del desarrollo humano subraya la importancia de la «adecuación».

Scarr hace hincapié específicamente en el papel de la dotación genética como determinante de la personalidad. Esta misma autora escribe:

> En el curso del desarrollo, diferentes genes se activan y desactivan, creando cambios madurativos en la organización de la conducta, tanto como cambios madurativos en las pautas del crecimiento físico. Las diferencias genéticas entre los indivi-

duos son análogamente responsables de determinar qué experiencias tendrán y no tendrán las distintas personas en sus ambientes respectivos. (Scarr, 1987, pág. 62)

La interacción entre lo genético y lo interpersonal

Los procesos que se ven realzados en los trastornos de la personalidad también pueden clarificarse mediante estudios en el campo de la psicología evolutiva. La conducta adhesiva, la timidez o la rebeldía observadas en el niño que crece pueden persistir a lo largo del período de desarrollo (J. Kagan, 1989). Nosotros pronosticamos que esas pautas persisten en la adolescencia tardía y la edad adulta, y pueden seguir manifestándose en algunos de los trastornos de la personalidad, como en los trastornos de la personalidad por dependencia, por evitación o pasivo-agresivo.

Con independencia del origen final de los prototipos genéticamente determinados de la conducta humana, existen pruebas firmes de que ciertos tipos de temperamentos y pautas conductuales relativamente estables ya están presentes desde el nacimiento (J. Kagan, 1989). Lo mejor es considerar esas características innatas como «tendencias» que la experiencia puede acentuar o atemperar. Además, entre las pautas innatas del individuo y las pautas de otras personas significativas puede establecerse un ciclo continuo de refuerzo recíproco.

Por ejemplo, un individuo con un gran potencial para una conducta que suscita cuidados puede inducir en las otras personas una conducta consistente en cuidarlo, de modo que sus pautas innatas se conservan mucho más allá del período en que esa conducta resulta ser adaptativa (Gilbert, 1989). Una paciente, Sue (cuyo caso examinaremos en detalle más adelante), era descrita por la madre como más adhesiva y reclamadora de atención que sus hermanos desde el momento mismo del nacimiento. La madre respondió brindándole cuidados y protección especiales. A lo largo de todo el período de desarrollo y en la edad adulta, Sue logró vincularse con personas más fuertes que daban respuesta a sus deseos expresos de afecto y apoyo continuos. Además tenía la creencia de que nadie podía quererla. Los hermanos mayores la maltrataban, y este hecho constituyó la base de una creencia posterior: «No puedo conservar el afecto de un hombre». En razón de esa creencia tendía a evitar las situaciones en las que podía ser rechazada.

Hasta ahora hemos hablado de las «tendencias innatas» y la «conducta» como si esas características pudieran explicar las diferencias individuales. En realidad, según nuestra teoría los programas integrados cognitivo-afectivo-motivacionales son los que deciden la conducta del individuo y lo hacen distinto de las otras personas. En los niños mayores y en los adultos, la timidez, por ejemplo, deriva de una infraestructura de actitudes del tipo de «es peligroso exponerse», un umbral bajo para la angustia en las situaciones interpersonales, y la tendencia a titubear frente a extraños o personas que se acaban de conocer. Esas creencias se fijan como consecuencia de la repetición de experiencias traumáticas que parecen confirmarlas.

A pesar de la poderosa combinación de las predisposiciones innatas y las influencias ambientales, algunos individuos logran cambiar su conducta y modificar las actitudes subyacentes. No todo niño tímido se convierte en un adulto tímido. La influencia de personas clave y de las experiencias deliberadas para cultivar conductas más asertivas, por ejemplo, pueden hacer que una persona tímida se vuelva más expresiva y sociable. Como veremos en los capítulos siguientes de este libro, incluso las pautas fuertemente inadaptadas pueden modificarse centrando la terapia en la puesta a prueba de esas actitudes y en la formación o fortalecimiento de otras más adaptativas.

Hasta ahora nuestra formulación ha abordado, aunque sucintamente, la cuestión del modo como la dotación innata puede interactuar con las influencias ambientales para generar distinciones cuantitativas en las pautas cognitivas, afectivas y conductuales características que explican las diferencias individuales de personalidad. Cada individuo tiene un perfil único de personalidad, que consiste en los diversos grados de probabilidad de que responda de cierto modo a cierto grado de una situación particular.

Alguien que ingresa en un grupo en el que hay gente que no conoce quizá piense: «Parezco estúpido», y vacile. Otro tal vez reaccione con el pensamiento «Puedo resultarles divertido». Otro puede pensar: «No son amistosos y es posible que pretendan manipularme», por lo cual estará en guardia. Cuando los individuos tienen diferentes respuestas características, éstas reflejan importantes diferencias estructurales representadas en sus creencias o esquemas básicos. Las creencias básicas, respectivamente, serían: «Soy vulnerable porque soy incapaz en las situaciones nuevas», «Yo divierto a todo el mundo» y «Soy vulnerable porque la gente es inamistosa». Tales variaciones se encuentran en personas normales, bien adaptadas, y dan una coloración distintiva a cada personalidad. Pero en los trastornos de la personalidad las creencias de ese tipo son mucho más pronunciadas; en nuestro ejemplo caracterizan, respectivamente, a los trastornos de la personalidad por evitación, histriónico y paranoide. Los individuos con trastornos de la personalidad presentan las mismas conductas repetitivas en muchas más situaciones que las otras personas. Los esquemas inadaptados típicos de los trastornos de la personalidad son suscitados por muchas o casi todas las situaciones, tienen un carácter compulsivo y son menos fáciles de controlar o modificar que sus equivalentes en otras personas. Toda situación que opera sobre el contenido de sus esquemas mal adaptados los activa, en vez de activar los más adaptativos. En su mayor parte, esas pautas son contraproducentes para muchas de las metas importantes de estos individuos. En suma, en relación con las de las otras personas, sus actitudes y conductas disfuncionales presentan una generalización excesiva, son inflexibles, imperativas y resistentes al cambio.

El origen de las creencias disfuncionales

Puesto que las pautas de personalidad (cognición, afecto y motivación) de las personas con trastornos de la personalidad presentan desviaciones respecto de las otras personas, surge el interrogante de cómo se desarrollan. Para intentar responder a esta pregunta, aunque brevemente, tenemos que volver a la interacción naturaleza-crianza. Los individuos particularmente sensibles al rechazo, el abandono o la frustración suelen desarrollar miedos y creencias intensas sobre el significado catastrófico de esos hechos. Un paciente predispuesto por naturaleza a reaccionar en exceso a los rechazos más comunes de la niñez, puede desarrollar una autoimagen negativa («No merezco ser amado»). Esa imagen queda reforzada si el rechazo es muy fuerte, reiterado, o se produce en un momento de particular vulnerabilidad. Con la repetición, la creencia se estructura.

La paciente antes mencionada, Sue, desarrolló una imagen de sí como inepta e inadecuada porque sus hermanos la criticaban cada vez que cometía un error. Para protegerse todo lo posible del dolor y el sufrimiento, tendía a evitar las situaciones en las que podrían producirse. Su actitud generalizada en exceso era: «Si me permito ser vulnerable en cualquier situación, resultaré herida».

Procesamiento de la información y personalidad

El modo como las personas procesan los datos sobre sí mismas y sobre los demás sufre la influencia de sus creencias y los otros componentes de su organización cognitiva. Cuando existe algún tipo de trastorno —un síndrome sintomático (Eje I)[1] o un trastorno de la personalidad (Eje II)— la utilización ordenada de esos datos se vuelve sistemáticamente distorsionada de un modo disfuncional. Esa distorsión de la interpretación y la conducta consecuente reciben su forma de creencias disfuncionales.

Volvamos al ejemplo de Sue, que tenía trastornos de la personalidad por dependencia y por evitación, y a la que la preocupaba mucho ser rechazada. En una secuencia típica, oyó ruidos provenientes de la habitación vecina, donde su novio, Tom, realizaba algunas tareas. La percepción de esos ruidos le proporcionó el material de datos para su interpretación. Dicha percepción aparecía insertada en un contexto específico —sabía que Tom estaba colgando algunos

1. En todo este libro seguimos la cuarta edición revisada del *Diagnostic and Statistical Manual of Mental Disorders* (American Psychiatric Association, 2000). Al Eje I pertenecen los síndromes convencionales (por ejemplo la depresion mayor o el trastorno por ansiedad generalizada) que se manifiestan con fuertes complejos subjetivos de síntomas, y al Eje II, los trastornos de la personalidad.

cuadros—. La fusión del estímulo y el contexto constituía la base de la información.

Debido a que los datos sensoriales en bruto, por ejemplo los ruidos, tienen en sí mismos un limitado valor informativo, es preciso transformarlos en una especie de configuración con sentido. La integración en una pauta coherente es el producto de estructuras (esquemas) que operan sobre los datos sensoriales brutos dentro del contexto específico. El pensamiento instantáneo de Sue fue: «Tom está haciendo mucho ruido». La mayoría de las personas cerrarían en ese punto su procesamiento de la información, almacenando esa inferencia en la memoria a corto plazo. Pero debido a que Sue era muy proclive a sentir rechazo, en tales situaciones se inclinaba a extraer importantes significados. En consecuencia, su procesamiento de la información no se detuvo y adscribió un significado personalizado: «Tom está haciendo mucho ruido *porque está enojado conmigo*».

Tal atribución de causalidad es consecuencia de un orden superior de estructuración que adscribe significaciones a los hechos. Un componente (esquema) de este sistema de nivel superior sería la creencia de que «Si alguien íntimamente allegado a mí hace ruido, significa que está enojado conmigo». Este tipo de creencia representa un esquema condicional («si... entonces...»), en contraste con un esquema básico («No merezco que me amen»).

No era imposible que Tom estuviera enojado con Sue. Pero por la fuerza de su creencia básica, Sue interpretaba lo mismo, siempre que alguien significativo para ella —como Tom— hiciera ruido, por estar enojado o no. Además, en la jerarquía de sus creencias ocupaba un lugar prominente la fórmula «Si está enojado, me rechazará», y, en un nivel más generalizado, «Si la gente me rechaza, me quedaré sola» y «Estar sola será devastador». Las creencias están organizadas en una jerarquía que les asigna en los niveles sucesivos significados cada vez más complejos.

Este ejemplo ilustra un concepto relativamente nuevo en la psicología cognitiva; a saber: que el procesamiento de la información es influido por un mecanismo de *feedforward** (Mahoney, 1984). En el nivel más básico, Sue tenía la creencia de que no podía despertar amor en nadie. Esa creencia se manifestaba por la disposición a asignar cierto significado sistemático a todo hecho importante (Beck, 1964, 1967), y tomaba una forma condicional: «Si los hombres me rechazan, significa que no puedo ser amada». En general, esta creencia se mantenía «a la expectativa» si la paciente no se veía expuesta a una situación en la que podía sufrir el rechazo de un hombre. Esa creencia (o esquema) desplazaba a otras creencias (o esquemas) más razonables, aunque estas últimas fueran más apropiadas cuando se producía una situación relacionada con el tema (Beck, 1967). Si había datos de los que se pudiera suponer que indicaban que Tom la estaba rechazando, la atención de la joven quedaba fijada en la idea de la imposibilidad de ser amada.

* *Feedforward*, lo contrario *de feedback* o «retroalimentación». (*N. del t.*)

Moldeada la información sobre la conducta de Tom a fin de adecuarla a ese esquema, aunque otra fórmula concordara mejor con los datos (por ejemplo, «El ruido es señal de exuberancia»). Como el esquema de rechazo de Sue era hipervalente, se activaba con preferencia a otros esquemas, a los que parecía inhibir.

Desde luego, los procesos psicológicos de Sue no se detenían con la conclusión de que había sido rechazada. Siempre que se activa un esquema de pérdida o amenaza personales, se produce la activación consiguiente de un «esquema afectivo»; en el caso de Sue, ese esquema le producía una intensa tristeza. La interpretación negativa de un hecho está vinculada a un afecto que es congruente con ella.

Aunque fenómenos tales como los pensamientos, sentimientos y deseos se limiten quizás a pasar fugazmente por nuestra conciencia, las estructuras subyacentes responsables de esas experiencias subjetivas son relativamente estables y persistentes. Además no son en sí mismas conscientes, aunque por medio de la introspección podemos identificar su contenido. Sin embargo, a través de procesos conscientes tales como el reconocimiento, la evaluación y la puesta a prueba de sus interpretaciones (técnicas básicas de la terapia cognitiva), las personas pueden modificar la actividad de las estructuras subyacentes y en algunos casos cambiarlas sustancialmente.

Características de los esquemas

En este punto parece interesante puntualizar el lugar de los esquemas en la personalidad y describir sus características.

El concepto de «esquema» tiene una historia relativamente larga en la psicología del siglo XX. El término, que puede rastrearse hasta Bartlett (1932, 1958) y Piaget (1926, 1936/1952), se ha empleado para designar las estructuras que integran y adscriben significado a los hechos. El contenido de los esquemas puede tener que ver con las relaciones personales (como las actitudes respecto de uno mismo o los demás) o con categorías impersonales (por ejemplo, los objetos inanimados). Estos objetos pueden ser concretos (una silla) o abstractos (mi país).

Los esquemas tienen cualidades estructurales adicionales, como la amplitud (son reducidos, discretos o amplios), la flexibilidad o rigidez (capacidad para la modificación) y la densidad (preeminencia relativa en la organización cognitiva). También se los describe en función de su valencia —su grado de activación en un momento dado—. El nivel de activación (o valencia) oscila entre los extremos de «latente» e «hipervalente». Cuando los esquemas son latentes, no participan en el procesamiento de la información; cuando están activados, canalizan el procesamiento cognitivo desde las primeras etapas hasta las finales. El concepto de esquema es similar a la formulación de los «constructos personales» por parte de George Kelly (1955).

En el campo de la psicopatología, el término «esquema» se ha aplicado a estructuras con un contenido idiosincrásico altamente personalizado, que se activan durante trastornos tales como una depresión, la ansiedad, las crisis de angustia y las obsesiones, y se vuelven predominantes. Cuando son hipervalentes, esos esquemas idiosincrásicos desplazan y probablemente inhiben a otros que podrían ser más adaptativos o apropiados en una situación dada. En consecuencia, introducen una tendenciosidad sistemática en el procesamiento de la información (Beck, 1964, 1967; Beck y otros, 1985).

Los esquemas típicos de los trastornos de la personalidad se asemejan a los activados en los síndromes clínicos, pero actúan con más continuidad en el procesamiento de la información. En el trastorno de la personalidad por dependencia, el esquema «necesito ayuda» se activará siempre que surja una situación problemática, mientras que en las personas deprimidas sólo adquirirá relieve durante la depresión. En los trastornos de la personalidad, los esquemas forman parte del procesamiento de la información normal, cotidiano.

La personalidad puede concebirse como una organización relativamente estable compuesta por sistemas y modalidades. Los sistemas de estructuras entrelazadas (esquemas) son los responsables de la secuencia que va desde la recepción de un estímulo hasta el punto final de una respuesta conductual. La integración de los estímulos ambientales y la formación de una respuesta adaptativa depende de esos sistemas entrelazados de estructuras especializadas. En la memoria, la cognición, el afecto, la motivación, la acción y el control, participan sistemas separados pero relacionados. Las unidades básicas de procesamiento, que son los esquemas, están organizadas según sus funciones (y también según su contenido). Diferentes tipos de esquemas tienen diferentes funciones. Por ejemplo, los esquemas cognitivos tienen que ver con la abstracción, la interpretación y el recuerdo; los esquemas afectivos son responsables de la generación de sentimientos; los esquemas motivacionales se relacionan con los deseos; los esquemas instrumentales preparan para la acción, y los esquemas de control están involucrados en la autoobservación y la inhibición o dirección de las acciones.

Algunos subsistemas compuestos por esquemas cognitivos apuntan a la autoevaluación; otros, a la evaluación de las otras personas. Hay subsistemas destinados a almacenar recuerdos (episódicos o semánticos), y a proporcionar acceso a ellos. Y aun otros subsistemas preparan para situaciones futuras y proporcionan la base de las expectativas, previsiones y proyectos de largo alcance.

Cuando ciertos esquemas son hipervalentes, el umbral para la activación de los subesquemas constitutivos es bajo: los pone en marcha con facilidad un estímulo remoto o trivial. Son también «predominantes»; es decir que en el procesamiento de la información desalojan con facilidad a esquemas o configuraciones más apropiados (Beck, 1967). De hecho, la observación clínica sugiere que los esquemas más adecuados a la situación estímulo real son inhibidos activamente.

Por ejemplo, en la depresión clínica prevalecen los esquemas negativos, de lo que resulta una tendenciosidad negativa sistemática en la interpretación y el recuerdo de experiencias, así como en las previsiones de corto y largo plazo, mientras que los esquemas positivos se vuelven menos accesibles. Los pacientes deprimidos perciben con facilidad los aspectos negativos de un hecho, pero es difícil que adviertan los positivos. Recuerdan los hechos negativos mucho más fácilmente que los positivos. A la probabilidad de resultados indeseables le atribuyen mayor peso que a la de resultados positivos.

Cuando una persona entra en una depresión clínica (o un trastorno por ansiedad) se produce un pronunciado «cambio cognitivo». En términos de energía, ese cambio produce un alejamiento del procesamiento cognitivo normal y favorece el predominio de un procesamiento por medio de los esquemas negativos que constituyen el modo depresivo. Los términos «catexia» y «contracatexia» han sido empleados por autores psicoanalíticos para designar el despliegue de energía que activa pautas inconscientes (catexia) o las inhibe (contracatexia). En la depresión, por ejemplo, está catectizado el modo depresivo; en el trastorno por ansiedad generalizada, está catectizado el modo «peligro»; en el trastorno por angustia, está catectizado el modo «angustia» (Beck y otros, 1985).

El papel del afecto en la personalidad

Puede parecer que el examen de las pautas cognitivas y conductuales subestima los aspectos subjetivos de nuestra vida emocional —nuestros sentimientos de tristeza, alegría, terror y cólera—. Sabemos que es probable que nos sintamos tristes cuando estamos separados de un ser querido o sufrimos una pérdida de estatus; que nos agrada recibir expresiones de afecto o alcanzar una meta y que nos enojamos cuando se nos trata injustamente. ¿Cómo se insertan esas experiencias emocionales —o afectivas— en el esquema de la organización de la personalidad? ¿Cuál es su relación con las estructuras y estrategias cognitivas básicas? Según nuestra formulación, el afecto relacionado con el placer y el dolor desempeña un papel clave en la movilización y el mantenimiento de las estrategias cruciales. Las estrategias de supervivencia y reproducción parecen operar en parte a través de su ligazón con los centros de placer-dolor. Como se ha señalado antes, las actividades dirigidas a la supervivencia y la reproducción conducen al placer cuando se consuman con éxito, y al «dolor» cuando se ven frustradas. Los impulsos relacionados con los apetitos alimentarios y sexuales crean tensión al ser estimulados, y gratificación al ser satisfechos. Otras estructuras emocionales que producen ansiedad y tristeza, respectivamente, refuerzan las señales cognitivas que nos alertan ante el peligro o acentúan la percepción de que hemos perdido algo valioso (Beck y otros, 1985). Por lo tanto, los mecanismos emocionales sirven para reforzar conductas dirigidas hacia la supervivencia y están vinculados a las expectativas y experiencias de diversos tipos de placer. Al mismo tiempo, existen mecanismos complementarios sirven para desalentar conductas potencialmente autolesivas o peligrosas a través de la activación de ansiedad y disforia (Beck y otros, 1985). Ahora examinaremos mecanismos automáticos asociados con el sistema de control e involucrados en la modulación de la conducta.

De la percepción a la conducta

Entre los componentes básicos de la organización de la personalidad hay secuencias de diferentes tipos de esquemas que actúan como una línea de montaje. Para simplificar, se puede considerar que esas estructuras operan en una progresión lineal lógica. Por ejemplo, la exposición a estímulos peligrosos activa el correspondiente «esquema de peligro», que comienza a procesar la información. Después se activan en secuencia los esquemas afectivo, motivacional, de acción y de control. La persona interpreta la situación como peligrosa (esquema cognitivo), siente ansiedad (esquema afectivo), quiere alejarse (esquema motivacional) y se moviliza para huir (esquema de acción o instrumental). Si juzga que la huida es contraproducente, puede inhibir ese impulso (esquema de control).

En los trastornos del Eje I se vuelve hipervalente un modo específico, y conduce, por ejemplo, a preocuparse por la pérdida, el peligro o el combate. En el caso de la depresión se establece una reacción en cadena: cognitiva→afectiva→motivacional→motriz. En las situaciones personalmente significativas, la interpretación y el afecto se alimentan en el circuito o «bucle efector», o sistema de acción. Por ejemplo, después de haber interpretado un rechazo, el rostro de Sue adquiría una expresión de tristeza. Este proceso, que se produce de modo automático, podría haber servido filogenéticamente como una forma de comunicación —por ejemplo como señal de congoja—. Al mismo tiempo se activaban en Sue los «esquemas de acción»: su propia estrategia particular para responder al rechazo. Entonces —en la ocasión examinada más arriba— experimentó el impulso de entrar en la habitación contigua y pedirle a Tom que la tranquilizara. Se sentía llevada a actuar en concordancia con su estrategia estereotipada. En ese punto, podía ceder o no a su impulso de correr hacia Tom.

El sistema interno de control

Sabemos que las personas no ceden a todo impulso, ya sea que se trate de reír, llorar o golpear a alguien. Otro sistema —el «sistema de control»— opera en conjunción con el sistema de acción para modular, modificar o inhibir impulsos. Este sistema también se basa en creencias, muchas de las cuales —o la mayoría— son realistas o adaptativas. Mientras los impulsos constituyen los «quiero», esas creencias constituyen los «hacer» o «no hacer» (Beck, 1976). Ejemplos de tales creencias son «Está mal pegarle a alguien más débil o más grande que tú», «Debes respetar a las autoridades», «No debes llorar en público». Esas creencias se traducen automáticamente en órdenes: «No pegues», «Haz lo que se te dice», «No llores». Entonces las prohibiciones oponen su fuerza a la expresión de los deseos. Sue tenía creencias personales específicas —en este caso, en particular, «Si abuso pidiéndole a Tom que me tranquilice, se enojará conmigo» (una predicción). De ahí que inhibiera su impulso a precipitarse en la habitación vecina y preguntarle al joven si todavía la amaba.

En la terapia es importante identificar las creencias (por ejemplo, «No puedo gustarle a nadie») que dan forma a las interpretaciones personales, las del sistema instrumental que inician la acción (por ejemplo, «Preguntarle si me ama»), y las del sistema de control que gobiernan las anticipaciones y consecuentemente facilitan o inhiben las acciones (Beck, 1976). El sistema de control o regulador desempeña un papel crucial —y a menudo no reconocido— en el trastorno de la personalidad, y por lo tanto merece más atención. Las funciones de control pueden dividirse en las relacionadas con la autorregulación —esto es, dirigidas hacia adentro— y las involucradas en la relación con el ambiente externo, primordialmente el entorno social. Los procesos autorregulatorios de particular importancia para los trastornos de la personalidad tienen que ver con el modo como las personas se comunican consigo mismas. Las comunicaciones internas consisten en la autoobservación, la autoevaluación y autopercepción, las advertencias y las instrucciones dirigidas a uno mismo (Beck, 1976). Cuando son exagerados o deficientes, esos procesos se vuelven más visibles. Las personas que se observan demasiado tienden a ser inhibidas —lo vemos en la personalidad evitativa, así como en los estados de ansiedad—, mientras que una inhibición escasa facilita la impulsividad.

Las autopercepciones y autoevaluaciones son métodos importantes para determinar si uno «va por buen camino». La autopercepción simplemente representa la observación de sí mismo; la autoevaluación implica formular juicios sobre el propio valor: bueno-malo, digno-indigno, amable-rechazable. Las autoevaluaciones negativas son claramente visibles en la depresión, pero pueden operar de una manera más sutil en la mayoría de los trastornos de la personalidad.

En el funcionamiento normal, este sistema de autoevaluaciones y autoestimaciones actúa más o menos automáticamente. El individuo puede no percatarse de esas señales de sí mismo a menos que centre en ellas específicamente su atención. Entonces esas cogniciones pueden representarse en una forma particular denominada «pensamientos automáticos» (Beck, 1967). Como ya se ha observado, los pensamientos automáticos se vuelven hipervalentes en la depresión y se expresan en ideas tales como «Soy indigno» o «Soy indeseable».

Las autoevaluaciones y autoinstrucciones parecen derivar de estructuras más profundas, a saber: los autoconceptos o autoesquemas. De hecho, los autoconceptos exageradamente negativos (o positivos) pueden ser los factores que llevan a alguien, de tener un «tipo de personalidad», a tener un «trastorno de la personalidad». Por ejemplo, el desarrollo de una concepción rígida de sí mismo como alguien desamparado puede hacer que un niño que ha experimentado los deseos normales de dependencia pase a una dependencia «patológica» en la edad adulta. De modo análogo, el énfasis en el sistema, el control y el orden predisponen a un trastorno de la personalidad en el que el sistema sea el amo en lugar de ser el instrumento, a saber: el trastorno obsesivo-compulsivo de la personalidad.

En el curso de la maduración desarrollamos una mezcla confusa de reglas que proporcionan el sustrato de nuestras autoevaluaciones y autoinstrucciones. Esas reglas también constituyen la base para establecer normas, expectativas y planes de acción para nosotros mismos. Una mujer que tiene una regla que dice «Siempre debes realizar un trabajo perfecto» quizás esté evaluando continuamente su comportamiento, elogiándose por alcanzar una meta o criticándose por no haberlo hecho. Como esta regla es rígida, esa mujer no puede actuar en concordancia con una regla práctica más flexible, como «Lo importante es hacer el trabajo, aunque no esté perfecto». De modo análogo, se desarrollan reglas para la conducta interpersonal: los «hacer» y «no hacer» pueden conducir a una acentuada inhibición social, como la que encontramos en las personalidades evitativas. A estas personas les creará ansiedad incluso el pensamiento fantasioso de violar una regla tal como «No te arriesgues».

Transición al trastorno del Eje II

Ya hemos hablado de la noción de «cambio cognitivo». Cuando las personas desarrollan un trastorno del Eje II, tienden a procesar la información de forma selectiva y de manera disfuncional. Las creencias que el paciente mantenía antes de sufrir depresión o ansiedad se convierten en mucho más firmes y dominantes. Creencias del tipo «Si no tienes éxito, no vales nada» o «Un buen pdre debería satisfacer siempre las necesidades de sus hijos» son entonces más irrebatibles y extremas. Además, ciertos aspectos de la imagen negativa con respecto a sí mismo se agudizan y amplían, a tal punto que el paciente empieza a obcecarse con el pensamiento de que «No valgo nada» o «Soy un fracaso». Aquellos pensamientos negativos que eran pasajeros o menos sólidos antes de la depresión, se convierten en incontestables y se apoderan de los sentimientos y el comportamiento del paciente (Beck, 1963).

Crecen algunas de las creencias condicionales más específicas hasta incluir un abanico de situaciones mucho mayor. La creencia o actitud «Si no tengo a nadie que me guíe en situaciones nuevas, no seré capaz de afrontarlas» se amplía hasta «Si no hay siempre alguien fuerte a mi lado, iré dando tumbos». Al agravarse la depresión, tales creencias pueden ampliarse con enunciados del tipo «Como soy un incapaz, necesito que alguien se haga cargo de mí y me cuide». Así pues, las creencias se hacen más irrebatibles y extremas.

La facilidad con que los pacientes aceptan sus creencias condicionales durante la depresión o los trastornos por ansiedad sugiere que han perdido temporalmente la capacidad para someter sus interpretaciones disfuncionales a la prueba de realidad. Por ejemplo, un paciente deprimido que tiene la idea de «Soy un ser humano despreciable» parece carecer de capacidad para considerar esta creencia, sopesar las pruebas en contra y rechazarla si no hay pruebas que la respalden. Se diría que la discapacidad cognitiva reposa en la pérdida temporal del acceso a los modos racionales de cognición mediante los cuales ponemos a prueba nuestras conclusiones. La terapia cognitiva apunta explícitamente a «reactivar» el sistema de la prueba de realidad. Mientras tanto, el terapeuta le sirve al paciente corno verificador auxiliar del valor de realidad de las creencias.

Los pacientes deprimidos difieren también por su procesamiento automático de los datos. El trabajo experimental (Gilson, 1983) indica que incorporan rápida y eficientemente la información negativa sobre ellos mismos, pero están bloqueados en el procesamiento de la información positiva. El pensamiento disfuncional predomina y se dificulta la aplicación de los procesos cognitivos correctivos, más racionales.

Como ya lo señalamos, el modo como un individuo utiliza los datos sobre sí mismo y sobre los otros es influido por la organización de su personalidad. Cuando hay un trastorno de algún tipo —un síndrome clínico (sintomático) (Eje I), o un trastorno de la personalidad (Eje II)— el procesamiento ordenado de esos datos es disfuncionalmente distorsionado de un modo sistemático. La distorsión de la interpretación y la conducta consecuente es conformada por las creencias y actitudes disfuncionales de los pacientes.

Los cambios en la organización cognitiva

Muchas de las creencias básicas que encontramos en los trastornos del Eje II se vuelven evidentes cuando el paciente desarrolla un trastorno por ansiedad generalizada o una depresión mayor. Por ejemplo, algunas de las creencias condicionales más específicas se amplían para incluir un espectro mucho mayor de situaciones. La creencia o actitud de «Si alguien no me guía en las situaciones nuevas, no salgo a flote» adquiere un mayor alcance: «Si en todo momento no tengo a alguien a mano, me hundo». A medida que aumenta la depresión, esas creencias pueden llegar a «Debido a que no tengo solución, necesito a alguien que se haga cargo de mí y me cuide». Esas creencias adquieren entonces su carácter más absoluto y extremo.

Además, las creencias que el paciente tenía antes de desarrollar la depresión (u otro trastorno del Eje I) se vuelven mucho más verosímiles y generalizadas. Por ejemplo, «Si no tienes éxito, careces de valor» o «Una buena madre siempre satisface las necesidades de sus hijos». Asimismo, se acentúan y amplían las creencias negativas sobre uno mismo (la autoimagen negativa), hasta ocupar todo el concepto de sí mismo (Beck, 1967), de modo que el paciente empieza a perseverar en el pensamiento de «Carezco de valor» o «Soy un desastre». Las creencias o pensamientos negativos, que eran transitorios y menos poderosos antes de la depresión, se vuelven predominantes y gobiernan los sentimientos y la conducta del paciente.

El cambio cognitivo

La experiencia de Sue ilustra el cambio que se produce en las funciones cognitivas con la transición desde un trastorno de la personalidad hacia un estado de ansiedad y después a la depresión. Hasta donde Sue podía recordar, siempre había dudado de ser alguien aceptable. Cuando su relación con Tom se vio amenazada, esas dudas esporádicas sobre sí misma se transformaron en una preocupación continua. A medida que entraba en la depresión, la creencia de que podría ser indeseable se convirtió en la creencia de que *era* indeseable.

De modo análogo, la actitud de esta joven acerca del futuro pasó de una incertidumbre crónica a una aprensión continua, y finalmente, mientras se deprimía más, al desamparo respecto del futuro. Además, cuando se sentía ansiosa tendía a prever catástrofes, pero cuando estaba deprimida aceptaba esas catástrofes como si ya hubieran ocurrido.

Cuando no estaba clínicamente deprimida o ansiosa, Sue tenía acceso a alguna información positiva sobre ella misma: era «una buena persona», una amiga considerada y leal, una trabajadora concienzuda. Cuando se ponía ansiosa, aún podía reconocerse esas cualidades positivas, pero le parecían menos importantes, tal vez porque aparentemente no le aseguraban una relación estable con un hombre. Sin embargo, con el inicio de la depresión le resultaba difícil reconocer o incluso pensar en sus propias ventajas; cuando podía reconocerlas, tendía a descalificarlas, puesto que eran discordantes con su autoimagen.

Ya hemos observado que las creencias disfuncionales de los pacientes se vuelven más extremas y rígidas a medida que se desarrolla el trastorno afectivo. Antes de esto, Sue sólo ocasionalmente suscribía la creencia de «No puedo ser feliz con un hombre». Cuando se desarrollaron su ansiedad y su depresión, esta creencia se convirtió en «Siempre seré infeliz si no tengo un hombre».

La progresión de la disfunción cognitiva desde el trastorno de la personalidad hasta la ansiedad y después la depresión queda ilustrada por el deterioro gradual de la prueba de realidad. En un estado ansioso, Sue podía ver con cierta objetividad algunas de sus preocupaciones catastróficas. Advertía que el pensamiento de que «Siempre estaré sola y seré infeliz si se rompe esta relación» era sólo un pensamiento. Cuando se deprimía, la idea de que sin duda siempre sería infeliz ya no era una posibilidad; para ella era la realidad, un hecho.

En la terapia, las creencias antiguas que forman la matriz del trastorno de la personalidad son las más difíciles de cambiar. Las creencias asociadas sólo con los trastornos afectivos y por ansiedad son susceptibles de una mejoría más rápida, porque son menos estables. Por ejemplo, es posible que una persona pase de un modo depresivo a un modo más normal con psicoterapia, quimioterapia o simplemente con el transcurso del tiempo. Hay una circulación de la energía —o catexia— de una modalidad a otra. Cuando se produce ese cambio, se atenúan considerablemente los rasgos del «trastorno del pensamiento» en la depresión (distorsión negativa sistemática, generalización excesiva, personalización). El modo «normal» del trastorno de la personalidad es más estable que el modo depresivo o ansioso. Puesto que en ese «modo normal» los esquemas tienen más solidez y están más representados en la organización cognitiva, son menos susceptibles de cambio. Estos esquemas les dan sus características distintivas a la personalidad normal y al trastorno de la personalidad. En cada trastorno de la personalidad predominan ciertas creencias y estrategias que dan forma a un perfil característico.

Perfiles cognitivos

Un modo sencillo de considerar los trastornos de la personalidad consiste en pensarlos en términos de ciertos vectores. Siguiendo la formulación de Horney (1950), podemos ver estas estrategias interpersonales en función del modo como los diversos tipos de personalidad se relacionan y actúan con las otras personas, el modo como usan el espacio interpersonal. En relación con los demás, el individuo puede moverse o situarse contra, hacia, alejándose, arriba o abajo. El dependiente se mueve *hacia* y a menudo *abajo* (sumiso, subordinado). Otro «tipo» se *queda quieto* y puede obstruir a los otros; es el pasivo-agresivo. Los narcisistas se posicionan arriba de los otros. El compulsivo se orienta hacia *arriba* para tener el control. El esquizoide *se aleja*, y el evitativo se acerca y después *se retira*. Las personalidades histriónicas usan el espacio para *atraer* a los otros hacia ellas.[2] Como veremos, estos vectores pueden considerarse las manifestaciones visibles de estrategias interpersonales específicas asociadas con trastornos específicos de la personalidad. Este bosquejo simplificado presenta un modo de ver

2. Como hemos señalado con anterioridad, los trastornos límite y esquizotípico no están incluidos en nuestra diferenciación de las estrategias, porque no se caracterizan por un contenido de pensamiento específico.

los tipos y los trastornos de la personalidad en función de la manera como los individuos toman posición respecto de los demás. Esas pautas pueden ser disfuncionales, y se considera justificado un diagnóstico de trastorno de la personalidad cuando conducen (1) a problemas que causan sufrimiento en el paciente (por ejemplo, una personalidad evitativa) o (2) a dificultades con otras personas o con la sociedad (por ejemplo, en la personalidad antisocial). Pero muchas personas con un trastorno de la personalidad diagnosticado no piensan que padecen ningún trastorno. Por lo general, los individuos sólo estiman que sus pautas personales son indeseables cuando generan síntomas (como depresión o ansiedad), o cuando parecen obstaculizar importantes aspiraciones sociales o laborales (como en los casos de las personalidades dependiente, evitativa o pasivo-agresiva).

Enfrentados a situaciones que obstaculizan el despliegue de su estrategia idiosincrásica —por ejemplo, cuando un sujeto dependiente es separado o amenazado con la separación respecto de una persona significativa, o cuando un obsesivo-compulsivo cae en circunstancias incontrolables—, pueden desarrollar síntomas de depresión o ansiedad. Otros sujetos con trastornos de la personalidad consideran sus propias pautas como perfectamente normales y satisfactorias para ellos, pero reciben una calificación diagnóstica porque su conducta es vista como negativa por otras personas, como en el caso de las personalidades narcisistas, esquizoides o antisociales.

Las conductas (o estrategias) observables, no obstante, son sólo uno de los aspectos de los trastornos de la personalidad. Un trastorno no se caracteriza sólo por una conducta disfuncional o asocial, sino también por una constelación de creencias y actitudes, afectos y estrategias. Es posible dar un perfil distintivo de cada uno de los trastornos sobre la base de sus rasgos típicos cognitivos, afectivos y conductuales. Aunque presentamos esta tipología de forma pura, debe tenerse presente que los individuos concretos pueden presentar rasgos de más de un tipo de personalidad.

Pautas hiperdesarrolladas e infradesarrolladas

Los individuos que padecen un trastorno de la personalidad tienden a presentar ciertas pautas de comportamiento hipertrofiadas o hiperdesarrolladas, y otras infradesarrolladas. El trastorno obsesivo-compulsivo, por ejemplo, se caracteriza por un énfasis excesivo en el control, la responsabilidad y la sistematización, y una deficiencia relativa de espontaneidad y espíritu lúdico. Como lo ilustra la tabla 2.2, en los otros trastornos de la personalidad también encontramos la incidencia importante de algunas pautas y menor de otras. Los rasgos deficitarios suelen ser complementarios de los fuertes. Es como si se hubiera desarrolla-

TABLA 2.2. Estrategias típicas hiperdesarrolladas e infradesarrolladas

Trastorno de la personalidad	*Hiperdesarrolladas*	*Infradesarrolladas*
Obsesivo-compulsivo	Control Responsabilidad Sistematización	Espontaneidad Espíritu de juego
Por dependencia	Búsqueda de ayuda Apego excesivo	Autosuficiencia Movilidad
Pasivo-agresivo	Autonomía Resistencia Pasividad Sabotaje	Intimidad Asertividad Actividad Cooperatividad
Paranoide	Vigilancia Desconfianza Suspicacia	Serenidad Confianza Aceptación
Narcisista	Autoexaltación Competitividad	Compartir Identificación grupal
Antisocial	Combatividad Explotación Predación	Empatía Reciprocidad Sensibilidad social
Esquizoide	Autonomía Aislamiento	Intimidad Reciprocidad
Por evitación	Vulnerabilidad social Evitación Inhibición	Autoafirmación Gregarismo
Histriónico	Exhibicionismo Expresividad Vaguedad	Reflexión Control Sistematización

do una estrategia interpersonal, pero no la estrategia que produciría un equilibrio. Se podría especular que cuando un niño acentúa un tipo predominante de conducta, deja en la sombra o tal vez debilita el desarrollo de otras conductas adaptativas.

Como se verá en los capítulos que siguen, sobre cada tipo de trastorno de la personalidad, ciertas estrategias hipertrofiadas pueden derivar o compensar un tipo específico de autoconcepto, y ser una respuesta a particulares experiencias del desarrollo. Asimismo, como se indicó anteriormente, la predisposición genética favorece el desarrollo de un tipo particular de pauta de preferencia a otras pautas posibles. Por ejemplo, algunos niños parecen orientarse a gustar a los demás, mientras que otros se ven tímidos e inhibidos desde las primeras etapas del desarrollo. Entonces es posible que se desarrolle una personalidad narcisista mientras el individuo lucha ferozmente por superar una sensación profunda de falta de méritos. La personalidad obsesivo-compulsiva se puede desarrollar como respuesta a condiciones caóticas en la niñez, como un modo de poner orden en un ambiente desordenado. Una personalidad paranoide puede producirse como respuesta a experiencias tempranas de traición o engaño; una personalidad pasivo-agresiva se puede ir construyendo como respuesta a la manipulación por parte de los otros. La personalidad dependiente suele representar una fijación a un fuerte apego que, por diversas razones, podría haber sido reforzado por los miembros de la familia, quienes no lo atenuaron de un modo normal a lo largo del período del desarrollo. De un modo análogo, una personalidad histriónica pudo haber sido suscitada por la experiencia reiterada de recompensa al exhibicionismo —por ejemplo, al divertir a los otros para obtener aprobación y afecto—. Debe observarse que se puede llegar al mismo trastorno de la personalidad por distintos caminos. Por ejemplo, los trastornos de la personalidad narcisista, obsesivo-compulsivo, paranoide o incluso antisocial pueden aparecer como compensaciones del miedo (es decir, como resultado de una sensación de caos, manipulación o victimización), como consecuencia del refuerzo de las estrategias correspondientes por parte de otros, o en virtud de ambos factores.

No se puede pasar por alto la importancia de la identificación con los miembros de la familia. Algunos individuos *parecen* tomar ciertas pautas disfuncionales de sus progenitores o hermanos, y basarse en ellas a medida que crecen. En otros sujetos los trastornos de la personalidad parecen derivar de la herencia de una predisposición fuerte. La investigación reciente de J. Kagan (1989) indica que una timidez que se presenta precozmente en la vida tiende a persistir. Es posible que una disposición innata a la timidez sea tan reforzada por la experiencia siguiente que el individuo, en lugar de ser sencillamente no asertivo, evolucione como personalidad evitativa. Es útil analizar las características psicológicas de los sujetos que padecen trastornos de la personalidad en función de las concepciones que tienen de sí mismos y de los otros, de sus creencias y estrategias básicas, así como de sus principales afectos. De este modo, el terapeuta obtiene perfiles específicos cognitivo-conductuales-emotivos que le ayudan a comprender cada trastorno y le facilitan el tratamiento.

Perfiles cognitivos específicos

Trastornos de la personalidad por evitación

Las personas a las que se les diagnostica un trastorno de la personalidad por evitación según los criterios del DSM-IV-TR tienen el siguiente conflicto clave: les gustaría estar muy cerca de los demás y hacer realidad su potencial intelectual y vocacional, pero temen ser heridas, ser rechazadas y fracasar. Esta estrategia (en contraste con la de dependencia) consiste en retirarse, o bien en empezar por evitar el compromiso.

Concepción de sí mismas: Se consideran socialmente ineptas e incompetentes en el estudio o el trabajo.

Concepción de los demás: Los ven como potencialmente críticos, desinteresados o despectivos.

Creencias: No es infrecuente que las personas con este trastorno tengan las siguientes creencias *nucleares*: «No soy bueno... Soy indigno... No merezco ser amado. No tolero sentimientos desagradables». Estas creencias nutren el nivel siguiente (superior) de las creencias *condicionales*: «Si las personas se me acercan, descubrirán mi "verdadero yo" y me rechazarán; eso sería intolerable». O bien: «Si emprendo algo nuevo y no tengo éxito, eso sería devastador».

El nivel siguiente, que dicta su conducta, consiste en creencias *instrumentales* o de autoinstrucción, como por ejemplo: «Lo mejor es mantenerse libre de compromisos arriesgados», «Debo evitar a toda costa las situaciones desagradables», «Si pienso o siento que algo es desagradable, debo tratar de suprimirlo enseguida, distrayéndome o con un remedio rápido (bebida, drogas, etcétera)».

Amenazas: Las amenazas principales son ser descubierto como «un fraude», ser degradado, humillado, rechazado.

Estrategia: La principal estrategia consiste en evitar las situaciones en las que se puede ser evaluado, por lo cual estos individuos tienden a mantenerse de forma vacilante en los márgenes de los grupos sociales, y evitan atraer la atención. En las situaciones de trabajo tienden a no asumir nuevas responsabilidades y a no hacer nada por progresar, por miedo al fracaso y a la represalia de los otros.

Afecto: El principal afecto es la disforia, una combinación de ansiedad y tristeza, relacionada con la carencia de los placeres que quisieran obtener en sus relaciones personales y de la sensación de dominio que se consigue al lograr los objetivos. Experimentan una ansiedad relacionada con el temor a exponerse en situaciones sociales o de trabajo.

Su baja tolerancia a la disforia les impide desarrollar métodos para superar la timidez y afirmarse más eficazmente. Como son introspectivos y controlan continuamente sus sentimientos, tienen una aguda sensibilidad a su propia tristeza o ansiedad. Paradójicamente, a pesar de su excesiva conciencia de los sentimientos penosos, evitan identificarse con pensamientos desagradables —tendencia ésta coherente con su estrategia principal y que se denomina «evitación cognitiva»—. La baja tolerancia a los sentimientos desagradables y la sensibilidad ante el fracaso o el rechazo invaden todas sus acciones. A diferencia de la persona dependiente, que controla su miedo a fracasar apoyándose en otros, el individuo evitativo reduce sus expectativas y se abstiene de todo compromiso que suponga el riesgo de fracaso o rechazo.

Trastorno de la personalidad por dependencia

Los individuos que presentan este trastorno se ven a sí mismos desvalidos, y por lo tanto tratan de unirse a alguna figura más fuerte que les proporcione recursos para la supervivencia y la felicidad.

Concepción de sí mismos: Se perciben como necesitados, débiles, desvalidos e incompetentes.

Concepción de los otros: Ven de un modo idealizado al «cuidador» fuerte, que nutre, apoya y es competente. En contraste con la personalidad evitativa, que se mantiene libre de «relaciones complicadas» y por ello no obtiene respaldo social, la personalidad dependiente puede funcionar perfectamente mientras cuente con acceso a una figura fuerte.

Creencia: Estos pacientes creen que «Para sobrevivir necesito de otra persona, una persona fuerte». Además, suponen que su felicidad depende de que tengan acceso a una figura así. Creen necesitar un flujo constante, ininterrumpido, de apoyo y aliento. Dicen, por ejemplo, «No puedo vivir sin un hombre» o «Nunca seré feliz si no soy amado».

En cuanto a la jerarquía de las creencias, es probable que la creencia *nuclear* sea «Estoy completamente desamparado» o «Estoy solo». Las creencias *condicionales* son: «Sólo puedo funcionar si tengo acceso a alguien competente», «Si me abandonan, moriré», «Si no soy amado, siempre seré infeliz». El nivel *instrumental* consiste en imperativos tales como: «No ofender al cuidador», «Permanecer cerca», «Cultivar la relación más íntima posible», «Ser sumiso para tenerle atado».

Amenaza: Las principales amenazas o traumas tienen que ver con el rechazo o el abandono.

Estrategia: La principal estrategia consiste en cultivar una relación de dependencia. Frecuentemente lo hacen subordinándose a una figura «fuerte», a la que tratan de agradar o apaciguar.

Afecto: El principal afecto es la ansiedad, la preocupación por la posible fractura de la relación de dependencia. Esa ansiedad se acentúa periódicamente, cuando perciben tensiones reales en la relación. Si pierden la figura de la que dependen, se hunden en la depresión. Por otra parte, experimentan gratificación o euforia cuando se asegura la satisfacción de sus deseos de dependencia.

Trastorno pasivo-agresivo de la personalidad

Aunque este trastorno no se halle incluido en el DSM-IV-TR, hemos encontrado un número significativo de pacientes con conductas y creencias indicativas de este trastorno. Los individuos con este trastorno de la personalidad tienen un estilo contestatario, que pretende desmentir el hecho de que quieren obtener el reconocimiento y el apoyo de figuras de autoridad. El principal problema es un conflicto entre el deseo de conseguir las ventajas que otorgan las autoridades, por una parte, y por la otra el deseo de conservar la autonomía. En consecuencia, tratan de mantener la relación siendo pasivos y sumisos, pero como sienten una pérdida de autonomía se sublevan contra la autoridad.

Concepción de sí mismos: Pueden percibirse como autosuficientes pero expuestos a abusos por parte de otros. (No obstante, se sienten atraídos por las figuras y organizaciones fuertes, porque anhelan aprobación y apoyo sociales. Por lo tanto, suelen padecer un conflicto entre el deseo de apego y el miedo al abuso.)

Concepción de los demás: Ven a los demás —específicamente a las figuras de autoridad— como intrusivos, exigentes, entrometidos, controladores y dominantes, pero al mismo tiempo capaces de aprobar, aceptar y cuidar.

Creencias: Las creencias *nucleares* tienen que ver con nociones tales como: «Ser controlado por otros es intolerable», «Tengo que hacer las cosas a mi manera» o «Merezco aprobación por todo lo que he hecho».

Sus conflictos se expresan en creencias como «Tengo que proteger mi identidad». (Los pacientes límite [*borderline*] a menudo ponen de manifiesto el mismo tipo de conflicto). La creencia *condicional* toma la forma de «Si sigo las reglas, pierdo mi libertad de acción». Las creencias *instrumentales* giran en torno de posponer la acción que la autoridad espera, o de una obediencia superficial, pero no sustantiva.

Amenaza: Las principales amenazas o miedos giran en torno de la pérdida de la aprobación y la reducción de la autonomía.

Estrategia: La principal estrategia consiste en fortificar la autonomía mediante la oposición tortuosa a las figuras de autoridad, mientras se les corteja ostensiblemente para obtener su favor. Estos individuos tratan de eludir o violar las reglas con engaños, en un espíritu de desafío encubierto. Son a menudo subversivos, en el sentido de que no realizan el trabajo a tiempo, no asisten a clase, etcétera —en última instancia, conductas autodestructivas—. Pero superficialmente, por su necesidad de aprobación, puede parecer que son obedientes y que cultivan el favor de las autoridades. A menudo tienen una fuerte tendencia a la pasividad. Tienden a seguir la línea que supone menor esfuerzo; suelen evitar situaciones competitivas y les interesan más las empresas solitarias.

Afecto: Su principal afecto es la cólera no expresada, que se asocia con la rebelión contra las reglas dictadas por la autoridad. Este afecto, que es consciente, alterna con la ansiedad cuando prevén represalias y se sienten amenazados con un «corte de víveres».

Trastorno obsesivo-compulsivo de la personalidad

Las palabras clave de los obsesivo-compulsivos son «control» y «se debe». Estos individuos hacen una virtud del culto a los medios para alcanzar un fin, hasta tal punto que los medios se convierten en un fin en sí. Para ellos, «el orden es devoción».

Concepción de sí mismos: Se consideran responsables de sí mismos y de los otros. Creen que de ellos depende que se hagan las cosas. Tienen que rendir cuentas ante su propia conciencia perfeccionista. Se mueven sobre la base de fórmulas del tipo: «Tengo que hacer...». Muchas de las personas que tienen este trastorno albergan una imagen nuclear de sí mismas como ineptas o desvalidas. La preocupación profunda por sentirse desvalidas se vincula al miedo a verse superadas, a no poder desempeñar su función. *En* estos casos, el énfasis excesivo en el sistema compensa la percepción de las deficiencias y el sentimiento de estar desvalido.

Concepción de los demás: Estas personas perciben a los demás como excesivamente despreocupados, a menudo irresponsables, autocomplacientes o incompetentes. Les atribuyen «deberes» en abundancia, para apuntalar sus propias debilidades.

Creencias: En el trastorno obsesivo-compulsivo grave, las creencias *nucleares* son: «Puedo verme abrumado», «Soy básicamente desorganizado o estoy desorientado», «Para sobrevivir necesito orden, sistema y reglas». Sus creencias *condicionales* son: «Si no soy sistemático, todo se derrumbará», «Cualquier fallo o defecto por mi parte hará que me derrumbe», «Si yo u otro no nos esforzamos al máximo, fracasaremos», «Si fallo en esto, soy un fracaso como persona». Sus creencias *instrumentales* son imperativos: «Debo ser yo quien controla», «Prácticamente todo tengo que hacerlo a la perfección», «Sé qué es lo mejor», «Tienen que hacerlo a mi manera», «Los detalles son esenciales», «La gente *deberá* trabajar mejor y esforzarse más», «Continuamente tengo que empujarme a mí mismo (y empujar a los otros)», «Hay que criticar a la gente para evitar errores futuros». Pensamientos automáticos frecuentes, teñidos de crítica, son: «¿Por qué no pueden hacerlo bien?» o «¿Por qué siempre me equivoco?».

Amenazas: Las principales amenazas son los defectos, los errores, la desorganización o las imperfecciones. Tienden a sentir como una catástrofe «perder el control» o que «ellos (o los otros) no logren hacer las cosas».

Estrategia: La estrategia de estas personas gira en torno de un sistema de reglas, normas y deberes. Al aplicar las reglas evalúan y miden el comportamiento de los demás tanto como el suyo propio. Para alcanzar sus metas, tratan de ejercer el máximo control sobre su propia conducta y la de los otros involucrados. Tratan de mantener el control sobre su propia conducta por medio de numerosos imperativos y autorreproches; intentan controlar la conducta de los demás dirigiéndolos abiertamente, o desaprobándolos y castigándolos. Esta conducta instrumental puede llegar a la coerción y un trato esclavizador.

Afecto: En razón de sus normas perfeccionistas, estos individuos son particularmente proclives a los remordimientos, las decepciones y los castigos a sí mismos y a otros. La respuesta afectiva a la previsión de un comportamiento por debajo de las normas es la ansiedad. Cuando se produce un «fracaso» grave pueden caer en la depresión.

Trastorno paranoide de la personalidad

La palabra clave en el trastorno paranoide de la personalidad es «desconfianza». Es concebible que, en ciertas circunstancias, la cautela, la búsqueda de motivos ocultos o la falta de confianza en los demás sean adaptativas —incluso ayudan a salvar la vida—, pero la personalidad paranoide adopta esta postura en la mayoría de las situaciones, incluso las más benignas.

Concepción de sí mismas: Las personalidades paranoides se ven como rectas y se sienten maltratadas por los demás.

Concepción de los demás: Las otras personas son vistas esencialmente como tortuosas, mentirosas, traicioneras y encubiertamente manipuladoras. Creen que quieren obstaculizarlas, humillarlas, discriminarlas, pero siempre de un modo oculto o secreto, disfrazado de inocencia. Algunos pacientes pueden pensar que los demás forman coaliciones secretas contra ellos.

Creencias: Las creencias nucleares consisten en nociones tales como: «Soy vulnerable a otras personas», «No se puede confiar en los demás», «Tienen malas intenciones (con respecto a mí)», «Me engañan», «Me van a derrumbar o desacreditar». Las creencias *condicionales* son: «Si no tengo cuidado me manipularán, abusarán o se aprovecharán de mí», «Si la gente actúa amistosamente, es porque trata de usarme», «Si las personas parecen distantes, ello demuestra que son hostiles». Las creencias *instrumentales* (o de autoinstrucción) son: «Manténte en guardia», «No confíes en nadie», «Busca los motivos ocultos», «No te dejes engañar».

Amenazas: Su temor principal es ser rebajado de alguna manera: manipulado, controlado, desvalorado o discriminado.

Estrategias: En razón de la idea de que los demás están contra ellas, las personalidades paranoides se ven impulsadas a una enorme vigilancia y a estar siempre en guardia. Son cautelosas y suspicaces, y constantemente buscan indicios que revelen los «motivos ocultos» de sus «adversarios». A veces se enfrentan a tales «adversarios» con quejas por presuntos agravios, y de tal modo provocan realmente la hostilidad que creían percibir.

Afectos: El principal afecto es la cólera por el presunto abuso. Pero algunas personalidades paranoides experimentan además una ansiedad constante por las amenazas percibidas. Esa ansiedad penosa es a menudo la causa de que soliciten terapia.

Desorden antisocial de la personalidad

La personalidad antisocial puede asumir una variedad de formas: la expresión de la conducta antisocial es muy diversa (véase el DSM-IV-TR; American Psychiatric Association (APA), 2000); va desde la connivencia, la manipulación y la explotación hasta el ataque directo.

Concepción de sí mismas: En general, estas personalidades se consideran solitarias, autónomas y fuertes. Algunas piensan haber sido objeto de abusos y maltratos por parte de la sociedad; justifican la victimización de otros con la creencia de que ellas mismas han sido victimizadas. Otros de estos sujetos simplemente asumen un papel predador en un mundo caníbal en el que violar las reglas sociales es normal e incluso deseable.

Concepción de los demás: Se ve a las otras personas como explotadoras (y por lo tanto merecedoras de ser explotadas en represalia), o como débiles y vulnerables (por lo cual está bien que sean víctimas).

Creencias: Las creencias *nucleares* son: «Tengo que cuidar de mí mismo», «Debo ser el agresor, o seré la víctima». La personalidad antisocial también cree que «Los demás son tontos», o que «Son unos explotadores, y por lo tanto tengo derecho a explotarlos». Estas personas creen tener derecho a violar las reglas (supuestamente arbitrarias y destinadas a proteger a «los que tienen» de «los que no tienen»). Esta idea contrasta con la de las personalidades narcisistas, que creen ser tan especiales y únicas que están por encima de las reglas —prerrogativa que a su juicio todos reconocerán y respetarán fácilmente.

La creencia *condicional* es: «Si no presiono (o manipulo, exploto, ataco) a los demás, nunca obtendré lo que merezco». Las creencias *instrumentales* o imperativas son: «Pegar primero», «Ahora te toca a ti», «Tómalo, te lo mereces».

Estrategias: Las principales estrategias pertenecen a dos clases. La personalidad antisocial se manifiesta, ataca, roba y defrauda abiertamente. El tipo más sutil —de «guante blanco»— engaña, explota y estafa mediante manipulaciones astutas y sutiles.

Afecto: Cuando hay un afecto en particular, se trata esencialmente de la cólera, por la injusticia que supone que otras personas tengan lo que el antisocial supone que él merece.

Trastorno narcisista de la personalidad

La palabra clave de los narcisistas es «autoexaltación».

Concepción de sí mismas: Las personalidades narcisistas se consideran especiales y únicas, casi príncipes o princesas. Se atribuyen un estatus especial, por encima de la masa de las personas corrientes. A su juicio son superiores y tienen derecho a favores especiales y a un tratamiento de favor; están por encima de las reglas que rigen a las otras personas.

Concepción de los demás: Aunque consideran que las otras personas son inferiores, esta idea no tiene el mismo sentido que en las personalidades antisociales. Simplemente se consideran prestigiosas y por encima del promedio; los otros serían sus vasallos o partidarios. Procuran obtener la admiración de los demás, sobre todo como prueba de su propia grandiosidad y para preservar su estatus superior.

Creencias: Las creencias narcisistas *nucleares* son las siguientes: «Puesto que soy especial, merezco miramientos, privilegios y prerrogativas especiales», «Soy superior a los demás y ellos tienen que reconocerlo», «Estoy por encima de las reglas». Muchos de esos pacientes tienen creencias encubiertas de que nadie les quiere o de que no tienen remedio. Esas creencias emergen después de un fracaso significativo y forman elementos fundamentales de la depresión de los pacientes.

Las creencias *condicionales* son: «Si no reconocen mi estatus especial, hay que castigarles», «Para conservar mi estatus especial, debo someterles». Por otro lado, tienen creencias que fácilmente dan lugar a sentimientos negativos como «Si no soy el mejor, soy un fracaso». Por lo tanto, cuando experimentan una derrota significativa tienden a una caída catastrófica de su autoestima. La creencia *instrumental* es: «Trata constantemente de insistir en tu superioridad y en demostrarla».

Estrategias: Las estrategias principales consisten en hacer cuanto se pueda por reforzar el propio estatus superior y ampliar el dominio personal. El narcisista busca gloria, riqueza, posición, poder y prestigio para reforzar continuamente su imagen «superior». Tiende a ser altamente competitivo con quienes pretenden un estatus igualmente alto. Recurre a estrategias manipuladoras para lograr sus fines.

A diferencia de la personalidad antisocial, no tienen una concepción cínica de las reglas de la conducta humana; simplemente se consideran exceptuados. De forma similar, se ven a sí mismos como parte de la sociedad, pero en el estrato más alto.

Afectos: Su principal afecto es la cólera cuando otras personas no les conceden la admiración o el respeto que creen merecer, o de algún otro modo los frustran. Pero son proclives a la depresión cuando sus estrategias fallan. Por ejemplo, los psicoterapeutas han tratado a financieros de Wall Street que, tras haber hecho un uso fraudulento de información confidencial, se deprimieron al ser descubiertos y quedar expuestos a la vergüenza pública. Estos hombres sentían que al caer de sus elevadas posiciones lo habían perdido absolutamente todo.

Trastorno histriónico de la personalidad

La palabra clave en las personalidades histriónicas es «expresividad»; este término encarna la tendencia a dar una carga emocional o a hacer románticas todas las situaciones, así como a impresionar y cautivar a los otros.

Concepción de sí mismas: Se ven como encantadoras, grandiosas y merecedoras de atención.

Concepción de los demás: Los ven favorablemente mientras logren atraer su atención y su afecto, y consigan divertirles. Tratan de formar alianzas sólidas, pero con la condición de que se les permita ocupar el centro del grupo mientras los otros miembros desempeñan el papel de audiencia atenta. En contraste con las personalidades narcisistas, se entregan calurosamente a las interacciones constantes con las otras personas, y su autoestima depende de que reciban continuas expresiones de aprecio.

Creencias: La persona con un trastorno histriónico tiene a menudo creencias *nucleares* tales como: «En el fondo carezco de atractivos», o «Para ser feliz necesito que me admiren». Entre las creencias compensatorias se cuentan: «Merezco que me quieran, soy entretenido e interesante», «Tengo derecho a que me admiren», «Los demás están para admirarme y hacer lo que les pida», «No tienen ningún derecho a negarme lo que merezco».

Las creencias *condicionales* son, entre otras: «Si entretengo o impresiono a la gente, tengo un valor», «Si no cautivo a la gente, no soy nada», «Si no les resulto interesante, me abandonarán», «Si la gente no responde, es porque es mala», «Si no puedo cautivar a la gente, estoy desamparado».

Las personas histriónicas tienden a pensar de modo globalizador y basado en impresiones, hecho que se refleja en una de sus creencias *instrumentales*: «Puedo confiar en mis sentimientos». Así como los obsesivo-compulsivos se guían por sistemas racionales o intelectuales, los histriónicos siguen sus sentimientos. Si el histriónico se encoleriza, le basta con sus sentimientos para justificar el castigo a otra persona. Cuando siente afecto, no vacila en exteriorizarlo efusivamente, aunque al cabo de unos minutos pueda pasar a otro tipo de expresión. Si está triste, llora. Tiende a teatralizar el modo como comunica su sensación de frustración o desesperación, como en el «intento de suicidio histriónico». Esas pautas generales se reflejan en imperativos tales como: «Expresa tus sentimientos», «Sé divertido», «Demuéstrale a la gente que te ha herido».

Estrategias: Los histriónicos son demostrativos y teatrales para hacer que las personas queden ligadas a ellos. Pero cuando no tienen éxito, sin embargo, creen que se los trata con injusticia, y tratan de obtener sumisión a través de expresiones teatrales de su dolor e ira: llorando, con conductas violentas o impulsivos actos suicidas.

Afecto: El afecto positivo más destacado es la jovialidad, a menudo mezclada con alegría y buen humor cuando logran comprometer a otros. Pero por lo general experimentan una corriente subterránea de ansiedad, que refleja el miedo al rechazo. Ante la frustración, el afecto puede convertirse rápidamente en cólera o tristeza.

Trastorno esquizoide de la personalidad

La palabra clave de la personalidad esquizoide es «aislamiento». Estos individuos son la encarnación de la personalidad autónoma. Están dispuestos a sacrificar la intimidad en las relaciones para preservar su desapego y autonomía. Por otro lado, se ven a sí mismos como vulnerables al control ajeno, especialmente si dejan que los demás se acerquen.

Concepción de sí mismos: Se ven como autosuficientes y solitarios. Valoran la movilidad, la independencia y las empresas individuales. Prefieren tomar sus propias decisiones, realizar actividades a solas y no formar parte de un grupo.

Concepción de los demás: Para ellos, las otras personas son intrusivas y controladoras.

Creencias: Sus creencias *nucleares* son ideas como: «Estoy solo», «Las relaciones estrechas con otras personas no compensan, son desastrosas», «Puedo hacer mejor las cosas si los otros no me estorban», «Las relaciones estrechas son indeseables porque interfieren en mi libertad de acción».

Las creencias *condicionales* son: «Si me acerco demasiado a la gente, me van a clavar sus garfios», «No puedo ser feliz a menos que tenga una movilidad total». Las creencias *instrumentales* toman la forma de: «No te acerques demasiado», «Mantén las distancias», «No te comprometas».

Estrategia: La estrategia principal de estos pacientes es mantenerse a distancia en la medida de lo posible. Pueden unirse a otros por razones específicas —por ejemplo, en las actividades laborales o el sexo—, pero cuando no las hay prefieren distanciarse. Ante cualquier acción que represente una intrusión en su espacio, se sienten fácilmente amenazados.

Afecto: Mientras se mantienen a distancia, los esquizoides experimentan un bajo nivel de tristeza. Si se ven forzados a un encuentro estrecho, pueden ponerse muy ansiosos. En contraste con las personalidades histriónicas, no son proclives a demostrar lo que sienten, sea verbalmente o con gestos faciales, por lo cual producen la impresión de que no tienen sentimientos intensos.

Estilos de pensamiento

Los trastornos de la personalidad pueden también caracterizarse por sus estilos cognitivos, como reflejo posible de las estrategias conductuales de los pacientes. Los estilos cognitivos tienen que ver con la *manera* de procesar la información, en tanto opuesta al *contenido* específico del procesamiento. Varios tipos de personalidad tienen estilos cognitivos característicos que vale la pena describir.

Los histriónicos emplean la estrategia de la «exhibición» para atraer a las personas y satisfacer sus deseos de apoyo e intimidad. Cuando la estrategia de impresionar o divertir fracasa, hacen un franco despliegue «teatral» (llanto, rabia, etc.) para castigar a quienes los ofenden y obligarlos a someterse. El procesamiento de la información presenta el mismo carácter global y basado en impresiones. A estos individuos «el bosque les impide ver los árboles». Interpretan las situaciones en términos amplios, estereotipados, globales, a expensas de detalles cruciales. Es probable que respondan a su *Gestalt* de la situación, basada en información inadecuada. Las personas con un trastorno histriónico son también proclives a adscribir cierta pauta a determinada situación, aunque esa pauta no corresponda. Por ejemplo, si otras personas parecen indiferentes a los intentos de divertirlas, el histriónico juzga la situación en su globalidad —«Me rechazan»—, en lugar de ver los detalles que podrían explicar la conducta de los otros. Pasan por alto el hecho de que pueden estar cansados o aburridos, o preocupados por otras cosas. El énfasis en las «impresiones» es también evidente en el modo como adornan todas las experiencias: les dan a los hechos un carácter romántico que los eleva a la categoría de gran drama o gran tragedia. Finalmente, como sintonizan más con la evaluación subjetiva que con la medición objetiva de los hechos, tienden a considerar sus sentimientos como una guía decisiva para la interpretación. Por ejemplo, si en el encuentro con otra persona se sienten mal, ello significa que la otra persona es mala. Si han experimentado euforia, significa que la otra persona es maravillosa.

A la personalidad obsesivo-compulsiva, en acentuado contraste con la histriónica, «los árboles le impiden ver el bosque». Estas personas se centran tanto en los detalles que pasan por alto la pauta general; por ejemplo, quizá tomen una decisión basándose en unas pocas fallas en el comportamiento de alguien, aunque éste sea globalmente bueno. Además, en contraste con el histriónico, el obsesivo-compulsivo tiende a minimizar las experiencias subjetivas. Así se priva de parte de la riqueza de la vida y del acceso a los sentimientos como fuente de información que realza la significación de los acontecimientos importantes.

El estilo de pensamiento de las personas con personalidad evitativa difiere del de los individuos antes mencionados. Así como tienden a evitar las situaciones en las que se sienten mal, también emplean un mecanismo de «evitación interna». En cuanto empiezan a experimentar un sentimiento desagradable, tratan de amortiguarlo desviando la atención hacia alguna otra cosa o con un remedio superficial y rápido —por ejemplo, tomando una copa—. También evitan los pensamientos capaces de suscitar sentimientos desagradables.

Los estilos cognitivos de los otros trastornos de la personalidad no son tan definidos como los que hemos considerado.

Resumen de las características

La tabla 2.3 presenta las características de nueve trastornos de la personalidad. Las dos primeras columnas dan las concepciones de sí mismo y de los otros; en la columna siguiente encontramos las creencias respectivas, y en la columna final, las estrategias específicas. Esta tabla demuestra que el modo de verse a sí mismo y de ver a los otros, junto con las creencias, conducen a una estrategia específica. Aunque esa estrategia o conducta proporciona las bases para el diagnóstico del trastorno de la personalidad, para la plena comprensión de la naturaleza del problema es importante esclarecer el concepto de sí mismo y de los demás, y las creencias del sujeto. Estos componentes cognitivos forman parte del procesamiento de la información, y al ser activados desencadenan la estrategia correspondiente.

Por ejemplo, una persona evitativa —Jill— *se veía a sí misma* como socialmente inepta; por lo tanto, era vulnerable al desprestigio y el rechazo. Para ella *los demás* eran críticos y despreciativos; ese modo de ver complementaba su sensación de vulnerabilidad. La *creencia* de que el rechazo era terrible sumaba una enorme valencia a su sensibilidad, y tendía a magnificar la importancia de cualquier rechazo, previsto o real. De hecho, esa creencia tendía a cerrar el paso a toda retroalimentación positiva. La previsión del rechazo hacía que se sintiera crónicamente ansiosa entre la gente; como lo magnificaba, cualquier signo de rechazo podía herirla.

Otras dos creencias contribuían a hacer que se abstuviera de comprometerse: 1) si se acercaba a la gente, la reconocerían como inferior e inadecuada, y 2) ella no toleraba sentimientos desagradabies, lo que la llevaba a evitar su activación. Por lo tanto, como resultado de la presión de sus diversas creencias y actitudes, se sintió empujada hacia la única estrategia compatible con su preocupación importante: evitar las situaciones en que podía ser evaluada. Además, en razón de su baja tolerancia a los sentimientos o pensamientos desagradables, constantemente desechaba cualquier idea capaz de suscitarlos. En la terapia tenía dificultades para tomar decisiones, identificar los pensamientos automáticos negativos o examinar sus creencias básicas, porque ello despertaba ese tipo de sentimientos.

TABLA 2.3. Perfil de las características de los trastornos de la personalidad

Trastorno de la personalidad	*Concepción de sí mismo*	*Concepción de los demás*	*Principales creencias*	*Estrategia principal*
Por evitación	Vulnerable al desprestigio, al rechazo Socialmente inepto Incompetente	Críticos Despreciativos Superiores	«Es terrible ser rechazado, humillado.» «Si la gente *conociera* mi verdadero yo, me rechazaría.» «No tolero los sentimientos desagradables.»	Evitar las situaciones de evaluación Evitar los pensamientos o pensamientos desagradables
Por dependencia	Necesitado Débil Desvalido Incompetente	(Idealizados) Generosos Brindan apoyo Competentes	«Necesito de la gente para sobrevivir, para ser feliz.» «Necesito un flujo constante de apoyo, de aliento.»	Cultivar relaciones de dependencia
Pasivo-agresivo	Autosuficiente Vulnerable al control, a las interferencias	Intrusivos Exigentes Interfieren Controlan Dominan	«Los otros interfieren en mi libertad de acción.» «Ser controlado por otros es intolerable.» «Las cosas deben hacerse a mi manera.»	Resistencia pasiva Sumisión superficial Eludir, trampear con las reglas
Obsesivo-compulsivo	Responsable Rinde cuentas Fastidioso Competente	Irresponsables Despreocupados Incompetentes Autocomplacientes	«Yo sé qué es lo mejor.» «Los detalles son cruciales.» «La gente *debería* trabajar mejor, esforzarse más.»	Aplicar las reglas Perfeccionismo Evaluar, controlar «Deberes», criticar, castigar
Paranoide	Justo Inocente, noble Vulnerable	Interfieren Maliciosos Discriminan Tienen móviles abusivos	«Los motivos de los demás son sospechosos.» «Debo mantenerme siempre en guardia.» «No puedo fiarme de nadie.»	«Mantente preocupado» Búsqueda de móviles ocultos Acusar Contraatacar
Antisocial	Solitario Autónomo Fuerte	Vulnerables Explotadores	«Tengo derecho a *violar* las reglas.» «Los otros son tontos.» «Soy mejor que los demás.»	Ataque, robo Engañar, manipular

Límite	Vulnerable (al rechazo, a la traición, a la dominación) Carente de un apoyo emocional que necesita Privado de capacidad y fuerza Fuera de control Defectuoso Imposible de amar Malo	(Idealizados) Capacitados dignos de amor, perfectos (Devaluados) Controladores, traidores, que abandonan, que rechazan	«No puedo manejarme solo.» «Necesito a alguien en quien confiar.» «No puedo soportar los sentimientos desagradables.» «Si me fío de alguien, me maltratará y abandonará.» «Lo peor que le puede pasar a uno es que lo abandonen.» «Me resulta imposible controlarme a mí mismo.» «Merezco que me castiguen.»	Subyugar las propias necesidades para mantener la relación Protestar teatralmente, amenazar y ser violento con aquellos que den signos de un posible rechazo Aliviarse a través de la autolesión y la conducta autodestructiva Intentar el suicidio como una forma de escape
Narcisista	Especial, único Merece reglas especiales, es superior Está por encima de las reglas	Inferiores Admiradores	«Puesto que soy especial, *merezco* reglas especiales.» «Estoy por encima de las reglas.» «Soy mejor que los otros.»	Usar a los demás Saltarse las reglas Manipular Competir
Histriónico	Encantador Impresionante	Accesibles a la seducción Receptivos Admiradores	«La gente está para servirme o admirarme.» «La gente no tiene derecho a negarme lo que me merezco.» «Puedo guiarme por mis sentimientos.»	Teatralidad, encanto; estallidos de mal genio; llanto; gestos suicidas
Esquizoide	Autosuficiente Solitario	Intrusivos	«Los otros no me compensan» «Las relaciones son desastrosas, indeseables.»	Mantener la distancia
Esquizotípico	Irreal, distanciado, solitario Vulnerable, llama la atención en situaciones sociales Poseedor del don de una sensibilidad sobrenatural	No merecedores de confianza Malévolos	(Pensamiento ideográfico, extraño, supersticioso y mágico; por ejemplo, son fundamentales en su estructura de creencias las creencias en la clarividencia, la telepatía o en un «sexto sentido»). «Es mejor aislarse de los demás.»	Estar atento y neutralizar la atención malévola de los demás. Aislarse Estar vigilante ante fuerzas o eventos sobrenaturales

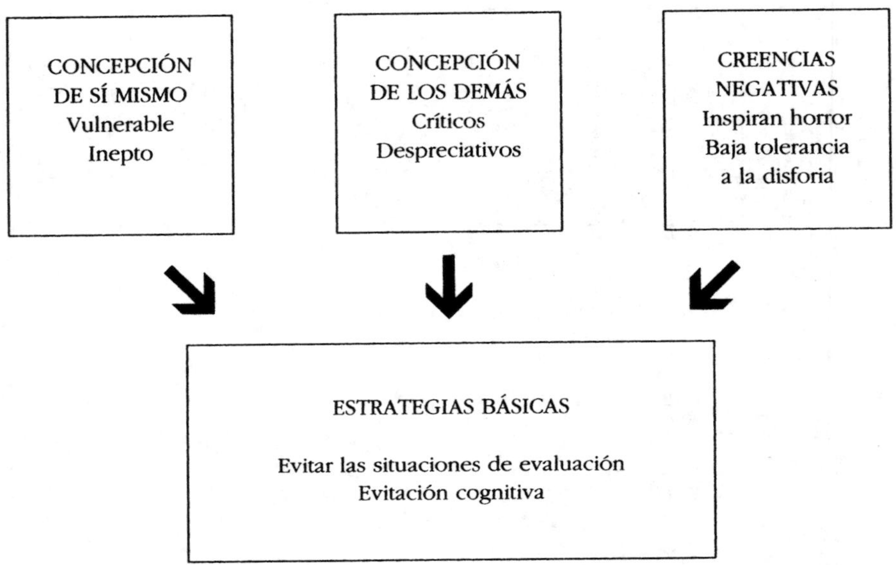

FIGURA 2.1. Relación de las concepciones y creencias con las estrategias básicas.

La figura 2.1 ilustra el flujo básico. Para cada uno de los otros trastornos de la personalidad se puede construir un gráfico de flujo análogo, con las creencias distintivas y las pautas conductuales resultantes. Por ejemplo, el trastorno de la personalidad por dependencia difiere del de la personalidad evitativa en cuanto a que en el primero se tiende a idolatrar a los otros potencialmente donadores y a creer que brindarán ayuda y apoyo. Por lo tanto, el dependiente se siente atraído hacia la gente. El pasivo-agresivo quiere aprobación, pero no tolera nada que se parezca al control, de modo que tiende a frustrar a quienes esperan algo de él y, por lo tanto, se derrotan a sí mismos. Las personas obsesivo-compulsivas idealizan el orden y el sistema y se sienten impulsadas a controlar a los demás, tanto como a sí mismas. El paranoide vigila mucho a los otros a causa de su desconfianza y suspicacia básicas, y se inclina a acusarlos (abierta o mentalmente) de que lo discriminan. La personalidad antisocial afirma que tiene derecho a manipular a los demás o a abusar de ellos, debido a la creencia de que ha sido víctima de un agravio y de que los otros son tontos, o de que vivimos en una sociedad «caníbal». Los narcisistas se ven a sí mismos como superiores al resto de los mortales y buscan la gloria con cualquier método seguro. Los individuos histriónicos tratan de atraer a los demás divirtiéndoles, pero también con estallidos de mal genio y teatralizaciones que fuerzan el acercamiento cuando con el encanto no basta. El esquizoide, por su creencia de que relacionarse no compensa, se mantiene a distancia de las otras personas.

La comprensión de las creencias y estrategias típicas de cada trastorno de la personalidad le proporciona al terapeuta una guía. Pero debe tener presente que la mayoría de las personas con determinado trastorno de la personalidad también pondrán de manifiesto actitudes y conductas características de otros trastornos. En consecuencia, es importante que el terapeuta no pase por alto esas variaciones para realizar una evaluación completa.

CAPÍTULO 3

DIAGNÓSTICO DE LOS TRASTORNOS DE LA PERSONALIDAD

Los trastornos de la personalidad representan un importante y desafiante objetivo para la evaluación y la intervención clínica. Además del malestar e incapacidad asociado a estos trastornos, las formulaciones teóricas y hallazgos empíricos sugieren que los trastornos de la personalidad, los rasgos maladaptativos o los esquemas cognitivos asociados incrementan el riesgo de padecer trastornos del Eje I y ejercen una influencia en el desarrollo, mantenimiento y expresión de síntomas del Eje I (Beck, Freeman y otros, 1990; Gunderson, Triebwasser, Phillips y Sullivan, 1999). Por lo tanto, evaluar la presencia y el tipo de patología de la personalidad puede proporcionarnos importante información acerca de la etiología de cuadros comórbidos y ayudarnos a tomar decisiones relevantes tanto al Eje I como al Eje II. Más aún, cuando el tratamiento progresa de manera demasiado lenta o está encallado, ello puede indicar la presencia de un trastorno de la personalidad no diagnosticado o una evaluación y conceptualización de la patología de la personalidad inadecuada.

Este capítulo empieza con una revisión de los principales aspectos conceptuales y metodológicos asociados con la evaluación de la patología de la personalidad. Después, se revisan los procedimientos e instrumentos de evaluación más usados. Haremos especial hincapié en los cuestionarios de autoevaluación que han sido desarrollados desde la primera edición de este libro para evaluar las bases cognitivas de los trastornos de la personalidad.

Aspectos conceptuales y metodológicos

La evaluación de los trastornos de la personalidad requiere un conocimiento operativo de la definición general de trastorno de la personalidad y de los criterios para cada trastorno específico. Debido a que los criterios específicos para los trastornos del Eje II ya están expuestos en otro capítulo, no los vamos a ver ahora. Sin embargo, vale la pena revisar cuál es el criterio general para el diagnóstico de un trastorno de personalidad, especialmente porque puede ser pasado por alto si los profesionales clínicos se centran demasiado en el contenido de la estructura de personalidad del paciente.

Como define la cuarta edición del *Diagnostic and Statistical Manual of the Mental Disorders* (DSM-IV; American Psychiatric Association, 1994), un trastorno de la personalidad es «una duradera pauta de experiencia y conducta interna que se aparta notablemente de las expectativas de la cultura de un individuo, es generalizada e inflexible, aparece en la adolescencia o en la primera edad adulta, es estable en el tiempo y conduce a un malestar o perjuicio» (pág. 633). Esa pauta se manifiesta en dos (o más) de las siguientes áreas: (1) la cognición (por ejemplo, maneras de percibir e interpretar el yo, la otra gente o los eventos), (2) la afectividad (por ejemplo, el rango, la intensidad, la estabilidad, lo apropiado o inapropiado de la respuesta emocional), (3) el funcionamiento interpersonal y (4) el control de los impulsos.

Dada esta definición, los clínicos deberían tener en cuenta dos cuestiones muy importantes a la hora de determinar un trastorno de personalidad:

1. ¿Las experiencias y conductas internas representan pautas inflexibles, generalizadas y estables en el tiempo y no simplemente efectos episódicos y pasajeros relacionados con el presente estado psiquiátrico del paciente?
2. ¿Estas pautas duraderas crean un malestar significativo o un funcionamiento significativamente desventajoso en múltiples ámbitos (por ejemplo, social y ocupacional)?

Tales juicios los dejamos en manos de los profesionales clínicos ya que nadie ha propuesto todavía unas líneas definitorias para establecer los límites entre la personalidad patológica y la normal, entre trastornos de la personalidad y trastornos del Eje I o entre los distintos trastornos de personalidad (Zimmerman, 1994).

Enfoques categóricos frente a dimensionales

Aunque el DSM-IV representa un enfoque categórico en el que los trastornos de la personalidad representan síndromes cualitativamente distintos, también reconoce el valor potencial de los enfoques dimensionales a la hora de conceptualizar y medir los trastornos de la personalidad. Con tal enfoque es fácil cuantificar el grado en el que están presentes los criterios para cada trastorno de la personalidad y después presentar esta información en forma de perfil. Un enfoque dimensional alternativo es cuantificar rasgos relevantes a los trastornos de la personalidad y que descansan en un continuo que va de lo normal a lo patológico. Este enfoque rasgo-dimensional es consistente con la visión, cada vez más secundada, de que los trastornos de la personalidad tienen límites «borrosos» entre ellos y con la personalidad normal (Pfohl, 1999).

Las estrategias que empezamos para evaluar las patologías de la personalidad dependerán en parte de la elección de enfoques categóricos frente a dimensionales. Por razones pragmáticas, los profesionales encuentran preferibles los enfoques categóricos, como hacer referencia a un diagnóstico del Eje II en un informe. El enfoque categórico también tiene la ventaja de la claridad y facilidad de comunicación, además de la familiaridad que ya le tienen los clínicos (Widiger, 1992). Sin embargo, se han señalado algunos inconvenientes de los enfoques categóricos, entre los que se cuentan, (1) un alto grado de solapamiento de etiquetas diagnósticas y diagnosis mezcladas entre los trastornos de la personalidad, (2) la falta de umbrales claros para distinguir entre pacientes con y sin trastornos específicos de la personalidad, (3) la inestabilidad temporal de los diagnósticos de trastorno de la personalidad y (4) una notable falta de acuerdo en la apropiada conceptualización de los diferentes trastornos de la personalidad (L. Clark, 1999). Otro problema comúnmente observado con el enfoque categórico usado en el DSM es la variación que contempla, ya que los diagnósticos se basan en que una persona tenga un número mínimo de criterios a partir de una larga lista prototípica. Así, diferentes sujetos con diferentes perfiles pueden acabar con el mismo diagnóstico. Las evaluaciones categóricas (presente/ausente) también proporcionan menos información que las dimensionales, las cuales pueden dar lugar a perfiles ideográficos de los pacientes.

Desde un punto de vista psicométrico, los juicios dimensionales de la personalidad han mostrado consistentemente mayor confiabilidad que los categóricos (Heumann y Morey, 1990; Pilkonis, Heape, Ruddy y Serrao, 1991; Trull, Widiger y Guthrie, 1990). En la práctica, no hay razón por la que los enfoques categóricos y dimensionales no pudiesen ser integrados. Por ejemplo, una evaluación dimensional puede proporcionar información detallada en cuanto al funcionamiento de la personalidad del paciente y esta misma información puede ser útil para hacer un diagnóstico categórico sobre el Eje II.

Distinción entre trastornos del Eje I y del Eje II

La coexistencia de trastornos del Eje I y del Eje II es cosa habitual. Por ejemplo, Van Velzen y Emmelkamp (1996) revisaron la literatura sobre trastornos alimentarios, depresivos y de ansiedad y encontraron que más o menos la mitad de los pacientes con esos diagnósticos también tenían un trastorno de la personalidad.

El problema de los trastornos que coexisten está especialmente relacionado con la evaluación de los trastornos de la personalidad. Los profesionales pueden fácilmente entender una incapacidad o malestar relacionado con el Eje I como evidencia de un criterio del Eje II. Por ejemplo, la percepción de uno mismo como socialmente inepto puede ser la manifestación de un trastorno de personalidad por evitación, una depresión o una fobia social, para mencionar sólo algunas posibilidades. Debido a que la depresión conduce a visiones distorsionadas negativas, tanto del yo actual como de los informes retrospectivos (Clark y Beck, con Alford, 1999), requiere mucha sofisticación clínica distinguir la significación diagnóstica de este síntoma. Este problema tiene más probabilidades de aparecer cuando se intenta diferenciar síntomas de depresión y ansiedad frente a síntomas de trastornos de personalidad en el grupo de «ansiedad-miedo» (grupo C: trastornos por evitación, dependiente y obsesivo-compulsivo; véase Peselow, Sanfilipo y Fieve, 1994). Complejidades similares surgen del solapamiento de criterios entre los diferentes trastornos de la personalidad. Por ejemplo, la ideación paranoide es un criterio que define al trastorno de personalidad paranoide, pero también aparece bajo circunstancias estresantes en el trastorno de personalidad borderline (criterio 9).

Dimensiones de la personalidad generales frente a dimensiones no generales

Existe mucha evidencia de que hay de tres a cinco grandes dimensiones de la personalidad (por ejemplo, neuroticismo, extroversión, introversión; Costa y McRae, 1992). Sin embargo, estos constructos son tan amplios y generales en la jerarquía de rasgos de la personalidad que pueden carecer de utilidad para propósitos clínicos. Más aún, el hecho es que no surgieron del propósito de explicar las patologías de la personalidad, y los intentos de integrarlos dentro de los distintos trastornos de la personalidad desde un punto de vista teórico han sido escasos (Millon y Davis, 1996).

Se han llevado a cabo numerosos esfuerzos para identificar dimensiones de personalidad menos generales y relevantes a la hora de evaluar trastornos de la personalidad. Cuando los investigadores han usado técnicas de análisis factorial para identificar más dimensiones de la personalidad han encontrado entre 15 y 22 dimensiones relevantes en cuanto a los trastornos de la personalidad. En muchos casos, estas dimensiones muestran una replicabilidad similar a la encontrada en las dimensiones generales. Por ejemplo, L. Clark (1999) encontró una considerable validez convergente entre tres autoinformes sobre rasgos de la personalidad no generales: el Schedule for Nonadaptive and Adaptive Personality (SNAP; L. Clark, 1993), el Dimensional Assessment of Personality Pathology – Basic Questionnaire (DAPP-BQ; Livesley, 1990) y el Multiple Personality Questionnaire (MPQ; Tellegen, 1993). Las creencias y esquemas de los trastornos de la personalidad representan dimensiones no generales que son especialmente útiles para la terapia cognitiva de los trastornos de la personalidad.

Estrategias de evaluación

AUTOINFORMES

Los autoinformes representan la estrategia más práctica para recoger información relevante sobre los trastornos de la personalidad. Se han desarrollado numerosos cuestionarios durante las últimas dos décadas y la mayoría ya han sido analizados (Millon y Davis, 1996; J. Reich, 1987; Widiger y Frances, 1987). Algunos de esos instrumentos fueron diseñados para definir trastornos de la personalidad tal y como lo hace el Eje II del DSM; dos de los más comúnmente usados son el Millon Clinical Multiaxial Inventory (MCMI-III; Millon, Millon y Davis, 1994) y el Personality Diagnostic Questionnaire – Revised (PDQ-R; Hyler y Rieder, 1987). Otros fueron desarrollados para evaluar rasgos relevantes de los trastornos de la personalidad. Ejemplos prominentes de tales instrumentos son el DAPP-BQ (Livesley, 1990), el SNAP (L. Clark, 1993) y el Wisconsin Personality Disorders Inventory (WISPI; Klein y otros, 1993). Todavía existen otros que fueron construidos específicamente para evaluar dimensiones cognitivas relevantes en los trastornos de personalidad: el Personality Belief Questionnaire (PBQ; Beck y Beck, 1991) y el Schema Questionnaire (SQ; Young y Brown, 1994). Más adelante analizaremos todo este material.

Cuando los comparamos a otras estrategias (por ejemplo, entrevistas clínicas estructuradas), los autoinformes requieren menos formación y menos tiempo de administración. También proporcionan puntuaciones que pueden ser comparadas con grupos normativos y usadas para preparar perfiles. Más aún, los cuestionarios antes mencionados tienen generalmente una buena validez, una muy buena consistencia interna y confiabilidad test-retest y una aceptable validez de constructo. Lo problemático ha sido establecer validez de criterio ya que no hay «prototipos estándares» para evaluar trastornos de la personalidad. De todas formas, este problema es igual para todas las estrategias de evaluación.

El tema de la validez de criterio es importante y merece un poco más de tratamiento. Reconociendo que un estándar o prototipo no es una idea realista para los trastornos de personalidad, Spitzer (1983) sugirió un LEAD estándar (siglas que resumen el nombre: Longitudinal, Experto, Todos —en inglés, All— los Datos). El procedimiento LEAD formaliza la integración del juicio clínico de los expertos, e incrementa la atención en la fiabilidad, el uso de múltiples fuentes de información (incluidos datos anteriores, feedback de clínicos en tratamiento y otras entrevistas significativas) y el monitoraje de la situación del paciente y la diagnosis a lo largo del tiempo. Aunque algunas personas han apreciado de problemas prácticos a la hora de implementar el método (Loranger, 1991), el uso del estándar LEAD en la investigación ha producido algunos hallazgos informativos. Pilkonis y otros (1991) encontraron que los diagnósticos que llegaban a través del procedimiento LEAD estaban menos influenciados por el estado sintomatológico del paciente que los diagnósticos que dependían solamente de una entrevista clínica estructurada. En estos momentos faltan comparaciones entre los autoinformes y los estándares LEAD. Sin embargo, no es probable que lo hicieran mejor que las entrevistas estructuradas. Basándose en hallazgos recientes, los clínicos son advertidos acerca de confiar sólo en autoinformes (o incluso usarlos como fuente principal), para diagnosticar trastornos del Eje II.

Entrevistas clínicas estructuradas

Algunas entrevistas clínicas estructuradas han sido desarrolladas para evaluar trastornos de personalidad y dimensiones de la personalidad relacionadas. Al igual que los autoinformes, ya han sido analizadas en muchos foros (por ejemplo, Millon y Davis, 1996; J. Reich, 1987; Widiger y Frances, 1987) y aquí están resumidas. En particular, Van Velzen y Emmelkamp (1996) proporcionan una revisión concisa de las entrevistas estructuradas más usadas e investigadas. Entre ellas se incluyen la Structured Clinical Interview for DSM-IV (SCID-II; First, Spitzer, Gibbon y Williams, 1995), el Personality Disorder Examination – Revised (PDE-R; Loranger, Susman, Oldham y Russakoff, 1987) y la Structured Interview for DSM-IV Personality Disorders (SIDP-R; Pfohl, Blum, Zimmerman y Stangl, 1989). Las tres entrevistas han mostrado generalmente una adecuada y, en algunos casos, excelente confiabilidad cuando son administradas por clínicos experimentados. La importancia de la formación y la competencia del clínico no puede ser minusvalorada.

En cuanto al producto final de las entrevistas estructuradas, las estimaciones de la confiabilidad han sido universalmente más altas para las puntuaciones dimensionales que para los diagnósticos categóricos (L. Clark, 1999; Pilkonis y otros, 1995). El PDE-R es especialmente útil para derivar puntuaciones dimensionales para cada trastorno del Eje II, pero también requiere el mayor tiempo para su administración. Aunque el SCID-II no proporciona una puntuación dimensional, tiene la ventaja de que su tiempo de administración es más corto (una media de 36 minutos frente a los 60-90 minutos del SIDP-R y las 2 horas y 20 minutos del PDE-R; Van Velzen y Emmelkamp, 1996). La SCID-II ha sido más estudiada que las otras entrevistas. Un estudio reciente encontró coeficientes fiabilidad de intraevaluadores de 0.48 a 0.98 para diagnósticos categóricos y de 0.90 a 0.98 para valoraciones dimensionales (Maffei y col., 1997). El impacto de la experiencia clínica y la formación en los diagnósticos de SCID-II fue recientemente investigado por Ventura, Liberman, Green, Shaner y Mintz (1998). Estos autores encontraron que los entrevistadores con experiencia clínica tendían a tener mejor fiabilidad entre-entrevistadores y precisión diagnóstica general que los neófitos, pero ambos eran capaces de lograr una fiabilidad entre-entrevistadores y una precisión diagnóstica alta después de cierta formación.

Uso de informantes

Tanto los autoinformes como las entrevistas clínicas estructuradas dependen de que los pacientes sean capaces y deseen informar adecuadamente sobre sus experiencias internas y sus pautas de conducta a largo plazo. Sin embargo, la experiencia clínica, la teoría cognitiva y los hallazgos empíricos apuntan a varias posibles formas de pérdida de autenticidad de los autoinformes. Parte de ese sesgo procede del efecto del estado psiquiátrico del paciente cuando lleva a cabo el informe. Por ejemplo, la depresión ha sido asociada con percepciones negativas del yo, del mundo personal del sujeto y del futuro (Clark y otros, 1999). Tales distorsiones pueden aumentar los síntomas del Eje II asociados a esos ámbitos (por ejemplo, evitante y dependiente; Loranger y otros, 1991; Peselow y otros, 1994). Los pacientes con otras características de personalidad (por ejemplo, obsesivo-compulsivos) pueden no señalar suficientemente ciertas conductas disfuncionales debido a que están interesados en quedar bien socialmente o porque perciben que descubrirse no les conviene. La posibilidad de ocultación de datos debe considerarse siempre cuando obtenemos datos de pacientes con tendencias antisociales y en situaciones de análisis forenses. Finalmente, se ha señalado en diversas ocasiones que los pacientes con o sin una patología de la personalidad significativa pueden exagerar su malestar o incapacidad porque buscan ayuda desesperadamente o no están satisfechos con la atención que se les presta o con el tratamiento que reciben (Loranger, 1999).

Los clínicos frecuentemente tienen la oportunidad de añadir al autoinforme del paciente información obtenida a partir de informantes que conocen bien a éste, como miembros de su familia, amigos y compañeros de trabajo. Aunque los informantes no suelen tener tanto acceso a las experiencias internas del paciente como el mismo paciente, y sus percepciones pueden estar sesgadas hasta un cierto punto, pueden proporcionar información sobre las pautas conductuales que el paciente no percibe o no quiere revelar (Zimmerman, Pfohl, Stangl y Corenthal, 1986).

Dadas las diferencias entre las perspectivas de los pacientes y los informantes y los ya mencionados sesgos en los autoinformes de los pacientes, no es sorprendente que alguna investigación haya encontrado sólo correlaciones modestas entre las dos fuentes de información sobre la personalidad (Zimmerman, Pfohl, Coryell, Stangl y Corenthal, 1988; sin embargo, véase Peselow y otros, 1994, quienes encontraron fuertes correlaciones). Varios estudios han hallado que los informes sobre rasgos de la personalidad de los informantes son más extensos que sus correspondientes hechos por los propios pacientes (Peselow y otros, 1994; Zimmerman y otros, 1986, 1988). Cuando hay discrepancias entre los autoinformes y los informes de los informantes, los clínicos pueden acudir a otras fuentes de información (observación clínica, informes sobre pasados tratamientos, informes de otros especialistas) y usar su propio criterio clínico para reconciliar esas diferencias.

ENTREVISTAS CLÍNICAS NO ESTRUCTURADAS

En la práctica, muchos clínicos usan la entrevista no estructurada para evaluar la patología de la personalidad. Es importante subrayar que la investigación que compara las entrevistas estructuradas y no estructuradas ha hallado poco acuerdo entre ambas herramientas (Steiner, Tebes, Sledge y Walker, 1995). La experiencia y sofisticación clínica del entrevistador es especialmente importante para llevar una evaluación adecuada sin una entrevista estructurada.

Tanto si se usa una entrevista estructurada o no estructurada, es esencial determinar no sólo la actual saliencia de los rasgos/criterios del trastorno de personalidad sino también la persistencia, su grado de solapamiento con otros y el nivel de incapacidad relacionados con esas características. El protocolo para la entrevista SCID-II, por ejemplo, requiere que el entrevistador pida múltiples ejemplos de situaciones en las que un criterio es evidente. También es importante hacer preguntas que evalúan la presencia de la característica de la personalidad en ausencia de una patología del Eje I (por ejemplo, un episodio presente de depresión mayor).

Algunos aspectos propios de todas las entrevistas de evaluación son ateóricos (por ejemplo, la identificación de los problemas presentados y la historia psicosocial general), pero otros aspectos son influenciados por la orientación teórica del entrevistador. Por ejemplo, en la terapia centrada en el esquema, la evaluación inicial incluye una entrevista centrada en la historia vital del paciente en la que el clínico busca periodos en los que se activaba el esquema y conecta tales experiencias con los problemas que presenta el paciente (Young, 1994). Las técnicas estándares de entrevista en terapia cognitiva también pueden ser usadas cuando se evalúan criterios o dimensiones del trastorno de la personalidad. Las técnicas para identificar las creencias nucleares y supuestos condicionales del paciente pueden encontrarse en varios manuales de terapia cognitiva (véanse, Beck, Rush, Shaw y Emery, 1979; J. Beck, 1995). Por ejemplo, el clínico puede preguntar acerca de los pensamientos automáticos relacionados con situaciones problemáticas presentes, identificar los significados subyacentes asociados a esos pensamientos y explorar los antecedentes evolutivos de temas cognitivos que el paciente tiene por duraderos.

Medidas cognitivas de patología de la personalidad

La teoría cognitiva de los trastornos de la personalidad enfatiza la importancia de los esquemas y creencias nucleares del paciente como estructuras organizacionales y representaciones mentales globales que guían el proceso de información y la conducta. Por lo tanto, la terapia cognitiva prestará mucha atención a la evaluación de esquemas, creencias y supuestos relacionados. En verdad es básico que se consideren múltiples fuentes de información cuando se evalúan las creencias disfuncionales de los pacientes y que ese proceso se vaya realizando durante toda la terapia. Las historias evolutivas de los pacientes, los problemas y síntomas actuales y las conductas durante la entrevista proporcionan claves para sus creencias disfuncionales. La relación terapéutica misma proporciona un importante contexto para evaluar algunas creencias propias de los trastornos de la personalidad. Además, se han desarrollado y probado dos autoinformes: el PBQ (Beck y Beck, 1991) y el SQ (Young y Brown, 1994). A continuación, analizamos sus principales características.

TABLA 3.1. Creencias con una mayor asociación con algunos trastornos específicos de la personalidad según el PBQ

Trastorno de la personalidad por evitación

- «Soy socialmente inepto e indeseable en el trabajo y en las situaciones sociales.»
- «Si los demás se acercan a mí, descubrirán mi yo "real" y me rechazarán.»
- «Debo evitar las situaciones en las que atraigo la atención, o ser lo menos llamativo posible.»
- «Quedar expuesto como inferior o inadecuado sería intolerable.»
- «Las otras personas son potencialmente críticas, indiferentes o despectivas, o pueden rechazarme.»

Trastorno de la personalidad por dependencia

- «Si no me aman, seré siempre infeliz.»
- «Ser abandonado es lo peor que me puede pasar.»
- «Si me dejan solo, no puedo valerme por mí mismo.»
- «Debo tener acceso a la persona o personas que me ayudan en todo momento.»
- «Estoy básicamente solo, a no ser que pueda aferrarme a una persona más fuerte.»

Trastorno obsesivo-compulsivo de la personalidad

- «Los detalles son extremadamente importantes.»
- «Es importante que cualquier tarea se realice a la perfección.»
- «La gente tiene que hacer las cosas a mi manera.»
- «Necesito orden, sistema y reglas para que la tarea se realice bien.»
- «Es necesario atenerse a sistemas y normas, o las cosas se derrumban.»

TABLA 3.1. Creencias con una mayor asociación con algunos trastornos específicos de la personalidad según el PBQ *(Continuación)*

Trastorno narcisista de la personalidad

- «A mí no me obligan las reglas que valen para los demás.»
- «Tengo todas las razones para esperar grandes cosas.»
- «Puesto que soy superior, tengo derecho a un trato y privilegios especiales.»
- «Las otras personas no merecen la admiración o la riqueza que tienen.»
- «La gente debería preocuparse por promocionarme, porque tengo talento.»

Trastorno paranoide de la personalidad

- «La gente se aprovechará de mí si le doy la oportunidad.»
- «Si no me mantengo alerta, tratarán de usarme o manipularme.»
- «Tengo que estar constantemente en guardia.»
- «Si las personas actúan amistosamente, quizá traten de usarme o explotarme.»
- «Hay gente que tratará deliberadamente de rebajarme.»

Trastorno límite de la personalidad

- «Las sensaciones desagradables van en escalada hasta que se hacen incontrolables.»
- «No puedo con las cosas como el resto de la gente.»
- «La gente a menudo dice una cosa, pero quieren decir otra.»
- «Si los demás se acercan a mí, descubrirán mi yo "real" y me rechazarán.»
- «Una persona próxima a mí, puede ser desleal o infiel.»
- «Soy alguien necesitado y débil.»
- «No me puedo fiar de los demás.»
- «Tengo que estar constantemente en guardia.»
- «Necesito que alguien esté siempre a mi alcance para ayudarme en lo que tengo que hacer; de lo contrario sucederá algo malo.»
- «La gente se aprovechará de mí si le doy la oportunidad.»
- «Cualquier signo de tensión en una relación indica que la relación se ha estropeado; por lo tanto, debo cortar con ella.»
- «Si me dejan solo, no puedo valerme por mí mismo.»
- «La gente sólo me prestará atención si actúo de manera extrema.»
- «Me golpearán a mí, si no golpeo primero.»

Nota: Hemos listado, para cada uno de los trastornos, las cinco creencias (según el PBQ) que mejor discriminan a cada uno de ellos. En el caso del trastorno límite de la personalidad (TLP) hemos preferido citar 14 creencias, que son las halladas por Butler y otros (2002).

El Personality Belief Questionnaire

El PBQ es una prolongación natural de la teoría cognitiva de los trastornos de la personalidad. Basándose en la teoría cognitiva y en observaciones clínicas, Beck y otros (1990) propusieron un índice de esquemas prototípicos para la mayor parte de los trastornos del Eje II. El apéndice de Beck y otros (1990) listaba las creencias y supuestos específicos que se piensa están asociadas con cada trastorno. Este listado de definiciones de los esquemas fue después incorporado en el PBQ. El PBQ contiene nueve escalas que pueden ser administradas juntas o separadas y que corresponden a nueve de los trastornos de personalidad del Eje II del DSM-III-R. Las nueve escalas del PBQ contienen 14 ítems, lo que resulta en un total de 126 ítems. La escala contiene las siguientes instrucciones: «Por favor, lea los siguientes enunciados y evalúe en qué media cree que son ciertos. Intente juzgar cómo se siente la mayor parte del tiempo acerca de cada enunciado». Las opciones de respuesta van de 0: «No es cierto en absoluto» a 4: «Es totalmente cierto». Desde la segunda mitad de la década de 1990, el PBQ ha sido administrado de forma rutinaria en dos centros independientes, el Center for Cognitive Therapy de la Universidad de Pensilvania y el Beck Institute for Cognitive Therapy and Research in Greater Philadelphia. La tabla 3.1 muestra las creencias del PBQ asociadas con más frecuencia a cada uno de los seis trastornos de personalidad.

Una primera versión del PBQ mostró, entre estudiantes universitarios, una buena consistencia interna para las diferentes subescalas (Trull, Goodwin, Schopp, Hillenbrand y Schuster, 1993). La investigación sobre pacientes ambulatorios ha mostrado una fiabilidad y una consistencia interna similar a la anterior con coeficientes alpha de Cronbach que van de 0,81 para los ítems del trastorno antisocial, al 0.93 del paranoide (Beck y otros, 2001). Las correlaciones test-retest para una submuestra de 15 pacientes en un periodo de 8 semanas iban del 0,57 para la escala del trastorno por evitación a la de 0,93 para la escala antisocial (Beck y otros, 2001). Trull y otros (1993) encontraron intercorrelaciones más altas entre las subescalas (r = 0,40 de promedio) y correlaciones modestas entre el PBQ y el Personality Disorder Questionnaire – Revised (Hyler y Rieder, 1987) y el Minnesota Multiphasic Personality Inventory – Personality Disorder (MMPI-PD; Morey, Waugh y Blashfield, 1985). Beck y otros (2001) también encontraron unas inesperadas altas intercorrelaciones entre muchas de las escalas del PBQ. Existen varias posibilidades para que se hayan dado estos resultados. Algunos de los grupos de creencias pueden ser no tan distintos en el plano conceptual como propone la teoría cognitiva. Alternativamente, alguna de la varianza compartida entre el grupo de creencias puede ser debida a un factor de estrés general. Además, estos hallazgos pueden reflejar, en cierta medida, un solapamiento en los mismos diagnósticos del Eje II (Beck y otros, 1990).

Beck y otros (2001) han estudiado recientemente la validez de criterio de cinco escalas del PBQ. Este estudio examinaba la validez de las escalas del trastorno por evitación, dependiente, obsesivo-compulsivo, narcisista y paranoide, entre pacientes ambulatorios con diagnósticos SCID-II. También se llevó a cabo un grupo de análisis entre-sujeto para comprobar si los pacientes con un diagnóstico del Eje II puntuarían más alto en la correspondiente subescala PBQ que los pacientes con diagnósticos alternativos del Eje II. Veinte de 25 (80 %) de las predicciones del estudio fueron confirmadas y otras tres pruebas (12 %) se acercaron a ello. Para comprobar la hipótesis de que los pacientes con un diagnóstico del Eje II puntuarían más alto en la correspondiente escala PBQ que en otras escalas PBQ se llevaron a cabo una serie de análisis intra-sujeto. Los resultados apoyaron una vez más la validez discriminatoria de las escalas del PBQ, con 19 de las 20 (95 %) predicciones confirmadas. Los hallazgos de estos análisis intra-sujeto son especialmente informativos acerca del potencial del PBQ para proporcionar perfiles de creencias del Eje II. En la figura 3.1 se pueden ver esos resultados de una manera gráfica. Como puede verse en cada caso, los pacientes con un determinado trastorno de personalidad dan la puntuación más alta en la escala PBQ teóricamente asociada con el diagnóstico.

El conjunto de creencias que aparecen listadas en el apéndice de Beck y otros (1990) no incluía un conjunto de creencias para el trastorno de personalidad límite o borderline (TPL). En aquellos días se pensaba que esos pacientes acumulaban toda una suma de características de los demás trastornos. De hecho, se llevó a cabo un estudio empírico y fueron identificadas 14 creencias PBQ que discriminaban pacientes con TPL (Butler, Brown, Beck y Grisham, 2002; las 14 creencias del TPL se encuentran ahora en la tabla 3.1). Esos hallazgos fueron validados de manera cruzada en dos muestras independientes con 42 pacientes con personalidad límite. Tras ello, las creencias correspondientes al TPL fueron incorporadas a una escala de creencias borderline o límite. La figura 3.1 muestra gráficamente los promedios para varios trastornos de personalidad en esta escala.

Kuyken, Kurzer, DeRubeis, Beck y Brown (2001) investigaron la validez predictiva del PBQ. Estos investigadores encontraron que las escalas del trastorno por evitación y paranoide predecían el resultado de la terapia cognitiva de pacientes deprimidos (las puntuaciones más altas producían los peores resultados). Más recientemente, el PBQ ha sido dividido en dos formas paralelas de 63 ítems cada una. Los resultados preliminares indican una buena consistencia interna general y una adecuada fiabilidad test-retest para las subescalas de ambas versiones paralelas (Butler y Beck, 2002).

El PBQ puede usarse clínicamente de dos formas: para proporcionar un perfil cognitivo e identificar creencias disfuncionales que pueden ser atendidas durante el tratamiento. Las puntuaciones estandarizadas del PBQ pueden ser representadas gráficamente para hallar perfiles ideográficos de las creencias disfuncionales

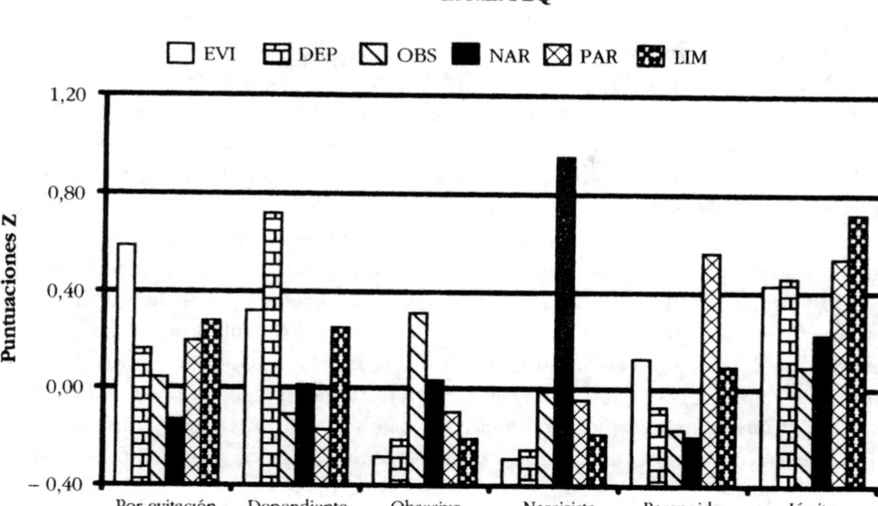

FIGURA 3.1. Puntuaciones medias de la escala PBQ para seis trastornos de personalidad. PBQ, Personality Believe Questionnaire; EVI, por evitación; DEP, dependiente; OBS, obsesivo-compulsivo; NAR, narcisista; PAR, paranoide; LIM; límite.

de los pacientes. La figura 3.2 muestra los perfiles PBQ de dos pacientes, cada uno de los cuales tiene un diagnóstico de trastorno de personalidad por evitación en el Eje II y un trastorno de depresión mayor en el Eje I. El paciente A es un divorciado de 32 años que vive solo y trabaja como técnico informático. Pasa la mayor parte de su tiempo libre leyendo y viendo la televisión. Cuando no está deprimido, suele llevar a cabo trabajos personales en casa. Se deprimió después de trasladarse a una lejana gran ciudad por cuestiones de trabajo. En el antiguo trabajo, había conseguido hacer dos amigos. Sin embargo, ahora había perdido el contacto con ellos y no había hecho ningún esfuerzo por conocer a otros. Se divorció cinco años atrás y desde entonces, no ha tenido ninguna cita amorosa. El paciente B es una mujer de 23 años, prometida, que vive con sus padres y trabaja en una floristería. No tiene amigos cercanos. Su episodio depresivo fue precipitado por la inestabilidad de su relación sentimental (lo dejan y lo retoman consecutivamente) y los conflictos con su madre, a quien describe como controladora y su hermano mayor, que también vive en la casa paterna y tiene una larga historia de problemas con el alcohol, desempleo y conducta dominante. El conjunto de su familia está aislada de los demás y discuten los problemas de todos entre todos de una manera invasiva.

Un examen de los dos perfiles PBQ de la figura 3.2 muestra que la dimensión de la evitación es similar, pero no así las demás. El paciente A muestra mucho apego a creencias asociadas con los trastornos de personalidad obsesivo-compulsivo y esquizoide, mientras el paciente B defiende creencias características del trastorno de personalidad dependiente, borderline y paranoide. Por lo tanto, aunque ambos pacientes son tímidos, se aislan de forma crónica, se ven a sí mismos como ineptos y a los demás como potencialmente críticos y ariscos, el paciente B depende de un pequeño grupo para conseguir apoyo (su familia y su novio) y tiende a estar mal cuando no cuenta con ello, mientras el paciente A tiende a rechazar la necesidad de afectos, le da mucha importancia a los detalles, al orden y a las reglas y ha adoptado un estilo de vida solitario.

La figura 3.2 muestra los beneficios de usar un enfoque (perfil) unidimensional, más que un enfoque categórico para evaluar las patologías de la personali-

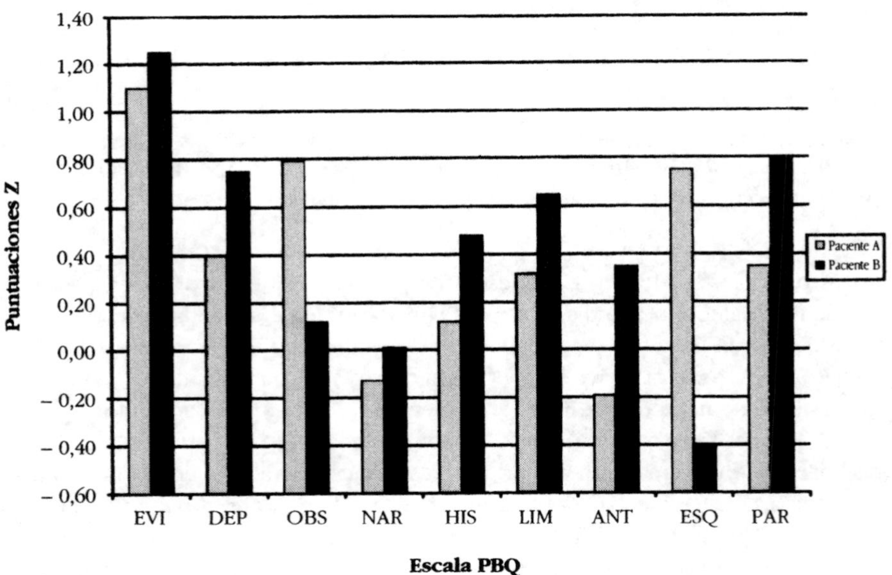

FIGURA 3.2. Perfiles resultantes del PBQ de dos pacientes con trastorno de personalidad por evitación. PBQ, Personality Belief Questionnaire; EVI, por evitación; DEP, dependiente; OBS, obsesivo-compulsivo; NAR, narcisista; HIS, histriónico; LIM, límite; ANT, antisocial; ESQ, esquizoide; PAR, paranoide.

dad. Así se revela mucha más información clínica acerca de cada paciente. Hay que tener en cuenta que esta información es muy relevante para conceptualizar casos y tomar decisiones clínicas. En los ejemplos de los pacientes A y B, los aspectos cognitivos de las dos estructuras de la personalidad sugieren que se pueden necesitar dos enfoques diferentes para tratar el trastorno de la personalidad por evitación y la depresión.

El Schema Questionnaire

En contraste con el PBQ, diseñado específicamente para el Eje II, el SQ es un ejemplo de enfoque dimensional y de constructo que además es conceptualmente independiente de la nosología del Eje II. Más bien el SQ (también conocido como Young Schema Questionnaire) (YSQ; Young y Brown, 1994) fue diseñado para medir esquemas inadaptados tempranos (EIT) relacionados de forma cruzada con las categorías del DSM. Los EIT son definidos por Young (1994) como «ítems muy amplios y generales sobre las relaciones que tenemos con los demás, pero desarrolladas durante la niñez y elaboradas durante toda la vida, siempre disfuncionales, aunque en diferentes grados» (Young, 1994, pág. 9). Los EIT son descritos como pautas profundamente enraizadas importantes para el concepto del yo de cada uno. Young (1994) identificó 16 esquemas organizados bajo cinco epígrafes:

Desconexión y rechazo (abandono/inestabilidad, desconfianza/abuso, privación emocional, vergüenza/percepción de ser defectuoso y aislamiento social/alienación)

Autonomía y rendimiento defectuosos (dependencia/incompetencia, vulnerabilidad a hechos «casuales», confusión/poco desarrollo del yo y fracaso)

Límites defectuosos (derechos/dominación e insuficiente autocontrol/autodisciplina)

Sometimiento (subyugación, autosacrificio y búsqueda de aprobación)

Vigilancia e inhibición exageradas (vulnerabilidad a eventos controlables/negatividad, control en demasía, estándares o exigencias implacables y autopunición)

El SQ es un autoinforme de 205 ítems desarrollado para medir 16 esquemas. Más recientemente, Young (2002a) ha incrementado el número de EIT a 18, según observaciones clínicas.

Schmidt, Joiner, Young y Telch (1995) evaluaron las propiedades psicométricas del SQ. Encontraron, en una análisis factorial y con una muestra de estudiantes universitarios, validación para 13 de los esquemas. Entre pacientes ambulatorios, se encontró validez factorial en 15 de ellos. Por otro lado, se hallaron tres factores de alto orden que engloban algunos de los elementos propuestos por Young: desconexión, hiperconexión y exigencias exageradas. Otro análisis factorial del SQ realizado sobre una muestra más amplia ratificó esos hallazgos (Lee, Taylor y Dunn, 1999), encontrando los mismos 15 factores propuestos, más un factor nuevo, el número 16, relacionado con el miedo a perder el control.

Recientemente, se ha desarrollado y puesto a prueba una versión reducida del SQ. El Schema Questionnaire – Short Form (SQ-SF) contiene 75 ítems seleccionados de entre los que forman la versión completa para identificar los esquemas inadaptados tempranos encontrados en los estudios factoriales del test original. Para cada uno de los 15 factores ratificados, fueron seleccionados los 5 ítems del SQ con las saturaciones más altas para incluirlos en el SQ-SF. Un análisis factorial posterior del SQ-SF con una muestra de pacientes psiquiátricos en tratamiento de día, encontró 15 factores que se parecían mucho a los 15 esquemas propuestos por Young (Wellburn, Coristine, Dagg, Pontefract y Jordan, 2002). La consistencia interna de las subescalas correspondientes era de moderada a buena (coeficientes alfa de Cronbach de 0,76 a 0,93). La mayor parte de las escalas mostraban unas correlaciones positivas significativas con medidas de malestar psíquico. En los análisis de regresión múltiple, cinco subescalas explicaban casi toda la varianza de la ansiedad y eran: abandono, vulnerabilidad al daño, fracaso, autosacrificio e inhibición emocional. Tales hallazgos que vinculan esquemas con estados psíquicos actuales son consistentes con la teoría del esquema (Young, 1994). Por supuesto, siendo correlacionales y cruzadas, estas relaciones no establecen causalidades. Como sucede con todos los autoinformes de personalidad, las puntuaciones del SQ-SF tienen muchas probabilidades de estar influenciadas por los rasgos y por los efectos de los estados. Sin embargo, un reciente estudio sugiere que una significativa porción de la varianza de las puntuaciones SQ-SF puede estar relacionada con esquemas relativamente estables (tipo rasgos) (Wellburn, Dagg, Coristine y Pontefract, 2000). En este estudio, el SQ-SF y el Brief Symptom Inventory (BSI) fueron administrados a 84 pacientes psiquiátricos antes y después de finalizar una terapia de grupo de 12 semanas en un programa de tratamiento de día. Esos pacientes mostraron una mejoría significativa en sus síntomas psiquiátricos al final del tratamiento. Sus puntuaciones en 12 de las 15 escalas del SQ-SF no cambiaron durante el mismo intervalo. Esos hallazgos sugieren que los esquemas asociados son suficientemente estables, constructos del tipo rasgo, y no simplemente epifenómenos relacionados con el malestar actual.

Young y Brown (1994) han aportado un formato escalado para obtener perfiles de pacientes con el test SQ. La teoría de los esquemas también da mucha importancia a los estilos de afrontar las cosas y los modos de esquemas (Young, 2002a).

Según la teoría de los esquemas, la gente se maneja con sus esquemas de manera diferente en diferentes momentos. Young y sus colegas han propuesto tres estilos desadaptativos que se encuentran en forma leve en poblaciones no clínicas y en formas rígidas y extremas en poblaciones clínicas: hipercompensación, rendición y evitación. Los modos de esquemas son definidos como estados emocionales del momento y respuestas ante situaciones vitales que están activos para un individuo. La activación de un modo disfuncional conduce a emociones fuertes o estilos de afrontamiento rígidos que, entonces, toman el control del funcionamiento de una persona. Esos modos pueden categorizarse como sigue: *modos infantiles* (niño vulnerable, niño enfadado, niño impulsivo/indisciplinado y niño feliz), *modos de afrontamiento desadaptativo* (rendición sumisa, protector desprendido y sobrecompensador), *modos desadaptativos de padres* (padre punitivo, padre exigente) y *modo sano de adulto.* Los autoinformes diseñados para evaluar los estilos de afrontamiento y los modos propuestos por la teoría de los esquemas han sido desarrollados y están disponibles *on line* (Young, 2002b), pero no hay datos psicométricos publicados sobre los mismos.

Hay que destacar que Young propone que la gente cambia de un modo a otro y que, debido a esos cambios, algunos esquemas que estaban antes en letargo se activan. Si esto es cierto, las puntuaciones SQ o SQ-SF serían bastante inestables. Sin embargo, como hemos mencionado antes, las investigaciones han desvelado que estas escalas son estables para las poblaciones clínicas, incluso cuando el estado psíquico del paciente ha mejorado significativamente durante el periodo de investigación (Wellburn y otros, 2000).

Conclusión

El plan de tratamiento de un caso se empieza a diseñar sólo después de la evaluación y conceptualización del mismo. A la hora de evaluar patologías de la personalidad debemos tener en cuenta algunos puntos esenciales. Primero, que es necesario tener una gran familiaridad con los criterios específicos y generales de los trastornos de personalidad. Segundo, los profesionales deben prestar mucha atención a la hora de evaluar la persistencia y el grado de deterioro del estado del paciente, pues lo hace con base en ciertos criterios y rasgos específicos, que son correlatos cognitivos de la patología de la personalidad (por ejemplo, creencias y esquemas disfuncionales). Es muy importante diferenciar los estados psiquiátricos episódicos o pasajeros de los rasgos de personalidad permanentes, especialmente si tenemos en cuenta el alto grado de comorbilidad entre los trastornos del Eje I y del Eje II. Tercero, debido a que los diagnósticos del Eje II son más inferenciales que los del Eje I, el clínico inexperto puede fácilmente ver más patología en un paciente de la que verdaderamente hay.

La elección de las estrategias de evaluación depende de varios factores. En las últimas décadas, los enfoques dimensionales están ganando terreno, debido a la gran cantidad de información clínica que proporcionan y a los problemas conceptuales y empíricos que tienen los enfoques categóricos. Un típico enfoque dimensional consiste en cuantificar el grado en el que están presentes (o ausentes) los diferentes trastornos del Eje II. Entre los métodos de medida de este enfoque está (1) sumar el número de criterios que cumple un paciente evaluado con una entrevista estructurada (por ejemplo, el PDE-R; Loranger y otros, 1987); (2) usar un autoinfome con ítems redactados para evaluar criterios del DSM (por ejemplo, el PDQ-R; Hyler y Rieder, 1987) o ítems que evalúan trastornos específicos en múltiples ámbitos (por ejemplo, el MCMI-III; Millon y otros, 1994); (3) usar un autoinforme que estudia un solo ámbito como el de las creencias disfuncionales (por ejemplo, el PBQ; Beck y Beck, 1991).

Un enfoque dimensional alternativo incluye la evaluación de rasgos de personalidad o constructos del tipo rasgo (por ejemplo, esquemas inadaptados tempranos) relevantes para los trastornos de la personalidad. Los autoinformes son el principal método de medida para este tipo de modelo dimensional. Entre los cuestionarios de tipo psicométrico para evaluar grandes rasgos de personalidad se encuentran el SNAP (L. Clark, 1993), el DAPP-BQ (Livesley, 1990) y el WIPSI (Klein y otros, 1993). Para los clínicos que usan un enfoque centrado en los esquemas, tanto el SQ como el SQ-SF prestan un buen servicio a la hora de evaluar esquemas inadaptados tempranos. Los terapeutas que quieran evaluar los matices de cada uno de los esquemas preferirán el SQ (Young, 2002b).

Existen algunas ventajas del enfoque categórico de evaluación como la claridad conceptual, la facilidad de explicarlo y la familiaridad que ya le tienen los clínicos. En comparación con las entrevistas no estructuradas, las entrevistas clínicas estructuradas como las del SCID-II incrementan la fiabilidad y precisión de los diagnósticos y ahorran tiempo a clínicos y pacientes. Para usar debidamente las entrevistas estructuradas es necesario haber sido formado apropiadamente y contar con una supervisión que asegure la calidad mínima de lo que se hace.

Es posible también que el profesional desee conjuntar los enfoques dimensionales y categóricos a la hora de diagnosticar. Una entrevista estructurada puede ayudar a tomar decisiones categóricas (a través de categorías) acerca de la presencia o ausencia de un trastorno de la personalidad. Los autoinformes pueden proporcionar perfiles ideográficos que acaben de dibujar el cuadro clínico del paciente, facilitando la conceptualización cognitiva y la planificación del tratamiento. Para llevar a cabo conceptualizaciones cognitivas, medidas como el PBQ, el SQ y el SQ-SF dan lugar a perfiles de personalidad que los terapeutas cognitivos pueden encontrar especialmente útiles.

Entre los elementos cognitivos clave a considerar cuando se evalúan trastornos de la personalidad se incluyen la visión característica que se tiene de uno mismo y de los demás, las creencias disfuncionales, las estrategias principales y los afectos y los estilos específicos de procesar la información. Conocer el perfil cognitivo prototipo de cada trastorno de la personalidad puede guiar a los clínicos a la hora de conceptualizar casos individuales. Sin embargo, es importante tener en cuenta que muchos pacientes con patologías de la personalidad varían con respecto a la forma prototípica. Para llevar a cabo una evaluación completa, se debe atender, por lo tanto, tanto a las coincidencias como a las variaciones con respecto a los cánones.

CAPÍTULO 4

PRINCIPIOS GENERALES Y TÉCNICAS ESPECIALIZADAS

Los pacientes con trastornos del Eje I vuelven al modo cognitivo premórbido después de que ceda el trastorno. Por ejemplo, la mayoría de pacientes recuperados de una depresión ya no se culpan por cada contratiempo que se produce, son menos proclives a creerse inferiores o inadecuados y dejan de hacer predicciones negativas. Pero algunos pacientes siguen mostrando esas características y reconocen que «siempre» han pensado de ese modo. Sin embargo, ya no están clínicamente deprimidos.

El modo del Eje II difiere del modo del Eje I en distintos aspectos. La frecuencia y la intensidad de los pensamientos automáticos disfuncionales observados durante el trastorno agudo descienden de nivel cuando el paciente retorna al nivel regular del funcionamiento cognitivo durante su «período neurótico normal». Aunque el paciente puede fácilmente identificar y poner a prueba sus pensamientos automáticos disfuncionales, en situaciones específicas siguen apareciendo estas interpretaciones exageradas o distorsionadas, con el afecto fragmentador asociado a ellas. Por ejemplo, una mujer muy inteligente y competente tenía el pensamiento automático de «No puedo hacerlo» cada vez que se le ofrecía un puesto que requería un nivel más alto de rendimiento intelectual.

La explicación más plausible de la diferencia entre el Eje I y los trastornos de la personalidad es que las creencias e interpretaciones defectuosas extremas características de los trastornos sintomáticos son relativamente plásticas —y, sin duda, se atemperan cuando la depresión cede, incluso sin ninguna intervención terapéutica—. En cambio, las creencias disfuncionales más persistentes del trastorno de la personalidad están «estructuralizadas», es decir, incorporadas en la organización cognitiva «normal». Por ello, para producir el tipo de cambio estructural capaz de cambiar un trastorno de la personalidad se necesitan mucho más tiempo y esfuerzo que para modificar el pensamiento disfuncional de, digamos, los trastornos afectivos.

Por lo general el terapeuta utiliza técnicas estándar de terapia cognitiva cuando se trata de aliviar episodios agudos del Eje I (American Psychiatric Association, 2000) tales como la depresión (Beck, Rush, Shaw y Emery, 1979) o el trastorno por ansiedad generalizada (TAG; Beck y Emery con Greenberg, 1985). Este enfoque es eficaz para tratar pensamientos disfuncionales automáticos y ayuda a producir el cambio cognitivo que partiendo del modo de procesamiento depresivo (o del trastorno por ansiedad generalizada) conduce de nuevo al modo «normal». El sondeo de los pensamientos automáticos y las creencias durante el episodio depresivo o ansioso es una buena práctica para tratar esos procesos cognitivos durante el período relativamente inactivo. Los pacientes observados durante ese período han sido denominados «neuróticos» en la terminología psiquiátrica y coloquial anterior. La «personalidad neurótica» se ha descrito en general con los rótulos de «inmadura» o «infantil»: presenta labilidad emocional, respuestas exageradas al rechazo o al fracaso, concepto de sí misma carente de realismo (muy alto o muy bajo), y sobre todo un intenso egocentrismo.

Las creencias disfuncionales siguen actuando porque constituyen el sustrato de la orientación del paciente respecto de la realidad. Debido a que una persona se basa en sus creencias para interpretar los eventos, no puede renunciar a dichas creencias mientras no haya incorporado otras creencias y estrategias nuevas que las sustituyan. Cuando los pacientes vuelven a su nivel de funcionamiento anterior a la enfermedad, de nuevo confían en sus estrategias usuales. En esta fase las creencias subyacentes son por lo general menos disfuncionales que durante la depresión o el trastorno por ansiedad generalizada, pero menos susceptibles de modificación que durante el período agudo.

Es necesario que tanto el paciente como el terapeuta reconozcan que esas creencias (esquemas) residuales básicas están profundamente arraigadas y no ceden con facilidad con las técnicas utilizadas en el tratamiento estándar de la depresión o la ansiedad. Incluso cuando los pacientes están convencidos de que sus creencias básicas son disfuncionales o irracionales, no pueden suprimirlas por el solo hecho de cuestionarlas o «desear» que desaparezcan.

Se necesita un proceso largo y a veces tedioso para lograr el cambio en la estructura caracterológica de esos pacientes. La «fase caracterológica» del tratamiento tiende a ser prolongada y mucho menos escandida por mejorías espasmódicas y espectaculares.

Conceptualización del caso

La conceptualización específica de cada caso es crucial como marco para la comprensión de la conducta inadaptada del paciente y la modificación de las actitudes disfuncionales. En consecuencia, el terapeuta tiene que formular el caso en forma temprana, si es posible durante el proceso de evaluación. Desde luego, a medida que se recogen nuevos datos, la formulación se modifica adecuadamente. Algunas hipótesis quedan confirmadas, otras se rectifican o abandonan, y otras nuevas se incorporan a la formulación.

Compartir esta formulación con el paciente puede favorecer el proceso de recolección de datos; le proporciona a éste una guía con respecto a las experiencias en las que debe centrar su atención, y las interpretaciones y creencias subyacentes que tiene que identificar. El paciente y el terapeuta pueden poner a prueba el material nuevo para introducirlo de forma coherente en la formulación preliminar. Sobre la base de los nuevos datos, el terapeuta va reformulando el caso a medida que los recoge.

Diagramas dibujados para cada paciente pueden mostrarles el modo de incorporar las experiencias siguientes a la formulación general. Suele ser útil que el paciente se lleve estos diagramas a su casa. Algunos terapeutas usan una pizarra para demostrar de qué manera la mala construcción de la realidad deriva de las creencias. Por ejemplo, la personalidad dependiente que le dice al terapeuta «Necesito ayuda» cuando se enfrenta a un nuevo desafío, necesita ver la conexión entre esa idea y la creencia nuclear: «No soy capaz de hacer nada sin ayuda» o «Estoy desamparado». Las refutaciones repetidas, sistemáticas, obtenidas ideando y llevando a cabo «experimentos conductuales» pueden finalmente desgastar esas creencias disfuncionales y tender las bases para actitudes más adaptativas, tales como «Realizo sin ayuda una amplia gama de tareas» y «Soy competente de muchas maneras».

TABLA 4.1. Procesamiento cognitivo a partir de los esquemas nucleares: un ejemplo

	Creencias de Beverly	*Creencias de Gary*
Debería	«Gary debería ayudar cuando se lo pido.»	«Beverly debería ser más respetuosa.»
Debo	«Debo controlar la conducta de los demás.»	«Debo controlar la conducta de los demás.»
Creencia condicional especial	«Si Gary no me ayuda, no podré desenvolverme.»	«Si le doy una oportunidad, la gente da de lado.»
Miedo	«Me van a abandonar.»	«Me van a dar de lado.»
Esquema nuclear	«Soy un bebé desvalido.»	«Soy un tonto.»

La tabla 4.1 presenta una formulación estructural de los problemas de una pareja que tenía creencias un tanto similares, pero que diferían en aspectos cruciales. Los problemas de esta pareja han sido expuestos detalladamente en otro lugar (Beck, 1988). En pocas palabras, Gary, que padecía un trastorno narcisista de la personalidad, tenía violentos estallidos periódicos contra Beverly, a la que acusaba de zaherirlo constantemente porque él no la ayudaba en ciertas tareas domésticas. Gary creía que el único modo de controlar a Beverly (que padecía un trastorno de la personalidad por dependencia) era aplastarla, obligarla a «callarse». Beverly, por su parte, creía que ella tenía que controlar las continuas negligencias de Gary en sus roles de esposo y padre increpándole para que «recordase» sus deserciones. Estaba convencida de que ése era el único modo de asumir su responsabilidad de ama de casa y madre. Por debajo estaba la firme creencia de que ella no podía funcionar en absoluto si no tenía a alguien en quien apoyarse.

Gary había sido criado en un hogar en el que «la fuerza daba derecho». Su padre y un hermano mayor le habían intimidado hasta hacerle creer que era un tonto. Compensó esa imagen de sí mismo adoptando una estrategia interpersonal idéntica a la de ellos: en esencia, el mejor modo de controlar la inclinación de los demás a dominar o humillar consiste en intimidarles, si es necesario mediante el empleo de la fuerza. La formulación inicial, confirmada por las siguientes entrevistas individuales y conjuntas, fue la siguiente. El esquema nuclear de Gary era «Soy un tonto». Este autoconcepto amenazaba con emerger siempre que se consideraba vulnerable a la humillación. Para protegerse, consolidó la creencia «Tengo que controlar a los demás», intrínseca de la conducta de su padre. Más adelante volveremos a considerar los métodos empleados para tratar esas creencias, que el terapeuta pudo rastrear detrás de la conducta de Gary.

Beverly, de modo análogo, creía lo siguiente: «Necesito controlar a Gary». Su imperativo derivaba del miedo a ser incapaz de desempeñar sus deberes sin ayuda. Su esquema nuclear era «Soy una niña desvalida». Nótese que la conducta de Gary («no ayudar») una vez procesada por el esquema nuclear de la mujer («Sin la ayuda de alguien, estoy desvalida»), conducía a una sensación de debilidad en Beverly. Ella reaccionaba haciéndole reproches a Gary y encolerizándose.

Por medio de imágenes y reviviendo experiencias pasadas de desamparo, el terapeuta activó el esquema nuclear y ayudó a Beverly a reconocer que su profunda necesidad de conseguir que Gary le ayudara provenía de su imagen de sí como una niña desvalida. En consecuencia, su «sermoneo» inadecuado era un intento de evitar su profunda sensación de desvalimiento. La interacción de Gary y Beverly demuestra de qué modo la estructura de la personalidad de cada miembro de la pareja puede agravar los problemas del otro; también ilustra la importancia de considerar los problemas de personalidad tal como se expresan en un contexto particular, como, por ejemplo, en una situación conyugal.

Identificación de los esquemas

El terapeuta debe utilizar los datos que recoge para inferir el autoconcepto del paciente y las reglas y fórmulas que sigue en su vida. A menudo tiene que determinar ese autoconcepto basándose en las descripciones que da el propio paciente de una variedad de situaciones.

Por ejemplo, supongamos que un paciente dice: «Me puse en ridículo cuando me equivoqué al pagar el pasaje», «No sé cómo llegué a licenciarme en el *college* o en la facultad de Derecho. Parece que siempre estropeo las cosas» y «No creo poder describirle bien las situaciones». Estos son posibles indicios de que en un nivel básico el paciente se percibe como inadecuado o defectuoso. También hay que realizar una evaluación rápida de la validez de la imagen que él presenta de sí mismo. Desde luego, cuando está deprimido, esa amplia generalización global (creencia nuclear) se despliega en toda su magnitud: después de describir una situación conflictiva, el sujeto concluye con una observación tal como «Esto demuestra lo poco que valgo, lo inadecuado y antipático que soy».

El terapeuta infiere los supuestos condicionales a partir de los enunciados que especifican las condiciones en las que se expresa el autoconcepto negativo. Por ejemplo, si la persona tiene pensamientos tales como «A Bob (o Linda) ya no le gusto», cuando esas personas han reaccionado algo menos amistosamente que de costumbre, el terapeuta puede inferir la fórmula subyacente: «Si los otros no me dan una prueba fuerte de afecto o interés, eso significa que no les importo». Desde luego, tratándose de determinados pacientes, en ciertas circunstancias puede haber algo de verdad en esa fórmula; hay que prestar una atención especial a las habilidades sociales deficientes o a un estilo interpersonal que genera fricciones. Pero los individuos con problemas de personalidad tienden a aplicar la fórmula arbitrariamente, a diestro y siniestro, en términos de todo o nada y en todas las situaciones, aun cuando haya explicaciones alternativas o pruebas ostensibles que refutan tal creencia.

De modo análogo, el terapeuta trata de inferir las concepciones que tiene el paciente de otras personas. Por ejemplo, ciertas afirmaciones de una personalidad paranoide pueden indicar que su esquema básico es que los otros son tortuosos, manipuladores, llenos de prejuicios, etcétera. Este esquema se pondría de manifiesto en enunciados como los siguientes: «El médico me sonrió. Sé que se trata de una sonrisa profesional y falsa que utiliza con todos, porque está ansioso por tener muchos pacientes», «El empleado contó con mucho cuidado el dinero que le daba porque desconfía de mí», o bien «Esta noche mi mujer está demasiado cariñosa conmigo. Me pregunto qué quiere sacarme». A menudo estos pacientes extraen tales conclusiones sin que nada las avale, o incluso cuando hay muy buenas razones para pensar lo contrario.

Cuando esas personas pasan por un estado paraioide agudo, por su mente corren pensamientos globales tales como: «Está tratando de engañarme», «Se empeñan en atraparme». Los esquemas nucleares son «No se puede confiar en la gente» y «Todos tienen móviles tortuosos». Una pauta consecuente de conclusiones arbitrarias refleja una distorsión cognitiva; se dice que está «impulsada por el esquema».

Especificación de las metas subyacentes

Por lo general la gente persigue objetivos amplios muy importantes para ellos, pero de los que es posible que no tengan una conciencia completa. El terapeuta trata de traducir a los términos de estas metas subyacentes las aspiraciones y ambiciones expresas. Por ejemplo, un paciente dice: «Cuando voy a una fiesta, me siento mal porque sólo unas pocas personas se acercan a decirme "Hola", o «Pasé un momento excelente porque muchos me rodearon para que les contara mi viaje». Partiendo de una gama amplia de descripciones correspondientes a algunas situaciones diversas, el terapeuta infiere que la meta subyacente es algo así como «Para mí es muy importante gustarles a todos». Los supuestos condicionales derivan de los esquemas nucleares; en este caso se podría decir «Si no les gusto, no valgo la pena».

Otro paciente dijo que se sentía mal por no haber alcanzado la nota máxima en un examen. También se sentía un poco desalentado cuando no podía recordar el nombre de algún científico en el curso de la conversación con un amigo. Además, al enterarse de que le iban a otorgar una beca para la escuela de graduados se excitó tanto que pasó toda la noche en vela. Su meta —que no articuló hasta ser interrogado sobre sus experiencias— era «ser famoso». Con esa meta estaba asociado el supuesto condicional de que «Si no llego a ser famoso, habré desperdiciado mi vida».

Del mismo modo pueden inferirse otros tipos de metas. Consideremos el caso de un individuo que rechaza todo ofrecimiento de ayuda y es renuente a dejarse envolver en cualquier clase de «relación». En cuanto el terapeuta extrae el tema común: «Necesito espacio» puede poner a prueba su inferencia observando las reacciones del paciente en la terapia y en otras situaciones. Por ejemplo, si el paciente tiende a establecer una distancia física durante la entrevista, se retira pronto y expresa el deseo de elaborar solo sus problemas, ello indica una meta subyacente de autonomía. El supuesto condicional podría ser «Si dependo demasiado de alguien, o intimo con él, ya no podré ser libre». Con esa idea se asocia la creencia de «Estoy desvalido si no tengo una completa libertad de acción».

Cuando el terapeuta ya cuenta con todos los datos y ha inferido el supuesto nuclear, las creencias condicionales y las metas, está en condiciones de formular el caso en los términos del modelo cognitivo (véase la formulación del caso de Gary y Beverly).

Énfasis en la relación terapeuta-paciente

Cooperación

Uno de los principios de la terapia cognitiva es inculcar en el paciente un espíritu de cooperación y confianza. Construir una relación es probablemente más importante en el trastorno crónico de la personalidad que en la fase sintomática aguda. En el período de malestar agudo (por lo general depresión y/o ansiedad) suele ser posible motivar al paciente para que ensaye las sugerencias del terapeuta, y obtenga una pronta reducción del sufrimiento. En el trastorno crónico de la personalidad los cambios se producen mucho más lentamente y la recompensa es mucho menos perceptible. Por lo tanto, terapeuta y paciente tienen que hacer un trabajo considerable con el proyecto de cambio de la personalidad a largo plazo.

Es frecuente que los pacientes tengan que ser motivados a fin de que cumplan con las tareas para realizar por su cuenta. La motivación del paciente suele declinar cuando pasa el episodio agudo, puesto que desaparecen los sentimientos desagradables (ansiedad, tristeza, ira) que estimulan la acción. Además, el trastorno de la personalidad en sí suele obstaculizar la realización de los encargos. La personalidad evitativa puede pensar que «Escribir mis pensamientos es demasiado penoso»; la narcisista, «Alguien como yo no se puede dedicar a esas tonterías»; la paranoide, «Lo que escriba podría usarse contra mí» o «El terapeuta trata de manipularme». El terapeuta debería considerar esas formas de «resistencia» como «agua para su molino», y someterlas al mismo tipo de análisis que utiliza con las otras formas del material o con los datos.

Descubrimiento guiado

Parte del arte de la terapia cognitiva consiste en transmitir una sensación de aventura —indagar y descifrar los orígenes de las creencias del paciente, explorar el significado de los acontecimientos traumáticos, sondear la riqueza de las imágenes—. Si esto falta, la terapia puede reducirse a un proceso repetitivo cada vez más tedioso. De hecho, cambiar el modo de presentación de las hipótesis, emplear diferentes frases y palabras e ilustrar las ideas con metáforas y anécdotas ayuda a convertir la relación en una experiencia educativa humana.

En la fase crónica, el terapeuta pasa más tiempo descifrando con los pacientes el *significado* de las experiencias, para determinar las sensibilidades y vulnerabilidades específicas e identificar la razón de las reacciones exageradas a ciertas situaciones. Como ya indicamos en el capítulo 2, los significados dependen en gran medida de las creencias subyacentes («Si alguien me critica, significa que no le gusto»). Para determinar el significado, es posible que el terapeuta tenga que proceder gradualmente, en una serie de pasos.

Empleo de las reacciones de «transferencia»

Las reacciones emocionales del paciente ante el proceso terapéutico y ante el terapeuta son de vital importancia. Siempre alerta, pero sin llegar a ser provocador, el terapeuta debe estar preparado para explorar esas reacciones para obtener más información acerca del sistema de pensamientos y creencias del paciente. Si no se lleva a cabo este trabajo, las posibles interpretaciones distorsionadas persistirán e interferirán haciendo difícil la colaboración mutua. Si esas reacciones emocionales se sacan a la luz, a menudo proporcionan un rico material para comprender los significados y creencias que están detrás de las reacciones idiosincrásicas o repetitivas. En términos de contratransferencia, es extremadamente importante no tener prejuicios y ser comprensivo, aunque siempre objetivo a la hora de responder a las pautas desadaptativas del paciente. Trabajar con trastornos de la personalidad suele requerir, por parte del terapeuta, esfuerzo, una buena planificación y capacidades para manejar el estrés. En el capítulo 5 se detallan las estrategias para conceptualizar los temas de la no colaboración y el manejo de las reacciones emocionales en la terapia por parte de paciente y terapeuta.

Técnicas especializadas

La planificación y la aplicación de las técnicas y estrategias específicas tienen que tener en cuenta no sólo la patología del paciente sino también sus métodos singulares para integrar y utilizar la información sobre sí mismo. Los distintos pacientes aprenden de diferentes modos. Además, los métodos eficaces en un momento y con un paciente determinado pueden ser ineficaces en otro momento. Los terapeutas deben emplear su mejor criterio para diseñar planes de tratamiento y seleccionar las técnicas más útiles entre la amplia variedad de las existentes, o bien idear otras nuevas. Puede ser necesario algún grado de ensayo y error. A veces la introspección es lo más útil; en otras ocasiones, lo más indicado puede ser la formación en técnicas de respiración (ventilación) o en habilidades.

La aplicación más eficaz de las técnicas depende no sólo de un planteamiento conceptual claro del caso y del establecimiento de una relación de trabajo amistosa, sino también del arte del terapeuta. El *arte de la terapia* supone el uso juicioso del humor, de anécdotas, de metáforas y de la automostración de sus experiencias por parte del terapeuta, así como de las técnicas estándar cognitivas y conductuales. Los terapeutas hábiles saben cuándo extraer material sensible, retroceden cuando es necesario y salen al cruce de las evitaciones. Pueden caldear un relato monótono o enfriar otro demasiado caldeado. Cambian de palabras, estilo y modo de expresión.

Dentro de la sesión, la *flexibilidad* es importante: el terapeuta puede cambiar de enfoque, pasando de una escucha activa a un recentramiento, un sondeo o un moldeado de nuevos estilos conductuales. Se supone que los terapeutas que leen este libro ya dominan los principios básicos de la psicoterapia cognitivo-conductual. Muchos de esos principios han sido expuestos en obras como la de Beck y otros (1979). Hemos dividido arbitrariamente las técnicas en las primordialmente «cognitivas» y las «conductuales». Debemos tener presente que ninguna técnica es puramente cognitiva o conductual. Además las estrategias cognitivas pueden producir cambios conductuales, y los métodos conductuales por lo general inducen alguna reestructuración cognitiva.

Entre las herramientas más eficaces para tratar los trastornos de la personalidad se cuentan las denominadas *técnicas experimentales*; por ejemplo, la evocación de acontecimientos de la niñez y las imágenes. Esas técnicas dramáticas parecen abrir las compuertas a un nuevo aprendizaje —o desaprendizaje—. Una regla práctica es que el cambio cognitivo depende de un cierto grado de experiencia afectiva.

Las técnicas cognitivas y conductuales desempeñan papeles complementarios en el tratamiento de los trastornos de la personalidad. El impulso principal tiende a desarrollar nuevos esquemas y a modificar los antiguos. Desde luego, en última instancia es probable que las técnicas cognitivas sean las que provocan la mayor parte de los cambios. El trabajo cognitivo, lo mismo que el conductual, requiere una precisión y persistencia mayores de lo común cuando los pacientes tienen trastornos de la personalidad. Puesto que los esquemas cognitivos específicos de esos pacientes siguen siendo disfuncionales aun después de que desarrollen conductas más adaptativas, lo típico es que se necesite una mayor variedad de reelaboración y durante más tiempo.

Estrategias y técnicas cognitivas

A continuación presentamos una lista de técnicas cognitivas a las que los terapeutas pueden recurrir cuando tratan trastornos del Eje II. Dado que ya han sido descritos en otro lugar varios métodos para el tratamiento de la depresión (Beck y otros, 1979), no los trataremos aquí con detalle. Sin embargo, sí que nos extenderemos sobre las técnicas específicas para tratar probiemas del Eje II. La lista que presentamos es representativa, pero de ningún modo exhaustiva.

Algunas de las técnicas cognitivas útiles para el tratamiento de los trastornos de la personalidad son: (1) el descubrimiento guiado, que le permite al paciente reconocer las pautas de interpretación disfuncionales estereotipadas; (2) la búsqueda del significado idiosincrático, puesto que estos pacientes suelen interpretar sus experiencias de un modo inusual o extremo; (3) la rotulación de las inferencias o distorsiones inadecuadas, para que el paciente tome conciencia del carácter no razonable o distorsionado de ciertas pautas automáticas de pensamiento; (4) el empirismo cooperativo, o sea el trabajo con el paciente para poner a prueba la validez de sus creencias, interpretaciones y expectativas; (5) el examen de las explicaciones de la conducta de otras personas; (6) el ordenamiento en escalas, es decir la traducción de las interpretaciones a expresiones graduales para contrarrestar el típico pensamiento dicotómico; (7) la reatribución, o reasignación de la responsabilidad por acciones y resultados; (8) la exageración deliberada, que lleva una idea a su extremo, lo que realza las situaciones y facilita la reevaluación de una conclusión disfuncional; (9) el examen de las ventajas y desventajas de conservar o cambiar creencias o conductas, y la clarificación de los beneficios secundarios; (10) la descatastrofización, o sea, permitirle al paciente reconocer y contrarrestar la tendencia a pensar exclusivamente en términos del peor desenlace posible de una situación.

Los «sondeos cognitivos»

Las mismas técnicas utilizadas para suscitar y evaluar los pensamientos automáticos durante la depresión o en el trastorno por ansiedad generalizada (Beck y otros, 1979; Beck y otros, 1985) sirven con los problemas de la personalidad. En concreto, el terapeuta y el paciente identifican incidentes que esclarecen los problemas de la personalidad, y centran la atención en las bases cognitivas de esos incidentes. Digamos que una paciente evitativa, Lois, se siente perturbada cuando sus compañeros de trabajo parecen ignorarla. El primer sondeo cognitivo intentaría recuperar sus pensamientos automáticos (Beck, 1967). Si la paciente está bien entrenada en la identificación de pensamientos automáticos, tal vez diga, por ejemplo, «Pensé que no les gusto».

Si Lois no lograra captar sus pensamientos automáticos, podría ser alentada a *imaginar* los hechos «como si estuvieran sucediendo ahora». A medida que la experiencia surge a la luz —por así decirlo— es probable que la paciente perciba los pensamientos automáticos como si pasara por la situación real. Desde luego, en los futuros encuentros tendría muchas oportunidades para descubrir los pensamientos automáticos tal como se producen sin preparación. Si un paciente puede anticipar una experiencia «traumática» particular, es útil para él prepararse de antemano, sintonizando sus pensamientos en cadena antes de entrar en la situación aversiva («Me pregunto si Linda va a desairarme hoy en el almuerzo»). Nuestra paciente, Lois, estaría preparada para captar el pertinente pensamiento de rechazo. Al advertir la aparente actitud distante de Linda, detectaría los pensamientos negativos: «No le gusto», «Hay algo malo en mí». Desde luego, los pensamientos automáticos no son necesariamente disfuncionales o erróneos; como veremos, hay que ponerlos a prueba.

De suma importancia es el significado final del acontecimiento. Por ejemplo, Lois podría encogerse de hombros ante el aparente rechazo de Linda con el pensamiento de «¿Y qué? Tampoco a mí me gusta ella», o «Ella no es amiga mía». Pero cuando el paciente tiene una vulnerabilidad específica al rechazo, se inicia una reacción en cadena, que puede culminar en un prolongado sentimiento de tristeza.

A veces el paciente, mediante la introspección, puede discernir la reacción en cadena. A menudo, interrogando con habilidad, el terapeuta llega al punto de partida (esquema nuclear), y también utiliza este ejercicio para demostrar la particular falacia o falla en el proceso de extraer inferencias y conclusiones por parte del paciente. Consideremos el siguiente diálogo entre el terapeuta y Lois, muy turbada porque durante el almuerzo su amiga Linda se había puesto a conversar con un compañero de trabajo, sin prestar atención a nada ni a nadie más.

TERAPEUTA: ¿Qué pensó usted durante el almuerzo?

LOIS: Que Linda me ignoraba. (*Centro de atención selectivo* [focus], *personalización.*)

TERAPEUTA: ¿Qué significaba eso?

LOIS: Que no sé llevarme bien con la gente. (*Autoatribución, generalización excesiva.*)

TERAPEUTA: ¿Qué significa eso?

LOIS: Que nunca tendré amigos. (*Predicción absoluta.*)

TERAPEUTA: ¿Qué significa «no tener amigos»?

LOIS: Que estoy totalmente sola. (*Esquema nuclear.*)

TERAPEUTA: ¿Qué significa estar «totalmente sola»?

LOIS: Que siempre seré desdichada. (*Empieza a llorar.*)

Cuando la paciente empieza a llorar, el terapeuta interrumpe el interrogatorio porque entiende que ha llegado al núcleo, al esquema nuclear («Siempre seré desdichada»). La aparición de un sentimiento fuerte sugiere no sólo que ha revelado un esquema nuclear, sino también que el pensamiento disfuncional es más accesible a la modificación. Este tipo de interrogatorio, que intenta sondear significados más profundos y llegar al esquema nuclear, ha sido denominado técnica de la «flecha hacia abajo» (Beck y otros, 1985). Más adelante, terapeuta y paciente querrán explorar más para ver si hay otros esquemas nucleares.

En este caso particular, el problema de Lois se centra en las creencias: «Si la gente no me responde, significa que yo no les gusto», y «Si a una persona no le gusto, significa que no puedo gustarle a nadie». Cuando Lois entra en la cafetería de la oficina donde trabaja es muy sensible a lo receptivos que puedan ser los compañeros —a que parezcan ansiosos porque ella se siente cerca, que le hagan participar en la charla, que respondan a sus observaciones—. Como Lois padecía un trastorno de la personalidad de rechazo, se inclinaba a no sentarse a la mesa de las personas que conocía, en particular de Linda. Este problema se puede abordar frontalmente, como se ilustra en el diálogo que sigue.

Lois se había sentido perturbada después de sentarse en una mesa donde un grupo de mujeres mantenía una conversación animada. El terapeuta sondea el significado de ese hecho.

TERAPEUTA: Supongamos que la gente no la recibe con los brazos abiertos. Entonces, ¿qué?

LOIS: No sé. Supongo que sentiré que no les gusto.

TERAPEUTA: Si dan muestras de que gustan de usted, entonces, ¿qué?

LOIS: No estoy segura. En realidad no tengo mucho en común con ellas. No me interesan las mismas cosas.

TERAPEUTA: ¿Alguna de ellas podría ser su amiga íntima?

LOIS: Creo que no.

TERAPEUTA: En realidad a usted no le interesa ser amiga de ninguna de ellas. De modo que lo que a usted le hace derrumbarse es el significado, la importancia que asigna a «gustar» o «no gustar», más que las consecuencias prácticas. ¿No es así?

LOIS: Creo que sí.

Como sus esquemas nucleares giraban en torno de la cuestión de gustar a los demás, casi todo el encuentro de Lois con alguien suponía la puesta a prueba de su aceptabilidad, que se convertía casi en una cuestión de vida o muerte. Al sacar a la luz el esquema nuclear por medio de la técnica de la flecha hacia abajo, el terapeuta encuentra el significado subyacente de «ser ignorado», y puede demostrar que la creencia en la necesidad de gustar a todos es disfuncional.

Una vez que tiene acceso a (es consciente de) las creencias subyacentes, el paciente puede tratar de modificarlas aplicando un razonamiento realista, lógico. Así, Lois puede contrarrestar el pensamiento automático «No me prestan atención» con la respuesta racional «No me importa. De todos modos, no tengo nada en común con ellas». Los pacientes tienden a atribuir un significado absoluto a los acontecimientos, y a verlos en términos de «todo o nada». La función del terapeuta es demostrar que la importancia de los hechos o las personas puede situarse sobre una escala o continuo. Lois verá que en una escala de «importancia», sus conocidos están mucho más abajo que sus verdaderos amigos. Una vez realizada esa evaluación objetiva, ya no se preocupará tanto por gustar a sus conocidos.

Desde luego, en la mayoría de las situaciones los conocidos casuales son neutros y no rechazantes, pero como los pacientes tienden a interpretar la neutralidad como rechazo, necesitan articular las creencias nucleares y experimentar el afecto asociado para cambiar ese modo de pensar disfuncional. En otro lugar se exponen las técnicas para abordar los pensamientos automáticos negativos y las creencias subyacentes (Beck y otros, 1979; Freeman, Pretzer, Fleming y Simon, 1990).

Abordar los esquemas

Al examinar o dilucidar los esquemas con el paciente, los rótulos diagnósticos de «paranoide», «histriónico» o «límite» pueden inducir a una cierta distorsión en el modo de ver del terapeuta. El estilo del paciente puede traducirse a términos operacionales. Por ejemplo, el estilo esquizoide puede describirse y discutirse como «muy individualista» o «no dependiente de otras personas». El trastorno de la personalidad por dependencia puede caracterizarse por «la fuerte creencia en el valor de aferrarse a otros», o «el gran énfasis en la importancia de ser una persona más sociable». En todo caso se le puede ofrecer al paciente una descripción no crítica, adaptada a su particular sistema de creencias.

Un programa terapéutico amplio aborda todos los esquemas cognitivos, conductuales y afectivos. La densidad, amplitud, actividad y valencia de los esquemas a los que se apunta (capítulo 2) son todos factores que intervienen en la determinación de la combinación terapéutica. Utilizando las distorsiones cognitivas del paciente como postes indicadores que señalan el camino hacia los esquemas, el terapeuta primero le ayuda a identificar las reglas disfuncionales que gobiernan su vida, y después trabaja para realizar las modificaciones o alteraciones que exige un funcionamiento adaptativo. En el trabajo con los esquemas, el terapeuta dispone de varias opciones. La elección de una en particular se basa en las metas y en el planteamiento conceptual del caso.

A la primera opción la denominaremos «reestructuración esquemática». Se la podría comparar a la renovación urbana. Cuando se llega a la conclusión de que una cierta estructura o un complejo de estructuras son enfermizos, se toma la decisión de demolerlos de manera gradual, para erigir en su lugar otros nuevos. Durante muchos años, ésa fue la meta de muchos enfoques terapéuticos (en especial el psicoanálisis y las ramas dinámicas de las escuelas psicodinámicas). Pero no todos los esquemas disfuncionales pueden reestructurarse, ni hacerlo es siempre una meta razonable, en vista del tiempo, la energía o las aptitudes de las que dispone el paciente (o el terapeuta).

Un ejemplo de transformación esquemática total sería convertir a un individuo con trastorno paranoide de la personalidad en una persona completamente confiada. Se habrían eliminado los esquemas sobre el peligro potencial e inminente que representaban los otros, y en su lugar habría creencias distintas sobre la confiabilidad general de las personas, sobre la improbabilidad de que sea atacado y dañado, y sobre el hecho de que por lo general se podrá contar con que otras personas brindarán ayuda y socorro. Es obvio que este tratamiento es sumamente difícil y tomaría un tiempo considerable. Por lo tanto, habría que llegar a una solución de transacción entre los esquemas sobreactivados y los esquemas más beneficiosos. En otras palabras, la reestructuración consistiría en atenuar los esquemas disfuncionales y desarrollar esquemas más adaptativos.

Muchos pacientes nunca han elaborado esquemas adecuados para incorporar experiencias que contradigan sus creencias disfuncionales básicas: no pueden integrar las nuevas experiencias positivas y siguen filtrando los hechos con sus esquemas preexistentes. La consecuencia es que sus experiencias vitales reciben una forma tal que confirma las creencias disfuncionales (por lo general negativas) que el paciente tiene respecto de sí mismo y de las otras personas. Los pacientes con trastornos más graves —en especial los que padecen un trastorno límite de la personalidad— suelen tener una o más zonas sin acceso posible a esquemas adaptativos. Por lo tanto deben erigir estructuras adaptativas para almacenar las nuevas experiencias constructivas.

Para construir nuevos esquemas o apuntalar los defectuosos se pueden emplear diversas técnicas. A fin de organizar y almacenar las nuevas observaciones es posible recurrir a diarios. Por ejemplo, una persona que cree «Soy un inepto» puede llevar un cuaderno dividido en varias secciones, rotuladas «trabajo», «vida social», «paternidad», «en soledad». Día tras día registrará en cada sección pequeños ejemplos de aptitud. El terapeuta ayuda al paciente a identificar esos ejemplos y controla la regularidad del registro. El paciente repasa el cuaderno para contrarrestar su creencia absoluta en el esquema negativo en momentos de estrés o «fracaso», cuando las creencias negativas familiares se activan enérgicamente.

Un tipo distinto de diario sirve para debilitar los esquemas negativos y respaldar la necesidad de esquemas alternativos. En los diarios predictivos el paciente prevé lo que sucederá en ciertas situaciones si sus esquemas negativos son correctos. Después escribe lo que ocurrió realmente y lo compara con lo previsto.

Por ejemplo, una mujer con trastorno obsesivo-compulsivo de la personalidad creía que cada día la aguardaban catástrofes terribles y que ella era totalmente inepta para enfrentarlas. Llevó un diario en el que enumeraba en la primera columna todas las catástrofes previstas. En la segunda columna anotaba si la catástrofe se había producido o no, y también cualquier catástrofe imprevista que hubiera sucedido realmente. En una tercera columna evaluaba su manejo de las «catástrofes» reales. Al cabo de un mes, esta mujer repasó su diario y descubrió que de cada cinco catástrofes previstas sólo una se producía realmente, y que ella podía manejarla con un 70 % de aptitud.

Un tercer tipo de diario analiza más activamente las experiencias cotidianas en los términos de los esquemas viejos y nuevos. Los pacientes que han empezado a creer en sus esquemas nuevos, más adaptativos, evalúan los incidentes críticos durante la semana. Por ejemplo, una paciente que creía no ser agradable si no gustaba a otros, analizó las experiencias cotidianas en las que se activaba su vieja creencia. Durante un incidente criticó a un empleado por su bajo rendimiento en el trabajo. En el diario escribió: «Pareció molesto conmigo porque critiqué su trabajo. Con mi antiguo esquema habría sentido que era terrible y demostraba ser incapaz de agradar. Ahora puedo ver que es mi responsabilidad corregir el trabajo, y si él se enojó conmigo es cosa suya. No necesito que todos estén constantemente contentos conmigo para sentir que puedo gustar».

De este modo, los «diarios de esquema» ayudan a erigir esquemas adaptativos, aseguran que las siguientes experiencias los refuercen y contrarrestan los viejos esquemas no adaptativos en el procesamiento de los hechos nuevos y la reformulación de los antiguos. Desde luego, los tipos de «esquema funcional» que deben desarrollarse varían según la naturaleza de los problemas del paciente y la categoría diagnóstica.

Aunque lo ideal sería transformar a alguien que padece un trastorno de la personalidad en una persona completamente madura, que funcione en el clímax de sus capacidades, es infrecuente que esto se logre en la terapia. Pero la mayoría de los pacientes siguen madurando después del tratamiento, y en última instancia pueden acercarse a aquel ideal.

La segunda posibilidad en la escala del cambio es la «modificación esquemática», que supone cambios en la manera básica de responder al mundo, más pequeños que en el caso de la reconstrucción. La metáfora adecuada sería la renovación de una casa vieja. Tendríamos un ejemplo clínico en el cambio de los esquemas de una personalidad paranoide acerca de la confianza por creencias menos desconfiadas y suspicaces; también habría que experimentar induciendo al paciente a tener confianza en *algunas* personas en *algunas* situaciones, y a evaluar los resultados.

La tercera posibilidad en la escala es la «reinterpretación de los esquemas». Ésta supone ayudar a los pacientes a comprender y reinterpretar sus estilos de vida y sus esquemas de modos más funcionales. Por ejemplo, una personalidad histriónica reconocería la disfuncionalidad de la creencia de que ser amado o admirado es necesario. Pero esa persona seguiría contando con el afecto como fuente de gratificación —por ejemplo al enseñar a niños en edad preescolar. que besan y abrazan al maestro—. Si una persona narcisista quiere ser buscada y respetada, por ejemplo por tener un título (profesor o doctor), debe satisfacer su deseo de estatus sin estar dominada por creencias compulsivas acerca del valor del prestigio.

Mary, una programadora de 23 años (que en el capítulo 1 mencionamos brevemente), recurrió a la terapia a causa de «la tremenda presión del trabajo, la incapacidad para disfrutar de la vida, un enfoque perfeccionista de prácticamente todas las tareas y un aislamiento general» (Freeman y Leaf, 1989, págs. 405-406), así como por su dificultad para conciliar el sueño y sus ideas suicidas. No sólo obtenía muy pocas satisfacciones en el trabajo; constantemente se atrasaba con él. Sus rasgos obsesivo-compulsivos habían sido recompensados en la escuela y el hogar.

Fuera de una estructura escolar, dedicaba todo el tiempo al trabajo, pero su perfeccionismo ya no le deparaba ninguna recompensa. Dijo que cuando estudiaba, si necesitaba tiempo adicional para completar una tarea los profesores siempre se lo daban, porque sabían que el producto terminado justificaría la espera.

Mary consideraba esencial mantener sus «normas elevadas». Los intentos tendientes a modificar esos esquemas hipervalentes tropezaban con una gran resistencia. Quería que cesara el estrés que experimentaba, pero no renunciar a reglas y normas que consideraba importantes. En la terapia se discutió la posibilidad de encontrarle un nuevo trabajo que le permitiera aplicar sus «normas elevadas». Después de una breve exploración, la paciente consiguió un puesto en un centro universitario de investigación en el que uno de los requerimientos era el trabajo «lento y cuidadoso», sin importar el tiempo. Quienes trabajaban con ella encontraron que el estilo de la joven era compatible con las metas de su proyecto. En la continuación de la terapia se trató de modificar sus reglas en las situaciones sociales y profesionales.

Como es probable que el cambio de los esquemas suscite ansiedad, los pacientes deben ser advertidos al respecto, para que cuando el fenómeno se produzca no se sientan desconcertados. Un paciente deprimido, al que en la admisión se le había diagnosticado un trastorno límite de la personalidad, preguntó: «¿Por qué intenta enseñarme a controlar mi ansiedad? Estoy deprimido, de ningún modo ansioso». El terapeuta le habló de la necesidad de que supiera reducir la ansiedad, Le señaló que eso sería esencial para el éxito de la terapia. Como se mencionó en el capítulo 1, un paciente respondió a esa explicación diciendo que «es bueno tener esa seguridad, y no comprendo por qué tendría que renunciar a ella». A menos que el paciente logre manejar con éxito la ansiedad, puede deslizarse de nuevo hacia las antiguas pautas disfuncionales y abandonar la terapia. (Véase en Beck y otros, 1985, discusiones detalladas del tratamiento de la ansiedad.)

Toma de decisiones

Uno de los casos en que los terapeutas suelen entrar en la «vida exterior» del paciente con trastornos de la personalidad es cuando hay que brindarle ayuda para tomar decisiones. Mientras se tratan los problemas de la personalidad, se necesita un trabajo en conjunto para que el paciente aprenda a tomar ciertas decisiones importantes inicialmente pospuestas. Durante la fase aguda de los trastornos depresivos o por ansiedad, el terapeuta se centra en movilizar al paciente y empujarlo hacia la pauta de abordar los *problemas inmediatos*, que durante la depresión parecen insolubles (sin duda, esa sensación puede ser un subproducto de la depresión): «¿Debo levantarme hoy?», «¿Cómo podría mandar a los chicos a la escuela?», «¿Qué tengo que comprar en el supermercado?». Un abogado deprimido, por ejemplo, no puede decidir qué asuntos tiene que atender primero cuando llega a su oficina. Necesita ayuda para establecer las prioridades y después confeccionar listas de lo que hay que hacer en cada caso. Los síntomas de la depresión obstaculizan a veces la toma de las más simples decisiones de rutina. Es posible que las decisiones importantes —por ejemplo concernientes a problemas conyugales, a la crianza de los hijos o a cambios de carrera— tengan que posponerse hasta que se supere la depresión.

Cuando los síntomas agudos han desaparecido, el terapeuta puede abordar los problemas más crónicos o de largo alcance, relacionados con el matrimonio, la carrera, y así sucesivamente. Hay que abordar las decisiones que parecen atar al paciente —sobre todo en el ámbito de las relaciones interpersonales—. Algunos pacientes están paralizados hasta la total inacción, mientras que otros toman decisiones impulsivas respecto de la elección de carrera, las salidas con personas del otro sexo, el matrimonio o el divorcio y el tener hijos (así como en otros problemas más triviales). La ayuda en los problemas de la personalidad puede promover la solución de las dificultades reales y la toma de decisiones. Los procedimientos proyectados para la toma de decisiones suelen verse bloqueados por los problemas de personalidad. El evitador y el pasivo-agresivo tienden a posponer; el histriónico será con más probabilidad impulsivo; el obsesivo-compulsivo queda atrapado en el perfeccionismo y el dependiente busca que algún otro decida por él; el narcisista se centra en cómo le hará aparecer su decisión; el antisocial se centra en la ganancia personal inmediata.

Está claro que el terapeuta no trata los problemas de la personalidad sin un apoyo en lo concreto. Los problemas cognitivos se cruzan en el camino de la resolución de las «situaciones de la vida real». A la inversa, ayudando al paciente a aprender e integrar nuevas estrategias para conducirse con éxito, el terapeuta neutraliza algunas de las estrategias inadaptadas que son manifestaciones del trastorno de la personalidad. La incorporación de una nueva estrategia para la toma de decisiones puede acrecentar la confianza en sí mismo del dependiente, mejorar la capacidad para tomar decisiones del evitativo, hacer más reflexivo al histriónico y aumentar la flexibilidad del obsesivo-compulsivo. De modo que las nuevas pautas de toma de decisiones pueden modificar los estilos de la personalidad de cada trastorno.

El terapeuta cuenta con técnicas prácticas descritas en diversos textos sobre la toma de decisiones. Un método utilizado con éxito por D'Zurilla y Goldfried (1971), por ejemplo, consiste en una serie de pasos (definir el problema, establecer las metas, *brain storming** para generar ideas, etcétera).

Un método que revela los significados no razonables que influyen en las personas cuando enfrentan dilemas consiste en hacer listas con los «pros» y los «con-

* *Brain storming*: ir diciendo lo que a cada cual se le ocurre sobre un tema, sin censura previa, para dar con ideas interesantes. (*N. del t.*)

TABLA 4.2. Proceso de decisión de Tom

En favor del abandono	*Valor*	*Refutación*	*Valor*
«No quiero preocuparme tanto.»	60 %	«Estoy en terapia para superar mi *perfeccionismo*, que es lo que me hace desdichado.»	40 %
«Puedo descubrir si quiero o no ser abogado.»	10 %	«No necesito tomar una decisión irreversible para descubrir eso. Puedo tratar de sopesarlo mientras sigo en la facultad.»	30 %
«Sería un gran alivio. Tendría tiempo y podría pasear.»	40 %	«Me sentiré aliviado al principio, pero quizá muy triste más tarde.»	30 %
A favor de seguir	*Valor*	*Refutación*	*Valor*
«Me prepararé para la facultad de Derecho y para licenciarme sólo me falta un año y medio.»	40 %	Ninguna	—
«Quizá realmente me guste la práctica de la abogacía.»	30 %	Ninguna	—
«Aunque no me guste la práctica de la abogacía, éste es un buen trampolín para distintos trabajos (incluso el de director de *college*).»	30 %	Ninguna	—
«Algunas de las materias me estimulan.»	20 %	Ninguna	—
«Mi perfeccionismo podría serme útil como abogado.»	20 %	Ninguna	—

tras» de cada opción en columnas separadas. Con la ayuda del terapeuta, los pacientes enumeran las ventajas y desventajas de cada alternativa y tratan de asignar un «peso» relativo numérico a cada uno de esos ítems.

Por ejemplo, Tom, que tendía a obsesionarse con la toma de decisiones, había decidido dejar la facultad de Derecho por el malestar que le provocaban los exámenes y el miedo a no estar a la altura de las expectativas. Su costumbre de obsesionarse por su rendimiento le generaba una considerable tensión. La creencia de que abandonar era el único modo que tenía de aliviar el estrés lo impulsaba a considerar la posibilidad de dar ese paso. Como una manera de ayudarle a tomar una decisión objetiva, el terapeuta y Tom confeccionaron la tabla 4.2 con cuatro columnas y las rellenaron juntos. La primera columna detallaba las razones en favor del abandono o de la continuación de la carrera. En la segunda columna calibró la importancia de cada razón. La tercera columna contenía las «refutaciones», y la cuarta el valor o importancia de estas últimas.

Después de haber recorrido la lista con el terapeuta, Tom pudo ver con más objetividad la cuestión del abandono de la carrera. Experimentó algún alivio al comprender que su perfeccionismo y su obsesión (no las dificultades de la facultad) eran las fuentes reales de su malestar, y que el terapeuta podía ayudarle a remediar el problema de personalidad que le había hecho sufrir la mayor parte de la vida.

Debe observarse que decisiones quizá relativamente simples para un paciente son trascendentales para otro, porque afectan a una sensibilidad específica de su personalidad. A Agnes, una personalidad dependiente, no le costaba nada decidir que iría a una cena, pero la atormentaba tomar la decisión de emprender un viaje sola. Phil, una persona autónoma, por su parte, podía planificar viajes solo, pero quedaba paralizado si tenía que llamar a un amigo para pedirle instrucciones.

Técnicas conductuales

Las metas de las técnicas conductuales son tres. En primer lugar, el terapeuta necesita a veces trabajar muy directamente para modificar las conductas autodestructivas. Segundo, si el paciente tiene una capacidad deficiente, la terapia debe incluir un componente de construcción de la capacidad. Tercero, se pueden plantear tareas conductuales para realizar en casa a fin de poner a prueba las cogniciones. Entre las técnicas conductuales útiles (no las examinaremos detalladamente a todas) se cuentan: (1) la observación y la programación de la actividad, que permiten la identificación retrospectiva y la programación prospectiva de los cambios; (2) la programación de actividades de dominio y placer, para realzar la eficacia personal y validar el éxito con las experiencias modificadas (o su falta), y el placer derivado de ello; (3) el ensayo de conductas, el modelado, el entrenamiento en asertividad y la dramatización para desarrollar habilidades antes de los primeros esfuerzos tendientes a responder con más eficacia en situaciones problemáticas antiguas o nuevas; (4) el entrenamiento en relajación y distracción conductual, para que esas técnicas se empleen cuando la ansiedad se convierte en un problema amenazante mientras se intenta el cambio; (5) la exposición *in vivo*, en la que el terapeuta acompaña al cliente a un escenario problemático y le ayuda a abordar esquemas y acciones disfuncionales que (por la razón que fuere) no se pudieron tratar en el marco común del consultorio; (6) encargos graduales de tareas para que el paciente pueda experimentar los cambios paso a paso, proceso durante el cual se puede ajustar la dificultad de cada componente y lograr el dominio por etapas.

La dramatización puede utilizarse para desarrollar aptitudes y superar inhibiciones, como en el «entrenamiento asertivo». Cuando el tema tiene carga emocional, por lo general se suscitan cogniciones disfuncionales. Éstas son susceptibles de «elaboración», lo mismo que cualquier otro pensamiento automático.

Invirtiendo los roles, el terapeuta «modela» la conducta adecuada, y también visualiza con más facilidad la perspectiva de la otra persona. Esa inversión de roles es un componente crucial del entrenamiento en empatía.

Una joven de 18 años estaba continuamente encolerizada con el padre, a quien consideraba «crítico, desconsiderado y controlador». Se quejaba de que «quiere manejar mi vida y desaprueba todo lo que hago». Al principio, después de dar las instrucciones apropiadas, el terapeuta actuó en el rol del padre en una situación reciente, en la que éste había criticado a la paciente por tomar drogas, y ella se había enfurecido. Durante la dramatización, la joven tuvo pensamientos tales como: «¡No te gusto!», «¡Pretendes quitarme de en medio!», «¡No tienes ningún derecho a hacer esto!». Después se invirtieron los roles. La paciente se esforzó por desempeñar bien su papel —es decir, por ver la situación a través de los ojos del padre—. Se conmovió hasta que le saltaron las lágrimas y explicó: «Comprendo que realmente se preocupa por mí y le importo de veras». Se había encerrado tanto en su propia perspectiva, que la del padre le resultaba impensable.

Evocación de las experiencias de la niñez

El material de la niñez no es esencial en el tratamiento de la fase aguda de depresión o ansiedad, pero tiene importancia en el trastorno crónico de la personalidad. La revisión del material de la niñez permite vislumbrar los orígenes de las pautas inadaptadas. Este enfoque aumenta la perspectiva y la objetividad. Una paciente que constantemente se criticaba a sí misma a pesar de que se le había demostrado el carácter no razonable y disfuncional de sus creencias, pudo atenuar ese automatismo cuando volvió a experimentar escenas de su infancia. «No me critico porque deba hacerlo, sino porque mi madre siempre me criticaba, y yo hago lo mismo que ella».

La dramatización y la inversión de roles en interacciones clave del pasado puede movilizar el afecto y producir la «mutación» de los esquemas o creencias nucleares. La recreación de situaciones «patógenas» del periodo del desarrollo suele proporcionar la oportunidad de reestructurar las actitudes que tomaron forma en esa etapa. Estos casos son similares a la «neurosis de guerra». Para que cambien sus fuertes creencias, es necesario que los pacientes experimenten una catarsis emocional (Beck y otros, 1985).

En el rol de una figura del pasado, los pacientes llegan a ver con ojos más benévolos a un progenitor o a un hermano «malos». Pueden empezar a sentir empatía o compasión por los padres que los traumatizaron. Ven que en sí mismos esos padres no eran ni son malos, sino que estaban perturbados y desahogaban su cólera en los hijos. Los pacientes comprenden también que sus progenitores tenían normas rígidas y carentes de realismo, que imponían arbitrariamente. Como consecuencia, esos pacientes pueden suavizar sus propias actitudes respecto de sí mismos.

La conducta de los padres se les vuelve más comprensible; advierten que la concepción que tienen de sí mismos no se basa en la lógica o el razonamiento, sino que es un producto de las reacciones no razonadas de los padres. Una afirmación de un progenitor, «No vales nada», es tomada como válida e incorporada al sistema de creencias —aunque el propio paciente en realidad no crea que esto es así—. La justificación racional de la «evocación» de episodios específicos de la niñez es parte del concepto más general de «aprendizaje dependiente del estado». Para someter a la «prueba de realidad» los esquemas originados en la niñez, estas creencias tienen que salir a la luz del día. El hecho de volver a experimentar el episodio facilita la emergencia de las estructuras dominantes (los «esquemas activos» [*hot*]) y las hace más accesibles. Entonces el paciente puede corregirlas.

Empleo de evocación de imágenes

El empleo de imágenes en los trastornos por ansiedad ha sido descrito extensamente en otro lugar (Beck y otros, 1985). Los mismos métodos se pueden usar en los trastornos de la personalidad, para que el paciente «reviva» acontecimientos traumáticos pasados y reestructure la experiencia y las actitudes derivadas de ella.

La justificación racional de este procedimiento requiere algunas consideraciones. Por ejemplo, si uno se limita a hablar sobre un hecho traumático puede lograr algún *insight* intelectual de las razones por las que el paciente tiene una autoimagen negativa, pero no modifica realmente esa imagen. Para lograr el cambio es necesario retroceder en el tiempo, por así decirlo, y recrear la situación.

Cuando las interacciones de aquel momento cobran vida, se activa la construcción defectuosa —junto con el afecto— y puede producirse la reestructuración cognitiva.

Una mujer soltera, de 28 años, fue tratada con éxito de un trastorno por angustia en el curso de doce sesiones. Pero era evidente que ese estado sintomático tenía el contexto de una personalidad evitativa. La paciente decidió continuar tratándose por su trastorno de la personalidad, después de que remitiera el trastorno por angustia.

Esta mujer tenía una historia evitativa típica. Tendía a evitar las situaciones sociales y por lo tanto eran pocos sus amigos de uno u otro sexo, aunque estaba ansiosa por casarse. Además estaba preparada para trabajos más importantes que los que realizaba, pero no se atrevía a hacer nada para conseguir un puesto de más responsabilidad.

Durante las primeras sesiones, recibió la terapia cognitiva estándar para problemas de la personalidad. En una visita, después de que se le hubiera asignado una tarea para realizar en casa con la que ella no cumplió, le dijo a la terapeuta que ese incumplimiento la perturbaba. La terapeuta le preguntó dónde localizaba ese sentimiento. La paciente respondió que «en el estómago». ¿Había alguna imagen con referencia a lo que la perturbaba? La mujer respondió lo siguiente: «Me veo entrando en el consultorio; usted es enorme, crítica, y me humilla; es como una gran autoridad».

La terapeuta le preguntó cuándo le había ocurrido lo mismo antes. Ella había experimentado esa sensación muchas veces durante la niñez, en situaciones desagradables con la madre. La madre bebía mucho y a menudo se irritaba con ella. Un día la paciente había vuelto temprano de la escuela y la madre le insultó por haberla despertado.

La terapeuta le pidió que recreara esa experiencia con la imaginación. La paciente tuvo la siguiente fantasía o imagen: «Llego a casa y toco el timbre. Mi madre abre la puerta. Me mira. Es enorme. Me dice: "¡Cómo te atreves a interrumpir mi sueño!" Me acusa de mala, de perversa».

De esa experiencia (y muchas otras similares) la paciente extrajo la conclusión siguiente: «Soy una chica mala», «Soy perversa porque molesto a mi madre».

La terapeuta trató de encontrar explicaciones de la conducta de la madre que no fueran que la paciente era una niña mala. Ella reconoció que la madre bebía mucho, que era irritable y que «tenía la mano larga»; sin embargo, no podía dejar de sentirse culpable.

La terapeuta trató de apoyarse en la «parte adulta» de la paciente para enfrentarse a ese recuerdo poderoso. «Modeló» lo que habría sido una respuesta adecuada a la madre si la niña hubiera tenido la madurez y las aptitudes de un adulto. La paciente practicó distintas réplicas; la terapeuta desempeñaba el papel de la madre. Cada práctica hacía vacilar más su creencia, hasta que finalmente pudo decir con algún grado de convicción: «No es culpa mía; no eres razonable, me insultas sin motivo. No he hecho nada malo».

A continuación la paciente intentó revivir la situación en su fantasía; tocando de nuevo el timbre, pero esa vez (en lugar de someterse y sentirse desvalida) le respondió a la madre (imaginariamente) de un modo asertivo, con las palabras que hemos citado.

La «elaboración» mediante dramatizaciones, fantasías inducidas y la puesta a prueba y evaluación de las creencias, continuó durante más de un año. Con el transcurso del tiempo, el grado de convicción de la paciente respecto de sus creencias cambió sustancialmente. Al mismo tiempo se produjo una acentuada modificación de la sintomatología. Se volvió mucho menos autocrítica y finalmente pudo dejar el empleo (que no estaba a la altura de su capacidad) y lograr una posición mucho mejor, acorde con su preparación.

También se usó la evocación de imágenes en un caso de personalidad evitativa, un hombre que trabajaba en el negocio de la familia de su mujer. El problema que presentó era que sus parientes políticos estaban cansados de él por su falta de responsabilidad. Le dijo al terapeuta: «No le gusto a mi suegro [que también era su jefe]. Como sé que de todos modos va a criticarme, no hago las cosas. Siempre tengo miedo de que me critique». El terapeuta le pidió que visualizara su último encuentro con el jefe, y que lo describiera en detalle. El paciente vio al jefe encima de él, mientras le decía: «Me has decepcionado totalmente. ¿No te das cuenta del problema que has provocado?». Las emociones suscitadas por la escena (vergüenza, tristeza y deseo de retraimiento) eran las mismas que experimentaba de niño cuando la madre le reprendía por su bajo rendimiento en la escuela. De niño nadie le ayudaba con los deberes; cuando se equivocaba, la madre le decía: «Eres el único niño que fracasa. Ahora tengo que ir a la escuela a hablar con la maestra».

El paciente pudo diferenciar el pasado del presente; es decir, pudo «ver» en un nivel experiencial que aunque reaccionaba ante el jefe como alguna vez lo había hecho con la madre, obviamente uno y otra eran personas distintas, y él ya no era un niño. No le habría sido posible lograr ese grado de «*insight* emocional» sólo con comparaciones verbales entre sus experiencias presentes y pasadas, entre sus reacciones al jefe y sus reacciones con su madre.

Las estrategias descritas en este capítulo se elaborarán en los capítulos que siguen, en el contexto de cada uno de los trastornos de la personalidad.

CAPÍTULO 5

LA RELACIÓN PACIENTE/TERAPEUTA EN LA TERAPIA COGNITIVA DE LOS TRASTORNOS DE LA PERSONALIDAD

Reforzar la relación interpersonal

En la mayoría de los trastornos de la personalidad se necesita una relación terapéutica más estrecha y cálida que en los trastornos agudos (del Eje I), tales como la ansiedad o la depresión, en los cuales el paciente poseía, antes de caer en la problemática que le trae a consulta, una personalidad adaptativa. En el trastorno agudo normal (sin especiales complicaciones), el terapeuta suele asumir el papel de una autoridad que conoce los procedimientos necesarios para ayudar al paciente a librarse de los síntomas penosos. El paciente, por su lado, suele aceptar y dar la bienvenida a esa influencia, sin presentar conflictos a su autoridad. Enseguida se establece un ambiente de confianza, sin la presencia de muchas dudas acerca de la aceptación o rechazo del terapeuta. El paciente entiende su parte de responsabilidad y, con la guía del terapeuta, hace los esfuerzos necesarios para el cambio. En respuesta a la guía del terapeuta, el paciente suele sentir calidez y gratitud hacia el experto que le ayuda, primero anticipándose al alivio del malestar agudo y después como reconocimiento por la rápida mejoría del estado clínico. Este intercambio refleja las expectativas y habilidades de las dos partes. No se necesita mucho diálogo ni planificación para establecer y mantener esta relación de trabajo.

Con los trastornos de la personalidad más persistentes y generalizados, el papel del terapeuta cambia ligeramente. Entonces se necesita poner en marcha un mayor esfuerzo para ganarse la confianza del paciente así como para entender los límites o barreras de sus esfuerzos. Una gran parte del tiempo de la terapia se dedica a familiarizarse con la vida total del paciente: hijos, esposa, trabajo, historia personal e intereses. Ese compromiso del terapeuta, siempre y cuando se mantenga dentro de límites razonables, lo pone en el lugar de un amigo o consejero. En realidad, lo que hace el terapeuta es alimentarse de sus propias experiencias vitales y de las observaciones de los demás para proponer posibles soluciones a los problemas, y también para educar al paciente sobre la naturaleza de las relaciones íntimas. Este proceso de reeducación y construcción de habilidades es particularmente importante con pacientes que padecen un trastorno límite de la personalidad; los déficit de la personalidad de estos sujetos pueden haberles impedido adquirir y consolidar muchas de las habilidades básicas y creencias funcionales de autocontrol, tolerancia al estrés y todo lo relativo al establecimiento de relaciones estables con los demás.

Con el paso del tiempo, el terapeuta se convierte en un modelo de rol para el paciente, en alguien que éste puede emular cuando se trata de demostrar consideración, tacto, gratitud y comprensión en su propio círculo de íntimos y amigos. Muchos pacientes han puesto de manifiesto cómo han aprendido a estar relajados en situaciones de estrés, a no reaccionar en exceso a la decepción, pensar antes de hablar o actuar gracias a la observación del terapeuta, al que consideran un buen ejemplo a seguir. En muy raras ocasiones, el paciente puede ir demasiado lejos e incorporar la persona total del terapeuta, experiencia que se puede abordar cognitivamente. Por ejemplo, el terapeuta puede explorar por qué el paciente desea desechar su propia identidad.

Establecer y mantener esta relación de trabajo amistosa, sin embargo, es bastantes veces muy difícil. Todo un reto a nivel emocional. Mucha de la energía del terapeuta está dedicada a conceptualizar y trabajar con la interacción directa entre paciente y terapeuta, ya que también está presente, durante y entre las sesiones, la psicopatología interpersonal. Para que la terapia salga adelante, los siguientes puntos pueden necesitar más de una revisión: las expectativas del terapeuta en cuanto al esfuerzo que se necesita realizar, la relevancia de intercambios interpersonales inmediatos, el objetivo de un ámbito interpersonal ampliado y las atribuciones sobre las causas de la dificultad en la cooperación o progreso.

Puede ser bastante útil incluir contactos colaterales con personas del entorno del paciente para obtener más información acerca de las dificultades del paciente y trabajar directamente con los problemas interpersonales. Con algunos trastornos del Eje II, especialmente del grupo B, las personas del entorno del paciente pueden ser las que sientan más malestar o tengan más motivación por el tratamiento. Con los pacientes adultos suele ser muy constructivo, siempre con los límites de la confidencialidad, animar al apaciente a que invite a sus seres cercanos (al más significativo, por lo menos) para que participe en una sesión conjunta. El objetivo de ello puede ser resolver un problema concreto u obtener información adicional. Con adolescentes, se aconseja lo mismo, esta vez, para mantener una relación terapéutica con los padres e informarles del progreso, pero siempre de una manera que contribuya a la creciente autonomía del adolescente.

Por mucho que pueda cambiar el papel del terapeuta a lo largo del tratamiento, siempre se deben mantener los límites terapéuticos básicos. Los terapeutas necesitarán objetividad y constancia para mantener unos límites que protejan a ambas partes, especialmente cuando haga aparición la falta de habilidades del paciente o se activen sus creencias limitantes (Newman, 1997). Como en cualquier otra forma de psicoterapia, las relaciones sexuales o afectivas estrechas están explícitamente prohibidas (American Psychological Association, 2002; Koocher y Keith-Spiegel, 1998).

Problemas en la cooperación

Que el paciente no colabore lo suficiente, es algo que se puede encontrar en cualquier forma de terapia. La naturaleza crónica y generalizada de los trastornos de personalidad, sin embargo, hacen del paciente con trastorno del Eje II más proclive a la no cooperación o falta de conformidad, para usar otros términos que se diferencien de los tradicionales. Éstos hacen referencia a la resistencia como respuesta inconsciente esperada. Algunos libros recientes de orientación conductual han abordado esta importante cuestión (Ellis, 1985; Shelton y Levy, 1981; Wachtel, 1982).

Los esquemas concernientes al cambio, la concepción de sí mismo y la concepción de los demás pueden ser extremos y sumamente exagerados. Esa concepción exagerada se pone de manifiesto de distintas maneras. La no cooperación puede exteriorizarse directamente a través de no cumplir con lo pactado (por ejemplo, llegando tarde o faltando a las sesiones), o de un modo más sutil, a través de omisiones en el material comunicado. La no colaboración pasiva que surge del esquema de un paciente con poca autoeficacia puede ser diferente de la evitación activa impulsada por significados negativos personalizados (Davis y Hollon, 1999). Los temas comunes suponen desconfianza respecto del terapeuta, expectativas no realistas, vergüenza, sentimientos de culpa proyectados, quejas contra otros (personas o instituciones), desaprobación de uno mismo o de otros, o miedo al rechazo y al fracaso.

Ocasionalmente, los pacientes pueden mostrar formas extremas de no cooperación que traspasan la línea del acoso, el abuso emocional o incluso físico. En todo caso, el terapeuta puede conceptualizar las posibles razones que han producido esa conducta y, al mismo tiempo, etiquetar claramente la conducta como interferencia que no puede ser admitida (véase Newman, 1997). Algo que suele ayudar es consultar con colegas. Ello nos ayuda a conceptualizar lo que está ocurriendo y generar ideas que permitan redirigir la terapia en una dirección productiva, obtener apoyo emocional y, en definitiva, protegerse.

Existen muchas razones para la disconformidad que no son que «el paciente no quiera cambiar», o «una batalla entre sus estructuras intrapsíquicas». Esas razones pueden aparecer en cualquier combinación o permutación; la fuerza relativa de la disconformidad puede cambiar con las circunstancias de la vida, con el progreso en la terapia, con la habilidad del terapeuta en tratar las creencias que interfieren con la colaboración y así sucesivamente.

Comprensión conceptual de la no colaboración

Se pueden conceptualizar varias causas de la no colaboración en términos de habilidades, creencias y condiciones ambientales. Con una adecuada conceptualización, se puede diseñar un plan específico para atacar a las causas que usará la tecnología del modelo cognitivo. Aunque describimos esas causas separadamente, pueden presentarse combinadamente en cualquier tipo de paciente con cualquier patología.

Para explorar las causas de la no colaboración, los terapeutas pueden usar las siguientes preguntas. Primero, ¿los déficit en habilidades del paciente o los míos, están contribuyendo a esta carencia de colaboración? ¿Son las condiciones de trabajo o las contingencias lo que está interfiriendo con el progreso? ¿De qué manera se mezclan esos problemas? Y, finalmente, ¿qué puedo hacer yo para ponerle remedio a ello?

1. *El paciente puede carecer de capacidad para ser cooperativo.* Un déficit individual en habilidades puede bloquear la capacidad del paciente para trabajar eficazmente con el terapeuta. No todo paciente ha desarrollado aptitudes para emprender con eficacia ciertas conductas. En muchos casos, la dificultad para someterse al régimen terapéutico corre de manera paralela a sus problemas en la realización de ciertas acciones en la vida. Ambas zonas de dificultad provienen del desarrollo pobre de algunas capacidades, tal vez adecuadas para «salir del paso» en ciertos ámbitos, pero no en tareas más complejas. Por ejemplo, un paciente del Eje II puede tener capacidad intelectual o para el estudio, pero carecer de aptitudes prácticas o vitales. El terapeuta tiene que enseñarle (y practicar con él) habilidades para ayudarle a andar en la terapia y, por extensión, en la vida.

> *Ejemplo clínico:* Alan era un abogado de 39 años, con diagnóstico de trastorno de la personalidad por evitación. Entró en terapia al divorciarse porque pensaba que nunca iba a encontrar a otra mujer, que había quedado herido para siempre, y que la vida que le restaba no merecía vivirse. Las metas de superar su herida y llevar una nueva vida social le parecían carentes de realismo. No es para mí, repetía una y otra vez. Durante varias sesiones no realizó una tarea que consistía en llamar por teléfono a una mujer cuyo número le había dado un colega. En la octava sesión el terapeuta le preguntó a Alan por qué le resultaba tan difícil llamar. Alan respondió que prácticamente no tenía experiencia en citarse con mujeres por teléfono. El terapeuta le pidió que ensayara la llamada, y descubrió que el hombre no tenía la menor idea de lo que podía decir. Después de practicar varios enfoques diferentes, Alan intentó la llamada desde el consultorio y logró una cita para tomar una copa a la salida del trabajo.
>
> Su experiencia limitada, junto con su carácter evitativo, hacía difícil que Alan realizara la tarea encomendada. Si el terapeuta no lo hubiera descubierto, este pa-

ciente nunca habría cumplido dicha tarea. Ese fracaso hubiese sido probablemente utilizado como evidencia para apoyar sus creencias acerca de su desvalimiento para volver a conseguir una pareja.

2. *El terapeuta puede carecer de capacidad para desarrollar la cooperación.* Así como reconocemos las diferencias individuales en nuestros pacientes, también debemos reconocer que existen diferencias en las aptitudes de los terapeutas. Como consecuencia de que tal vez su experiencia se limite a un problema determinado (por ejemplo, los traumas), a una cierta población (por ejemplo, los ancianos), o a un nivel de severidad del trastorno (por ejemplo, los trastornos graves), es posible que el terapeuta no tenga capacidad para trabajar con un paciente dado. El terapeuta que trabaja en una institución o en un hospital puede recurrir a la consulta con colegas, o a la supervisión para un caso o problema. Pero a veces no existe esa posibilidad. Si las habilidades del terapeuta no son suficientes para atender al paciente, lo que entonces corresponde desde el punto de vista ético es la derivación a otro terapeuta. Ahora bien, si tampoco esto es posible, los profesionales tendrán que desarrollar, realzar y mejorar constantemente sus aptitudes por medio de formación adicional. Los cursos de posgrado, los programas de educación continuada, el estudio autodidacta, los seminarios, talleres o cursos en institutos son actividades indispensables para el crecimiento de todo terapeuta, fuera cual fuere su formación.

Ejemplo clínico: A Maureen, doctorada en psicología y titular de una beca de investigación, se le asignó el caso de una estudiante de 18 años, identificada como obsesivo-compulsiva, que presentaba un problema de retención urinaria psicógena. La situación no sólo era insalubre y dolorosa sino que también creaba problemas de tipo social, porque la estudiante vivía en un dormitorio de la universidad y tenía que compartir el baño. En vista de la falta de experiencia de la terapeuta en este problema, lo llevó a supervisión. También el supervisor tenía una experiencia limitada con esa dificultad, y lo mismo ocurrió con otros profesionales de la zona con quienes se contactó. Por medio de llamadas telefónicas a colegas de todo el país se reunieron todos los datos posibles sobre el tratamiento del trastorno. Además, Maureen buscó en la biblioteca la literatura correspondiente.

Debido a la naturaleza inusual del problema, la terapeuta tuvo que desarrollar estrategias e intervenciones para que ella y su supervisor pudieran trabajar con eficacia. Sacando partido de su investigación sobre la anatomía femenina, el ejercicio y el control muscular, encontró la solución en un libro de ejercicios físicos para mujeres: los ejercicios de Kegel, que le fueron enseñados a la paciente en la sesión. La joven logró un mayor control de la vejiga. La terapia conductual se realizó juntamente con el trabajo cognitivo de identificar y responder a los pensamientos disfuncionales sobre la micción en baños públicos. A su vez, esto condujo al trabajo de modificar el esquema relacionado con la limpieza, la virtud y el perfeccionismo.

3. *El terapeuta subestima el papel de la cultura del paciente.* Por definición, la conducta problemática o experiencia interna del paciente debe apartarse de las expectativas de la cultura del *individuo* (American Psychiatric Association, 2000), no de la cultura del *terapeuta*, para ajustarse a los criterios de trastorno de la personalidad. Debemos comprobar que no estemos cometiendo un sesgo etnocéntrico presuponiendo cuáles son los elementos funcionales o disfuncionales de la situación del paciente. Si, por el contrario, caemos en ello sin más, podemos perder de vista los objetivos terapéuticos, asignando al paciente más patología de la que en realidad posee, con lo cual éste se sentirá incomprendido y poco respetado.

> *Ejemplo clínico:* Vidya, una estudiante de posgrado de origen indo-asiático, acudió a terapia para solucionar un problema de ansiedad ante los exámenes. Al acabar la carrera, planeaba volver a su hogar familiar y casarse según habían proyectado y arreglado sus padres. La paciente se sorprendió y se puso nerviosa cuando el terapeuta mencionó que podía tener un trastorno de personalidad por dependencia. Finalmente, no accedió a los objetivos terapéuticos de incrementar su asertividad y capacidad para vivir independientemente.

4. Las *creencias de personas cercanas pueden evitar el cambio o reforzar conductas disfuncionales.* En la vida del paciente puede haber individuos o circunstancias que mantienen el esquema disfuncional y las conductas disfuncionales asociadas. Las creencias de estas personas significativas pueden obrar más o menos abiertamente contra la participación del paciente en la terapia. Esas creencias pueden reflejar algún estigma acerca del uso de la psicología, incomodidad ante la dirección del cambio o ideas equivocadas acerca del progreso positivo (es visto como pecaminoso, arriesgado, no merecido) o falta de progreso (justificado, piadoso). Es posible que se dé, de manera oculta o explícita, el mensaje de «No cambiar». En el nivel manifiesto, quizá se le acose porque va a la terapia, porque «habla con un extraño de asuntos privados de la familia», o tal vez sea objeto de burlas o se le estigmatice por ser un «chiflado» y necesitar de un «loquero». Muchas veces, se le acusa de gastar tiempo y dinero en «tonterías». Encubiertamente, el mensaje puede tomar la forma de una retirada de afecto o atención mientras el paciente está en terapia. A veces, se trata directamente de actos maliciosos que le provocan ansiedad. Incluso cuando el paciente ya no tiene contacto con esas personas contrarias a la terapia, puede persistir su influencia, por ejemplo, alertando al paciente cada vez que siente que se está permitiendo estar bien. Sus experiencias pasadas con ellos, le han hecho llegar a la conclusión de que cada vez que se siente bien, inevitablemente acaecerá un episodio en el que se sentirá en ridículo, rechazado o alguna forma de descrédito, con lo cual se sentirá peor por haberse arriesgado.

Ejemplo clínico: Bob era un soltero de 30 años que vivía con sus padres. Había regresado del *college* y estaba empleado como técnico de servicio al cliente en una gran corporación. Aunque ganaba dinero suficiente para vivir solo, sus padres insistían en que se quedara en casa. Lo que a ellos les preocupaba era que si vivía solo no se cuidara con la comida y volviera a aumentar de peso, hasta sus anteriores 130 kilos. Aunque entonces pesaba 100 kilos, acudía a terapia y a un grupo de apoyo para trabajar sus problemas de peso, sus padres estaban más preocupados que nunca. Bob se sintió muy mal cuando su madre puso sobre la mesa la sospecha de que la terapia sólo le estuviese metiendo en la cabeza peligrosas ideas acerca de vivir solo. Tenía miedo de que sin la ayuda de los suyos, no podría mantenerse en un peso adecuado. Sus pensamientos de que estaba defraudando a sus padres y las propias dudas acerca de su mérito al adelgazar le impedían independizarse. Seguía en la casa paterna para tranquilizarlos, prolongar su dependencia, continuar siendo su niño pequeño y poder enfrentarse a su propio miedo a perder el control. Él mismo siguió creyendo, como hacían sus padres, que sentirse seguro y capacitado para autoadministrarse era peligroso e injustificado.

5. *Las ideas y creencias del paciente acerca de su fracaso potencial en la terapia pueden contribuir a la no cooperación.* En cualquier terapia cognitiva es importante ayudar al paciente a examinar sus cogniciones respecto del fracaso en la terapia. Detectar los pensamientos sobre potenciales fracasos y examinar y aprender a responder a esas autocastigadoras cogniciones pueden ser objetivos, a corto plazo, esenciales. El éxito puede ser visto como algo dimensional, un esfuerzo progresivo, en vez de un resultado determinado en términos de «todo o nada». Por medio de la asignación de tareas graduadas, de pequeños pasos secuenciales, de la evaluación de las respuestas y reacciones a los cambios intentados, de la inoculación del estrés y la ansiedad y del apoyo terapéutico (de cara a facilitar la tolerancia a la frustración) y del proceso experimental de descubrimiento, el paciente puede fijarse menos en el fracaso potencial y es más probable que se le induzca a intentar cambiar.

Ejemplo clínico: Mitch, un alumno de *college* de 20 años tenía un diagnóstico de trastorno de la personalidad por evitación. Su experiencia social y de salidas con chicas era muy limitada. Después de dos años de ver salir juntos a los muchachos y las chicas de su residencia, se mudó a un departamento fuera del campus, para no ser testigo de la activa vida social de sus compañeros. Todos menos él iban a fiestas, recibían muchas llamadas y charlaban amigablemente entre ellos. Cuando inició la terapia ya había aceptado intelectualmente que debería estar aprovechando sus años de universidad para establecer contactos sociales, pero reconocía su falta de habilidad, su ansiedad y su renuencia. Sobre la terapia pensaba lo mismo que acerca de las citas: en ambas situaciones se veía abriéndose a nuevas experiencias, pero rechazado a causa de su falta de aptitud y competencia, y sufriendo aún más en razón del fracaso. Una vez tenía lugar el inevitable rechazo, anticipaba nuevos y más desastrosos fracasos. Sus pensamientos automáticos sobre la terapia (y las citas) eran los siguientes: «Estoy mucho mejor sin exponerme al fracaso y al ridículo. De hecho, estaría mejor muerto. Nadie me echaría de menos. Todo lo que hago está condenado al fracaso, incluso esta terapia».

6. *Los pacientes se resisten a colaborar porque creen que su cambio irá en detrimento del bienestar ajeno.* Otro conjunto de cogniciones obstructivas supone que el paciente tiene ideas catastróficas acerca de los efectos sobre los allegados de su propio intento de cambiar. Sus pensamientos son del estilo: «Si cambio sucederá algo terrible», aunque los detalles de esos supuestos hechos terribles son vagos y poco específicos. En ocasiones, los allegados del paciente le amenazan y éste lo acepta sin cuestionarlo.

Ejemplo clínico: Marta, una mujer de 42 años soltera con diagnóstico de trastorno de la personalidad obsesivo-compulsivo, estaba empleada como secretaria y vivía con su madre. Ésta, aunque disfrutaba de perfecta salud, visitaba a médicos sin cesar, y Marta tenía que pagarlos. Marta temía que si dejaba de sufragar los gastos médicos de su madre y limitaba el tiempo y la atención dedicada, ésta enfermaría y moriría. Además, creía que quedándose en casa y sacrificando su vida personal ayudaba a prolongar la vida de su madre, quien, por cierto, reforzaba esta convicción. De alguna manera, le transmitía la idea de que sus posibilidades de salir adelante y toda su razón de vivir, dependían de los constantes cuidados de su hija; «sabía que algo horrible ocurriría» si las cosas llegaban a cambiar.

7. *El paciente teme que si colabora con la terapia destruirá su personalidad o sentido del yo.* Los pacientes del Eje II pueden percibir que modificar las ideas, las creencias o las conductas son amenazas directas a su identidad personal. Esto puede parecer paradójico, pues sus pensamientos habituales los hacen ansiosos, deprimidos, suicidas, o en general son disfuncionales. Pero estos pacientes temen no reconocerse. A menudo optan por la familiaridad de su malestar, a pesar de que éste sea muy autodestructivo, para rechazar la incertidumbre de un nuevo modo de pensar o comportarse.

Ejemplo clínico: Durante tres años Mary había padecido una depresión con ideas de suicidio. Además, se le había diagnosticado un trastorno histriónico de la personalidad. Había sido hospitalizada cuatro veces por sus ideas suicidas, aunque nunca las intentó llevar a cabo. Esas ideas eran muy dramáticas. Confrontada por el terapeuta, dijo en su estilo habitual de pensamiento: «Yo soy así. Siempre he sido así. No me imagino de otra forma». Comprendía que sus ideas suicidas no sólo eran penosas para ella sino también para sus allegados, pero le costaba mucho cambiar de perspectiva debido a que mantenía su firme posición de: «Yo soy así».

8. *Las creencias disfuncionales del paciente y del terapeuta pueden ser complementarias y potenciarse recíprocamente.* Un punto ciego del terapeuta puede ser un impedimento para el progreso del paciente si ambos comparten una determinada idea disfuncional (por ejemplo, «No hay esperanza»). El hecho de que se comparta esa creencia, basada en esquemas congruentes con ella, puede llevar a que el terapeuta «se asocie» a las ideas y creencias desesperanzadas del paciente.

Ejemplo clínico: La doctora M. era muy cuidadosa y precisa en el trabajo. Cuando sufría estrés tendía a ponerse obsesiva. Su creencia general era que, cuando aparecía el estrés, debía poner mucho más cuidado y esfuerzo en sus tareas. Su trabajo y su dedicación habían sido factores clave para la obtención de las máximas notas en sus estudios universitarios. Al referirse por primera vez a un paciente para cuya terapia seguía una supervisión lo describió como «perfeccionista, obsesivo e internamente exigente». Sus metas eran ayudarle «a liberarse de todo el perfeccionismo que le hacía sentir tan desesperanzado». En lugar de intentar modificar ese perfeccionismo, consideraba que la meta terapéutica era su eliminación total. Como respuesta al comentario del supervisor de que eso podría en realidad reforzar los problemas del paciente, la doctora M. desarrolló un argumento a favor del perfeccionismo y de la necesidad de buscar siempre unos resultados completos y nada menos que eso.

9. *Un conocimiento pobre del modelo puede ser un factor de la no conformidad.* Los pacientes que no entienden lo que se espera de ellos tendrán dificultades en seguir las prescripciones o recomendaciones. En la terapia cognitiva, el paciente tiene que informarse de los fundamentos de la misma, desde la primera sesión (incluso antes, cuando nos envían al paciente). Es importante que el terapeuta dedique todo el tiempo necesario a explicar la terminología, los conceptos, la necesidad de la participación del paciente y los objetivos de autoayuda y adquisición de habilidades. Además, debe solicitar *feedback* para evaluar el nivel de comprensión del modelo durante todo el trabajo terapéutico. Aunque se debe demostrar respeto en caso de que el paciente haya leído libros sobre terapia cognitiva o haya buscado en Internet, no podemos asumir que tenga un conocimiento adecuado de la terapia cognitiva. Además podría haber una interferencia debida a una terapia previa del paciente, especialmente si ésta estaba basada en un enfoque diferente. Además, la habilidad para escuchar y entender del paciente puede verse limitada por la desesperanza, la impulsividad, la abstracción selectiva, la personalización o la frustración ante la idea de iniciar una nueva terapia.

Ejemplo clínico: Ed era un médico de 42 años derivado a terapia cognitiva después de la muerte de su psicoanalista. Se había estado analizando durante quince años (a tres sesiones por semana durante la mayor parte del tiempo) para tratar su depresión crónica y sus periódicas ideas suicidas. Después intentó continuar su psicoanálisis con otro profesional. Al cabo de unos meses interrumpieron el análisis de mutuo acuerdo. Entonces, Ed inició una terapia cognitiva para tratar específicamente su depresión. En cada sesión, el paciente entraba y se ponía a hablar de inmediato de sus asociaciones libres. Aunque el terapeuta trataba de mantener el centro de interés, utilizando como encuadre la agenda, Ed hacía asociación libre, discutía sueños, fantasías y todo lo que le pasaba por la cabeza. La reorientación constante y la programación de 10 a 15 minutos iniciales de asociación libre ayudaron a mantener el resto de cada sesión bien dirigido y focalizado. El terapeuta habló con Ed de las diferencias entre el enfoque analítico y el cognitivo, validó los sentimiento de Ed de trabajar con un nuevo modelo y le pidió que participara en un experimento para evaluar la utilidad de seguir una agenda centrada en los problemas terapéuticos. Después, se añadieron 10 minutos de libre asociación a la agenda como parte de la contribución de Ed. Tras varias semanas, ambos llegaron a la conclusión de que se realizaba un trabajo satisfactorio.

10. *El paciente puede experimentar beneficios secundarios del mantenimiento de la pauta disfuncional.* Hay pacientes que tienen grandes dificultades para iniciar o llevar a cabo el cambio debido al beneficio que obtienen de su situación actual. Es posible que la familia trate al paciente con «guantes de seda», que evite cualquier presión o confrontación, y que en general le permita hacer lo que quiera para reducir el potencial de *acting-out.* Quienes proveen los beneficios secundarios son los miembros de la familia, los amigos, los empleadores u otras personas o sistemas con quienes el paciente interactúa. El paciente también interactúa con el terapeuta. Una manera de manejar este problema es hacer que el paciente sopese la «pérdida primaria», es decir, el precio que paga para obtener el beneficio secundario.

Ejemplo clínico: Sid era un carpintero desocupado de 38 años, con un trastorno pasivo-agresivo de la personalidad y un trastorno de la personalidad por dependencia. En los últimos cinco años no había tenido un trabajo regular. Pasaba el tiempo en casa, viendo la televisión. La esposa trabajaba todo el día y él «se limitaba a recoger la ayuda social destinada a su incapacidad laboral». Dijo que cuando se esforzaba de algún modo, temía sufrir un infarto o incluso un accidente vascular. Aunque no había tenido ninguno de los dos problemas, ni tampoco alguna enfermedad importante y ni siquiera precedentes familiares, la mujer y los dos hijos estaban tan preocupados por su salud que nunca le pedían que hiciera algo. Si se le presionaba para que buscara trabajo, Sid pensaba en matarse antes que exponerse al tormento de la ansiedad. Un centro de salud mental comunitario le había entregado un certificado que indicaba que no se le obligara a trabajar. Tanto Sid como su terapeuta pensaban, por razones no especificadas, que simplemente «no podía trabajar». Sid se levantaba a las 11 de la mañana, leía los diarios hasta el mediodía y después veía la televisión. Cuando los chicos volvían de la escuela, él hacía una siesta y se levantaba a tiempo para cenar. Después volvía al televisor, o escuchaba música hasta el momento de acostarse. Era muy difícil iniciar ningún cambio con las ventajas de esa temprana «jubilación».

11. *La inoportunidad de las intervenciones puede ser un factor de la no conformidad.* Las intervenciones inoportunas o precipitadas pueden determinar que el paciente no advierta la importancia o pertinencia del trabajo terapéutico, y por ello parezca no colaborar. Si el terapeuta, a causa de su propia ansiedad, trata de empujar o hacer ir más deprisa al paciente del Eje II, el resultado puede ser la pérdida de cooperación, el absentismo a sesiones, una mala comprensión de los problemas de la terapia o su interrupción prematura. A veces, los terapeutas no entienden bien el modelo cognitivo y lo tienen por una especie de «libro de recetas». Así, despachan las técnicas con demasiada celeridad con la intención de demostrar capacidad, pero con el costo de que el paciente no se siente involucrado en el proceso de descubrimiento y aprendizaje.

> *Ejemplo clínico:* Marie, una interna que aún no había obtenido su doctorado, estaba aprendiendo a dirigir sesiones de terapia cognitiva. Como resultado de su ansiedad y de la presión interna que la impulsaba a perseguir el éxito, tendía a inferir los esquemas sin reunir datos suficientes en apoyo de sus interpretaciones o intervenciones. Los pacientes solían responderle que ella no los comprendía, lo que acentuaba la ansiedad de Marie y a menudo la llevaba a dar interpretaciones tan aventuradas como inoportunas.

12. *Un tratamiento de duración limitada puede provocar resistencia.* Existen ocasiones en las que el acceso al tratamiento depende de un seguro de asistencia médica que limita el número de sesiones. No es raro que si el terapeuta presiona al paciente para conseguir los objetivos en el tiempo deseado, se encuentre con que éste no colabora. A veces, los problemas de colaboración se deben simplemente al hecho de que el paciente no se siente preparado para finalizar la relación con el terapeuta. Una solución para darle más oportunidades a la terapia puede ser ajustar los objetivos de tratamiento y generar otras opciones para prolongarla.

> *Ejemplo clínico:* El doctor R ofrecía sus servicios a unas treinta mutualidades de salud, las cuales le concedían entre 6 y 25 sesiones de tratamiento por paciente. Para muchos de ellos, este tiempo bastaba. Sin embargo, el doctor R experimentó que los pacientes del Eje II eran más renuentes a seguir prescripciones y ello le causaba una gran frustración pues no podía finalizar los tratamientos en el tiempo asignado. Pensaba que, para el bien del paciente y de su sistema de trabajo, era esencial ajustarse a esos límites de tiempo, por muchas complicaciones que presentase el caso. Con esa idea en mente, comenzó a ser más directivo y dominante y encargaba muchos «deberes» a sus pacientes del Eje II, los cuales no tenían muchas opciones para expresarse. Su porcentaje de abandono después de tres o cuatro sesiones era muy alto, lo cual era evidencia para él de que los pacientes del Eje II sólo querían alivio inmediato, pero incapaces de hacer esfuerzos reales por cambiar.

13. *Las metas de la terapia pueden ser tácitas.* A veces las metas de la terapia aparecen implícitas en la presentación inicial de la lista de problemas. Por ejemplo, en la «discordia marital» puede haber implícitos déficit de habilidad para relacionarse, para la comunicación, para la vida sexual, para la crianza de los hijos, para las finanzas familiares o bien depresión o muchos otros problemas. Al confeccionar la lista de problemas es necesario explicitar las metas de la terapia. Desde luego, esa lista puede modificarse a medida que progresa el tratamiento. Sin la información de origen sobre cuáles son las metas, resulta difícil evaluar el progreso.

Ejemplo clínico: Maryann, de 51 años, entró en terapia por su ansiedad. Al cabo de varias sesiones resultó claro que la ansiedad formaba parte de un cuadro clínico que incluía un trastorno obsesivo-compulsivo de la personalidad. El terapeuta, al ayudar a Maryann a flexibilizarse, encontró que estaba más agitada a medida que progresaban las sesiones. En la sexta sesión anunció que iba a dejar el tratamiento porque su ansiedad crecía: «Yo pensaba que la terapia tenía que ayudar, no empeorarme». El terapeuta había dado por supuesto que Maryann estaba dispuesta a cambiar su pauta rígida de personalidad, sin ni siquiera discutir esa pauta como objetivo de la terapia.

14. *Las metas de la terapia pueden ser vagas y amorfas.* Es típico que los pacientes presenten metas vagas como, por ejemplo, «no dispersarme», «levantar cabeza», «arreglar los problemas familiares», «encontrar una vida feliz». El terapeuta debe guiar al paciente para que reformule esas metas como definiciones operacionales con las que se pueda trabajar.

Ejemplo clínico: Seth, de 19 años, había sido derivado por el responsable de su residencia universitaria porque se peleaba constantemente. El joven acudió a un consejero en el centro de asesoramiento psicológico del *college*, y había trabajado en relación con su «cólera» y problemas de «marco familiar». Después de ocho sesiones, el consejero dio por terminado el asesoramiento, con la observación de que Seth no tenía un *insight* suficiente para permitir el cambio. La nueva derivación se basaba en que el *insight* no se había concretado en cambio conductual. Esta vez las metas de la terapia se establecieron con claridad y en términos específicos, con criterios para el cambio, un planteamiento gradual de la tarea de relacionarse con sus compañeros de dormitorio y una atención discretamente centrada en el control de sus impulsos (no usar lenguaje ofensivo y tratar de ser respetuoso y asertivo).

15. *Las metas de la terapia pueden carecer de realismo.* Este problema puede deberse al paciente o al terapeuta. Las metas excesivamente ambiciosas o modestas pueden crear en la terapia una tendencia negativa. Si el paciente quiere llegar a ser una persona totalmente nueva —es decir, lo opuesto a lo que ha sido en los últimos cuarenta años—, quizás el terapeuta tendrá que ayudarle a esta-

blecer metas más realistas y graduadas. El cambio es posible, pero plantear como objetivo un cambio total puede llevar al fracaso. También puede haber fracaso cuando es el terapeuta quien tiene metas elevadas y carentes de realismo. Entonces, es el paciente quien se sentirá fácilmente superado por esas expectativas. Si los terapeutas no tienen muchas expectativas acerca de las habilidades del paciente para cambiar (lo cual sucede mucho con los pacientes del Eje II), deben ser menos creativos y exigentes.

Ejemplo clínico: Nick, de 52 años, recurrió a la terapia diagnosticado de trastorno de la personalidad por evitación. Sus quejas personales eran de depresión y aislamiento. En la primera sesión dijo que quería cambiar toda su vida. No se había casado, no había salido con mujeres hasta los 31 años, y sólo lo había hecho unas pocas veces en toda su vida. El mundo pasaba delante de sus ojos sin su participación. Se veía en el futuro viejo y solo. En la televisión veía programas sobre familias y lloraba. Se planteaba como objetivo relacionarse enseguida con mujeres y casarse antes de un año, pues ya no era un jovencito. Esta meta carente de realismo probablemente habría conducido a una situación de fracaso y saboteado la terapia. El terapeuta de Nick, por otro lado, creía que la cronicidad de sus problemas predecía pocas posibilidades de cambio apreciable. Así que primero se centró en reducir el malestar de Nick acerca de estar solo e hizo muy poco por extender la red social del mismo.

16. *Entre el terapeuta y el paciente quizá no haya habido acuerdo con respecto a las metas del tratamiento*. Como las metas de la terapia deben ser explícitas y estar definidas en términos operacionales, es necesario que se revisen los términos de su acuerdo (sobre todo, en cuanto a objetivos). Establecer un plan de tratamiento y hacer que el paciente lo lea y firme es parte del consentimiento explícito que se exige en muchos ámbitos de la salud mental. Enunciar las metas para un período determinado (por ejemplo, tres meses), examinar la justificación racional de esas metas, aceptar las aportaciones del paciente, negociar los cambios, asegurarse de que el paciente entiende y obtener y proporcionar retroalimentación son características intrínsecas del modelo de la terapia cognitiva. Después, a medida que la terapia avanza, es muy importante que se vaya revisando el acuerdo y el trabajo realizado; así podremos mantener la colaboración del paciente en niveles altos.

17. *Los pacientes pueden sentirse forzados a seguir el tratamiento y carecer de motivación*. Muchos pacientes son enviados a terapia contra su voluntad, bajo alguna presión externa. Tal vez sus allegados los hayan amenazado con graves consecuencias si se resistían. Otros pacientes, también contra su voluntad, son derivados por la justicia. Debido a su tendencia a verse como víctimas de los otros o de las circunstancias, tales personas lo tienen difícil para dejar de quejarse y llevar a cabo acciones constructivas. El trabajo terapéutico en tales casos debe

centrarse en construir una buena relación y reducir las percepciones de que la terapia es un proceso agresivo y forzado al que hay que oponerse. Para ello, se deben explorar los intereses del paciente en diferentes campos.

> *Ejemplo clínico*: Sam era un joyero de 59 años que había estado crónicamente deprimido y había tenido intermitentemente ideas suicidas a causa del fracaso de sus negocios. Su percepción era que él no tenía la culpa de ese fracaso; lo atribuía a que los grandes joyeros estaban bajando los precios más de lo justificado. No veía ningún modo de recobrar los ingresos, los clientes y el estatus del que alguna vez había disfrutado, y se negaba a «tirar» dinero en publicidad. Aunque iba a trabajar día tras día, permitía que en su negocio se amontonaran cajas de «basura», no buscaba nuevas líneas de negocio y se mostraba desagradable con los pocos clientes que se dejaban caer por su tienda. Su modo de ver la terapia era análogo. No la quería, no le encontraba ninguna ventaja, se quejaba del gasto de tiempo y dinero que suponía y sólo iba al consultorio para tranquilizar a su esposa y a su hija.

18. *El paciente cree que la terapia es un proceso pasivo o mágico*. Como parte de su cuadro clínico, algunos pacientes del Eje II ven tanto los problemas como las soluciones como externos a ellos mismos. Pueden aparecer como fuertemente motivados, pero su motivación se traduce en estar allí y absorber algún efecto curativo de la cercanía del terapeuta. Algunos piensan que el trabajo del terapeuta es hacerlo todo, sin intervención por parte de ellos, así que esperan que de sus importantes observaciones obtendrán el *insight* y el cambio que necesitan. A veces idealizan y halagan al terapeuta, pero pronto se desencantan y se muestran defensivos.

> *Ejemplo clínico*: Carolyn, una ama de casa de 40 años de edad sin hijos, comenzó la terapia para «aclararse» después de que un amigo le recomendase dejar el psicoanálisis e iniciar una terapia cognitiva. Tenía una historia de depresión recurrente y un trastorno narcisista y por dependencia. Después de explicarle en qué consistía la terapia y hablarle de la importancia de su participación, Carolyn se mostró muy vaga a la hora de definir sus objetivos y problemas. De hecho, dijo: «Espero que usted me lo aclare». Una vez comenzada la terapia, se le pidió que pensara dos temas para tratar en la próxima sesión, pero Carolyn siempre volvía con lo poco que el terapeuta había sugerido anteriormente. Cuando se le pidió (con mucho tacto) que participase más en la estructuración de la terapia, se puso a la defensiva y acusó al terapeuta de no satisfacer sus expectativas en cuanto a consejo e instrucciones.

19. *La rigidez del paciente puede frustrar la conformidad*. En muchos casos, el mismo problema que lleva al paciente a la terapia puede ser la causa principal de la falta de conformidad. Con pacientes obsesivo-compulsivos o paranoides (entre otros), la rigidez de esas pautas puede hacerles impermeables a cualquier influencia. De hecho, estos pacientes cuestionan los móviles o metas del tera-

peuta. Con más frecuencia, no pueden quebrar y emerger de la posición rígida que creen necesaria para estar seguros.

Ejemplo clínico: Elena, una enfermera de 28 años con diagnóstico de trastorno paranoico de la personalidad, veía a la terapia y al terapeuta como una prolongación de la necesidad que la madre tenía de controlarla. Defendiendo su derecho a hacer lo que quisiera, incluso matarse, consideraba que podía superar el poder de la madre. El terapeuta debió tener mucho cuidado para no alimentar la distorsión y, en ningún caso, intentar controlar al paciente, pues ello podía llevar a que Elena tratara de matarse.

20. *El paciente puede tener un control pobre de sus impulsos.* En los pacientes con control pobre de los impulsos, las imposiciones de la sesión semanal, el enfoque terapéutico estructurado, una hora establecida y un tiempo límite para la sesión pueden ser fuentes de ansiedad o ira. Los esquemas de «hacer lo que uno quiere, cuando quiere» a veces cuestionan la terapia. Esos pacientes suelen requerir que el terapeuta haga lo que nosotros llamamos «terapia de escaramuzas» —es decir, trabajar constantemente en la extinción de las pequeñas dificultades y abordando las crisis del momento, más que trabajar sobre objetivos más amplios.

Ejemplo clínico: La terapia con Alice fue siempre caótica. Tenía 23 años y era sumamente inquieta. Se le aplicaban los criterios del trastorno límite de la personalidad. Sus crisis se relacionaban con los frecuentes cambios de trabajo, de residencia, de amigos, de relaciones amorosas y de terapeuta. En aquel momento, ya se había casado y divorciado siete veces. En terapia era totalmente inestable, y todos los intentos de centrarla en las sesiones o en su vida recibían como respuesta el familiar estribillo «No es para mí». Faltaba o llegaba tarde a las sesiones; no podía pagar los honorarios debido a sus compras compulsivas y a sus perennes pérdidas de trabajo: todo esto le servía para sabotear la interacción terapéutica y el objetivo de reducir su impulsividad.

21. *El paciente o el terapeuta pueden sentirse frustrados por la falta de progreso.* En vista de la naturaleza prolongada de los problemas del Eje II, de su incidencia generalizada en el conjunto de la vida del paciente y del carácter prolongado de la terapia, ocurre que el paciente, el terapeuta o los dos, a veces se sienten frustrados. El resultado puede ser una reacción negativa a la terapia ulterior, pensamientos de fracaso (del terapeuta o del paciente), y cólera respecto de la fuente del fracaso (el terapeuta o el paciente).

Ejemplo clínico 1: Pamela, psicóloga bajo supervisión, había sido «completamente frustrada» por Lara, una paciente con trastorno límite de la personalidad: «No cambia; sigue colérica por cualquier cosa, por lo general conmigo. El día que tiene que venir siento pánico, y me pongo contenta cuando cancela la cita». Pamela había tenido antes mucho éxito en su trabajo como terapeuta cognitiva tratando depresiones más típicas, sin complicaciones; no estaba acostumbrada a tratamientos tan largos ni a que el paciente se resistiera: «Yo había leído sobre los casos límite, me habían contado cosas sobre ellos, pero nunca creí que tendría este tipo de problemas». La supervisión se centró en ayudar a Pamela a abordar sus pensamientos y expectativas disfuncionales acerca de la terapia, del tratamiento de los casos complejos y difíciles, y de las reacciones emocionales del terapeuta.

Ejemplo clínico 2: Marla recurrió a la terapia para aliviar su depresión. Esa depresión se superponía con un trastorno obsesivo-compulsivo de la personalidad. Optó por la terapia cognitiva tras haber leído que los tratamientos eran breves y demostraban eficacia, según varias publicaciones de difusión masiva. Al cabo de veinticinco sesiones quiso saber por qué todavía no estaba «curada». El terapeuta había omitido diferenciar previamente la terapia centrada en el síntoma de la terapia centrada en el esquema.

22. *Las cuestiones relacionadas con la percepción que tiene el paciente de un estatus y una autoestima menguados pueden evitar la colaboración.* Para muchas personas, convertirse en «paciente» significa que hay algo malo en ellas. Ello significa que son débiles, incapaces de enfrentarse a las cosas tal y como se espera de las personas normales. Además, quizá los otros los estigmaticen, rotulándolos como «pirados», «enfermos» o «locos».

Ejemplo clínico: Roy, de 60 años, hombre de negocios triunfador, fue derivado por el médico de la familia debido a su depresión. Lo primero que dijo en la terapia fue: «No quiero estar aquí. En realidad, venir me ha deprimido aún más. Nunca he sido un paciente de loquero y no me entusiasma la idea de serlo. Así es como piensa un hombre de mi generación. Para venir salí de mi casa a escondidas e incluso he aparcado lejos de aquí. No quiero que nunca me llame por teléfono ni a la oficina ni a mi casa. Nadie tiene que saber que vengo a un loquero».

El terapeuta debe conocer la multitud de razones que existen para la falta de cooperación o la disconformidad del paciente con el esfuerzo terapéutico. Entre esas razones se cuentan la falta de aptitud del paciente; la falta de aptitud del terapeuta; los estresantes ambientales que impiden la aceptación; la falta de conocimiento de la cultura del paciente; las cogniciones del paciente acerca del fracaso en la terapia; las cogniciones del paciente acerca de los efectos de su cambio sobre él mismo y los otros; la congruencia distorsionada de paciente y terapeuta; un pobre o incompleto conocimiento del modelo cognitivo; los beneficios secundarios; la inoportunidad de las intervenciones; la reacción ante los límites temporales del tratamiento; las metas terapéuticas no explicitadas, vagas o carentes de realismo; la falta de motivación del paciente o su pasividad; la rigidez o el control pobre de los impulsos; la frustración del paciente o del terapeuta, y la autoestima menguada del paciente y todo lo relacionado con ello.

En la terapia cognitiva se hace todo lo posible para convertir la adversidad en una ventaja. Cuando el paciente muestra signos de no colaboración, aquí hallamos nosotros una oportunidad para explorar creencias y actitudes. Esas mismas creencias y actitudes que dificultan la terapia son muchas veces las mismas que dificultan la consecución de más amplias metas vitales. Una vez identificadas, esas creencias que interfieren pueden explorarse dentro del marco colaborativo del modelo cognitivo. Dada la complejidad del trastorno de la personalidad en sí mismo, que se combina frecuentemente con los problemas agudos del Eje I que determinan la derivación a terapia, es muy probable que surjan problemas de cooperación. Armado con conocimientos teóricos y habilidades prácticas para el planteamiento conceptual de los casos, el terapeuta puede responder a las particulares necesidades de las diferentes personalidades que se encontrará. Consideramos esencial que el terapeuta domine el modelo conceptual de la terapia cognitiva y siga las orientaciones generales y específicas para el tratamiento que hemos ofrecido en los primeros capítulos. Si se reducen las barreras de la no colaboración obtendremos una alianza de trabajo más sólida y una interacción terapéutica más productiva.

Las emociones en la relación terapéutica: conceptualizaciones cognitivas de la transferencia y la contratransferencia

En el curso del tratamiento de un trastorno del Eje II, es probable que paciente y terapeuta experimenten fuertes reacciones emotivas intrínsecas a la relación. Tradicionalmente, a esas reacciones se las ha denominado «transferencia» y «contratransferencia». Para evitar confusión con los términos y conceptos propios del psicoanálisis y centrarnos en el modelo cognitivo, nos referiremos a ello como reacciones emocionales del proceso terapéutico. Un punto fundamental de la terapia cognitiva con trastornos del Eje II es prestar atención a las reacciones del paciente y del terapeuta.

LAS EMOCIONES DEL PACIENTE

El terapeuta debería permitir la presencia de reacciones negativas o positivas hacia su persona, pero no provocarlas o ignorarlas deliberadamente. De hecho, debe estar vigilante a la aparición de signos de ira, enfado y frustración en la relación terapéutica. De forma similar, el terapeuta debería estar alerta a la excesiva idealización o alabanzas o, en general, cualquier intento de desviar la atención del trabajo terapéutico. Esas reacciones nos abren las puertas del mundo privado del paciente. Sin embargo, los terapeutas no pueden ver los significados o creencias detrás de esas ventanas si la activación de sus propias respuestas afectivas es vista como una distracción que se debe controlar, evitar o suprimir. Uno de los errores más comunes de la terapia cognitiva es apartarse demasiado aprisa de las emociones que expresa el paciente acerca de la terapia o del terapeuta. Se puede decir que a menudo no se aprovecha esa oportunidad para captar rica información sobre el paciente.

Existen muchos signos reveladores de las respuestas emocionales del paciente frente a la terapia y sus cogniciones asociadas. Esos son los mismos signos que sugieren la presencia de cualquier pensamiento automático durante la sesión. Por ejemplo, puede darse un cambio repentino en la conducta no verbal del paciente: una pausa en medio de un conjunto de frases, un repentino cambio de expresión, los puños cerrados, posturas tensas o el movimiento continuado de un pie o una pierna. O el paciente puede cambiar de tema de forma abrupta, bloquearse y demás. Uno de los signos más reveladores es el cambio de punto focal del paciente, especialmente si el paciente ha pensado en algo que no desea revelar. Cuando se le pregunta sobre ello, suele decir algo así como: «No es importante; no es nada». En esos casos el terapeuta debe presionar de una forma suave y amable pues suele tratarse de cuestiones importantes. Algunos pacientes pueden tener pensamientos automáticos durante la sesión y no es práctico informar de todos ellos. Sin embargo, pueden recordarlos y anotarlos en un papel.

Las emociones del terapeuta

Para guiar con eficiencia a los pacientes en el proceso de descubrimiento de sus pensamientos y emociones, el terapeuta necesita tener una manera de reconocer, etiquetar, comprender y expresar sus propias emociones. En vez de no tener emociones o de ser un experto en reprimirlas, el terapeuta cognitivista está alerta a captar esas emociones personales que podrían afectar al ambiente terapéutico. Como un terapeuta aconsejaría a un cliente, debemos captar nuestras sensaciones físicas y sutiles cambios de humor como claves indicativas de la presencia de pensamientos automáticos. Cualquier cambio en la conducta típica del terapeuta puede ser signo de una reacción emocional y los pensamientos automáticos asociados, tales como hablar con un tono de voz imperativo (o dubitativo), incrementar la frecuencia de pensamientos acerca de un cliente fuera de las sesiones, o quizás evitar responder a la llamada de un cliente o demorarse en empezar o acabar una sesión. Para captar ese comportamiento, a veces sutil, el terapeuta también puede usar una grabación magnetofónica en la que se pregunte a sí mismo acerca de la situación terapéutica con un cliente con trastorno del Eje II.

Es posible que la manera en la que el terapeuta ve o maneja los pensamientos y emociones relacionados con la terapia necesite alguna reestructuración cognitiva para reducir la intensidad del afecto negativo o para mantener su atención sobre los objetivos terapéuticos. Primero, puede ser útil desprenderse del miedo de que las emociones que uno siente como terapeuta son «errores» o indicaciones de fracaso terapéutico. Las emociones del terapeuta pueden proceder de una gran cantidad de fuentes, incluida la visión del terapeuta de su rol profesional, cultural o creencias relacionadas con sus valores, con sus aprendizajes y con las interacciones con las conductas problemáticas del paciente (Kimmerling, Zeiss y Zeiss, 2000).

Para prepararse para trabajar profesionalmente con trastornos de la personalidad, el terapeuta necesita tener mucho cuidado de no emitir juicios. Los mismos términos que usamos para describir esos trastornos (narcisista, compulsivo, por dependencia, etc.) tienen un tinte peyorativo. Es difícil no emitir ningún juicio cuando se habla de personalidades. Una vez el terapeuta ha hecho el diagnóstico, es mejor evitar etiquetas y pensar en términos de creencias, reacciones predecibles, significados, conductas y demás. Es de mucho valor ser lo más comprensivo posible con el paciente. Si intentamos ponernos en la piel del paciente imaginándonos sus hipersensibilidades, desesperanzas y vulnerabilidades, podremos entender mejor al paciente. Al mismo tiempo, el terapeuta debe tener cuidado de no involucrarse demasiado pues perdería su objetividad. La actitud del terapeuta debe ser paciente, persistente y centrada en el problema; todo ello en un contexto que no emite juicios.

De todas formas, la fuerza de voluntad y las buenas intenciones pueden no ser suficientes a la hora de adoptar esta actitud, dados los muchos retos que suscitan los trastornos de la personalidad. Las reacciones emocionales del terapeuta pueden ser puentes para el cambio más que barreras al progreso, si el terapeuta aprovecha la tecnología del modelo cognitivo. El terapeuta puede guiarse, quizás con la ayuda de supervisión o consulta, para descubrir el significado o el tipo de juicio que le suscitan determinadas situaciones. Por ejemplo, véase el registro de pensamientos disfuncionales rellenado por un terapeuta tras una difícil sesión con un paciente con trastorno histriónico de la personalidad (figura 5.1).

También pueden ser útiles otras formas de gestión del estrés. Por ejemplo, usar frases de ánimo y aceptación durante la sesión (de manera encubierta), trabajar temas emocionales o relacionales en determinada sesión y evaluar la capacidad que tenemos al hacerlo, ensayar mentalmente que trabajamos de forma ideal con ese tipo de pacientes e incrementar las alabanzas y reconocimientos de los puntos fuertes del paciente. Fuera de la sesión, es importante concederse tiempo para uno mismo, para relajarse, hacer deporte y disfrutar de contacto social.

Aunque no hay duda de que las emociones del terapeuta juegan un papel muy significativo en la implementación y efectividad del tratamiento, no hay mucha investigación al respecto. Al cabo de 40 años de investigación sobre psicoterapia, casi todas las teorías están de acuerdo en que las emociones del terapeuta son claves para el trabajo, aunque no se ha avanzado demasiado en el terreno empírico (Najavits, 2000). A falta de más clarificación, es mejor mostrar cautela y ser sensible a las posibilidades inherentes en las respuestas emocionales del paciente y del terapeuta.

Situación	**Emociones**	**Pensamientos automáticos**	**Respuesta emocional**
El paciente llega tarde; persiste en el relato hiperdramático de su situación; rompe a sollozar cuando se le indica que es necesario seguir los puntos del programa para esa sesión.	Frustrado Enfadado Dubitativo Avergonzado	¡Este paciente no va a avanzar! Con este tipo de terapia no estamos haciendo ningún progreso. No sé qué hacer de ahora en adelante. Seguramente, no domino esta forma de terapia como se debiera.	Lo que no va a ser de ninguna ayuda es que muestre signos de enfado o desprecio, así que mejor no emito ningún juicio y me esfuerzo por comprender al paciente. En realidad, veo que ha hecho progresos en identificar sus pensamientos y sentimientos. Por otro lado, yo estoy demasiado centrado en que haga una lista cuando es obvio que su prioridad es que le den apoyo. Tengo que respetar sus valores, ayudarle a aprender a definir sus problemas y no darme por vencido. Sólo porque yo me sienta dubitativo no significa que no sea efectivo o que haya cometido una falta de la que avergonzarme. Mi incomodidad procede de creer que todos los pacientes deben cambiar rápidamente y si no lo hacen, es culpa mía. ¿Tiene sentido el pensar que un terapeuta se tiene que sentir «siempre» en control de la situación? Puedo intentar generar algunas ideas para encontrar un camino a seguir.

FIGURA 5.1. Registro de pensamientos disfuncionales del terapeuta.

Resumen

En la terapia cognitiva con el paciente del Eje II, los terapeutas saben que es importante reforzar la relación interpersonal, dedicar más tiempo a conocer al paciente en su conjunto, así como desarrollar una serie de interacciones dirigidas a mejorar el déficit de habilidades y las creencias desadaptativas del paciente. Es esencial mantener una actitud paciente, constante, centrada en el problema, libre de juicios acerca del cliente y el proceso terapéutico. Al mismo tiempo, nunca comprometer los límites mínimos que requiere nuestra práctica profesional. Las dificultades en la colaboración son conceptualizadas en términos de habilidades, creencias y condiciones de tratamiento y a ellas se asocian posibles soluciones que usan también el lenguaje de esas conceptualizaciones. Las respuestas emocionales intensas son material importante para entender con precisión al paciente y poder llevar a cabo una terapia productiva. Siempre que sea necesario, tanto terapeuta como paciente podrán usar las herramientas cognitivas a su alcance para entender y ajustar esas respuestas emocionales.

Segunda parte

APLICACIONES CLÍNICAS

CAPÍTULO 5

EL TRASTORNO PARANOIDE DE LA PERSONALIDAD

Los individuos con TPP se caracterizan por una tendencia persistente y sin base real a interpretar las intenciones y acciones de los otros como humillantes o amenazadoras, pero no padecen síntomas psicóticos persistentes tales como ideas delirantes o alucinaciones. Por ejemplo, Ann era una secretaria casada, de más o menos 35 años, que recurrió a la terapia por problemas de tensión, fatiga, insomnio y desánimo. Ella atribuía esos problemas al estrés en el trabajo y cuando se le pidió que describiera las principales fuentes de ese estrés, dijo: «En el trabajo, la gente no para de dejar caer cosas y hacer ruido para asustarme» e «Intentan que el supervisor se ponga en mi contra».

Ann puso de manifiesto una tendencia de antiguo a atribuir a los demás intenciones malignas; no estaba dispuesta a considerar explicaciones alternativas de las acciones de los compañeros de trabajo. Dijo de sí misma que era sensible, celosa, fácil de ofender, colérica. Sin embargo, a pesar de que sostenía unas sospechas tan poco realistas, no había evidencia de un trastorno del pensamiento, de alucinaciones persistentes u otros síntomas de psicosis.

En el caso de Ann, la paranoia fue obvia desde el principio. No obstante, este trastorno suele ser menos aparente en las primeras sesiones, y es fácil pasarlo por alto. Por ejemplo, Gary era un radiólogo soltero de cerca de 30 años y, aunque tenía novia desde hacía tiempo, aún vivía con sus padres. Trabajaba a tiempo completo y seguía algunos cursos de posgrado. Se describió como crónicamente nervioso; sus problemas eran la preocupación, los ataques de ansiedad y el insomnio. Dijo que recurría a la terapia porque sus síntomas se habían intensificado debido a las presiones del estudio. Durante la entrevista habló abiertamente y pareció ser franco. Lo único notable en la entrevista inicial era que no quería que su familia se enterara de que estaba en terapia («ellos no creen en la terapia»), ni tampoco deseaba usar su seguro de salud porque le preocupaba la confidencialidad. Nos dijo exactamente las siguientes palabras: «Ya veo en el hospital como se guarda la información confidencial. La tienen toda por allí tirada».

La terapia cognitiva, centrándose en las aptitudes de aprendizaje para abordar con más eficacia el estrés y la ansiedad, así como también en el examen de sus miedos, se prolongó sin nada especial y con buenos resultados durante seis sesiones. En el inicio de la séptima sesión, Gary manifestó que en algunas oportunidades las técnicas de relajación progresiva «no le daban resultado». Al examinar esos episodios, hizo comentarios tales como «Es como si no quisiera relajarme», «Quizá tema que la gente me saque cosas», «No quiero que me roben ideas», «Cada pequeña cosa que dices, la utilizan en contra de ti». Finalmente describió a las personas en general como «dispuestas a sacarte todo lo que puedan».

Del examen adicional surgió con claridad que en su funcionamiento habitual era característico un enfoque suspicaz, defensivo, de las situaciones interpersonales, que desempeñaba un papel central en sus problemas de estrés y ansiedad, y en su dificultad para aprovechar las técnicas de relajación. Sin embargo, esto no nos resultó para nada obvio en las primeras seis sesiones de la terapia.

Perspectiva histórica

El tema general de la paranoia ha sido estudiado desde los tiempos antiguos cuando se utilizaba el término de una manera libre para referirse a todo trastorno mental grave. La paranoia, tal y como se entiende ahora, ha recibido muchísima atención por parte de los autores psicodinámicos, desde Freud hasta el presente. Una típica concepción es la de Shapiro (1965), quien afirmó que el trastorno resulta de la «proyección» sobre los otros de los propios sentimientos e impulsos inaceptables. En teoría, atribuir a los demás los impulsos inaceptables, en lugar de asumirlos uno mismo, reduce o elimina la culpa y sirve de defensa contra el conflicto interno. En esencia, la concepción psicoanalítica es que el individuo percibe inadecuadamente en los otros lo que en realidad es cierto de él, y como resultado experimenta menos angustia que con una idea más realista de sí mismo y de los demás.

Un modelo cognitivo-conductual de la paranoia similar al de la concepción tradicional ha sido presentado por Colby y otros (Colby, 1981; Colby, Faught y Parkinson, 1979). Estos investigadores han desarrollado una simulación por computadora de las respuestas de un cliente paranoide en una entrevista psiquiátrica, tan realista que entrevistadores con experiencia no pueden distinguir la respuestas de la computadora de las de un verdadero cliente paranoide, siempre y cuando la entrevista sea limitada en el tiempo (Kochen, 1981). El modelo de Colby se basa en el supuesto de que la paranoia es en realidad un conjunto de estrategias dirigidas a prevenir o reducir al mínimo la vergüenza y la humillación. Se supone que el individuo paranoide tiene la fuerte creencia de que es inadecuado, imperfecto e insuficiente. Esto generaría en su experiencia niveles intolerables de vergüenza y humillación en situaciones de ridículo, cuando se es objeto de acusaciones falsas o se padece una discapacidad física. Colby plantea la hipótesis de que en una situación «humillante», el individuo se salva de aceptar la culpa y los sentimientos consiguientes de vergüenza y humillación acusando a otro y afirmando que ha sido maltratado.

El TPP *per se* ha atraído la atención de algunos autores. Cameron (1963, 1974) piensa que el trastorno proviene de una falta básica de confianza, resultante de malos tratos y carencia de un amor coherente por parte de los padres. El niño aprende a esperar un trato sádico de los otros, debe mantenerse alerta para identificar signos de peligro y actuar con rapidez para defenderse. La vigilancia aumentada determina que detecte claves sutiles en las reacciones negativas de los demás y que reaccione a ellas con violencia, sin mucha conciencia del efecto que sobre quienes le rodean tienen sus propias actitudes hostiles.

Como Cameron, Millon (1996) afirmó que la falta de confianza del individuo paranoide es un factor crucial en este trastorno. Según su hipótesis, la falta de confianza da lugar a un fuerte temor de ser controlado por los demás, lo cual afecta a toda la vida interpersonal del sujeto. Además, la falta de confianza y el miedo a ser controlado da lugar a un aislamiento social que le impide al paranoide llevar a cabo «comprobaciones de la realidad» que podrían limitar o combatir sus sospechas o fantasías. Sin embargo, Millon (1996, pág. 701) argumenta que no hay un conjunto de atributos que definan la «esencia» del TPP. En vez de eso, este autor habla de cinco subtipos, evitando una conceptualización global de este trastorno.

Turkat (1985, 1986, 1987; Turkat y Banks, 1987) ha presentado un modelo cognitivo-conductual del desarrollo y el mantenimiento del TPP basado en el examen detallado de casos clínicos. La idea de Turkat es que las interacciones tempranas de los padres le enseñan al niño «Debes ser cuidadoso para no cometer errores» y «Tú eres distinto de los demás». Entonces el individuo se preocupa intensamente por las evaluaciones de los otros, pero al mismo tiempo las expectativas parentales, a las que trata de adecuarse, impiden que sea aceptado por sus pares. Finalmente éstos lo aíslan y humillan, y él carece de las habilidades interpersonales necesarias para superar ese aislamiento. Consecuentemente, el sujeto pasa mucho tiempo en rumiaciones sobre su situación y sobre el maltrato a que se le somete y termina llegando a la conclusión de que le persiguen porque él es especial y los demás están celosos. Esta supuesta «explicación racional» tiene la finalidad de reducir la angustia por el aislamiento social. Resulta una concepción paranoide de los otros que perpetúa el aislamiento, porque siempre se prevé el rechazo —lo cual genera un ansiedad considerable en las interacciones sociales—, y además porque la aceptación por parte de los otros amenazaría el sistema explicativo del sujeto.

Investigación y datos empíricos

Hasta el momento se ha llevado a cabo poca investigación sobre el TPP, en parte quizás por la dificultad de reunir a un conjunto suficiente de sujetos. La mayor parte de los datos disponibles proceden de estudios en los que el TPP era uno de los muchos trastornos de personalidad estudiados. La investigación parece indicar que la genética juega un papel fundamental. Por ejemplo, Coolidge, Thede y Jang (2001), en un estudio sobre 112 gemelos de entre 4 y 15 años de edad, obtuvieron un coeficiente de herencia de 0,5 para las características paranoides. Otros estudios proporcionan evidencia de que las primeras experiencias son clave y que se hallan implicados el maltrato verbal (Johnson y otros, 2001), el conflicto con los padres (Klonsky, Oltmanns, Turkheimer y Fiedler, 2000) y la falta de apoyo emocional y de supervisión (Johnson, Smailes, Cohen, Brown y Bernstein, 2000). También existe evidencia empírica de que son clave en este trastorno, así como en otros trastornos de la personalidad, las disfunciones cognitivas (Beck y otros, 2001) y las estrategias de afrontamiento disfuncionales (Bijettebier y Vertommen, 1999). Desafortunadamente, los datos disponibles no son adecuados para poner a prueba la conceptualización del TPP que presentamos en este capítulo o para llegar a conclusiones acerca de la eficacia del tratamiento que proponemos.

Diagnóstico diferencial

Como se puede ver revisando los criterios diagnósticos presentados en la tabla 6.1, el TPP se caracteriza por una permanente visión paranoide de la realidad que no va acompañada de trastornos del pensamiento o alucinaciones. A pesar de los claros criterios diagnósticos que proporciona el DSM-IV-TR (American Psychiatric Association, 2000), el diagnóstico del TPP no es siempre fácil porque estos clientes raramente comienzan la terapia diciendo «Doctor, mi problema es que soy paranoide».

Los individuos paranoides tienen una fuerte tendencia a culpar a los demás por los problemas interpersonales; por lo general aducen experiencias que parecen justificar sus convicciones acerca de la gente, niegan o minimizan sus propias dificultades y no tienen mucha conciencia del modo como su propia conducta contribuye a creárselas. En consecuencia, cuando la evaluación se basa en lo que ha dicho el propio paciente, es fácil que parezca que las sospechas de éste están justificadas, o que los problemas se deben a las acciones inadecuadas de los demás. Asimismo, como las características de la paranoia son hasta cierto punto conocidas por la mayoría de los profanos, es probable que los paranoides se den cuenta de que los otros los consideran como tales (paranoides), y creen que es prudente que se reserven sus pensamientos. Cuando éste es el caso, los signos de paranoia sólo emergen gradualmente en el curso de la terapia, y es fácil pasarlos por alto.

Suele ser más fácil identificar a los individuos paranoides prestando atención a características que no son las sospechas ostensiblemente carentes de realismo. La tabla 6.2 presenta algunos de los signos posibles de un estilo de personalidad paranoide que pueden ser indicadores precoces del TPP. Los individuos con TPP

TABLA 6.1. Criterios diagnósticos del DSM-IV-TR para el trastorno paranoide de la personalidad

A. Pauta generalizada de desconfianza y sospecha de los demás hasta el punto que se malinterpretan las acciones del prójimo como malévolas. Tal pauta empieza en la adultez temprana y se presenta en diversos contextos, indicada al menos por cuatro (o más) de los rasgos siguientes:

(1) El sujeto sospecha, sin suficiente base, que los demás le explotan, perjudican o engañan.
(2) Está preocupado por dudas injustificadas acerca de la lealtad o confiabilidad de amigos o asociados.
(3) Es remuente a confiar en otros por miedo injustificado a que la información sea utilizada contra él.
(4) Descubre significados humillantes o amenazadores en observaciones o acontecimientos benignos.
(5) Abriga persistentes resentimientos, por ejemplo, no perdona insultos o desaires.
(6) Percibe que los demás atacan a su personalidad o reputación, pero ninguna otra persona lo nota. Reacciona rápidamente con cólera o contraataca.
(7) Tiene sospechas recurrentes, sin justificación, acerca de la fidelidad del cónyuge o pareja.

B. La aparición no se produce sólo en el curso de la esquizofrenia, de un trastorno del estado de ánimo con características psicóticas u otro trastorno psicótico y no es debido tampoco a los efectos fisiológicos producidos directamente por otro problema médico.

Nota: Reproducido con permiso de la American Psychiatric Association (2000, pág. 694). *Copyright* 2000 de American Psychiatric Association.

son típicamente vigilantes, tienden a interpretar como amenazadoras las situaciones ambiguas, y rápidamente se previenen contra las amenazas percibidas. Los otros suelen considerarlos polemistas, tercos, susceptibles e intransigentes. También presentan algunas de las características que ellos perciben en los demás, y éstos los consideran retorcidos, mentirosos, desleales, hostiles y maliciosos.

Varios trastornos se caracterizan por el pensamiento «paranoide». Además del TPP, se halla en la esquizofrenia, su tipo paranoide (antes conocido como esquizofrenia paranoide); el trastorno delirante, su tipo persecutorio (antes conocido como trastorno paranoide), y posiblemente en el trastorno del estado de ánimo con características psicóticas. Cada uno de estos otros trastornos se caracteriza por delirios paranoides persistentes y otros síntomas psicóticos. En contraste, el TPP

TABLA 6.2. Signos posibles de trastorno paranoide de la personalidad

Vigilancia constante, posiblemente puesta de manifiesto como tendencia a escudriñar el consultorio durante la entrevista y/o mirar frecuentemente por la ventana.

Preocupación anormal por la confidencialidad, que es posible que incluya la renuencia a permitir que el terapeuta tome notas, o el requerimiento de que adopte precauciones especiales para mantener el secreto cuando llama por teléfono al cliente.

Tendencia a atribuir a los demás toda la culpa por los problemas y a considerarse maltratado y víctima de abusos.

Conflicto recurrente con las figuras de autoridad.

Convicciones habitualmente fuertes sobre los móviles de los otros y dificultad para considerar explicaciones alternativas de sus propias acciones.

Tendencia a atribuir gran importancia a pequeños acontecimientos y a reaccionar con una fuerza proporcional, «tomando a una pulga por un elefante».

Tendencia al contraataque rápido en respuesta a una amenaza percibida de desdén, o tendencia a disputar y querellarse.

Tendencia a recibir más que lo que corresponde, a maltratar a los demás o a provocar su hostilidad.

Tendencia a buscar intensa y escrupulosamente datos que confirmen sus expectativas negativas respecto de los demás, ignorando el contexto e interpretando significados especiales (verosímiles) y motivos ocultos en acontecimientos comunes.

Incapacidad para relajarse, en particular en presencia de otros, lo que también puede significar incapacidad para cerrar los ojos, o negativa a hacerlo, ante el terapeuta, durante el entrenamiento en relajación.

Incapacidad para ver los aspectos humorísticos de las situaciones.

Necesidad inusualmente fuerte de autosuficiencia e independencia.

Desdén por quienes son vistos como débiles, blandos, enfermizos o defectuosos.

Dificultad para expresar calidez, sentimientos tiernos o dudas e inseguridades.

Celos patológicos; intentos reiterados de controlar la conducta del cónyuge y sus relaciones interpersonales a fin de prevenir la infidelidad.

se caracteriza por una tendencia constante a percibir las acciones de los demás como intencionadamente amenazadoras, pero se halla libre de características psicóticas persistentes (American Psychiatric Association, 2000). Un individuo con TPP puede experimentar períodos transitorios de pensamiento delirante, especialmente durante épocas de tensión, pero no manifiesta un pensamiento delirante persistente.

La esquizofrenia, su tipo paranoide y el trastorno delirante han sido objeto de mucha atención teórica e investigación empírica; sin embargo, no existe un consenso claro acerca de la relación entre el TPP y estas dos formas de psicosis (Turkat, 1985). Por lo tanto, no está claro que los hallazgos sobre muestras psicóticas puedan ser generalizados al TPP. Sin embargo, sí es claramente importante diferenciar entre TPP y las psicosis que se caracterizan por un pensamiento paranoide porque la presencia de psicosis requeriría un tratamiento muy diferente. Véase Perris y McGorry (1998) para una revisión de los enfoques actuales que aplican la terapia cognitiva al tratamiento de la psicosis.

Conceptualización

Algunas de las concepciones teóricas del TPP que hemos presentado comparten la idea de que las sospechas del individuo respecto de los demás y sus rumiaciones sobre persecución y maltrato no son esenciales del trastorno, sino racionalizaciones utilizadas para reducir el malestar subjetivo. En el análisis cognitivo desarrollado por el autor (Beck, Freeman y otros, 1990; Freeman, Pretzer, Fleming y Simon, 1990; Pretzer, 1985, 1988; Pretzer y Beck, 1996) se presenta una diferente concepción del papel de esas cogniciones en el TPP. La figura 6.1 resume los componentes cognitivos e interpersonales de la visión paranoide de la vida manifestada por Gary, el tenso radiólogo del que hemos hablado antes. Gary tenía tres supuestos básicos: «Las personas son malas y tramposas», «Atacan si uno les da la oportunidad» y «Para estar bien hay que mantenerse alerta». Esos supuestos lo llevaban a esperar engaños, trampas y que lo hirieran en las interacciones personales, por lo cual consideraba constantemente necesario estar alerta a signos de engaño, trampa e intenciones malévolas. No obstante, esa vigilancia tendiente a detectar signos de malas intenciones producía un efecto lateral indeseado. Si uno se mantiene vigilante ante las indicaciones sutiles de que los otros son malos y tramposos (pero no igualmente alerta a los signos de confiabilidad y buenas intenciones), muy pronto puede observar muchas acciones que parecen respaldar la idea de que no se puede confiar en la gente. Esto sucede porque las personas no son universalmente benévolas y dignas de confianza, y también porque muchas interacciones interpersonales son lo suficientemente ambiguas como para que se pueda ver en ellas malas intenciones, aunque los propósitos reales del individuo sean buenos. Por lo tanto, como se muestra en la figura 6.1, la vigilancia de Gary generaba pruebas sustanciales en apoyo de sus supuestos sobre la naturaleza humana y tendían a perpetuar su enfoque paranoide de la vida.

Además, las expectativas de Gary acerca de los demás tenían un efecto importante sobre sus interacciones con compañeros de trabajo y conocidos. Evitaba la intimidad por miedo a que el compromiso y la apertura emocionales lo hicieran más vulnerable. Además estaba por lo general en guardia y a la defensiva en sus interacciones con otras personas, tendía a reaccionar exageradamente ante pequeños desdenes y contraatacaba con prontitud cuando creía haber sido maltratado. Estas acciones no alentaban a los otros a ser amables y generosos con

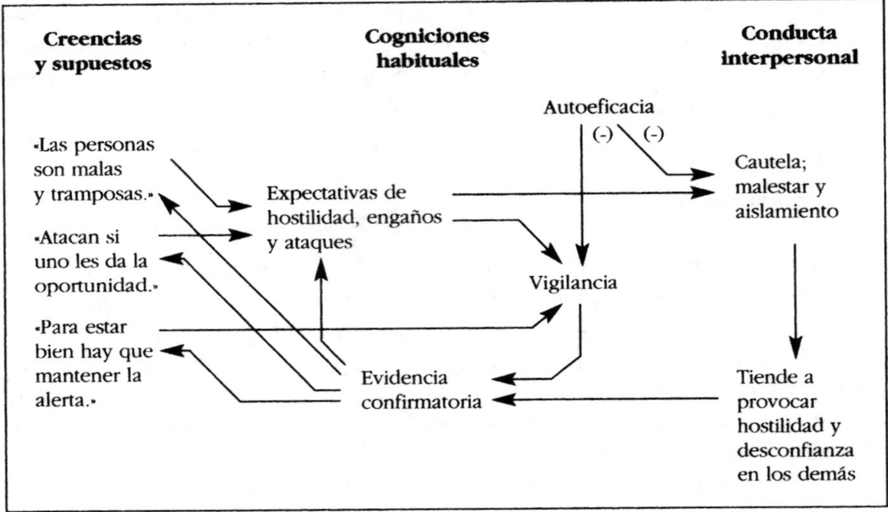

FIGURA 6.1. Conceptualización cognitiva del trastorno paranoide de la personalidad.

él, sino que tendían a provocar desconfianza y hostilidad. De modo que las expectativas de Gary le hacían interactuar con los otros de un modo que provocaba el tipo de conducta que él preveía, y ello le procuraba la experiencia repetida de ser maltratado. Desde luego, esas experiencias confirmaban sus expectativas negativas, y también perpetuaban su enfoque paranoide de la vida.

El tercer factor, como muestra la figura 6.1, es la autoeficacia, un constructo definido por Bandura (1977) como la estimación subjetiva que hace un individuo de su propia capacidad para manejar con éxito los problemas o situaciones específicos a medida que surgen. Si Gary hubiera tenido confianza en poder advertir fácilmente los engaños de los otros e impedir sus ataques, se habría sentido menos obligado a estar constantemente en guardia y habría sido menos vigilante y defensivo. De haber estado convencido de que no podía llegar a ningún buen resultado a pesar de sus esfuerzos, es probable que hubiera abandonado su vigilancia y posición defensiva, para adoptar alguna otra estrategia. En ambos casos, los ciclos que perpetuaban su paranoia se habrían atenuado o interrumpido. Pero Gary dudaba de su capacidad para tratar con los otros si no se mantenía en una vigilancia constante y, al mismo tiempo, tenía plena confianza en que podría por lo menos sobrevivir si estaba suficientemente alerta. De modo que se mantenía en guardia alzada y vigilante, perpetuando así su paranoia.

Además de la tendencia de los dos ciclos, expuesta anteriormente, a generar observaciones y experiencias en apoyo de los supuestos individuales paranoides, hay otra razón por la cual la cosmovisión paranoide es casi impermeable a las experiencias demostrativas de que las otras personas no son universalmente maliciosas. Debido a que el cliente parte de la base de que todos los seres humanos son maliciosos y tramposos, le resulta fácil interpretar que las interacciones con otras personas que parecen benignas o colaboradoras son en realidad intentos de engañarlo y hacerle confiar, para poder someterlo a un ataque o explotarlo. En cuanto aparece esta interpretación, el «hecho» de que las otras personas hayan intentado engañarle actuando de manera confiable o correcta demuestra precisamente que tienen malas intenciones. De ahí la tendencia observada en los individuos paranoides a rechazar las interpretaciones «obvias» de las acciones de los otros, y a buscar el significado «real» subyacente. Por lo general, esta búsqueda continúa hasta que se encuentra una interpretación congruente con las preconcepciones del paranoide.

La convicción del paranoide de que enfrenta situaciones peligrosas (sobre todo la amenaza de los otros) y de que debe confiar en sus propias fuerzas, explica muchas de las características del TPP. El individuo actúa con cautela y de forma calculada, evitando descuidos y riesgos innecesarios. Debido a que el peligro más importante viene de los demás, el paranoide está alerta a los signos de peligro o engaños durante las interacciones, escudriñando constantemente en busca de claves sutiles de las verdaderas intenciones del otro. En este mundo «caníbal», dar muestras de alguna debilidad es invitar al ataque, de modo que el paranoide oculta cuidadosamente sus inseguridades, defectos y problemas por medio del engaño, la negación y las excusas, o inculpando a otros. Asumiendo que cualquier cosa que los demás sepan de él puede ser usado en su contra, el paranoide custodia escrupulosamente su intimidad, luchando por ocultar incluso las informaciones triviales y, en particular, suprimiendo los signos de sus propias emociones e intenciones. En una situación peligrosa, toda limitación de la propia libertad de acción puede ser una trampa, o hacerle más vulnerable; por ello el paranoide tiende a resistirse a las reglas y regulaciones. Cuanto más poderosos sean los otros, más amenazantes se los ve. De modo que el paranoide tiene una aguda conciencia de las jerarquías de poder; admira y teme a las personas que ocupan posiciones de autoridad, anhela tener aliados poderosos, pero teme la traición o el ataque. Es típico que el individuo paranoide no esté dispuesto a «ceder» incluso acerca de cuestiones carentes de importancia, puesto que las soluciones de transacción le parecen signos de debilidad, y una debilidad que se pone de manifiesto puede alentar el ataque. Sin embargo, evita desafiar a personas poderosas de modo directo ante el riesgo de provocar su hostilidad. Una consecuencia común es la resistencia encubierta o pasiva.

Cuando se está alerta a los signos de amenaza o ataque y se presuponen malas intenciones, todo desdén o maltrato parece totalmente deliberado y merecedor de castigo. Cuando los otros alegan que sus acciones fueron sin intención, accidentales o justificadas, el paranoide piensa que esas mismas protestas demuestran el deseo de engañar y las malas intenciones. Como la atención está centrada en los malos tratos, se ignora todo lo que sea un trato favorable, las situaciones parecen constantemente injustas. El individuo está seguro de que ha sido tratado con injusticia y de que en el futuro también lo tratarán mal, de modo que tiene pocos incentivos para tratar bien a los otros, salvo por miedo al castigo. Cuando el paranoide se siente lo suficientemente poderoso como para resistirse al castigo o sustraerse al engaño, es probable que emprenda los mismos actos maliciosos, engañosos y hostiles que espera de los demás.

Existen algunas diferencias entre esta concepción del TPP (véanse también Freeman y otros, 1990; Pretzer, 1985, 1988; Pretzer y Beck, 1996) y las presentadas por Colby (1981; Colby y otros, 1979) y Turkat (1985). Primero, en esta conceptualización, la atribución de malas intenciones a los demás es considerada central en el trastorno, y no un complejo efecto lateral de otros problemas. Por lo tanto, no es necesario suponer que esa desconfianza ante los otros se deba a la «proyección» de impulsos inaceptables, y pretenda evitar la vergüenza y la humillación inculpando a otros (Colby y otros, 1979); tampoco sería una racionalización para asimilar el aislamiento social (Turkat, 1985). Segundo, si bien el miedo a cometer errores subrayado por Turkat es por lo común observable en estos pacientes, aparece como secundario respecto del supuesto de que los demás son peligrosos y malignos —y no como central en el trastorno—. Finalmente, este modelo subraya la importancia del sentimiento de la propia eficacia. Respecto de este punto, no se cuenta con las pruebas empíricas necesarias para determinar qué modelo del TPP es el más válido.

Al examinar el TPP, Turkat (1985) desarrolla extensamente sus ideas al respecto. Este autor no ha desarrollado una perspectiva igualmente detallada de la etiología del TPP porque es difícil determinar la exactitud de la información histórica obtenida de los clientes paranoides. En la práctica clínica, la concepción que estos clientes tienen de los demás y sus recuerdos de los acontecimientos previos suelen estar distorsionados de un modo congruente con la paranoia. Esta observación sugiere la posibilidad de que lo que cuentan de sus experiencias infantiles pueda estar también totalmente deformado. Pero es interesante observar que la posición paranoide es adaptativa si uno se enfrenta a una situación verdaderamente peligrosa en la que es probable que los otros demuestren ser encubierta o abiertamente hostiles. Muchos pacientes paranoides dicen haber crecido en familias que ellos experimentaron como peligrosas. Por ejemplo, Gary narró una larga historia de haber sido ridiculizado por cualquier signo de sensibilidad o debilidad, mentiras y engaños de padres y hermanos, y ataques verbales y físicos de miembros de su familia. Además manifestó que sus padres le habían enseñado explícitamente que el mundo era «caníbal» y había que ser duro para sobrevivir. Estos relatos producen la impresión de que crecer en una familia hostil o paranoide, en la cual la vigilancia fue verdaderamente necesaria, pudo contribuir sustancialmente al desarrollo del TPP. Esta hipótesis es atractiva, pero seguirá siendo especulativa hasta que se obtengan datos objetivos acerca de las historias de estos individuos. Un tratamiento teórico global de la etiología del TPP también debería explicar la incidencia inusualmente alta de trastornos del «espectro esquizofrénico» entre los parientes de los individuos con diagnóstico de TPP (Kendler y Gruenberg, 1982) detectada en algunos estudios. Esos resultados plantean la posibilidad de un factor genético en la etiología del trastorno, pero aún no se han comprendido los mecanismos a través de los cuales podría establecerse ese nexo.

Enfoque de tratamiento

A primera vista, la conceptualización resumida en la figura 6.1. puede parecer proporcionar poca oportunidad para la intervención eficaz. Un objetivo sería modificar los supuestos básicos del individuo, puesto que constituyen las bases del trastorno. Pero ¿cómo se podrían cuestionar eficazmente estos supuestos, cuando la vigilancia y el punto de vista paranoide del cliente producen constantemente experiencias que los confirman? Si fuera posible lograr que el cliente relajara su vigilancia y su posición defensiva, esto simplificaría la tarea de modificar sus supuestos ¿Cómo puede el terapeuta esperar inducir al cliente a relajar la vigilancia, o a tratar mejor a los demás, mientras ese cliente esté convencido de que los demás tienen malas intenciones? Si estos dos ciclos que se autoalimentan constituyeran la totalidad del modelo cognitivo, habría pocas perspectivas de llegar a una intervención cognitivo-conductual eficaz. Pero el sentido de propia capacidad del cliente también desempeña un papel importante en el modelo.

La intensa vigilancia y defensividad de la persona paranoide resultan de la creencia de que la posición defensiva y la vigilancia constantes son necesarias para preservar su seguridad. Si fuera posible acrecentar el sentimiento de capacidad del cliente para enfrentarse a situaciones problemáticas, al punto de que confíe razonablemente en poder abordar los problemas que surgen, la vigilancia y la intensidad de la posición defensiva parecerían menos necesarias. Esto reduciría sustancialmente su actitud vigilante y defensiva, y con ello la intensidad de la sintomatología, con lo cual sería mucho más fácil abordar sus cogniciones por medio de técnicas convencionales de terapia cognitiva y permitiría convencerle de que intente modos alternativos de manejar los conflictos interpersonales. Por lo tanto, la estrategia primordial en el tratamiento cognitivo del TPP consiste en tratar de aumentar el sentido que tiene el cliente de su propia capacidad, antes de intentar la modificación de otros aspectos de los pensamientos automáticos, la conducta interpersonal y los supuestos básicos.

Estrategia de colaboración

Obviamente, establecer una relación de colaboración no es tarea fácil, considerando que uno está trabajando con alguien que supone que es probable que los demás sean malvados y mentirosos. Seguramente los intentos directos tendientes a convencer al cliente de que tiene que confiar en el terapeuta serán percibidos como engañosos, y por lo tanto aumentarán su desconfianza. El enfoque más eficaz consiste en que el terapeuta acepte abiertamente la desconfianza del cliente en cuanto se ponga de manifiesto, y gradualmente demuestre su propia confiabilidad a través de la acción, sin presionar al cliente para que confíe en él de inmediato. Por ejemplo, en cuanto resultó claro que Gary, el radiólogo, experimentaba una desconfianza generalizada, la cuestión se abordó como sigue:

Gary: Supongo que esto es lo que hago constantemente, espero de la gente lo peor. De ese modo no pueden sorprenderme.

Terapeuta: ¿Sabe?, tengo la impresión de que esta tendencia a ser escéptico respecto de los demás y a tomarse tiempo para empezar a confiar en ellos es probable que aparezca de vez en cuando en la terapia.

Gary: Hum... (*Pausa*).

Terapeuta: Después de todo, ¿cómo va usted a saber si confiar en mí es seguro o no? La gente me dice que tengo cara de honrado, pero, ¿qué demuestra eso? Es cierto que soy profesional, pero eso no quiere decir que sea un santo. En el mejor de los casos, lo que yo diga tendrá algún sentido, pero usted no es tan tonto como para confiar en alguien sólo porque hable bien. Podría ser difícil decidir si hay que confiar o no en un terapeuta, y esto le pone a usted en una situación complicada. Es difícil obtener ayuda sin confiar por lo menos un poco, pero también es difícil saber si se puede confiar o no... Hasta este punto, ¿qué le parece lo que digo?

Gary: Está bien.

Terapeuta: Un modo de salir de este dilema consiste en tomarse tiempo y ver hasta qué punto cumplo con lo que digo. Es mucho más fácil confiar en las acciones que en las palabras.

Gary: Eso tiene sentido.

Terapeuta: Bien, si vamos a adoptar este enfoque, tenemos que pensar en qué trabajaremos primero.

De modo que le corresponde al terapeuta poner énfasis en demostrar su propia confiabilidad e, idealmente, ello no es tarea difícil. Tiene que ofrecer lo que puede y está dispuesto a dar, esforzarse por ser claro y coherente, corregir activamente las percepciones y comprensiones erróneas del cliente a medida que se producen y reconocer abiertamente los traspiés que ocurran. Es importante que el terapeuta recuerde que crear confianza con la mayoría de los paranoides es algo que lleva tiempo, así que debe abstenerse de presionar al cliente para que hable sobre pensamientos o sentimientos delicados; debe aguardar a que poco a poco se haya creado una confianza suficiente. Las técnicas cognitivas estándar, como por ejemplo los «registros de pensamientos disfuncionales», pueden requerir demasiada franqueza como para que el cliente esté dispuesto a aplicarlas al principio de la terapia. Por lo tanto, tal vez sea útil escoger como foco inicial un problema susceptible de ser abordado primordialmente por medio de intervenciones conductuales.

En la terapia cognitiva la cooperación es siempre importante, pero lo es sobre todo en el trabajo con individuos paranoides porque es probable que se pongan intensamente ansiosos y/o coléricos cuando se sientan coaccionados, tratados injustamente o colocados en una situación de sometimiento. Es importante centrarse en comprender las propias metas del cliente y dirigir hacia ellas la terapia. Algunos terapeutas temen que al centrarse en el estrés, los problemas matrimoniales, etc., del cliente, se pase por alto el «problema real» de la paranoia. No obstante, cuando el enfoque empleado se basa en la solución de problemas para perseguir las metas del cliente, muy pronto sale a la luz el modo como su paranoia incide en las otras dificultades. Esto crea una situación en la que es posible comprometerle en el trabajo cooperativo sobre su desconfianza respecto de los demás, sus sentimientos de vulnerabilidad, su actitud defensiva y demás, porque ello constituye un paso importante para alcanzar sus propias metas.

Con los clientes paranoides, la fase inicial de la terapia puede ser muy estresante cuando el terapeuta cree que se centra en temas superficiales que no deberían ser amenazadores en absoluto. El solo hecho de participar en la terapia exige que el cliente se permita ser franco, reconozca sus debilidades y confíe en otra persona, cosas éstas que los individuos paranoicos experimentan como muy peligrosas. Entre lo más difícil para ellos es descubrir sus propios pensamientos y sentimientos, reconocer sus debilidades y confiar en los demás. Este estrés puede reducirse un tanto centrándose al principio en los temas menos sensibles, empezando con intervenciones más conductuales y examinando los problemas indirectamente (es decir, por medio de analogías o hablando sobre el modo como «algunas personas» reaccionan en esas situaciones), sin forzar que el paciente quede directamente expuesto. Uno de los modos más eficaces de aumentar la comodidad del cliente paranoide en la terapia consiste en proporcionarle un mayor control que el usual sobre el contenido de las sesiones, sobre las tareas para realizar en casa y, especialmente, sobre la frecuencia de las sesiones. El cliente puede estar mucho más cómodo y puede progresar más rápidamente si se planifica menos de una sesión a la semana.

Intervenciones específicas

Al empezar a trabajar en los objetivos iniciales del cliente, es más productivo dedicarse especialmente a aumentar el sentimiento de su capacidad en las situaciones problema o a incrementar su convicción de que puede afrontar con éxito todos los problemas que surjan. Esto se puede hacer principalmente de dos maneras. Primero, si el cliente es realmente capaz de manejar la situación pero exagera la amenaza, o subestima su propia capacidad, las intervenciones que generen una apreciación más realista de la aptitud aumentarán su capacidad. Segundo, si el cliente no consigue dominar la situación, o cabe mejorar sus habilidades para hacerlo, las intervenciones que tiendan a esto último acrecentarán su capacidad. En la práctica, lo mejor suele ser emplear los dos enfoques combinados.

En el caso de Ann (la secretaria a la que nos hemos referido) los intentos iniciales del terapeuta tendientes a cuestionar directamente su ideación paranoide («Hacen ruido sólo para asustarme») fueron ineficaces. Sin embargo, las intervenciones dirigidas a ayudarla a reevaluar el peligro implícito en esas acciones si los compañeros de trabajo realmente trataban de provocarla, así como las tendientes a ayudarla a evaluar su capacidad para dominar la situación, fueron bastante eficaces. Este es un ejemplo:

Terapeuta: Usted reacciona como si se tratara de una situación muy peligrosa. ¿Cuáles son los riesgos que ve?

Ann: Dejan caer cosas que hacen ruido para molestarme.

Terapeuta: ¿Está segura de que no hay ningún otro riesgo?

Ann: Sí.

Terapeuta: ¿No piensa que existan probabilidades de que la ataquen o le hagan alguna otra cosa de ese tipo?

Ann: No, no harían eso.

Terapeuta: Si siguieran dejando caer cosas y haciendo ruido, ¿sería muy malo?

Ann: Como le dije, es una verdadera provocación. Realmente me vuelve loca.

Terapeuta: De modo que todo seguiría como en los últimos años.

Ann: Sí. Me enloquece, pero puedo soportarlo.

Terapeuta: Y usted sabe que si esto continúa, al final usted puede dominar la situación como lo ha estado haciendo: resistiendo a la provocación y desquitándose con su marido en casa. Supongamos que podamos encontrar algún modo mejor de manejar la provocación, o de que la afecte menos. ¿Usted estaría interesada?

Ann: Sí, me parece muy bien.

Terapeuta: Otro peligro al que usted se refirió era que le hablaran a la supervisora y la enemistaran con usted. A su juicio, ¿desde cuándo intentan hacer esto?

Ann: Desde que estoy allí.

Terapeuta: ¿Qué es lo que han conseguido?

ANN: No mucho.

TERAPEUTA: ¿Ve algún signo de que vayan a tener más éxito?

ANN: No, me parece que no.

TERAPEUTA: De modo que en su fuero interno usted reacciona como si la situación fuera realmente peligrosa. Pero cuando se detiene y piensa en ella, llega a la conclusión de que lo peor que están haciendo es provocarla, y que si no surge nada nuevo, puede arreglárselas perfectamente bien. ¿Es esto así?

ANN (*sonriendo*): Sí, supongo que sí.

TERAPEUTA: Y si encontramos algún modo de dominar mejor la tensión o de controlarles mejor a ellos, será incluso menos lo que puedan hacerle.

Obviamente este intercambio por sí solo no transformó de modo espectacular a Ann, pero después de esta sesión comunicó una notable reducción de su actitud vigilante y el estrés en el trabajo, que aparentemente se debía a que percibía toda la situación como mucho menos amenazadora. Había menos provocaciones aparentes y ella experimentaba menos ira y frustración. Después, se consiguió una rápida mejora reevaluando las amenazas recibidas, mejorando la gestión del estrés, la asertividad y la comunicación de pareja. Según dijeron el esposo y ella misma, seguía estando un tanto en guardia y alerta, pero ya no reaccionaba en exceso ante pequeñas provocaciones. Además, podía ser más asertiva que hostil, ya no tenía estallidos con el esposo como consecuencia de las provocaciones en el trabajo, y se sentía significativamente más cómoda en sus visitas a los parientes políticos.

Con Gary, el joven radiólogo, cuando se reconoció su TPP, las intervenciones antes descritas tendientes a lograr un control adecuado del estrés elevaron sustancialmente su sentido de su propia capacidad. Pero continuaba creyendo que debía estar alerta en muchas situaciones inocuas, porque dudaba de su capacidad para salir bien parado si no se mantenía constantemente en estado de alerta. Se vio con claridad que las normas con que juzgaba su competencia en el trabajo y en las interacciones sociales eran muy estrictas. Y no sólo eso, además tenía una visión dicotómica de la capacidad laboral: se era plenamente competente o totalmente incompetente. Entonces utilizamos la «técnica del continuo» para ayudarle a reevaluar su concepción de la competencia.

TERAPEUTA: Parecería que gran parte de su tensión y el hecho de que dedique tanto tiempo a un control doble de su trabajo se deben a que se ve a sí mismo como básicamente incompetente, y piensa: «Debo tener cuidado o lo estropearé todo».

GARY: Por supuesto. Pero no se trata de pequeñas consecuencias; de lo que yo haga depende la vida de alguien.

TERAPEUTA: Hemos hablado de su competencia en términos de las evaluaciones que obtenía mientras estaba formándose y de lo bien que se ha desempeñado desde entonces, sin poder progresar mucho. Parece que no sé exactamente lo que significa para usted la palabra «competencia». ¿Qué hay que tener para ser verdaderamente competente? Por ejemplo, si apareciera un marciano que no sabe nada de los seres humanos y quisiera reconocer a los que son verdaderamente competentes, ¿qué le diría usted que buscara?

GARY: Una persona competente, haga lo que haga, siempre realiza un buen trabajo.

TERAPEUTA: ¿No importa lo que la persona hace? Si alguien hace bien algo fácil, a su juicio, ¿es competente?

GARY: No, para ser realmente competente no tiene que hacer algo fácil.

TERAPEUTA: Entonces parece que para ser competente hay que hacer algo difícil y obtener buenos resultados.

GARY: Sí.

TERAPEUTA: ¿Eso es todo? Usted ha estado haciendo algo difícil, y lo ha hecho bien, pero no se siente competente.

GARY: Yo siempre estoy tenso y me preocupo por el trabajo.

TERAPEUTA: ¿Es decir que una persona verdaderamente competente no está tensa y no se preocupa?

GARY: No. Tiene confianza. Trabaja relajada y después no se preocupa.

TERAPEUTA: De modo que una persona competente emprende tareas difíciles y las realiza bien, está distendida mientras trabaja y después no se preocupa. ¿Con esto basta, o hay que decir algo más sobre la competencia?

GARY: Bien, no es necesario ser perfecto mientras uno advierta sus errores y conozca sus límites.

TERAPEUTA: Lo que he escrito hasta ahora [el terapeuta ha estado tomando notas] es que una persona verdaderamente competente realiza bien tareas difíciles y obtiene buenos resultados, está distendida mientras trabaja y después no se preocupa; advierte los errores que comete, los corrige y conoce sus límites. ¿Refleja esto lo que usted tiene en mente cuando utiliza la palabra «competente»?

GARY: Sí, supongo que sí.

TERAPEUTA: Por lo que hemos dicho, tengo la impresión de que usted ve la competencia en términos de blanco y negro: se es competente o no se es.

GARY: Desde luego. Así es.

TERAPEUTA: ¿Qué nombre le podríamos dar a las personas que no son competentes? ¿Tal vez «incompetentes»?

GARY: Sí, está bien.

TERAPEUTA: ¿Qué es lo que caracteriza a las personas incompetentes? ¿Qué buscaría usted para distinguirlas?

GARY: Lo estropean todo. No hacen bien las cosas. Ni siquiera les preocupa ver o sentir bien. De ellas no se puede esperar nada.

TERAPEUTA: ¿Eso es todo?

GARY: Sí, creo que sí.

TERAPEUTA: Bien, veamos qué medida da usted en relación con estas normas. Una característica de la persona incompetente es que lo estropea todo. ¿Usted lo estropea todo?

GARY: Bien, no. La mayor parte de las cosas que hago resultan bien, pero mientras tanto estoy realmente tenso.

TERAPEUTA: Y usted dijo que a una persona incompetente no le importa salir bien ni lo que piensen los otros. De modo que el estar tenso y preocupado no se corresponde con la idea de que es incompetente. Si no es incompetente, ¿significa ello que es completamente competente?

GARY: No me siento competente.

TERAPEUTA: Y según estas normas, no lo es. Usted se desempeña bien en una tarea difícil, ha tenido éxito en advertir los errores que comete, pero no se distiende y se preocupa. Según estas normas, no podemos decir que sea completamente incompetente ni totalmente competente. ¿Cómo podemos hacer concordar esto con la idea de que una persona es competente o incompetente?

GARY: Supongo que no es ni una cosa ni la otra.

TERAPEUTA: Mientras usted describía la competencia y la incompetencia, yo tomé nota de los criterios. Supongamos que dibujamos una escala de cero a diez, donde el cero corresponde a la incompetencia absoluta y total, y el diez a la competencia completa y permanente [véase la figura 6.2]. ¿Qué nota se pondría usted por su competencia?

GARY: Al principio iba a decir 3, pero pensándolo mejor, diría 7 u 8, salvo en redacción, y hasta ahora nunca trabajé en esa materia.

TERAPEUTA: ¿Qué nota se pondría por su competencia en el trabajo?

GARY: Supongo que 8 o 9 en términos de resultados, pero no me relajo, de modo que en cuanto a eso sería más o menos 3. Descubro bien mis errores mientras no me preocupo demasiado, así que me correspondería un 8, y diría que un 9 o 10 en cuanto a conocer mis límites.

TERAPEUTA: ¿Qué nota se pondría en su capacidad para esquiar?

GARY: Un 6, pero eso no importa, lo hago solamente por diversión.

TERAPEUTA: Me ha dicho varias cosas importantes. Primero, si lo piensa otra vez verá que la competencia resulta no ser una cuestión de todo o nada. Alguien que no es perfecto no es necesariamente incompetente. Segundo, las características que usted ve como símbolos de competencia no aparecen necesariamente unidas en la realidad. Usted se pone un 8 o un 9 en cuanto a la calidad de su trabajo, y sólo un 3 en cuanto a no estar tenso y no preocuparse. Finalmente, a veces, por ejemplo en el trabajo, ser competente es muy importante para usted, pero otras no lo es, como en el esquí.

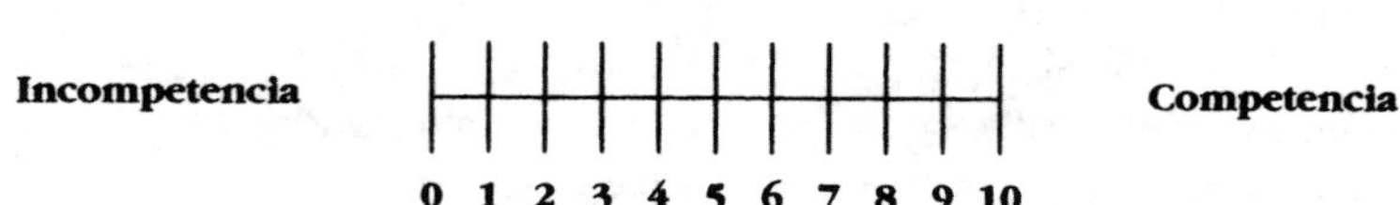

Lo estropean todo.
No hacen nada bien.
No les preocupa la impresión que causan en los otros.
No se pueden esperar resultados.

Realizan bien el trabajo y obtienen buenos resultados.
Están distendidos mientras trabajan.
No se preocupan mientras trabajan ni después de hacerlo.
Detectan y corrigen sus errores.
Conocen sus límites.

FIGURA 6.2. Continuo de la competencia basado en la concepción dicotómica de Gary.

GARY: Sí, supongo que no tengo que dar lo mejor de mí constantemente.

TERAPEUTA: ¿Qué piensa de la idea de que si una persona es competente estará distendida y si está tensa significa que no es competente?

GARY: No lo sé.

TERAPEUTA: Sin duda parece que si una persona tiene la seguridad de que puede manejar la situación, es probable que se sienta menos tensa. Pero no sé qué decir sobre lo contrario, sobre la idea de que si uno está tenso ello demuestra que es incompetente. Cuando usted está tenso y preocupado, ¿eso le facilita o le dificulta la tarea?

GARY: La dificulta mucho. Tengo problemas para concentrarme y olvido cosas.

TERAPEUTA: De modo que si alguien consigue buenos resultados a pesar de estar tenso y preocupado, ha superado un obstáculo.

GARY: Sí, en efecto.

TERAPEUTA: Algunas personas dirían que obtener buenos resultados a pesar de tener que superar obstáculos demuestra una capacidad mayor que cuando las cosas son fáciles. ¿Qué piensa usted de esta idea?

GARY: Tiene sentido.

TERAPEUTA: Bien, usted se las arregla bien en el trabajo a pesar de sentirse realmente tenso y preocupado. Hasta ahora ha hablado de la tensión como prueba de que es realmente incompetente, y que sólo se las arregla porque es muy cuidadoso. Otro modo de ver esto consistiría en decir que ser capaz de cumplir bien a pesar de estar ansioso demuestra que es realmente competente, no que es incompetente. ¿Qué le parece a usted más próximo a la verdad?

GARY: Después de todo, supongo que soy verdaderamente capaz, pero sigo detestando el hecho de ponerme tan tenso.

TERAPEUTA: Desde luego, y trabajaremos sobre esto. Pero el punto clave es que estar tenso no necesariamente significa que sea incompetente. Ahora bien, otro lugar en el que usted se siente tenso y cree ser incompetente es en las situaciones sociales. Veamos si en este caso es tan incompetente como se siente. [...]

En cuanto Gary admitió que su capacidad para desenvolverse en las situaciones estresantes a pesar de su tensión y ansiedad era en realidad un signo de competencia, y no de incompetencia, aumentó sustancialmente su sentido de ser alguien capaz. Entonces se redujo su actitud defensiva y estuvo más dispuesto a revelar pensamientos y sentimientos, a examinar críticamente sus creencias y supuestos y a poner a prueba nuevos enfoques de situaciones problema. Esto hizo posible aplicar técnicas cognitivas estándar con mayor eficacia.

Otra serie de intervenciones particularmente eficaces consistió en usar la técnica del continuo para cuestionar la concepción dicotómica que Gary tenía de la confiabilidad; después se introdujo la idea de que podía aprender qué personas serían probablemente dignas de confianza tomando nota de su coherencia en cuestiones triviales, y se planteó la cuestión de si toda la gente era en realidad como su familia, verdaderamente mala. Después de esto, Gary pudo ir poniendo a prueba su concepción negativa de las intenciones de los demás, confiando en compañeros de trabajo y conocidos en cuestiones de poca importancia, y observando su modo de actuar. Le sorprendió gratamente descubrir que el mundo en general era mucho menos malo de lo que él suponía, que también había personas benévolas o indiferentes, y que cuando él era objeto de un mal trato podía salir bien parado.

Cuando se sondea la percepción de los demás como malos, es importante no presuponer que está distorsionada. A menudo ocurre que los paranoides han tenido relaciones con personas malintencionadas o han tenido serios incidentes con algunos conocidos o compañeros de trabajo. El objetivo es permitirle al cliente diferenciar entre las personas en quienes se puede confiar en general, las personas en quienes se puede confiar en alguna medida y las personas malintencionadas o que no merecen confianza, de modo que deje de presuponer sencillamente que todo el mundo es malo. También puede ser importante considerar la incidencia de los allegados sobre las creencias del cliente. No es infrecuente que los individuos paranoides se casen con personas que también lo son. Cuando éste es el caso, el cónyuge puede oponerse activamente a los cambios que el terapeuta intenta lograr, y quizá se requieran sesiones en pareja.

Junto con las intervenciones primordialmente cognitivas, es importante trabajar en la modificación de las interacciones interpersonales disfuncionales del cliente, de modo que éste deje de provocar reacciones hostiles que acaban confirmando sus propias ideas paranoides. En el caso de Gary, esto exigía centrarse en las situaciones problema específicas a medida que surgían. Resultó importante abordar las cogniciones que bloqueaban una autoafirmación apropiada, incluso «No va a ser nada bueno», «Se van a enojar», «Si saben lo que quiero, lo utilizarán en mi contra». También fue necesario mejorar su asertividad y su capacidad para comunicarse con claridad. Cuando se produjo una mejoría en sus relaciones con los compañeros y con su novia, resultó muy fácil emplear el descubrimiento guiado para ayudarle a reconocer los modos como su anterior estilo de interacción había provocado inadvertidamente la hostilidad de los demás.

TERAPEUTA: Parecería que hablar con franqueza le ha dado resultados. ¿Qué sienten las otras personas al respecto?

GARY: Creo que les gusta. Sue y yo lo estamos pasando muy bien, y las cosas parecen menos tensas en el trabajo.

TERAPEUTA: Esto es interesante. Recuerdo que una de sus preocupaciones era que la gente podría enojarse si usted hablaba con franqueza. En cambio, parece haber contribuido a mejorar las cosas.

GARY: Bien, tuve algunas discusiones, pero pasaron enseguida.

TERAPEUTA: Aquí hay un cambio en el modo como solían ser las cosas. Antes, si usted discutía con alguien, quedaba perturbado por mucho tiempo. ¿Tiene alguna idea de por qué ahora es diferente?

GARY: En realidad no. No sigo pensando tanto en lo mismo.

TERAPEUTA: ¿Podría contarme una de las discusiones que tuvo esta semana? [El terapeuta y Gary examinaron detalladamente un desacuerdo con el jefe.] Parecería que dos cosas cambiaron en su modo de manejar este tipo de situaciones: usted siguió conversando, en lugar de irse enojado, y le dijo a su jefe qué era lo que le fastidiaba. ¿Cree que esto tiene algo que ver con el hecho de que el malestar se le pasa más rápido que antes?

GARY: Podría ser.

TERAPEUTA: En muchas personas se producen esa clase de resultados. Si para usted funciona, ésa sería una recompensa más del hecho de hablar con franqueza. Si le conceden lo que usted quiere no hay ningún problema; en caso contrario, por lo menos se olvida más pronto. ¿Recuerda lo que solía sentir después de dejar un desacuerdo sin resolver?

GARY: Pensaba en lo mismo durante días. Me sentía tenso e impaciente; me enfadaba mucho por cualquier cosa.

TERAPEUTA: ¿Qué cree usted que ocurría con sus compañeros de trabajo?

GARY: También ellos quedaban tensos e inquietos. No nos hablábamos durante un tiempo.

Terapeuta: Es fácil que un pequeño error o malentendido provoque otro desacuerdo.

GARY: Creo que tiene razón.

TERAPEUTA: ¿Sabe?, parece muy razonable que una persona suponga que el modo de tener la menor tensión y el menor conflicto posibles consiste en no hablar francamente sobre las cosas que la fastidian y en tratar de ocultar su malestar, pero se diría que a usted no le da resultado. Hasta ahora, cuando habla con franqueza sobre lo que le molesta se producen menos conflictos, y los que de todas maneras surgen, pasan más rápido.

GARY: Sí.

TERAPEUTA: ¿Cree que sus esfuerzos por no irritar a la gente en realidad hacían que las cosas se pusieran más tensas?

GARY: Parecería que sí.

Hacia el final de la terapia es posible «sintonizar con más fineza» la nueva perspectiva que el cliente tiene de las personas y sus nuevas aptitudes interpersonales, ayudándole a desarrollar capacidad para comprender el modo de ver de los demás y empatizar con ellos. Esto se puede hacer formulando preguntas que requieran que el cliente prevea el efecto de sus acciones sobre los demás y considere lo que sentiría él si los roles se invirtieran o infiera los sentimientos y pensamientos de otras personas a partir de sus acciones, para examinar ulteriormente la correspondencia entre esas conclusiones y los datos a su alcance. Es probable que al principio el cliente encuentre esos interrogantes difíciles de responder y que a menudo se equivoque, pero a medida que reciba retroalimentación del terapeuta y de las interacciones siguientes, aumentará su capacidad para comprender el modo de ver de otras personas. El cliente descubre que las acciones irritantes de los demás no están necesariamente motivadas por malas intenciones, y que esas acciones exasperan menos si se puede comprender el punto de vista del otro.

Al final de la terapia, Gary estaba notablemente más distendido, y los síntomas de estrés y ansiedad sólo lo molestaban de vez en cuando, en ocasiones en que es común que aparezcan perturbaciones leves, como inmediatamente antes de exámenes importantes. Dijo sentirse mucho más cómodo con amigos y compañeros de trabajo; estaba llevando una vida social más activa y no parecía experimentar ninguna necesidad particular de mantenerse alerta. Cuando él y su novia empezaron a tener dificultades, debidas en parte al malestar de la joven por la creciente intimidad de la relación, él pudo contener sus sentimientos iniciales de rechazo y su deseo de castigarla, por lo menos lo bastante como para considerar el punto de vista de ella. Después pudo asumir un papel importante en la resolución de los conflictos de la pareja, comunicando la comprensión que tenía de las preocupaciones de su amiga («Después de todo, sé por lo que has pasado, porque empezar a hablar de matrimonio asusta»), reconociendo sus propios temores y dudas («También a mí me pone muy nervioso»), y expresando su compromiso con la relación («No quiero que esto nos separe»).

Mantenimiento del progreso

El proceso de finalizar el tratamiento con los sujetos con TPP es mucho más fácil y directo que con el resto de los trastornos de la personalidad. Los sujetos paranoides suelen preferir confiar en ellos mismos y sólo hacen que esperar con ilusión la conclusión de la terapia. De hecho, el terapeuta tiene que estar alerta ante la tendencia del cliente de querer terminar la terapia prematuramente y es posible que tenga que persuadirle de que siga hasta que se tenga la oportunidad de trabajar con este problema suyo de desconfianza en los demás. Frecuentemente, es más fácil convencerle de no abandonar si se incrementa el intervalo entre las sesiones a medida que mejora.

Para trabajar el problema del abandono es especialmente importante anticipar aquellas situaciones en que las sospechas del cliente y su actitud defensiva parezcan justificadas y planificar con antelación cómo manejar esas situaciones. Obviamente, no es natural asumir que el cliente sólo se encontrará, en el futuro, con personas buenas. Todo lo contrario, es importante que terapeuta y cliente reconozcan que éste tratará con personas maliciosas de tanto en tanto, pero que esas situaciones también se pueden gestionar sin demasiado esfuerzo. Es de mucha utilidad que el cliente tenga la oportunidad de practicar con un caso real antes de la conclusión del tratamiento.

Los sujetos paranoides pueden ser muy reacios a acudir a consulta para sesiones de supervisión ya que para ellos volver a la terapia es una señal de debilidad o fracaso. Hay que hacerles llegar la idea de que volver a la consulta es una necesaria forma de «mantenimiento preventivo», es decir, signo del buen juicio del cliente. Gary volvió a la consulta en dos ocasiones. Regresó aproximadamente después de un año y medio del término de su primer tratamiento porque su novia tenía un problema de alcoholismo que derivó en la ruptura de la relación. Varios años después, volvió para pedir ayuda acerca de un cambio de carrera. En ambas ocasiones, experimento mucho estrés y sus síntomas de ansiedad retornaron en alguna medida. Sin embargo, fue capaz de manejar ambas situaciones sin volver a las sospechas y cautelas y fue posible aliviar su ansiedad en sólo media docena de sesiones.

Conclusión

En gran medida, las ideas paranoides del cliente no están en el centro de atención principal de la terapia propuesta. En lugar de ello, se aplican intervenciones cognitivo-conductuales estándar para abordar sus otros problemas y sus ideas paranoides se tratan al tiempo que se trabajan sus objetivos terapéuticos. Lo que distingue al enfoque presentado en este capítulo de los otros enfoques cognitivo-conductuales propuestos por Colby y otros (1979) o por Turkat (1985; Turkat y Maisto, 1985) es una atención explícita al desarrollo de la relación entre terapeuta y cliente, el énfasis en el trabajo dirigido a mejorar en el paciente su sensación de eficiencia desde los inicios de la terapia y el empleo de técnicas cognitivas y experimentos conductuales para cuestionar directamente las creencias paranoides que subsisten en el cliente hacia el final de la terapia. De acuerdo con nuestra experiencia, lo típico es que esta estrategia muy pronto facilite otras intervenciones y produzca mejoría en la sintomatología paranoide, pues la sensación de una capacidad acrecentada reduce la necesidad de estar alerta.

Si bien no hay datos empíricos sobre la eficacia de la terapia cognitiva del TPP, tanto nuestra propia experiencia clínica como los casos comunicados por Turkat y sus colaboradores resultan totalmente alentadores. Las intervenciones que se recomiendan son hacer que el cliente se sienta más capaz, mejorar sus aptitudes para el control de la ansiedad y los problemas interpersonales, desarrollar percepciones más realistas de las intenciones y acciones de los otros y acrecentar la comprensión de los puntos de vista de los demás. Todos estos factores conducen a cambios de los que se puede esperar un efecto intrapersonal e interpersonal muy amplio. Parece que como resultado de la terapia cognitiva con estos clientes puede producirse un importante «cambio de personalidad». Pero en este punto no se cuenta con datos sobre la medida en que las mejorías logradas en la terapia se generalizan y persisten.

CAPÍTULO 7

LOS TRASTORNOS ESQUIZOIDES Y ESQUIZOTÍPICOS DE LA PERSONALIDAD

El trastorno esquizoide de la personalidad

La característica más conocida de los sujetos con trastorno esquizoide de la personalidad es la falta de relaciones interpersonales o la indiferencia ante ellas. Existe una pauta generalizada de abandono de las relaciones interpersonales en todos los contextos. Tales personas suelen presentarse como seres solitarios y retirados que buscan poco el contacto con los demás; de hecho, parece que no obtienen ninguna (o poca) satisfacción de ninguna de sus relaciones, independientemente del interés que haya detrás de ellas. Pasan la mayor parte del tiempo solos y optan por rechazar las actividades que requieren del contacto de sus semejantes.

Los esquizoides demuestran también un afecto muy restringido. Parecen lentos y letárgicos. Su discurso, cuando aparece, es lento y monótono, con poca expresividad. Raramente muestran cambios de estado de ánimo, sean cuales sean los eventos externos. Su humor es por lo general ligeramente negativo, sin alteraciones ni negativas ni positivas. Cuando se les interroga, esos individuos raramente declaran tener emociones intensas como odio o goce. En el caso de que lleven una vida laboral normal, lo típico es que elijan una ocupación que requiera un contacto mínimo con colegas o con el público. Toda actividad social es solitaria. Las personas esquizoides no se dan al desarrollo de relaciones estrechas, ni de carácter sexual ni platónico. Debido al estilo de interacción de la persona esquizoide, lento y frío, su entorno tiende a ignorarlo o a dejarlo de lado. Con el tiempo, ello conduce a la degeneración de las ya pocas habilidades sociales que tenía, debido a la falta de práctica.

Sin embargo, es importante subrayar que tal sintomatología se basa en un continuo experiencial, tal y como lo hacen las creencias que hay detrás de estas características de la personalidad. Es esencial que al usar la etiqueta «trastorno de personalidad» recordemos que ésta es una herramienta que usa el terapeuta y que comparte con cliente y demás profesionales que trabajan con él, para conseguir la normalización de las dificultades y de la experiencia de malestar del mismo.

En la tabla 7.1 presentamos los criterios diagnósticos del trastorno esquizoide de la personalidad según el DSM-IV-TR (American Psychiatric Association, 2000).

TABLA 7.1 Criterios diagnósticos del DSM-IV para el trastorno esquizoide de la personalidad

A. Pauta generalizada de desinterés por las relaciones sociales y una gama restringida de expresión emocional en entornos sociales, que empieza en la adultez temprana y se presenta en diversos contextos, indicada al menos por cuatro (o más) de los rasgos siguientes:

(1) No desea ni disfruta con las relaciones estrechas, entre ellas las familiares.
(2) Casi siempre elige actividades solitarias.
(3) Tiene poco o ningún deseo de tener experiencias sexuales con otra persona.
(4) Experimenta placer en pocas o ninguna actividad.
(5) No tiene amigos íntimos o confidentes que no sean parientes de primer grado.
(6) Es indiferente al elogio y la crítica de los otros.
(7) Presenta frialdad emocional, es distante y su afecto es más bien apagado.

B. El trastorno no se presenta sólo en el curso de una esquizofrenia, un trastorno del estado de ánimo con características psicóticas, otro trastorno psicótico o un trastorno generalizado del desarrollo y no es debido tampoco a los efectos psicológicos producidos directamente por otro problema médico.

Nota: Reproducido con permiso de la American Psychiatric Association (2000, pág. 67). *Copyright* 2000 de American Psychiatric Association.

Perspectiva histórica

El diagnóstico del trastorno esquizoide de la personalidad es probablemente uno de los más confusos entre los del Eje II y como categoría ha estado en transición durante casi cien años. El término «esquizoide» fue empleado por primera vez por Manfred Bleuler, de la clínica suiza de Burgolzi (Siever, 1981). La palabra está compuesta por el prefijo «esquizo», que en griego significa «hendidura» o «escisión», y el sufijo «oide», que indica semejanza o tipo. Campbell (1981) utiliza la definición tradicional cuando afirma que el trastorno esquizoide de la personalidad se asemeja a la «división, separación o escisión de la personalidad característica de la esquizofrenia» (pág. 563). Tradicionalmente, Kraeplin (1913) vio a los sujetos con trastorno esquizoide de la personalidad como personas tranquilas, tímidas, reservadas y del tipo «esquizofrénico». Esta pauta de conducta fue entendida por muchos autores de este periodo como parte del proceso esquizofrénico y, de hecho, como auténtico precursor de la esquizofrenia. Otros como Campbell (1981) argumentan que la conducta esquizoide puede representar una vulnerabilidad genéticamente determinada frente a la esquizofrenia o presente en aquellos que se hallan en recuperación parcial de la esquizofrenia.

La visión de los individuos con trastorno esquizoide de la personalidad que presentan las cuatro últimas ediciones del *Diagnostic and Statistical Manual of Mental Disorders* (DSM; American Psychiatric Association) difiere notablemente de la visión tradicional (Freeman, 1990). El individuo con trastorno esquizoide de la personalidad no es visto como alguien con síntomas precursores o parciales de psicosis, sino más bien un sujeto cuyas creencias le mantienen en una existencia socialmente aislada. Algunos autores han especulado acerca de diferentes subtipos de trastorno esquizoide de la personalidad. Kretschmer (1936) postuló tres subtipos: el primero es una persona fría, correcta y formal en las situaciones sociales que muestra un vivo interés por los requerimientos sociales. El segundo subtipo es el individuo excéntrico y aislado que o se desentiende de las convenciones sociales o no las capta. Finalmente, el tercer subtipo se presenta como frágil, delicado e hipersensible. Por otro lado, Millon y Davis (1996) proponen cuatro subtipos:

1. *Desafectado*: se trata del individuo desapasionado, falto de respuesta, que muestra poco afecto, frío, que cuida poco a los demás, sin espíritu, inexpresivo, difícil de emocionar, imperturbable y con todas las emociones apagadas.
2. *Lejano*: se trata del sujeto distante, inaccesible, solitario, aislado, sin hogar, recluido, sin rumbo y ocupado sólo en actividades que no le interesan mucho.
3. *Lánguido*: se trata de la persona muy perezosa y con un nivel de activación muy pequeño. Intrínsecamente flemático, letárgico, cansado, plomizo, descuidado, exhausto y débil.
4. *Despersonalizado*: desinteresado por los demás y por sí mismo, ve a su yo como fuera de su cuerpo o como un objeto distante. Percibe cuerpo y mente como disociados, divididos, separados y/o eliminados.

Millon (1996) hipotetizó estos subtipos y les asignó diferentes formas de terapia. Sin embargo, nosotros no los tomaremos como referencia a causa de que disponemos de pocos datos empíricos que apoyen esta categorización.

Investigación y datos empíricos

Si buscamos en la literatura investigación y datos empíricos sobre los trastornos esquizoides de la personalidad, encontraremos bien poco. Algunos estudios de Scrimali y Grimaldi (1996) hallaron algunas pautas específicas diferenciales entre un grupo diagnosticado de esquizofrenia, otro con trastorno de personalidad grupo A y un grupo control con problemas de activación, procesamiento de información humana y apego en las relaciones. Los autores analizan estos datos a la luz de las implicaciones para la terapia cognitiva. Finalmente, extraen guías para el tratamiento de sujetos con diagnóstico de esquizofrenia y trastorno de personalidad grupo A. De sus datos empíricos, deducen que los pacientes con trastornos de personalidad grupo A se pueden beneficiar de técnicas de reestructuración cognitiva usando la comunicación verbal (Beck, Freeman y otros, 1990; Freeman, 1988; Freeman y Datillio, 1992). Sin embargo, añaden que ese tratamiento debería incluir técnicas como la socialización y la expresión corporal (Breier y Strauss, 1983; Dowrick, 1991).

Diagnóstico diferencial

Trastorno esquizoide de la personalidad y trastorno alucinatorio, esquizofrenia y trastornos del estado de ánimo con características psicóticas

Cuando alguno de estos trastornos están presentes, para asignar un diagnóstico adicional de trastorno esquizoide de la personalidad, el trastorno de la personalidad debe haber estado presente antes de la aparición de los síntomas psicóticos y debe persistir cuando los síntomas psicóticos están en remisión (DSM-IV-TR, American Psychiatric Association, 2000).

Trastorno esquizoide de la personalidad y trastorno de la personalidad por evitación

En principio, las personas con estos diagnósticos pueden parecer muy similares. Ambos muestran una carencia importante de relaciones interpersonales y llevan a cabo actividades principalmente solitarias. Sin embargo, la diferencia se evidencia cuando se les pregunta por su deseo de contacto social. En el caso del trastorno por evitación, el problema es un miedo al rechazo a la crítica. Los esquizoides también pueden sentir miedo a las críticas o al rechazo, pero no desean esas relaciones y, por lo tanto, ese aislamiento autoimpuesto aparece como menos problemático.

Trastorno esquizoide de la personalidad, formas menores de trastorno autístico y trastorno de síndrome de Asperger

Es posible que el terapeuta se vea en dificultades para distinguir entre esos tipos de diagnóstico ya que los tres comparten un grado de interacción social muy pobre e intereses y conductas estereotipadas. En esos casos, se recomienda solicitar ayuda a expertos en trastornos autísticos y en el síndrome de Asperger.

Conceptualización

En los sujetos con trastorno esquizoide de la personalidad, solemos encontrarnos con un conjunto de tempranas experiencias de rechazo y abuso de sus pequeños y jóvenes coetáneos. Junto a ello, suelen verse como diferentes con respecto a la unidad familiar o, de alguna manera, como «menos» que los demás miembros. Ellos mismos, por lo tanto, ya tienen la idea de que son diferentes en un sentido negativo, que las personas de su entorno son desagradables o poco dadas a ayudar, y la interacción social, difícil y dañina. Como resultado de ello, generan una serie de normas de «seguridad» que les conducen a un estilo de vida solitario.

Derek (36) había estado desempleado durante los últimos 11 años. Pasaba gran parte de su tiempo solo en su apartamento, escuchando la radio o leyendo libros. Iba a la iglesia diariamente, pero colándose cuando el servicio ya había empezado y marchándose antes de que acabase, para evitar tener que hablar con el vicario o los miembros de la congregación. Derek se presentó en la terapia con creciente ansiedad y un estado de ánimo bajo. Al principio, no devolvía la mirada y sólo abría la boca para responder sucintamente a las preguntas del terapeuta. La única cosa que le pedía al terapeuta es que convenciese a su familia para que éstos «le dejasen en paz» ya que sus intentos de que acudiese a las celebraciones familiares le provocaban extrema ansiedad. Además, Derek confesó que cada día la vida le parecía más fútil y que su rareza no tenía cura. Parecía que tales creencias eran las responsables de su tristeza. Derek ya llevaba años desempleado y sobrevivía gracias a los subsidios por incapacidad laboral y apoyo a las rentas bajas.

Derek tenía dos hermanos. Sus padres eran Jack, fontanero, y Deirdre, que desde su matrimonio se había dedicado a llevar las cuentas del negocio de Jack. La familia era extrovertida y físicamente bien dotada y los dos hermanos de Derek habían seguido los pasos de su padre: uno trabajaba con él y el otro vendía artículos para la fontanería. A diferencia de ellos, Derek había sido un chico tímido perennemente molestado por sus compañeros de clase. Desde su niñez había sido una persona solitaria, más interesada en el estudio que en jugar al fútbol con su padre y hermanos. Derek se había formado las siguientes creencias sobre sí mismo: «Soy diferente», «Soy un solitario», «Soy una rareza», «Soy un inadaptado», «Valgo como medio», «Tengo una personalidad fea», «No soy normal», «No valgo nada», «Soy aburrido», «No soy nada». Tenía las siguientes creencias acerca del mundo y de los demás: «La gente es cruel», «la gente decepciona», «Yo no gusto a nadie», «El mundo es hostil». Para ser consecuente con sus creencias, había desarrollado supuestos generales del tipo: «Si intento acercarme a los demás, notarán que soy diferente y me ridiculizarán», «Si les hablo a los demás, notarán lo aburrido que soy y me rechazarán», «Si no encajas, la gente no te recibe bien y entonces no se pueden tener amigos» y «La gente sólo debería hablar si tiene algo que decir».

Cuando Derek era joven, le decían que por naturaleza «no encajaba» en ningún sitio. Su padre bromeaba diciendo que «debieron cambiármelo en el hospital». A lo largo de su vida, Derek había intentado interesarse por los deportes o por el negocio familiar, pero sus esfuerzos solían encontrarse con ácidos comentarios sobre su ineptitud y, al poco tiempo, solía renunciar. Su única salida regular era a la iglesia local, a la cual acudía a pesar de la ansiedad que le causaba. Cuando se le interrogó acerca de ello, declaró que debido a que era «media persona» y tenía una «personalidad fea», si no iba a la iglesia, estaba condenado a un «purgatorio sin fin», según sus creencias en Dios, el cielo y el infierno. En los últimos meses, debido a la jubilación de los padres y al matrimonio de su hermano menor (el mayor estaba casado y tenía dos hijos), su madre había intentado «unir de nuevo a su familia». Ello parecía haber exacerbado la ansiedad de Derek y acentuado su depresión, basándose en sus creencias acerca de su diferencia y la futilidad de su esfuerzo. La figura 7.1 muestra el diagrama de conceptualización del caso.

ENFOQUE DE TRATAMIENTO

Eje I Comorbilidad

Aunque está claro que Derek presenta ansiedad y un estado de ánimo decaído, es difícil diagnosticar su trastorno de ansiedad. Por un lado, Derek muestra ansiedad en situaciones sociales; sin embargo, no tiene miedo a que le valoren negativamente, cosa que sería de esperar en una fobia social o en un trastorno de la personalidad por evitación. Más bien parece sentirse superado ante el contacto social considerado por él como excesivo. Con respecto a la depresión, aunque este grupo diagnóstico no es particularmente propenso a las respuestas afectivas intensas, su estado de ánimo puede verse afectado debido a las creencias sobre la futilidad de la vida y de la existencia. A continuación trataremos algunas de las dificultades que podemos encontrarnos en la terapia de los individuos con trastorno esquizoide de la personalidad. Para ello, usaremos el ejemplo que acabamos de describir.

Estrategia de colaboración

Como la terapia es, por su naturaleza, un hecho interpersonal, es probable que el sujeto con personalidad esquizoide tenga dificultades a la hora de participar en la relación terapéutica. Las creencias del individuo acerca de sí mismo y

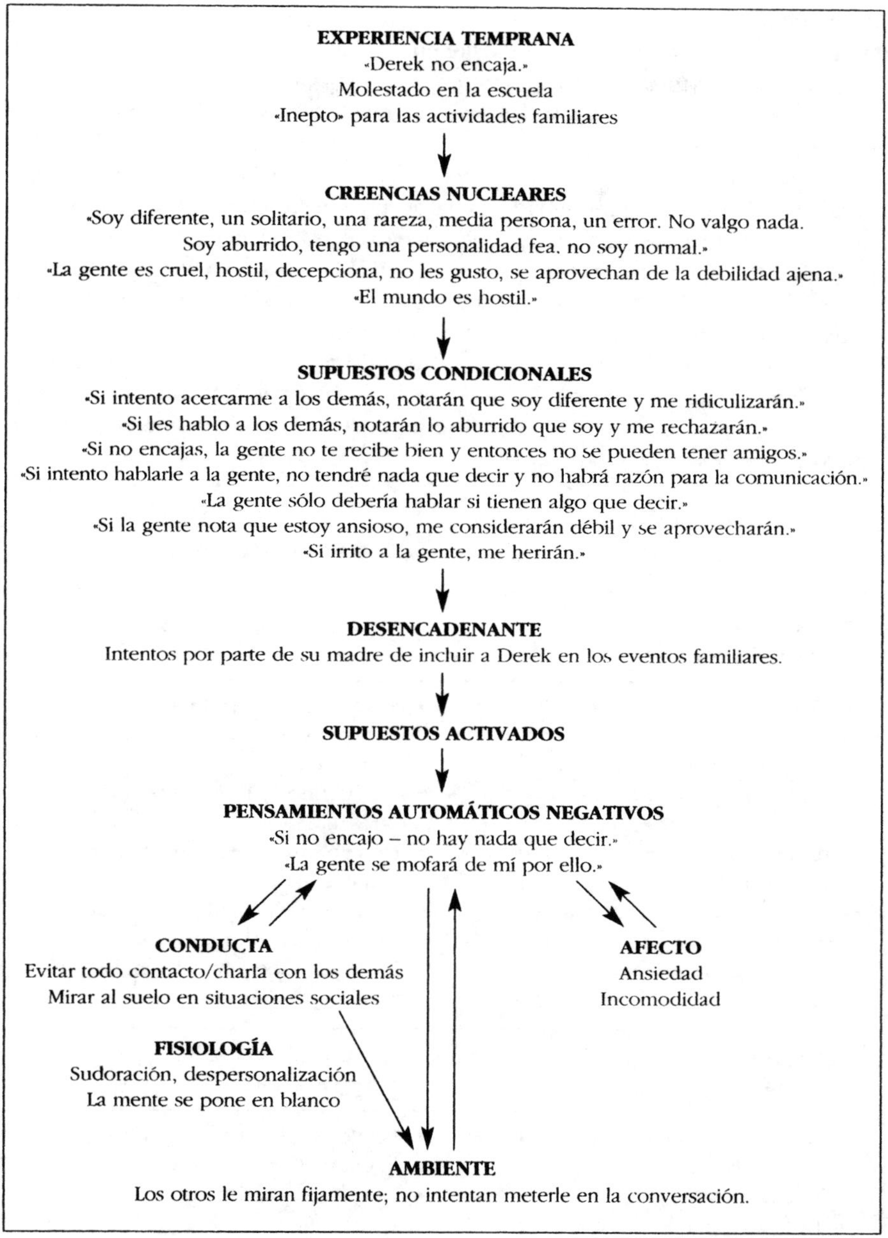

EXPERIENCIA TEMPRANA
«Derek no encaja.»
Molestado en la escuela
«Inepto» para las actividades familiares

↓

CREENCIAS NUCLEARES
«Soy diferente, un solitario, una rareza, media persona, un error. No valgo nada. Soy aburrido, tengo una personalidad fea. no soy normal.»
«La gente es cruel, hostil, decepciona, no les gusto, se aprovechan de la debilidad ajena.»
«El mundo es hostil.»

↓

SUPUESTOS CONDICIONALES
«Si intento acercarme a los demás, notarán que soy diferente y me ridiculizarán.»
«Si les hablo a los demás, notarán lo aburrido que soy y me rechazarán.»
«Si no encajas, la gente no te recibe bien y entonces no se pueden tener amigos.»
«Si intento hablarle a la gente, no tendré nada que decir y no habrá razón para la comunicación.»
«La gente sólo debería hablar si tienen algo que decir.»
«Si la gente nota que estoy ansioso, me considerarán débil y se aprovecharán.»
«Si irrito a la gente, me herirán.»

↓

DESENCADENANTE
Intentos por parte de su madre de incluir a Derek en los eventos familiares.

↓

SUPUESTOS ACTIVADOS

↓

PENSAMIENTOS AUTOMÁTICOS NEGATIVOS
«Si no encajo – no hay nada que decir.»
«La gente se mofará de mí por ello.»

⇅

CONDUCTA
Evitar todo contacto/charla con los demás
Mirar al suelo en situaciones sociales

AFECTO
Ansiedad
Incomodidad

FISIOLOGÍA
Sudoración, despersonalización
La mente se pone en blanco

⇅

AMBIENTE
Los otros le miran fijamente; no intentan meterle en la conversación.

FIGURA 7.1. Diagrama de conceptualización del caso de Derek.

sus interacciones con los demás tendrán con toda probabilidad un impacto en la relación interpersonal como, sin duda, tienen en el resto de interacciones de la vida del individuo con tendencias esquizofrénicas.

Durante las sesiones, Derek se mostró ambivalente acerca de su participación en el proceso terapéutico. No sólo veía que sus problemas eran derivados de su «falta de personalidad o carácter», sino que tenía miedo de que la terapia le hiciese descubrir más fallas en su personalidad, lo cual acentuaría su sensación de inoperancia. Por lo tanto, terapeuta y paciente necesitaron hablar de las ventajas y desventajas del no acudir a terapia (véase la tabla 7.2). Sólo cuando se hizo evidente que había más ventajas que desventajas, Derek fue capaz de meterse en el proceso terapéutico. En terapia, sin embargo, se tuvo que realizar este trabajo en cinco sesiones consecutivas antes de que Derek se sintiera capaz y cómodo para llevar a cabo la terapia.

Al final de ese periodo de discusión de las ventajas y desventajas de la terapia, Derek decidió que las desventajas le influirían a la hora de intentar trabajar en pos de los objetivos terapéuticos.

TABLA 7.2. Examen de las ventajas y desventajas de la terapia

Ventajas de llevar a cabo una terapia cognitiva	*Desventajas de llevar a cabo una terapia cognitiva*
• «Siento curiosidad por ver si la terapia puede ser beneficiosa.» • «La terapia se interesa por mí.» • «La terapia puede ayudarme con mis problemas.» • «La terapia me ayuda a pensar que la sociedad se preocupa por mí.» • «Es agradable hablar con alguien amable.» • «Hace que la semana sea más interesante.»	• Puede hacerme ser todavía más introspectivo, lo cual sería una dificultad más.» • «Descubrirse a sí mismo puede ser estresante.» • «Descubrirme puede ser un problema para mí.» • «Puedo perder las últimas ilusiones acerca de mi valor personal.» • «Si me presiono a mí mismo, las cosas se pueden poner peor.»
Ventajas de no llevar a cabo una terapia cognitiva	*Desventajas de no llevar a cabo una terapia cognitiva*
• «La terapia puede requerir de mí demasiada fuerza mental (neurológica).» • «La terapia puede descentrarme.»	• «Puedo perder una oportunidad de desarrollarme.» • «La vida en estos momentos es bastante mala.» • «Las cosas no mejorarán sin ayuda.»

Negociar una lista de problemas y de objetivos en colaboración mutua. También puede ser difícil negociar la confección de una lista de problemas y de objetivos para resolverlos. En relación a los problemas del paciente es importante que el terapeuta sea capaz de escuchar lo que dice el cliente y le pida que especifique qué elemento de su experiencia es problemático para él, ya que puede diferir marcadamente de lo que se espera. De la misma forma, cuando se confeccione la lista de problemas, es importante que esa información sea elicitada de una manera socrática y colaborativa. Si el terapeuta comienza a especular estableciendo unilateralmente objetivos para resolver estos problemas corre el peligro de cometer un grave error. No es extraño, entonces, que paciente y terapeuta trabajen con metas, rutas y procesos diferentes.

Derek describió su lista de problemas como sigue: (1) no trabajo, (2) no estoy suficientemente ocupado, (3) no tengo amigos, (4) sufro de ansiedad, (5) no llevo a cabo nada, (6) me siento demasiado bajo de moral para siquiera hablar. Al intentar establecer una serie de objetivos para resolver cada uno de sus problemas, enseguida se evidenció que iba a ser difícil porque Derek afirmaba «Siempre he sido así». Sin embargo, es extremadamente importante darse cuenta que lo que puede parecer como un objetivo plausible para el terapeuta, puede no serlo para el cliente. Con respecto al hecho de no tener amigos, aun cuando el terapeuta estaba tentado de decir que un buen objetivo sería hacer una o dos buenas amistades, Derek sugirió que lo más importante es que sus hermanos dejaran de meterse con él porque no tuviese amigos o que podría intentar hablar semanalmente por Internet con algún «amigo» virtual.

Las reacciones del terapeuta con respecto al cliente. Trabajar con clientes cuyo conjunto de creencias contrastan fuertemente con las de terapeuta puede suscitar problemas. Trabajar con clientes con trastorno esquizoide de la personalidad puede chocar bastante con aquellos terapeutas que han entrado en la profesión movidos por el carácter de relación interpersonal íntima que se puede establecer en una terapia. Ello puede despertar intensas reacciones afectivas en el terapeuta que deben ser comprendidas y trabajadas para que la terapia proceda de una manera colaborativa.

En ese sentido, Derek expresó una serie de creencias correspondientes a las relaciones sociales. Éstas incluían: «La gente es cruel», «La gente decepciona» y «La gente sólo debería hablar si tiene algo que decir». Como se ha mencionado con anterioridad, el terapeuta tenía dificultad en aceptar objetivos que no incorporasen un incremento de la integración social y que no combatiesen creencias acerca de que la gente es cruel, decepcionante y poco amable, así como la de que una comunicación sin un objetivo definido es fútil. Cuando el terapeuta entendió su fuerte reacción afectiva a esas creencias y los objetivos l cliente pudo reflexionar acerca de su propio conjunto de creencias nucleares y supuestos condicionales y cómo éstos diferían de los del paciente. Este proceso creó en sí mismo una diferente perspectiva de la disonancia, sugiriendo que se podía ver como un choque de creencias y no una respuesta afectiva negativa hacia el cliente. Si es necesario, se puede llevar a cabo un trabajo más intenso de supervisión o usar el propio supervisor interno de uno, el cual ayudará a examinar las propias creencias y reglas para descubrir si se trata tan sólo de una manera de pensar o de las únicas reglas y creencias «definitivas» y «sanas».

Intervenciones específicas

Con respecto a la lista de problemas identificadas en la terapia, Derek mencionó los siguientes objetivos terapéuticos:

1. Ayudar a su padre en su negocio si se le necesitaba.
2. Ser capaz de llenar mejor su tiempo.
3. Que sus hermanos respetasen más su carencia de amigos y conseguir tener a una persona con la que hablar de sus dificultades (no era necesario que fuese cara a cara).
4. Estar menos preocupado.
5. Ser capaz de llevar a cabo las tareas que se debían hacer.
6. Sentirse mejor consigo mismo.

Ansiedad. Derek decidió que quería trabajar sobre su ansiedad como primer objetivo de la terapia. Al explorar esa ansiedad, se generó una formulación (que se halla en la parte inferior de la figura 7.1). Se evidenció entonces que había en Derek tres cuestiones nucleares que mantenían alta su ansiedad. Primero, creía que no encajaba con los demás. Segundo, estaba preocupado con la posibilidad de que si no encajaba, los demás iban a usar esto en su contra. Esta combinación de creencias le llevaba a pensar que si hablaba con los demás, su incapacidad para hacerlo revelaría que era un tipo raro. Cuando los demás se diesen cuenta de su rareza, le humillarían o herirían. Esta secuencia fue elicitada usando el diálogo socrático. Después, se resumió su conceptualización, la cual aceptó como buen compendio de sus dificultades. Finalmente, se definieron las creencias que debía cambiar para conseguir alguna reducción de sus síntomas problemáticos.

Este proceso comenzó con el examen de su creencia «Si hablo con los demás, no tendré nada que decir y no tendrá sentido esa comunicación». Nosotros hipotetizamos que cambiando esa creencia, Derek se sentiría menos extraño y su miedo al rechazo y al escarnio se reduciría. Sin embargo, estaba seguro de no querer incrementar sus «pequeñas conversaciones» con la gente. A ello le siguió el examen de su creencia de que era extraño, «que no encajaba». Sin embargo, hablando con Derek vimos que no estaba seguro de querer trabajar esta idea. En su lugar, prefería cuestionar la creencia de que los demás le iban a querer atacar como resultado de su rareza. Derek sentía que combatir esta creencia era la ruta más efectiva para reducir su ansiedad.

Derek pensó que sería útil examinar si su manera de actuar como resultado de esas creencias afectaba a la probabilidad de ser sujeto de escarnio y si cambiando sus reacciones podía reducir la probabilidad de que ello ocurriese. Por lo tanto, él y su terapeuta planearon una serie de experimentos conductuales (seguidos de una reatribución verbal para combatir esta premisa) para comprobar si los demás percibían su rareza o su ansiedad y le atacaban por ello.

Así descubrimos que Derek era muy frío como mecanismo de defensa y que creía que si los demás notaban su ansiedad o su «rareza» le iban a atacar. Por lo tanto, se diseñó una serie de experimentos en los cuales Derek debía abandonar su conducta defensiva de evitar el contacto visual, mirar al suelo y esconder toda expresión facial y comprobar si era atacado. Todo ello se llevó a cabo mediante la reatribución verbal (considerando la evidencia y generando explicaciones alternativas), la cual redujo su creencia en el ataque de un 90 % a un 25 %, lo cual le dio la posibilidad de fijarse en otros resultados y participar en el experimento.

Reencuadre de creencias nucleares. A pesar de que al principio de la terapia Derek afirmaba no querer revisar sus creencias acerca de su rareza, poco después se dio cuenta de que podían jugar un papel central en su malestar y que había que trabajar sobre ellas. Así, Derek propuso una idea alternativa de su gusto, «Soy normal». Le informamos a Derek sobre la metáfora del prejuicio de Padesky (1993) como vía para explicar el mecanismo por el cual ciertos sesgos informativos podían mantener autocreencias negativas a pesar de poseer evidencia de lo contrario. Ello nos sirvió como plataforma para debatir qué era necesario para transformar la creencia nuclear de Derek a favor de aquella que había elegido y que era de mayor utilidad para él. En ese sentido, se le asignó la tarea (para hacer en casa) de recoger toda aquella información que se ajustase a la creencia «Soy normal» usando un registro de datos positivos, tal y como recomienda Padesky (1994). Las preguntas que se le hizo para elicitar tal información fueron: ¿Has hecho algo hoy que te sugiera que eres normal o que cualquiera pudiera tomar como muestra de que eres normal? ¿Has hecho algo hoy que si lo hubiese hecho otro, sería para ti una indicación de que esa persona es normal? Los datos recogidos sirvieron para que Derek evaluara la pertinencia de su nueva creencia «Soy normal» semanalmente. Algunas de las acciones que apoyaron su nueva visión fueron: hablar con algún otro cliente en la cola del supermercado, ser capaz de iniciar una terapia cognitiva, prepararle un té a su madre y decirle hola amigablemente a un vecino.

Mantener los progresos

Como ya hemos señalado, Derek tenía frecuentemente sentimientos ambivalentes acerca de la terapia y, por ello, dedicábamos bastante tiempo en cada sesión a hablar sobre el tema. Durante las sesiones de valoración de la terapia, se evaluaba el progreso realizado según su lista de objetivos. Después, se decidía conjuntamente si se había alcanzado tal o cual meta. En ese caso, nos preguntábamos, ¿existe algún otro objetivo deseable en esa área? En caso negativo, ¿es todavía actual ese objetivo? En caso positivo, ¿se puede trabajar un poco más en él? En caso negativo, ¿debemos buscar otra meta nueva?

La ambivalencia de Derek acerca de la terapia fue evidente durante toda su participación en ella. Incluso cuando la terapia estaba arrojando buenos resultados, la negociación de los nuevos objetivos terapéuticos requería siempre la revisión previa de las ventajas y desventajas de hacer terapia. Cuando se consiguieron las metas de estar menos preocupado y sentirse un poco mejor consigo mismo, Derek se planteó abandonar la terapia. Consecuentemente, antes de dar por finalizados los trabajos, se trabajó el cierre y la consolidación de sus nuevas creencias. Ya que Derek no quería seguir con la terapia, se revisó qué creencias habían sido alteradas hasta el momento y se evaluó la convicción de las nuevas ideas, reforzándolas.

Para finalizar, elaboramos un informe-resumen para reforzar la idea de que habíamos completado un ciclo y para proporcionarle al paciente un marco conceptual en caso de que quisiera continuar su trabajo personal y para prevenir futuras dificultades. A continuación, presentamos un pequeño esquema del mismo:

1. Incluimos una formulación «compasiva» del desarrollo y el mantenimiento de tus dificultades para recordarte cómo las has desarrollado y cómo las has mantenido (véase la figura 7.1).

2. Después de entender tus dificultades, hemos trabajado sobre la manera en la que escondías tus emociones pues creías que si la gente veía que tenías miedo, te iban a atacar. Hablamos de ello durante las sesiones y vimos que no había pruebas de ello y diseñamos una serie de experimentos para comprobarlo. Esas experiencias te mostraron que tenías la creencia de que escondiendo las emociones estabas a salvo. Sin embargo, la realidad es que una vez abandonada esa conducta de protección, nadie te atacaba. Esto redujo mucho tu ansiedad en algunas situaciones. Es importante recordar que tu conducta autoprotectiva es la que ha mantenido la ansiedad a niveles altos y no te ha permitido comprobar que lo que más temías simplemente no sucede.

3. Una vez más, siguiendo nuestra conceptualización de tus dificultades, hemos visto cómo tus creencias acerca de ti mismo mantienen tu ansiedad en si-

tuaciones sociales. Creencias del estilo «Soy raro» y «No encajo» contribuían a tu creencia de que los otros podían descubrir tu peculiaridad y usarla en tu contra. También vimos cómo esas creencias se autoalimentaban debido a los cambios que provocaban en tu manera de procesar la información (era como tener prejuicios contra ti mismo). Tú nos confesaste que preferías la creencia «Soy normal». Sin embargo, toda información que apoyase esa idea era descartada para mantener tus creencias negativas sobre ti mismo. Hablamos de lo útil que podía ser contrarrestar ese proceso y anotar en un registro todos los datos positivos. En ese registro, anotaste todos los datos sobre las acciones que encajaban con ser normal o que, si veías a alguien haciéndolas, te indicaban que se trataba de gente normal. Con ello, evitamos la pérdida de tal información. Puede ser de mucha ayuda no dejar de leerlo y, de hecho, seguir anotando en él todos los datos posibles hasta que sientas que ya no es necesario.

4. Al inicio de la terapia, uno de tus objetivos era encontrar la manera de llenar tu tiempo de manera que te sintieses mejor. En ese sentido, te puede ser útil recordar lo que hemos hablado acerca de los peligros de salir de casa. Ahora puedes plantearte nuevas actividades que te satisfagan.

5. Otro de tus objetivos era llevar a cabo tareas que debías hacer. Ya vimos que esta evitación era fruto de tus creencias que decían que eras un fracaso y media persona ya que te hacían predecir resultados negativos de cada uno de tus esfuerzos. Por lo tanto, tenía mucho sentido evitar hacer nada. Sin embargo, el problema de esta argumentación es que no te permite evaluar las premisas ni las predicciones que se derivan de ellas. Así, planeamos una serie de tareas que podías intentar de manera gradual para evaluar la validez de tus predicciones negativas.

6. Finalmente, identificaste un objetivo nuevo: desarrollar una amistad en Internet con la cual hablar de tus cosas. Te has sentido seguro acerca de tu capacidad para hacerlo.

Trastorno esquizotípico de la personalidad

Existen ciertas similitudes entre el trastorno esquizoide de la personalidad y el esquizotípico. Los dos incluyen la evitación de las relaciones interpersonales, pero el esquizotípico también tiende a experimentar síntomas psicóticos y a tener peculiaridades conductuales pronunciadas.

La principal característica de los individuos con personalidad esquizotípica es su agudo malestar y su reducida capacidad para mantener relaciones estrechas, además de la presencia de distorsiones cognitivas o perceptivas y excentricidades conductuales. También tienen síntomas o experiencias subclínicas psicóticas, tales como la sospecha o creencia de que la gente habla mal de ellos o les desea algún mal. También carecen de amigos, sienten ansiedad ante situaciones sociales y pueden actuar de manera extraña para los demás. El criterio diagnóstico del DSM-IV-TR (American Psychiatric Association, 2000) para el trastorno esquizotípico de la personalidad se halla en la tabla 7.3.

TABLA 7.3. Criterios diagnósticos del DSM-IV-TR para el trastorno esquizotípico de la personalidad

A. Pauta generalizada de déficit en las relaciones interpersonales caracterizada por un agudo malestar con una reducida capacidad para establecer relaciones estrechas, así como distorsiones cognitivas y perceptivas y conductas excéntricas, que empieza en la adultez temprana y se presenta en diversos contextos, indicada por cinco (o más) de los rasgos siguientes:

(1) Ideas de referencia (excluidas las ideas delirantes de referencia).
(2) Creencias extrañas o pensamiento mágico que influye en la conducta y que es discrepante de las normas subculturales (por ejemplo, supersticiones, creencia en clarividencia, telepatía o «sexto sentido»; en niños y adolescentes, fantasías o preocupaciones extrañas).
(3) Experiencias perceptivas inusuales, entre las que se cuentan ilusiones corporales.
(4) Modo de hablar extraño (por ejemplo, vago, circunstancial, metafórico, sobreelaborado o estereotipado).
(5) Suspicacia o ideación paranoide.
(6) Afectividad inapropiada o limitada.
(7) Conducta o apariencia extraña, excéntrica o peculiar.
(8) Carencia de amigos o confidentes íntimos (o tienen sólo uno), al margen de los parientes de primer grado.
(9) Ansiedad social excesiva que no disminuye con la familiaridad y tiende a estar asociada con miedos paranoides más que con juicios negativos acerca del yo.

B. El trastorno no se presenta sólo en el curso de una esquizofrenia o un trastorno del estado de ánimo con características psicóticas, otro trastorno psicótico o un trastorno generalizado del desarrollo y no es debido tampoco a los efectos psicológicos producidos directamente por un problema médico general.

INVESTIGACIÓN Y DATOS EMPÍRICOS

Ha habido muy poca investigación sobre las características cognitivas y conductuales de las personas con diagnóstico de trastorno esquizotípico de la personalidad. La mayor parte de la investigación se ha centrado en los procesos neuropsicológicos y neuroevolutivos. Existe evidencia de que el paciente con trastorno esquizotípico de la personalidad puede tener un amplio rango de déficits cognitivos (Cadenhead, Perry, Shafer y Braff, 1999) y dificultades con la atención (Wilkins y Venables, 1992). También se han dado estudios sobre los factores de desarrollo de la etiología de la personalidad esquizotípica. Un estudio longitudinal sobre determinadas comunidades encontró que la negligencia en los cuidados del niño estaba relacionada con el desarrollo del trastorno esquizotípico de la personalidad (Johnson, Smailes, Cohen, Brown y Bernstein, 2000). Olin, Raine, Cannon y Parnas (1997) recogieron unos informes redactados por profesores de escuelas sobre la conducta de sus alumnos para evaluar si servían como medio para detectar precursores del trastorno esquizotípico de la personalidad. Así, encontraron que aquellos que desarrollaron el trastorno eran, de niños, más pasivos, poco participativos e hipersensibles a las críticas que sus compañeros. También se ha comprobado que estilos de relación ansiosos y evitadores están asociados con la esquizotipia positiva (con experiencias alucinatorias y creencias inusuales) y la esquizotipia negativa (con apatía, anedonia y aislamiento). También existen pruebas que demuestran la relación entre disociación y esquizotipia.

Probablemente, la investigación más útil que se puede llevar a cabo cuando se examina la esquizotipia es el trabajo de analizar las experiencias psicóticas (en los pacientes y en la población general). Los síntomas individuales del trastorno de personalidad esquizotípica, tales como ideación paranoide, ideas de referencia, experiencias perceptivas inusuales y habla o conducta extraña, han sido estudiados en relación a la psicosis y se ha defendido que estudiar los síntomas individuales, en vez de los síndromes diagnósticos proporciona una mejor comprensión de los procesos psicológicos subyacentes (Persons, 1986). Por ejemplo, existe evidencia de que las creencias paranoicas son el resultado de la atribución externa de eventos negativos (Bentall, Kinderman y Kaney, 1994) y sesgos en el procesamiento de la información (Bentall y Kaney, 1989). De forma parecida, la evidencia indica que el malestar asociado a las experiencias alucinatorias es el resultado de interpretaciones acerca de ellas (Morrison, 1998). La importancia de normalizar tales experiencias ha sido demostrada con pacientes psicóticos (Kingdon y Turkington, 1994); por otro lado, es evidente que tales experiencias son altamente prevalentes entre la población general (Peters, Joseph y Garety, 1999; Van Os, Hanssen, Bijl y Ravelli, 2000). Tal enfoque normalizador tiene también la ventaja de ser menos peyorativo y estigmatizador que el enfoque diagnóstico habitual, ya que una etiqueta es siempre una posible causa de malestar.

DIAGNÓSTICO DIFERENCIAL

Trastorno esquizotípico de la personalidad y trastorno alucinatorio, esquizofrenia y trastornos del estado de ánimo con características psicóticas

Cuando alguno de estos trastornos están presentes, para asignar un diagnóstico adicional de trastorno esquizotípico de la personalidad, el trastorno de la personalidad debe haber estado presente antes de la aparición de los síntomas psicóticos y debe persistir cuando los síntomas psicóticos están en remisión (DSM-IV-TR). Las experiencias psicóticas de la gente con personalidad esquizotípica son normalmente menos molestas, causan menos problemas funcionales y son menos frecuentes que las de aquellos pacientes con diagnóstico de esquizofrenia.

Trastorno esquizoide de la personalidad y trastorno esquizotípico de la personalidad

Aunque ambos trastornos implican una notable carencia de interacción social, existen puntos de diferencia. Las personas con personalidad esquizotípica se suelen presentar con creencias y experiencias perceptuales extrañas, pensamiento mágico y conducta o apariencia peculiarmente o inusualmente individualista, mientras que los que tienen trastorno esquizoide de la personalidad se muestran fríos, distantes y planos.

Conceptualización

Las personas que cumplen los criterios para el trastorno esquizotípico de la personalidad han tenido frecuentemente experiencias vitales similares a aquellos con rasgos esquizoides (por ejemplo, ser molestados, ridiculizados o rechazados). Además, pueden haber padecido abusos sexuales o físicos en la infancia, además de otras formas de vejación, lo que les conduce a pensar que son diferentes, malos o anormales. El resultado final es que tales personas suelen tener creencias inusuales (como pensamiento mágico, sospechas exageradas o ideas de referencia) o alucinaciones (visuales y auditivas) y frecuentemente adoptan estrategias para compensar esas creencias, como la hipervigilancia y la desconfianza en la gente.

Joe (25) nos fue derivado a través del servicio de atención a drogodependencias local (un establecimiento multidisciplinar público) para que le ayudásemos con su conducta extraña, sus experiencias inusuales y sus sentimientos de sospecha continua. El sujeto vivía en un hostal comunitario y trabajaba en un bar. Presentaba niveles altos de ansiedad social, lo cual le perjudicaba mucho en el trabajo ya que se suponía que tenía que interactuar con los clientes. También tenía experiencias alucinatorias: oía la voz de su madre muerta, pero ello no le causaba malestar. Era paranoide en cuanto creía que los demás hablaban continuamente mal de él y le querían hacer algún mal y hacía uso del alcohol, del canabis y de la cocaína para combatir tales miedos. Tenía problemas para dormir y estaba muy preocupado con la posibilidad de ser etiquetado como paciente con trastorno de la personalidad, lo cual significaba, según un trabajador del servicio de drogodependencias, que tenía una personalidad defectuosa.

Joe era hijo único y su madre murió cuando él tenía sólo 7 años de edad. Su padre tenía un empleo que le obligaba a cambiar frecuentemente de residencia, así que Joe tuvo que cambiar de escuela en varias ocasiones, lo que le dificultaba hacer amigos. El padre de Joe intentó compensar la prematura muerte de su madre tratándolo como un ser especial, diciéndole incluso que era diferente de los demás niños y que la gente debería darse cuenta de sus cualidades especiales. Joe entendió que su padre quería que se hiciese notar. Su dificultad a la hora de hacer amigos (en la escuela y en su barrio) hicieron de Joe un blanco ideal de los niños abusones. Como solución, pasaba mucho tiempo con su padre y solo cuando éste estaba en el trabajo. Desarrolló estrategias para entretenerse que incluían hablar con su madre muerta y hasta podía oírla responder a sus llamados. Como resultado de esas experiencias, se formó creencias acerca de sí mismo que iban en la dirección de no valer nada, ser vulnerable y poco interesante (debido al aislamiento y victimización), así como por el hecho de ser diferente y especial (con la ayuda de su padre). Veía a los demás como peligrosos, poco dignos de confianza y nada amables. En poco tiempo, desarrolló supuestos condicionales del estilo «Si me acerco a los demás, me rechazarán», «Si me muestro muy diferente, los demás repararán en mí», «Si tengo experiencias inusuales, entonces puedo ser importante», «Si puedo hablar con mi madre, entonces no estaré solo», «Si la gente nota lo raro que soy, se interesarán por mí», «Si dejo que la gente vea que estoy enfadado, me herirán». Coherentemente con estas creencias, adoptó un lenguaje excéntrico, vago, metafórico y «florido» y llevaba ropa inusual que llamaba mucho la atención, todo cuidadosamente diseñado para hacerse notar. Se trataba de estrategias que había adoptado desde los 11 años de edad y que continuó usando en su edad adulta. Por otro lado, evitaba las situaciones sociales y estaba permanentemente hipervigilante ante cualquier posible amenaza social, rastreando el ambiente en busca de signos de que los demás estaban hablando de él o planeando hacerle daño. También creía que poseía la habilidad de leer el lenguaje corporal de la gente, así que prestaba mucha atención a ello, aunque sus inferencias resultaban frecuentemente incorrectas. De nuevo, esas estrategias habían nacido en su temprana adolescencia. También consumía drogas ilegales y alcohol para mantenerse calmo. A veces le funcionaba, pero en ocasiones le incrementaban los sentimientos de sospecha. La figura 7.2 ilustra la conceptualización de este caso.

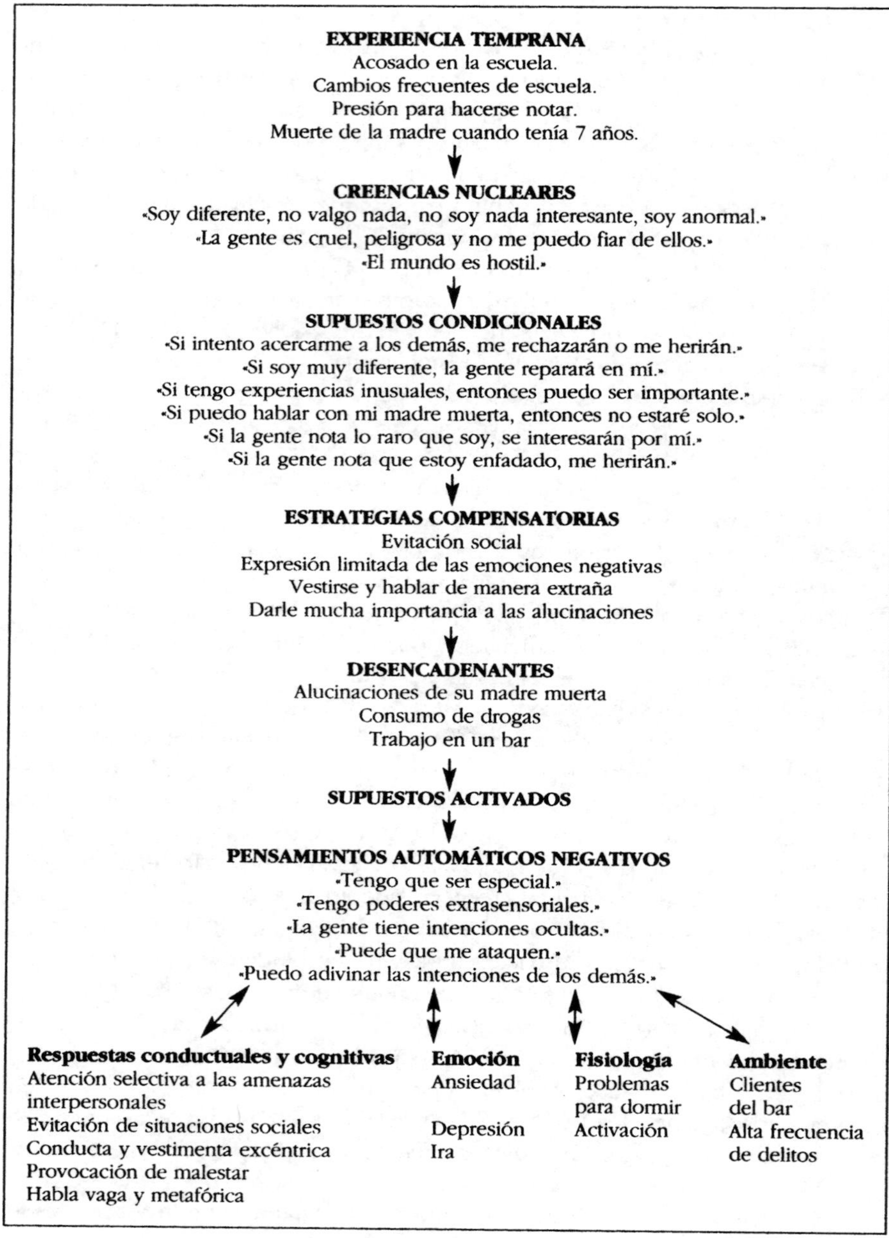

EXPERIENCIA TEMPRANA
Acosado en la escuela.
Cambios frecuentes de escuela.
Presión para hacerse notar.
Muerte de la madre cuando tenía 7 años.

↓

CREENCIAS NUCLEARES
«Soy diferente, no valgo nada, no soy nada interesante, soy anormal.»
«La gente es cruel, peligrosa y no me puedo fiar de ellos.»
«El mundo es hostil.»

↓

SUPUESTOS CONDICIONALES
«Si intento acercarme a los demás, me rechazarán o me herirán.»
«Si soy muy diferente, la gente reparará en mí.»
«Si tengo experiencias inusuales, entonces puedo ser importante.»
«Si puedo hablar con mi madre muerta, entonces no estaré solo.»
«Si la gente nota lo raro que soy, se interesarán por mí.»
«Si la gente nota que estoy enfadado, me herirán.»

↓

ESTRATEGIAS COMPENSATORIAS
Evitación social
Expresión limitada de las emociones negativas
Vestirse y hablar de manera extraña
Darle mucha importancia a las alucinaciones

↓

DESENCADENANTES
Alucinaciones de su madre muerta
Consumo de drogas
Trabajo en un bar

↓

SUPUESTOS ACTIVADOS

↓

PENSAMIENTOS AUTOMÁTICOS NEGATIVOS
«Tengo que ser especial.»
«Tengo poderes extrasensoriales.»
«La gente tiene intenciones ocultas.»
«Puede que me ataquen.»
«Puedo adivinar las intenciones de los demás.»

↕

Respuestas conductuales y cognitivas	**Emoción**	**Fisiología**	**Ambiente**
Atención selectiva a las amenazas interpersonales	Ansiedad	Problemas para dormir	Clientes del bar
Evitación de situaciones sociales	Depresión	Activación	Alta frecuencia de delitos
Conducta y vestimenta excéntrica	Ira		
Provocación de malestar			
Habla vaga y metafórica			

FIGURA 7.2. Diagrama de conceptualización del caso de Joe.

Enfoque de tratamiento

Estrategia de colaboración

En este trastorno, los aspectos interpersonales de la terapia van a ser, con toda probabilidad, muy difíciles de tratar. Si existe ansia social, la terapia es una de esas actividades que van a desagradar al paciente. Debemos hacerlo explícito y comparar ventajas y desventajas de llevar a cabo la terapia. De manera similar, la constante tendencia a sospechar de todos y de todo se puede ampliar perfectamente a la figura del terapeuta. Por ello, éste deberá comprobar si cuenta con su confianza o no. En caso negativo, deben desarrollarse estrategias para conseguir su colaboración en la terapia. Por ejemplo, proponerle la suspensión de su desconfianza durante un tiempo limitado. De hecho, esas sospechas pueden ser el punto de arranque para un ejercicio básico: el examen de las creencias a través del tamiz de la evidencia. Para ello, podemos sugerir la confección de una lista con dos columnas en la que en una figuren las pruebas empíricas que sostengan la afirmación: «No puedo confiar en mi terapeuta» y en otra, las pruebas de lo contrario. Este ejercicio le ayudará, además de a reducir sus sospechas, a familiarizarse con el modelo del paciente.

Otro problema puede ser la ambivalencia hacia algunos de los síntomas que suele mostrar el paciente con este trastorno. En concreto, ello va a poner trabas a la confección de una lista de problemas y objetivos, ya que muchos pacientes tienen creencias férreas acerca de algunas de sus características. Por ejemplo, Joe valoraba muy positivamente sus experiencias perceptivas inusuales. También decía que su paranoia le era, en ocasiones, muy funcional ya que evitaba que fuese asaltado. Para resolver esta ambivalencia es útil el sopesar ventajas y desventajas. Para las creencias de paranoia, es conveniente revisar cómo se desarrollaron esas creencias, de qué maneта han sido útiles en el pasado, qué ha cambiado en el entorno desde entonces y si en estos momentos siguen siendo beneficiosas. Y lo más importante, el enfoque cognitivo explora si existen mejores opciones, alternativas que se adapten mejor a las circunstancias presentes y futuras.

Intervenciones específicas

Negociar una lista de problemas y de objetivos en colaboración mutua. Joe confeccionó una lista de problemas y objetivos en colaboración con el terapeuta. Se trataba de la prescripción prioritaria (como parte de los deberes de casa) y, en la siguiente sesión, se dedicó mucho tiempo a traducir esos problemas en objetivos realistas, objetivos, asequibles, específicos, medibles y con límites temporales, que se resumen como sigue:

1. *Ansiedad social*: el objetivo es reducir la ansiedad en el trabajo del 70 % al 35 %.
2. *Paranoia*: el objetivo es reducir la convicción en la creencia «La gente me quiere atacar» del 75 % al 40 % o reducir el malestar asociado del 95 % al 50 %.
3. *Paranoia*: el objetivo es reducir la convicción en la creencia «La gente habla de mí» del 80 % al 50 % o reducir el malestar asociado del 80 % al 50 %.
4. *Consumo de drogas*: el objetivo es reducir el uso de drogas de manera que sea una cosa de divertimento y no automedicación (reducir la convicción en la creencia «Tengo que tomar drogas para soportar las situaciones» de un 40 % a un 0 %).
5. *Dormir:* el objetivo es estabilizar la pauta de sueño levantándose entre las 9 y las 11 de la mañana e irse a dormir entre las 12 y las 3 de la madrugada.
6. *Estigma:* el objetivo es reducir el malestar asociado con la creencia «Tengo un trastorno de la personalidad o una personalidad defectuosa» de un 50 % a un 10 %.
7. *Amigos:* el objetivo es establecer una relación en la que se sienta seguro y pueda confiar información personal.

Esos objetivos determinaron la dirección de la terapia. Tenían que ser accesibles, en la dirección del mínimo cambio significativo posible más que a la eliminación de los síntomas, aunque sin descartar esto último. También se estableció un contrato que establecía un límite temporal de 10 sesiones. Al final de este periodo se evaluarían los resultados y la conveniencia de una prolongación. Al final, se hicieron 30 sesiones. Como suele suceder con estos casos, hubo algunos problemas que no se incluyeron en la lista (por ejemplo, las experiencias alucinatorias), ya que no venían asociadas a ningún malestar sino que, de hecho, le gustaban.

Reducción de la ansiedad. La ansiedad fue uno de los primeros objetivos porque era una de sus principales fuentes de malestar y porque es uno de los síntomas más indicados para la terapia cognitiva (D. Clark, 1999). Sin embargo, rápidamente se hizo evidente que la ansiedad social no estaba relacionada con sus preocupaciones acerca de que le evaluasen negativamente o de su visión de sí mismo, sino a las sospechas y a la paranoia. Una de sus prescripciones, la de confeccionar un registro de pensamientos disfuncionales, confirmó tal hipótesis. Consecuentemente, se trató al mismo tiempo su ansiedad social y su paranoia.

Cambio de las creencias paranoides. Debido a que sus miedos de verse atacado o que se hablase a sus espaldas aparecían relacionados, los tratamos simultáneamente. Al inicio, empezamos a examinar sus creencias paranoides con una revisión de su desarrollo y una comparación entre las ventajas y desventajas de las mismas. Joe informó de que su obsesión por la sospecha provenía de sus tiempos escolares, cuando otros niños le acosaban, tanto en el colegio como en el barrio. Sus suspicacias le habían protegido en más de una ocasión, lo cual nos pareció plausible. También confesó que el hecho de temer que los demás hablasen de él, le ayudaba a racionalizar su evitación social y también significaba que era importante, lo cual estaba claramente relacionado con algunos de sus supuestos. Sin embargo, se daba cuenta de que esas creencias le causaban malestar e impedían que llevase a cabo sus objetivos de reducir su ansiedad social y el hacer amigos. A ello le siguió un debate sobre los cambios que había habido en su vida desde su niñez, época en la que esas estrategias fueron útiles. Acto seguido se cuestionó su eficacia actual.

Basándose en ello, Joe decidió que sus creencias paranoides podían ser útiles en alguna ocasión, pues le podían evitar peligros reales, pero que normalmente exageraba el peligro de las situaciones interpersonales debido a experiencias anteriores. Gracias a esta reflexión, el paciente pudo examinar empíricamente si había pruebas que apoyasen sus creencias en relación a situaciones específicas recientes en las que se sintió paranoide. Un ejemplo típico de este tipo de situaciones era un grupo que se sentaba en el bar hablando y riendo sonoramente; Joe pensaba siempre: «Hablan de mí» o «Están pensando en humillarme» con un nivel de convicción del 75 %. Le animamos a considerar explicaciones alternativas. Le pedimos que se pusiese en la piel de los demás y que pensase en cómo había actuado él en situaciones similares a la de la gente del bar. Debía distinguir entre pensamientos y hechos o en cómo algo puede verse como real cuando no es real. (Véase un ejemplo en la tabla 7.4.) Esas charlas le sirvieron a Joe para reducir su creencia en sus pensamientos paranoides hasta un nivel que le permitiese correr algunos riesgos y probar a hacer algunos experimentos conductuales.

Experimentos conductuales. Existe evidencia que sugiere que las creencias paranoides tienen más probabilidades de ser modificadas mediante el cambio conductual, dentro de un marco cognitivo, que por medio de reatribuciones solamente (Chadwick y Lowe, 1990). Después de que Joe practicase durante un par de semanas el sopesamiento de pruebas a favor y en contra de sus creencias paranoides, pasó a sentirse suficientemente seguro como para cambiar su conducta y ver qué sucedía. Planeamos cada uno de esos experimentos con todo cuidado, con predicciones concretas acerca de las creencias que se iban chequeando. Todo problema que pudiese surgir fue proactivamente trabajado. De hecho, uno de ellos era que Joe creyese que el terapeuta intentaba burlarse de él. En ocasiones, cuando parecía que esta creencia entraba en juego, se dedicaba buena parte de la sesión a valorar los hechos concretos que Joe estaba interpretando, se generaban explicaciones alternativas y se examinaban las pruebas, incluyendo un debate sobre la ética y límites del profesional de la salud mental. Hemos de tener muy en cuenta que esa desconfianza puede ser muy frustrante para el terapeuta, para lo cual se recomienda una supervisión regular.

TABLA 7.4. Revisión de las pruebas de la creencia, «Están hablando de mí y quieren humillarme»

Pruebas a favor	*Pruebas en contra y explicaciones alternativas*
• «Están hablando y (a veces) miran en dirección a mí.» • «Ya he sido humillado muchas veces en el pasado.» • «Parece real.»	• «Últimamente he sentido esto muchas veces y pocas veces me han humillado.» • «Casi todos los episodios de humillación sucedieron hace mucho tiempo.» • «Sólo porque lo pienso no significa que sea verdad. Probablemente he desarrollado el hábito de la paranoia.» • «Incluso si estuvieran hablando de mí, podrían estar diciendo cosas agradables.» • «Pueden mirarme porque quieren que les atienda.»

Los experimentos incluían una modificación de las estrategias compensatorias o conductas protectoras de Joe, tales como evitar la interacción social, vestir de una manera deliberadamente inusual que atraía la atención y tratar de ocultar las emociones negativas. Con este trabajo, Joe fue viendo que sus estrategias eran, a veces, contraproducentes. Más importante aún, fue comprobando que su miedo a ser humillado o atacado no tenía mucha razón de ser. Por ejemplo, antes creía que si se mostraba ansioso, toda la gente en el bar se reiría de él o incluso le atosigarían. En una ocasión, se permitió mostrar su nerviosismo y les dijo a los clientes que aquella noche se sentía algo ansioso, tal y como habíamos ensayado en la última sesión. Joe halló que la mayor parte de la gente le animaba y nadie se rió ni le atosigó.

Estigmatización y otros problemas. Después de que Joe hubiese reducido su ansiedad social y su paranoia, se trabajó con relativa facilidad sobre el resto de sus problemas. Entre otras cosas, Joe se propuso estabilizar sus hábitos de sueño usando una agenda de actividades. Al principio, le pareció algo difícil de seguir ya que como tenía un alto grado de paranoia, le costaba conciliar el sueño, rumiando todos esos hechos interpersonales desagradables que había imaginado durante el día. Sin embargo, después de reducir aquel problema, simplemente con un horario para irse a dormir y un despertador, consiguió solucionar su problema de sueño. Este cambio concreto le convenció de que realmente podía dar un giro a su vida. De forma parecida, una vez disminuyeron la ansiedad social y las sospechas, encontró que su deseo de tomar drogas no era ya el mismo. Todavía seguía ingiriendo alcohol y canabis en el trabajo ya que había decidido que no quería dejarlos del todo. También fue capaz de compartir información personal con otros. En ese sentido, les contó a algunas personas que, de pequeño, se había trasladado muchas veces de ciudad y que los demás niños le atosigaban.

Cuando la terapia se acercaba a su fin, el principal problema que todavía tenía era el estigma asociado a su etiqueta diagnóstica. Para trabajar este tema, Joe se hizo con información que le ayudaría a normalizar sus experiencias. Ello incluía información acerca del continuo de los rasgos de la personalidad esquizotípica (Rossi y Daneluzzo, 2002), la prevalencia de experiencias alucinatorias y paranoides en la población general (Kingdon y Turkington, 1994; Peters y otros, 1999; Van Os y otros, 2000), la relación entre el uso de canabis y las experiencias esquizotípicas (Dumas y otros, 2002) y la naturaleza potencialmente útil de ciertas experiencias inusuales (McCreery y Claridge, 2002; O'Reilly, Dunbar y Bentall, 2001). Esto le ayudó a reducir su malestar acerca de su etiqueta diagnóstica y apoyó su nueva forma de pensar de que determinadas experiencias vitales le habían conducido a desarrollar cierto estilo de acción y pensamiento, pero que no tenía una personalidad defectuosa. Esta nueva perspectiva redujo considerablemente el malestar asociado a la visión de sí mismo como anormal.

Reencuadre de creencias nucleares

Después de alcanzarse los objetivos propuestos, se volvió sobre la conceptualización del caso de Joe y surgieron nuevas preocupaciones. El trabajo de examen de sus creencias paranoicas y los consecuentes experimentos conductuales redujeron la fuerza de las mismas. Joe ya no se veía tan vulnerable. Sin embargo, todavía se consideraba diferente, de poca valía y poco interesante. De hecho, ser diferente no le disgustaba; lo que realmente le molestaba eran las otras dos creencias: su poco valor e interés de cara a los demás. Para trabajar estos temas, se usaron técnicas de cambio de esquemas, tal y como describe Padesky (1994), entre las cuales vale la pena citar el examen histórico de la creencia, el uso del continuo en relación a la valía y al ser interesante y un registro de datos empíricos para generar y apoyar una creencia alternativa preferida («Soy normal»).

Variaciones posibles

Aunque Joe es el típico caso de trastorno esquizotípico de la personalidad, podemos encontrar muchas variaciones. Muchos pacientes experimentan malestar con respecto a sus experiencias perceptivas inusuales. Si éste es el caso, pueden resultar útiles los enfoques para la comprensión e intervención del fenómeno de las alucinaciones (por ejemplo, Morrison y Renton, 2001). El pensamiento mágico y las supersticiones pueden presentarse con mucha más fuerza que en el caso de Joe. Con tales sujetos pueden ser más útiles las estrategias desarrolladas para trabajar con pacientes obsesivos, por ejemplo, los experimentos destinados a examinar las creencias sobre la fusión de pensamiento y acción (Freeston, Rheaume y Ladoucer, 1996), así como las creencias metacognitivas acerca de la protección y la seguridad (Wells, 1997).

Mantenimiento del progreso

La terapia finalizó tras 30 sesiones. En la tercera y última sesión de revisión, Joe decidió que estaba contento con el progreso realizado y que no quería trabajar ningún tema más. Se acordaron sesiones de mantenimiento cada tres meses para comprobar el progreso y desarrollar un plan para prevenir recaídas. Ello incluyó una copia de la formulación de su caso, un resumen de las estrategias que Joe encontró útiles y una lista de posibles desencadenantes de dificultades. Esto último incluía eventos vitales futuros que pudiesen reactivar sus asunciones. Hechos como sentirse humillado. Se estableció un plan para manejar esa posibilidad. Fueron conceptualizadas sus creencias acerca de ser diferente; ahora pasaron a ser fuente de una posible recaída, aunque se resistió a cambiar esta visión. Finalmente, decidió que se esforzaría por mantener al menos dos relaciones sociales con las que se sintiese cómodo, con las que pasar el tiempo y compartir pensamientos.

Conclusión

Los trastornos esquizoide y esquizotípico de la personalidad suelen incluir experiencias de abuso, rechazo y atosigamiento en la infancia. Esas experiencias llevan, a menudo, a la persona a desarrollar creencias de que son diferentes, que los demás son peligrosos y de poco fiar y, por ello, deciden que las relaciones interpersonales simplemente no valen la pena. La gente con rasgos esquizotípicos también experimentan fenómenos alucinatorios y paranoia y se suelen caracterizar por una apariencia y conducta excéntrica e inusual. Dadas estas dificultades, no es fácil establecer una buena relación terapéutica, pero la revisión regular de los objetivos (compartidos) y el hecho de tener en cuenta la ambivalencia acerca del cambio puede ayudarnos. Si trabajamos las estrategias y creencias características, si proponemos experimentos de reatribución verbal y conductual, podremos reducir el malestar y mejorar la calidad de vida de esos pacientes. Es importante recordar que los principios de la terapia cognitiva, como la importancia de la colaboración y el descubrimiento guiado, facilitan el trabajo con este grupo de clientes y hacen más probable el éxito de la terapia.

CAPÍTULO 8

EL TRASTORNO ANTISOCIAL DE LA PERSONALIDAD

Los individuos con trastorno antisocial de la personalidad (TAP) tienen un pasado juvenil caracterizado por problemas conductuales y una pauta de conducta adulta socialmente amenazadora y gravemente irresponsable. A estos sujetos se les encuentra en diferentes establecimientos de salud mental dependiendo del carácter de su trastorno, definido por la mezcla de conducta criminal y psicopatología clínica. Pueden ser reclusos de una prisión o institución correccional, pacientes internados en un hospital psiquiátrico o pacientes externos de una clínica o de la práctica privada. Sean reclusos, pacientes internados o externos, llegan a la terapia porque una fuerza externa les presiona para que «cambien». Miembros de su familia, seres cercanos, empleadores, maestros o, más frecuentemente, el sistema judicial, insisten en que el sujeto con TAP busque tratamiento debido a su conducta inaceptable o por sus relaciones personales tensas. A menudo, las recomendaciones para que sigan una terapia son verdaderos ultimátums: o buscan un tratamiento o les despiden o expulsan de la escuela. Algunos tribunales les ofrecen la terapia como única alternativa para evitar ingresar en prisión. La elección suele ser el tratamiento. En muchos casos, la libertad condicional sólo se les concede si asisten a sesiones de psicoterapia.

Los pacientes antisociales a veces acuden voluntariamente a consultorios externos con diversas formas de psicopatología o problemas físicos urdidos para obtener una receta de algunas drogas controladas. En este caso, es de suma importancia no caer en la manipulación y aislar los problemas psicológicos identificables y el tratamiento adecuado para ellos.

El trastorno antisocial de la personalidad crea un problema social de considerable importancia ya que se trata de «una pauta conductual caracterizada por la indiferencia ante los demás y la violación de sus derechos» (American Psychiatric Association, 2000, pág. 685). Por definición, estos individuos crean problemas para la sociedad porque el trastorno implica la comisión de actos delictivos que amenazan a la gente y la propiedad.

¿Se puede tratar a las personas antisociales con psicoterapia? Muchos autores dan una respuesta negativa a esta pregunta porque consideran que son incapaces de sacar ningún provecho del tratamiento. Si exploramos la etiología de esta perspectiva, vemos que emergen tres puntos. El primero surge de la idea psicoanalítica de que para implicarse en la psicoterapia es necesario disponer de un super yo. El sujeto con TAP es intratable en virtud de su carencia de empatía o de aceptación de las normas y reglas de la comunidad (super ego) (Kernberg, 1975; Person, 1986). La segunda fuente del mito de su intratabilidad procede de la falta de motivación de estos sujetos por el tratamiento. Llegan a terapia en contra de su voluntad, sin mucha idea de en qué dirección han de cambiar y qué ventajas puede derivarse de ello. El tercer factor es la opinión prevalente de que se trata de un diagnóstico amorfo, genéticamente determinado, más que una serie definida de conductas. Nuestro enfoque se basa en las creencias y conductas relacionadas que exhiben las personas con TAP.

Perspectiva histórica

Los trabajos de Cleckley (1976) y Robins (1966) ayudaron a trazar el mapa de ciertos rasgos de la personalidad que suelen aparecer en los individuos antisociales. Hare (1985b) ha revisado una lista originalmente desarrollada por Cleckley (1976) para distinguir estos rasgos esenciales. Como la mayoría de las evaluaciones basadas en rasgos, la lista de control de la psicopatía incluye algunas descripciones correctas, pero se basa en criterios subjetivos.

El DSM-I (American Psychiatric Association, 1952) incluía en el diagnóstico del trastorno sociopático de la personalidad a: individuos irresponsables que se meten siempre en problemas, individuos que viven en un ambiente de moral anormal e individuos que muestran conductas sexuales desviadas, entre las que se cuentan «la homosexualidad, el travestismo, la pedofilia, el fetichismo y el sadismo sexual (a las que se añaden la violación, el asalto sexual y la mutilación)» (pág. 39).

El DSM-II (American Psychiatric Association, 1968) revisaba ese diagnóstico para incluir a aquellos «incapaces de ser leales a otros individuos, grupos o valores sociales. Son egoístas en desmesura, crueles, irresponsables, impulsivos e incapaces de sentir culpa o de aprender de la experiencia y el castigo. La tolerancia a la frustración es baja. Tienden a culpar a los demás o a ofrecer racionalizaciones plausibles para su conducta» (pág. 43).

El DSM-III (American Psychiatric Association, 1980) añadía la advertencia de que había una cronicidad en la conducta que empezaba antes de la edad de 15 años. Ello incluía «mentir, robar, pelearse, escaparse de casa y resistirse a la autoridad» y «una conducta agresiva en el plano sexual, abuso del alcohol y uso de drogas ilícitas a una edad inusualmente temprana» (pág. 318). Más tarde, el DSM-III-R (American Psychiatric Association, 1987) incluía la crueldad física, el vandalismo y las escapadas de casa.

En el DSM-IV-TR, el TAP difiere claramente de los otros trastornos de la personalidad (American Psychiatric Association, 2000). Allí se señala que es el único trastorno que no puede ser diagnosticado en la infancia, mientras que las demás categorías sí pueden ser usadas con niños y adolescentes (pág. 687). Además, el TAP requiere la existencia de un trastorno de la conducta precursor.

Investigación y datos empíricos

La literatura sobre el tratamiento del TAP se ha basado fundamentalmente en investigación empírica con sujetos (usualmente delincuentes más que pacientes psiquiátricos) definidos como psicópatas o sociópatas. La literatura sobre la psicopatía ha dedicado una considerable atención a distinguir la psicopatía «primaria» de la «secundaria» (Cleckley, 1976). La psicopatía primaria se distingue por una aparente ausencia de ansiedad o culpa por la conducta ilegal o inmoral. Como puede hacer cosas tales como mentir deliberadamente en provecho personal o dañar físicamente a otra persona sin sentir nerviosismo, dudas o remordimiento, se considera que el psicópata primario carece de conciencia moral. El psicópata secundario es un individuo capaz de emprender la misma conducta explotadora, pero que dice experimentar sentimientos de culpa por haber hecho daño. Quizá tema las posibles consecuencias de la mala conducta, pero sigue comportándose de modo antisocial, supuestamente debido a un pobre control de los impulsos y a su labilidad emocional. Los reclusos clasificados como psicópatas primarios sobre la base de una ansiedad significativamente baja presentan conductas agresivas más frecuentes y severas (Fragan y Lira, 1980) y dicen tener, en las situaciones en que perciben malevolencia en los otros, una excitación somática menor que la de los reclusos psicopáticos secundarios (Blackburn y Lee-Evans, 1985).

Hare (1986) señala que existen pruebas de que, en muchas condiciones, los psicópatas como grupo no difieren de los normales en las respuestas autónomas y conductuales. Por ejemplo, se ha demostrado que los psicópatas aprenden de la experiencia cuando las consecuencias son inmediatas, tangibles, están bien especificadas y tienen importancia para el sujeto, por ejemplo, obtener o perder cigarrillos. De modo que, según Hare, de los datos de laboratorio sobre la subactividad electrodérmica de los psicópatas primarios quizá se hayan extraído conclusiones excesivas, sobre todo porque esas respuestas pueden ser influidas por una amplia gama de actividades cognitivas. Por otro lado, distinguir los rasgos motivacionales y cognitivos podría clarificar más las características de las respuestas de los psicópatas.

La investigación sobre la psicopatología antisocial ha sido construida bajo la asunción de que existe un trastorno sistemáticamente definido distinguible de la conducta delictiva por sí sola. Sin embargo, no hay acuerdo acerca del grado de importancia de la actividad delincuente en el trastorno que nos ocupa.

TABLA 8.1. Criterios del DSM-IV-TR para el trastorno antisocial de la personalidad

A. Existe una pauta generalizada de violación (y falta de respeto) de los derechos de los demás, desde los 15 años de edad, indicada por tres (o más) de los rasgos siguientes:

(1) Fracaso a la hora de ajustarse a las normas sociales y a respetar la ley. Lleva a cabo repetidamente actos que son causa de arresto.
(2) Engaño reiterado. Miente con mucha frecuencia, usa nombres falsos y enreda a la gente para conseguir su provecho personal o por simple placer.
(3) Impulsividad o fracaso para planificar antes de actuar.
(4) Irritabilidad y agresividad, que se traduce en frecuentes peleas o asaltos.
(5) Indiferencia con respecto a la seguridad de sí mismo y de los demás.
(6) Irresponsabilidad constante, como indica su repetido fracaso a la hora de llevar a cabo cualquier trabajo continuado o cumplir con sus obligaciones financieras.
(7) Falta de remordimientos, que se traduce en indiferencia ante actos deplorables como robos o maltratos y racionalización posterior de estas acciones.

B. El individuo tiene al menos 18 años de edad.
C. Existe evidencia de conducta desordenada [...] con aparición anterior a los 15 años de edad.
D. La ocurrencia de conductas antisociales no sólo durante el curso de esquizofrenia o episodios maníacos.

Nota: Reproducido con permiso de la American Psychiatric Association (2000, pág. 706). *Copyright* 2000 de American Psychiatric Association.

Diagnóstico diferencial

Los criterios del DSM-IV-TR (American Psychiatric Association, 2000) para el trastorno antisocial de personalidad (tabla 8.1) representa una pauta duradera de conducta y experiencia interna que se desvía marcadamente de las expectativas de la cultura del individuo. Tal pauta debe manifestarse en dos (o más) de las siguientes áreas:

1. *Cognición* (por ejemplo, maneras de percibir e interpretarse a sí mismo, a las otras personas y los eventos). Aunque podemos identificar un determinado número de cogniciones típicas de los sujetos con TAP, sería imposible aislar cogniciones antisociales específicas. Lo que sí se puede definir es que sus pensamientos automáticos reflejan temas comunes relacionados con estrategias prag-

máticas para conseguir sus objetivos inmediatos. Otro denominador común es que las reglas por las que se rigen son significativamente diferentes de las de la gente común y el objetivo de su vida es limitar o evitar todo control ajeno.

2. *Afectividad* (por ejemplo, el rango, la intensidad, la labilidad y lo apropiado de la respuesta emocional). Una vez más, no es posible identificar una pauta exclusiva en cuanto al afecto para los individuos antisociales. Las respuestas afectivas de los individuos antisociales pueden ir desde el aislamiento, y entonces la conducta antisocial se produce sobre ellos mismos (por ejemplo, el uso de heroína), hasta la extroversión agresiva (por ejemplo, los abusos físicos a los demás). Es posible que una de las características del individuo antisocial sea el déficit en el procesamiento emocional (Habel, Kuehn, Salloum, Devos y Schneider, 2002).

3. *Funcionamiento interpersonal.* De nuevo aquí no encontramos una pauta interpersonal definida sólo para este grupo. Algunos sujetos antisociales tienen pocas habilidades interpersonales y/o problemas que se basan en sus déficits de habilidades sociales, ya que actúan de forma inapropiada sin una causa aparente (por ejemplo, tomar cosas sin permiso pudiéndolas pedir). Otros poseen fantásticas habilidades sociales que usan para manipular a los demás (por ejemplo, algunos artistas del timo). Stanley, Bundy y Beberman (2001) ven la necesidad de que se les forme en habilidades sociales.

4. *Control de los impulsos.* Finalmente, con estos sujetos existe un variadísimo nivel de control de los impulsos. Los hay que evidencian un gran control que muestran por ejemplo esperando pacientemente su oportunidad para obtener lo que desean (por ejemplo, algunos malversadores). Otros son sólo oportunistas que corren irreflexivamente a la hora de tomar lo que quieren sin pensar en las consecuencias (por ejemplo, algunos asaltadores). Incluso los hay que muestran una buena combinación de control de los impulsos con muestras de oportunismo episódico.

Existen algunas características de género que pueden servir para hacer un diagnóstico diferenciado entre el TAP y el trastorno de personalidad límite (TPL). Se ha hablado de que en el caso de las mujeres, se pasan por alto muchos casos de TAP, debido a que los criterios ponen mucho acento en la agresividad (American Psychiatric Association, 2000, pág. 704). Zlotnick, Rothschild y Zimmerman (2002) encontraron que los hombres diagnosticados de TPL mostraban un mayor abuso de sustancias a lo largo de su vida, de conducta antisocial y trastornos explosivos intermitentes que las mujeres. Otros factores relacionados son el estatus socioeconómico (DSM-IV-TR; American Psychiatric Association, 2001) y la etnia (Delphin, 2002).

La ausencia de problemas con la justicia puede evitar un diagnóstico de TAP porque no se detecta el trastorno conductual. Más aún, frecuentemente el terapeuta sabe de la conducta antisocial o desordenada a través del propio paciente o directamente la infiere. ¿La conducta antisocial del individuo llega a ser tan grave como para calificarla de agresión sexual? ¿Ha habido un uso excesivo de drogas? Algunos individuos pueden cumplir los criterios del TAP, pero falta la validación de su trastorno conductual. Y, por el contrario, un individuo puede querer impresionar al clínico y explayarse en cuentos sobre sus hazañas en la adolescencia. Esas proezas pueden haber crecido en seriedad e impacto a lo largo de los años y en necesidad de auto-engrandecimiento.

Para establecer el diagnóstico de TAP, será pues necesario indagar en la historia del paciente. Esto puede incluir contar con información sobre sus relaciones, logros académicos y vocacionales, servicio militar y expediente delictivo (arrestos y penas de cárcel), salud física, historia de abusos de sustancias y auto-concepto. También se debe intentar contar con fuentes adicionales de información, para que no descanse todo en el punto de vista del paciente. Dentro del espíritu de una investigación colaborativa, el terapeuta puede invitar al paciente a que traiga algún ser cercano a la terapia para que aporten información sobre el funcionamiento del paciente. Estas personas pueden incluir al marido o a la esposa, a otros familiares cercanos o amigos. Con el permiso escrito del paciente, el terapeuta debería obtener copia de otros documentos, como informes sobre pasados tratamientos o procedimientos legales. De todo ello, podemos extraer una lista de problemas sobre los que trabajar.

Conceptualización

La visión del mundo de los sujetos con TAP es más personal que interpersonal. En términos cognitivo-sociales, se puede decir que no pueden sostener otra visión del mundo que no sea la suya propia. En ese sentido, no se pueden poner en la piel del otro. Piensan de una manera lineal, anticipando las reacciones de los demás sólo tras responder a sus propios deseos. Sus acciones no se basan en elecciones en un sentido social debido a estas limitaciones cognitivas. Su visión de sí mismos consiste en un sistema de valoraciones y atribuciones autoprotectivas. Por ejemplo, puede que lo que están haciendo sea sólo «pedir prestado» fondos de un empleador, pues devolverán el dinero en cuanto sus apuestas comiencen a dar dividendos. Estas acciones que emprenden por interés propio son valoradas mucho mejor que las mismas acciones llevadas a cabo por otra persona. El individuo antisocial se ve a sí mismo como inteligente, persistente y obligado por las circunstancias, pero si alguien hace lo mismo, entonces es un «patético ladrón».

Las dimensiones conductuales del TAP pueden dividirse en una serie de puntos en un continuo delictivo similar a las usadas por los tribunales. Por ejemplo, podemos dividir al grupo en varios «tipos» de forma similar a las «gradaciones de antisocialidad» (tabla 8.2) de Stone (2000).

El tratamiento de cada uno de estos «tipos» estaría diseñado para detectar las sutiles variaciones que se dan en ellos, teniendo en cuenta la motivación (interés) y habilidad (capacidad) para el cambio del paciente.

TABLA 8.2. Una taxonomía clínica del trastorno antisocial de personalidad

Tipo I. Viola las normas sociales, pero sus actos destructivos están dirigidos directamente hacia sí mismo (por ejemplo, alcoholismo, drogodependencia, prostitución).

Tipo II. Pueden estar bien socializados dentro de un grupo en el que la conducta identificada puede ser «aceptable» o incluso apoyada, pero entra episódicamente en conflicto con la población general. Puede ser volitiva o no volitiva (por ejemplo, pelearse, embriagarse en público, conductas desordenadas).

Tipo III. Sus actos no son violentos y están dirigidos a grandes instituciones (por ejemplo, fraude a las aseguradoras, evasión de impuestos, malversación de fondos, robos al estamento militar, a la compañía telefónica o a la de cable).

Tipo IV. Actos volitivos, no violentos, dirigidos contra la propiedad, pero sin lastimar a nadie (robos menores, carterismo, robo de coches).

Tipo V. Actos volitivos y violentos contra la propiedad (por ejemplo, uso de explosivos, provocación de incendios)

Tipo VI. Actos volitivos y no violentos contra la gente (por ejemplo, timos, estafas, ventas ilegales).

Tipo VII. Actos volitivos y no violentos a través de acciones amenazadoras (por ejemplo, acechar a alguien, amenazar verbalmente, actos físicamente amenazadores).

Tipo VIII. Actos no volitivos y violentos causados por accidente, por ignorancia o por ingenuidad (por ejemplo, un disparo involuntario, accidentes bajo los efectos del alcohol).

Tipo IX. Actos volitivos y violentos contra los demás, pero sin causar daño físico grave (por ejemplo, secuestrar a alguien, secuestrar un coche con sus ocupantes).

Tipo X. Actos violentos a través de acciones no mortales, pero descontroladas o sin regulación (por ejemplo, respuestas de ira, epileptoides).

Tipo XI. Actos violentos a través de acciones voluntarias no mortales, que causan daño físico a los demás (por ejemplo, ajustador de cuentas mafioso, pedofilia, abuso sexual).

Tipo XII. Delitos violentos a través de acciones voluntarias mortales o potencialmente mortales (por ejemplo, asesinato, robo con armas, asalto físico).

Enfoque de tratamiento

El tratamiento del TAP es obviamente todo un reto para el terapeuta. Los dos temas asociados de la motivación y las habilidades pueden aplicarse tanto a paciente como a terapeuta. ¿Está el terapeuta preparado para trabajar con esta población? ¿Está motivado para crear y mantener la relación necesaria para que la terapia sea efectiva? Muchas veces, la efectividad del tratamiento de estos pacientes está limitada a un mejor manejo de sus conductas problemáticas dentro de un marco institucional o ligeras alteraciones que como resultado les alejan de esas mismas instituciones. No es sorprendente pues, que los terapeutas vean a esos pacientes como especialmente difíciles (Merbaum y Butcher, 1982; Rosenbaum, Horowitz y Wilner, 1986).

En vez de tratar de erigir una mejor estructura moral por medio de la inducción de afectos tales como la ansiedad o la vergüenza, la terapia cognitiva del TAP puede concebirse como una mejora de la conducta moral y social por medio de la mejora de las funciones cognitivas. Aprovechando en términos generales las principales teorías sobre el desarrollo moral de hombres y mujeres (Gilligan, 1982; Kohlberg, 1984) y sobre el desarrollo psicosocial (Erikson, 1950), proponemos que el tratamiento se base en las estrategias de R. Kagan (1986) para fomentar el crecimiento cognitivo. Esto supone cultivar la transición desde las operaciones concretas y la autodeterminación a las operaciones cognitivas más formales del pensamiento abstracto y la consideración interpersonal. Se entiende que el funcionamiento moral es sólo una dimensión del contexto más amplio de la epistemología, o de los modos de pensar y conocer.

La terapia cognitiva se propone ayudar al paciente con TAP a pasar del pensamiento en términos fundamentalmente concretos e inmediatos, a considerar un espectro más amplio de perspectivas interpersonales, creencias alternativas y acciones posibles.

Estrategia de colaboración

Los síntomas de TAP pueden resultar tan intensos para pacientes como para terapeutas. Es esencial que el terapeuta sea capaz de navegar a través de estas turbulentas aguas con mano firme y estable. Ello requiere un entrenamiento y supervisión altamente especializados. Sostener la idea de que el paciente con TAP es como el resto, sólo que más difícil, es cometer un grave error diagnóstico.

A la hora de formular un plan diagnóstico, el clínico necesita informar explícitamente al paciente acerca de su diagnóstico de TAP y poner condiciones claras para el tratamiento. De otra forma, el paciente puede no ver ninguna razón para seguir con la terapia. Tales individuos ven sus problemas como resultado de la dificultad de los demás para aceptarles o de su deseo por limitar sus libertades. En realidad, en cualquier interacción terapéutica es importante subrayar los límites y la conducta que se espera de paciente y terapeuta; sin embargo, para los pacientes con TAP esto es esencial, debido a su pobre sentido de los límites.

Otra maniobra importante con estos clientes es estructurar el tratamiento de manera explícita. Se recomienda que los terapeutas delimiten y se ajusten a una duración fija de las sesiones, a una política de cancelaciones determinada, a unas reglas acerca de los contactos entre sesiones, los requerimientos de los deberes para casa, y el uso apropiado de un número de teléfono de emergencia. Más generalmente, puede ser de utilidad para los terapeutas destacar la necesidad del compromiso de asistir a la terapia, aun cuando les falte la motivación y tengan ganas de dejarlo. El contrato terapéutico deber incluir un número determinado de sesiones y el cambio conductual esperado. La colaboración debe incluir objetivos mutuamente aceptados de carácter razonable, secuencial, realista, significativo, próximos al paciente e incluidos en su repertorio.

De la misma manera que el terapeuta debe responder apropiada y calmadamente a las conductas de transferencia del paciente, el terapeuta también debe monitorizar sus propias respuestas automáticas, frecuentemente negativas dirigidas al paciente. Por ejemplo, el terapeuta puede sentirse manipulado por un paciente que se salta las sesiones con excusas cuestionables y ridículas. Además, debido a la dificultad que presentará establecer una fuerte alianza terapéutica, no se debe olvidar nunca que la terapia también debe contar con la colaboración mutua. Los terapeutas deben recordar que la colaboración con muchos de los pacientes con TAP puede ser de 80-20 % o 90-10 %, siendo el terapeuta quien asume los mayores porcentajes de esfuerzo. Desafortunadamente, ese desequilibrio conlleva una buena dosis de estrés para el profesional (Freeman, Pretzer, Fleming y Simon, 1990).

Las entrevistas con terapeutas altamente comprometidos indican que son capaces de mantener ese nivel de implicación creando claros límites entre su vida profesional y no profesional, organizándose bien sus actividades recreativas para aliviar las cargas del trabajo, convirtiendo los problemas del trabajo en retos y buscando continuamente retroalimentación con colegas profesionales, entre otras cosas (Dlugos y Friedlander, 2001).

En realidad, a medida que se examinan las responsabilidades de terapeuta y paciente dentro de la colaboración, emergen unos paralelismos interesantes. Muchas de las cuestiones terapéuticas que son operativas para el paciente, también lo son, en cierta medida, para el terapeuta. Estos paralelismos pueden ayudar al terapeuta a mantener una posición empática y a maximizar la oportunidad de usar esas similitudes para ayudar al paciente a aprovechar la experiencia terapéutica. Ambos necesitan entender el carácter crónico y generalizador del TAP, así como el nivel y la naturaleza del hándicap del paciente.

El terapeuta debe estar debidamente formado en el tratamiento de problemas de ira, disociación, deshonestidad y dificultades relacionales, frecuentemente dentro de un contexto de alianza laboral inestable. Debe tener paciencia, perseverancia y la habilidad de no tomarse las reacciones del paciente de manera personal. El terapeuta debe mantener la esperanza por el paciente, a pesar del peligro de contagio de la impaciencia, frustración y futilidad del paciente.

El terapeuta debe ser capaz de controlar sus respuestas frente a un paciente que a menudo presenta verbalizaciones y conductas hostiles y desagradables y no volverse peyorativo e inflexible. El terapeuta debe también prestar atención a no dejarse llevar por el estilo del paciente y violar los límites, sean éstos profesionales, emocionales, físicos o sexuales. Existen pacientes que alaban al terapeuta, al que califican de «el mejor», el «único que se preocupa», activando otro tipo de vulnerabilidad. Esto puede llevar al terapeuta a incumplir sus propias reglas, por ejemplo, a trabajar en sábado para acomodarse al horario del paciente o a compartir información personal con él. Es especialmente importante para el terapeuta que trabaje con estas personas que modele la conducta apropiada y mantenga siempre los límites establecidos porque si no estará reforzando la creencia del paciente de que se puede vivir «al margen de las reglas».

Los pacientes con TAP pueden y suelen responder a los aspectos más sutiles, concretos o directos de la conducta del terapeuta. Por lo tanto, la interacción que conlleve, por parte del terapeuta, tintes de sospecha indebida, fácil sugestionalibilidad o actitudes de superioridad, frialdad o lástima tendrá muchas probabilidades de dificultar la relación y dar lugar a toda una serie de reacciones contraproducentes. Como el terapeuta desea facilitar el desarrollo psicosocial del paciente, como en el caso de los adolescentes, es importante tener en cuenta cómo el individuo con TAP suele establecer identificaciones del tipo «compañero» con el terapeuta. Algunas de las características que lo facilitan son que se presente seguro de sí mismo, relajado, que no sea moralista, que no sea defensivo y que tenga sentido del humor. Una terapeuta era vista por su paciente con TAP como «su hermana», fundamentalmente porque le escuchaba y le ayudaba a priorizar sus problemas familiares en vez de darle lecciones o reprenderle. Otros terapeutas consiguen este tipo de relación pasando tiempo libre con los pacientes o internos en prisión, o enterándose de los últimos chistes que circulan por la cárcel, de manera que se les tenga por «uno de los nuestros». No existen fórmulas sencillas para obtener este tipo de relación, debido a que la justa medida de la misma depende de las características del terapeuta, paciente y entorno de trabajo.

Los pacientes que han sido informados de que su trastorno es crónico pueden sentirse desanimados acerca de su recuperación. En esos casos, es fundamental decirles a los pacientes que, aunque los trastornos de personalidad son problemas crónicos, pueden tratarse con mucho éxito. Además, puede ser útil que los pacientes sepan que su nivel de motivación será un factor importante del éxito terapéutico (Freeman y Dolan, 2001; Prochaska y DiClemente, 1983).

Los terapeutas deben tener mucho cuidado de no usar lenguaje peyorativo si quieren infundir optimismo con respecto al cambio. Muchas veces, caemos en este error de manera inadvertida y ello sólo hace que reforzar la visión de los pacientes de que no tienen capacidad, de que son vulnerables o de que no hay nadie que les quiera y, en definitiva, que no responderán al tratamiento. Debemos ayudar a los pacientes a reconocer que su trastorno crónico necesita un tratamiento permanente como la diabetes o el asma.

Debido a la variedad de presentación de los síntomas de este tipo de individuos y a la alta probabilidad de que aparezcan otros trastornos mentales asociados, no se puede predecir el máximo nivel de potencial funcionamiento psicosocial del paciente basándose únicamente en el diagnóstico del trastorno de la personalidad. Algunos pacientes con TAP pueden estar fuera de la sociedad común (por ejemplo, ser interno en una prisión desde hace muchos años), pero otros pueden llevar vidas bastante normales, con empleos y familias habituales sin demasiada necesidad de apoyo terapéutico. Es importante para el paciente tener unas expectativas realistas (entender cuáles son sus puntos fuertes, débiles y límites), de manera que se mantengan los beneficios del tratamiento y se minimicen problemas futuros. Por lo tanto, se deberá explicar al paciente, basándose en una evaluación cuidadosa de su caso particular, cuáles son las implicaciones del TAP para su funcionamiento vital.

Intervenciones específicas

Trabajar centrados en los problemas

Al empezar a trabajar sobre la lista de problemas, es muy probable que el terapeuta se encuentre con que el paciente niega tales problemas. No es solución intentar convencerle drásticamente de lo contrario; al revés, con mucha probabilidad, ello sólo provocará su resistencia, su baja del tratamiento o establecerá una interminable lucha de poder. Una alternativa válida es revisar, junto al paciente, los criterios para el diagnóstico de TAP comparándolos con su historia personal. Se le puede informar entonces de que se trata de un trastorno serio que afecta a la conducta y al juicio de quien lo padece y que, a largo plazo, suele tener consecuencias muy negativas, tales como la separación de la familia y amigos, lesiones físicas o penas de prisión. Las opciones de tratamiento pueden incluir empezar con un tratamiento de prueba de dos semanas, trabajar junto a otros servicios como terapeutas familiares, organizar un tratamiento intensivo en la institución donde estén recluidos, ingresarlos temporalmente en un hospital o acudir al agente de la libertad condicional si es necesario. De hecho, si el paciente acude a terapia para evitar ir a la cárcel, se debe reconfirmar su participación en el tratamiento en cada sesión. Los terapeutas deben recordar la regla general de que se continuará con la terapia sólo si el paciente demuestra progresos; si no es así, simplemente se interrumpe el tratamiento.

Los pacientes con TAP suelen intentar «controlar» las sesiones, por ejemplo, negándose a hablar, expresando ideas suicidas u homicidas, cambiando el tema de discusión o enfadándose con el terapeuta, con otras personas de las que habla o con el mundo en general. De forma parecida a los drogodependientes, los pacientes con TAP pueden regocijarse explicando sus «batallas». Por ejemplo, hablando de los detalles más truculentos de sus pasados incidentes. No es de extrañar que insistan en enseñarnos sus «cicatrices de guerra», como cicatrices reales, marcas de quemaduras, puntos o heridas. Es esencial redirigirlos hacia la terapia: construir nuevas y exitosas experiencias, en oposición a esos eventos negativos, aunque les pueda resultar agradable el explicarlos.

Al inicio del tratamiento, es posible que necesitemos una gran dosis de flexibilidad, puesto que por un lado, deberemos controlar la sesión y, por otro, atender a los temas urgentes «del día» del paciente. Dependiendo de las experiencias terapéuticas pasadas que haya tenido el paciente, éste accederá de mejor o peor grado a las sesiones estructuradas. Es posible que sea necesario modelar durante las primeras sesiones esa manera de trabajar estructurada que se desea. Como sucede con frecuencia, si en momentos posteriores, el paciente retorna a viejos usos y desestructura la sesión, debemos hacérselo notar inmediatamente e intentar enmendarlo.

Es de esperar que el paciente tienda a hablar de sus «batallas» en momentos de especial estrés, lo cual debe ser para el terapeuta una clave indicadora de que se debe explorar con el paciente esas tácticas distractoras o controladoras. Si no se manejan cuidadosamente, podemos encontrarnos ahí en un pantanal. El paciente, por su lado, puede sentirse frustrado porque no se le anima a expresar lo que siente o desea, y frente a eso, se le debe explicar la necesidad de establecer y mantener una estructura en el trabajo terapéutico. Pensemos que esa estructura es lo que le permite al paciente ser colaborativo, lo cual a su vez, mejorará la alianza terapéutica. Y aún más, los deberes o tareas para hacer en casa y el auto-monitoraje son también vías para que el cliente establezca cierto grado de estructura fuera de la sesión.

Caso ilustrativo. Randy tenía 28 años de edad y venía referido por el Departamento Federal de la Libertad Provisional. Debía seguir una terapia o ingresaría en prisión. Su agente de la condicional esperaba que Randy acudiese a una sesión por semana durante un año. Al final de cada mes, se redactaba un informe y si faltaba a más de dos sesiones en un mes, corría el riesgo de ingresar en la cárcel.

Randy llegó diez minutos tarde a la primera sesión y dijo: «Aquí estoy; ya me he presentado, así que adiós, ha sido un placer conocerle». Cuando se le informó que debía venir todas las semanas durante un año, Randy guiñó un ojo y dijo: «Mire, venga o no venga a usted le pagan igual. Hagamos esto fácil. Le llamaré de cuando en cuando y usted tendrá una hora libre todas las semanas».

Entonces el terapeuta insistió en que la terapia no consistía en un simple «control de presencia» y Randy empezó a levantar la voz y mostrarse intimidatorio. «Ya he hecho esto antes. No tengo que venir. Obligarme a hacer esta terapia es una violación de mis derechos constitucionales. Es ilegal. No me puede obligar.»

El terapeuta le informó a Randy que como él (el terapeuta) no era un experto en la constitución, iba a llamar al agente de la libertad provisional y devolver a Randy a la cárcel hasta que se resolviese el problema en los tribunales. Randy siguió entonces gritando acerca de cómo el sistema fastidiaba la vida de gente como él y que el terapeuta formaba parte de ese sistema.

El terapeuta asintió calmadamente a las afirmaciones de Randy y dijo: «¿Por qué no hablamos un rato de esto y vemos a dónde nos lleva?».

Randy pidió entonces que se le clarificase una cuestión: «¿Como encausado federal, lo que le digo a usted es confidencial, no?».

«Si, así es.»

«¿Lo que se diga en estas sesiones, quedará entre usted y yo?»

«Sí.»

«Vale.»

En ese punto, Randy se sacó una revista del bolsillo y empezó a leer. No respondía a ninguna pregunta o comentario del terapeuta.

Cuando se acababa el tiempo de la sesión, el terapeuta dijo: «Ya hemos acabado por esta semana. Le espero la siguiente. Si llega más de diez minutos tarde, esa sesión contará como no atendida y así lo haré constar».

Randy se marchó sin decir palabra.

A la semana siguiente, apareció diez minutos tarde. En esa ocasión, llevaba un periódico que se puso a leer durante toda la sesión. Lo mismo que la semana anterior. Al final, antes de salir por la puerta dijo: «La próxima semana, doc, tráigase algo para aprovechar el tiempo».

A la cuarta sesión, el terapeuta decidió adoptar un enfoque diferente. Cuando llegó Randy (diez minutos tarde) con una revista, el terapeuta comentó: «Es interesante. En las últimas dos semanas he estado pensando lo tonto que eres».

En eso, Randy levantó la mirada de la revista y preguntó: «¿Quiere recibir un puño en la cara?».

«No, no quiero», dijo el terapeuta.

«¿Que le hace pensar que es usted tan listo?»

«Yo no he dicho que sea listo; sólo que tú eres tonto.»

«Ya. ¿Y según usted por qué soy tan tonto?»

«Bueno... la gente paga mucho dinero por hablar conmigo. Tú puedes hacerlo gratis. ¿Ves todos esos libros en la estantería? Son todos míos. Soy un experto en cambio conductual, pero tú eres demasiado tonto como para usarme para tus propios fines.»

Ahora la revista estaba sobre la mesa y Randy preguntó al terapeuta, «¿Cómo puedo usarle?».

«¿Te gustaría cambiarle la conducta a alguien?»

«Sí», dijo, «a mi novia. Es una maldita perezosa. Me gustaría que me preparase la comida y que estuviese más dispuesta para el sexo».

«Necesitaré más información.» Con el ostensible propósito de «usar» al terapeuta para cambiar a su novia, Randy fue proporcionando información.

Había vivido con Bianca durante tres años. Era verbalmente ofensivo con ella, pero negó haber usado nunca la violencia física. El terapeuta le preguntó: «¿Le haces regalos?».

«¿Cómo qué?»

«Flores, joyas... ya sabes, regalos.»

«Sí. Para Navidad y a lo mejor para su cumpleaños.»

«¿Qué piensas que pasaría si le llevas un regalo que no se espera; sólo para complacerla?»

«¿Quiere decir, sin motivo?»

«No, sería un experimento para recoger información. ¿Qué le podría gustar?»

«Le gustan las flores.»

Esto se convirtió en los deberes de Randy. Tenía que comprarle flores a su novia y evaluar su respuesta.

A la semana siguiente, Randy apareció puntual a la sesión, sin ninguna revista o periódico. Cuando se le preguntó cómo había ido el experimento, dijo: «No se lo creerá. Le llevé las flores [las robó del jardín de un vecino de camino a casa], pero cuando entré y se las di, me miró con cara de sospecha. Me preguntó: "¿A qué viene esto?".

«Le dije: "A nada. Sólo pensé que te gustarían".»

«Nos besamos y acabamos en la cama. Entonces me dijo: "¿Que te gustaría cenar?"».

El terapeuta preguntó: «Vale, ¿Qué has aprendido de ello?».

La respuesta de Randy era de esperar: «Que para acostarme con ella, sólo tengo que ser amable. ¿Funciona esto con todo el mundo?».

«¿A quién quieres cambiar ahora?»

«A mi agente de la condicional.»

El lector podrá pensar que lo que hizo el terapeuta es mejorar la antisocialidad de Randy y, no en vano, las intervenciones pueden ser vistas como medios para usar la patología al servicio de un mejor funcionamiento.

Pensamientos distorsionados asociados a conductas desadaptativas

Dentro de cada zona problema es útil identificar las distorsiones cognitivas que pueden estar asociadas a conductas problemáticas. Lo típico es que un paciente con TAP tenga un conjunto de creencias que le convienen y lo guían en su conducta. Entre ellas suelen contarse las seis siguientes (que no son necesariamente las únicas):

1. *Justificación*: «Mis acciones se justifican porque quiero algo o quiero evitar algo.»
2. *Todo lo que se piensa es verdad*: «Mis pensamientos y sentimientos son totalmente exactos, simplemente porque se me han ocurrido.»
3. *Infalibilidad personal*: «Siempre elijo bien.»
4. *Lo que se siente es lo real*: «Sé que tengo razón porque siento que está bien lo que hice.»
5. *Impotencia de los otros*: «Lo que piensen los otros no tiene por qué pesar en mis decisiones, a menos que controlen las consecuencias inmediatas para mí.»
6. *Consecuencias de bajo impacto*: «No habrá consecuencias indeseables, o no me importarán.»

Los pensamientos y reacciones automáticos del paciente antisocial son frecuentemente distorsionados por creencias interesadas, que subrayan las satisfacciones inmediatas y personales y minimizan las consecuencias futuras. La creencia subyacente de que siempre tiene razón hace improbable que cuestione sus acciones. En los distintos pacientes varía el grado de confianza o desconfianza respecto de los otros, pero ninguno suele buscar orientación o consejo sobre una acción en particular. Una persona con TAP que desea algo lo tomará sin siquiera entender las posibles consecuencias o manifestar interés sobre las mismas.

Por ejemplo, el terapeuta se dio cuenta de que desaparecían las revistas de su sala de espera y sospechó de Randy, su paciente con TAP. Así que comprobó cuántas revistas había antes de la sesión con él para comprobar que, tras ella, con Randy habían desaparecido las publicaciones. A la semana siguiente se le preguntó por el incidente y Randy lo negó todo airadamente. Después, admitió que pudo habérselas llevado sin darse cuenta. Asimismo, razonó que como las revistas son para los pacientes, él tenía todo el derecho de llevarse alguna para leerla en su casa. Por lo tanto, se entiende que las conductas de los sujetos con TAP tiendan a suscitar reacciones negativas en los demás. Como en este caso, no se dan cuenta de que están perjudicando a alguien que les intenta ayudar.

Debido a que los problemas que manifiestan son generalmente crónicos y ego-sintónicos, los pacientes mismos son los primeros sorprendidos por las respuestas de los demás e incapaces de ver cómo se ha creado esa situación de tensión. Por ejemplo, Randy estaba realmente extrañado de que el terapeuta armase «tal escándalo» por una «estúpida» revista. De hecho, aun cuando Randy se ofreció a pagar las publicaciones, el terapeuta insistió en que se debía hablar del tema y analizar esa conducta. Es típico que los pacientes con TAP vean las dificultades que tienen con los demás como externas e independientes de su conducta. Por eso, les parece que son permanentemente víctimas de sistemas hostiles, injustos y prejuiciosos.

Construcción de habilidades

Incluso las situaciones aparentemente más sencillas de la vida, tienen el potencial de generar problemas significativos en la vida de estas personas. Por ejemplo, ir a trabajar incluye las frustraciones de aguantar las horas punta, interactuar con los compañeros, finalizar las tareas en un tiempo determinado y responder a las exigencias de jefes y demás. Para la mayoría de la gente, todo ello provoca cierto estrés, pero nada que no se pueda superar. Para el individuo con TAP, es más que eso; se trata de una fuente de frustración diaria y potencial humillación. Muchos proceden de ambientes en los que no encontraron guías conductuales o emocionales para llevar a cabo tareas responsablemente. Esa falta de apoyo para desarrollar unas habilidades sociales mínimas, les ha dejado en herencia un gran estrés situacional. Por lo tanto, es esencial enseñarles habilidades de resolución de problemas.

Los déficits en habilidades de los pacientes con TAP se malinterpretan con frecuencia como conducta manipulativa. Pero lo cierto es que a estos pacientes se les puede enseñar a ampliar sus habilidades de resolución de problemas para incluir enfoques que no les perjudiquen y que sean vistos por los demás como más socialmente apropiados. Las áreas de desarrollo de habilidades incluyen adopción de otras perspectivas, control de los impulsos, comunicación efectiva, regulación de las emociones, tolerancia a la frustración, asertividad, pensamiento consecuencial, posponer la acción (para pensar antes) y reestructuración cognitiva.

Un área en la que se pone de manifiesto la carencia de habilidades emocionales es la de persistir en algo sin gratificación inmediata. En ese sentido, se deben abrir «cortafuegos» con frecuencia, es decir, hablar de ello y liberarles de un poco de tensión para que los «días malos» pasen con el mínimo de perjuicio para ellos, los demás y sus relaciones. Se les tiene que recordar que ya han pasado antes por «días malos» y que el malestar tiene siempre límites temporales. La clave es hacerles ver que las grandes olas de malestar emocional son pasajeras, aunque, en medio de esos sentimientos, puede realmente parecer que no acaban jamás. La habilidad para evitar ser engullido por el momento y apreciar la naturaleza pasajera de esas olas es uno de los aspectos fundamentales para tolerar el estrés. Además, existen muchas ocasiones en las que el esfuerzo no da resultados inmediatos, pero vale más la pena incrementar el trabajo que abandonar.

El enfoque sistemático frente a la ira y la impulsividad

El paciente con TAP habrá probablemente descubierto que la ira y la hostilidad tienen un efecto intimidatorio ante los demás. Expresar ira puede tener el efecto de establecer un espacio entre el paciente y los demás que sirve como función protectora. En otras circunstancias la ira puede usarse como «prueba de fuego» para ver si los demás se interesan lo suficiente por uno como para acercarse. La ira y la hostilidad se han convertido en un método de control de los demás, de seguridad y supervivencia. Los terapeutas pueden preguntarse si responder directamente o no a ella o hacer los típicos comentarios pacificadores que parecen tradicionalmente terapéuticos. Las respuestas del terapeuta de evitación, aplacadoras o de rechazo pueden en realidad reforzar la conducta que causa los problemas en la vida y trabajo del paciente.

La conducta impulsiva es frecuentemente para el paciente una manera de apaciguar su alta necesidad de activación que no puede obtener por vías aceptadas socialmente. El terapeuta debe responder a las acciones impulsivas y a la ira de una forma amable, pero directa. El paciente responderá visceralmente y, a su vez, el terapeuta ofrecerá una visión alternativa sistemática y científica que valora las ventajas y desventajas de la conducta. Más que una pauta constante de conductas estímulo-respuesta, se les enseñará a los pacientes a (1) prestar atención a las claves emocionales y cognitivas internas, (2) evaluar su percepción, (3) decidir si vale la pena responder, (4) identificar posibles respuestas, (5) escoger una respuesta y (6) responder.

Automonitoraje y motivación funcional

La conducta de un individuo con TAP puede parecer una auténtica bancarrota moral o carente de un propósito funcional. Hasta Carl Rogers hubiese tenido dificultades para tratar con respuestas incondicionalmente positivas algunos aspectos de la conducta de los pacientes con TAP. Por lo tanto, es importante separar la persona de su conducta, enseñarles a observar sus acciones y suponer cuáles son las funciones y recompensas de determinadas cadenas de conductas. Por ejemplo, el paciente puede expresar interés por las necesidades del «terapeuta» y ofrecer su ayuda. Randy, el paciente en libertad condicional que hemos mencionado antes, comentó durante la sesión que había visto el viejo coche del terapeuta en el aparcamiento del centro. Pensó que el terapeuta debería tener un coche mejor. En realidad, éste coincidía en ello. El automóvil tenía 9 años y no estaba en muy buena forma; de hecho no iba a pasar la siguiente inspección sin bastantes reparaciones. Además, el terapeuta tenía una nueva vivienda que le hacía necesario otro vehículo.

Randy sugirió entonces que él podía conseguirle al terapeuta cualquier coche que quisiese con los papeles necesarios para registrarlo. Todo lo que tenía que hacer el terapeuta era decir «una palabra» y ello sería «su secreto». Éste, por supuesto, declinó el ofrecimiento, pero quiso explorar la motivación del mismo. Randy no se iba a beneficiar terapéuticamente de tal acción pues era sólo un esfuerzo para obtener poder e influencia vía sus típicos medios antisociales.

Los pacientes con TAP son, con frecuencia, poco introspectivos y no se dan cuenta de las diferentes funciones de sus pautas de conducta. Deben primero entender el valor de aprender a escucharse a ellos mismos, a soportar la incomodidad que la introspección puede traerles y a desarrollar las habilidades necesarias para examinar lo que piensan y sienten. Deben ser educados para sintonizar con su diálogo interno, sus respuestas emocionales y sus conductas automáticas. Para muchos pacientes, se trata de temas de supervivencia. Esos temas pueden incluir conductas de dependencia, vinculación, seducción y evitación. Que los pacientes consigan *insight* de sus conductas, no significa que escojan trabajar para reemplazarlas por otras más adaptativas. Si fuera así, la terapia sería un trabajo mucho más sencillo. La habilidad de la introspección o la conciencia personal es una habilidad sofisticada. La introducción y desarrollo de esa habilidad puede ser, por sí misma, un objetivo razonable de la terapia.

Ampliar la base para las atribuciones y valoraciones

En el proceso de ayudar a los pacientes a comprobar atribuciones, valoraciones y sus elecciones asociadas, el objetivo general es incrementar su rango de intereses que, en un inicio está situado en lo estrictamente personal, para incluir la percepción de dominios más interpersonales, si es posible. Comenzamos con una jerarquía amplia basada en teorías sobre el desarrollo moral y cognitivo. Los pasos específicos se van graduando según los modos de pensamiento y acción problemáticos del paciente. En el nivel inferior de la jerarquía, éste piensa sólo en términos de su propio interés; sus elecciones apuntan a obtener recompensas o a evitar castigos inmediatos, sin tener en cuenta a otros. Antes del tratamiento, el paciente antisocial funciona en ese nivel la mayor parte del tiempo. Las creencias disfuncionales a las que nos hemos referido operan como reglas sin ningún matiz. En ese nivel, los antisociales hacen lo que les gusta, creen con firmeza que siempre actúan de acuerdo con sus intereses y permanecen impermeables a la retroalimentación correctiva.

En el nivel superior siguiente, el paciente reconoce las consecuencias de su conducta y tiene alguna comprensión del modo como afecta a los demás; también presta atención a su propio interés a largo plazo. El clínico trata de guiar al paciente con TAP hacia ese nivel. Lo logra ayudándole a captar el concepto de pensamiento y conducta disfuncionales, y alentándole a ensayar soluciones alternativas capaces de modificar sus reglas de vida anteriores. Por ejemplo, el paciente llega a comprender que lo que piensan los demás influye en lo que él mismo conseguirá a largo plazo, aunque éstos no controlen directamente el desenlace inmediato de una situación específica. Poco a poco, estos pacientes aprenden a tener en cuenta algo como «posible», al mismo tiempo que inmediato o «real». Ya no están tan convencidos de «tener razón»; pueden absorber alguna información nueva y modificar su conducta en consecuencia.

El tercero de los niveles importantes de la jerarquía del funcionamiento es más difícil de definir, puesto que los teóricos no se han puesto de acuerdo sobre lo que constituye el plano más alto del desarrollo moral. En términos morales o interpersonales, el individuo demuestra tener sentido de la responsabilidad o un interés por los otros que incluye el respeto a las necesidades y los deseos de éstos, o se basa en las leyes como principios guía para el bien de la sociedad. En el segundo nivel, el individuo demuestra alguna preocupación por ciertas personas en determinadas condiciones en las que hay en juego algo que él puede perder o ganar. Pero en el tercer nivel existe una mayor capacidad para considerar las necesidades de los otros o de la sociedad en general. El sujeto respeta las reglas del orden o el compromiso con los demás, porque le importa su bienestar o ve a las relaciones como una parte importante de su vida.

Un breve ejemplo podría ilustrar el bosquejo general de la jerarquía cognitiva que acabamos de describir. Pensemos en un varón antisocial que quiere satisfacer un deseo sexual. En el primer nivel, elige a una mujer sin que le importen los intereses de ella ni las consecuencias de su propia acción. Un joven dijo que sus relaciones típicas consistían sólo en una actividad sexual que él decidía a su arbitrio. Su novia actual le había pedido muchas veces que la acompañara a algún lugar público, por ejemplo un restaurante; quería que él la invitara a pasear. Él no tenía la menor intención de responder al interés de la novia en ampliar sus relaciones, ni tampoco de probar ciertas técnicas sexuales que ella le pedía. Se sentía muy bien siguiendo sus propios gustos sexuales, fueran cuales fueren los sentimientos de su amiga.

En el segundo nivel, este joven antisocial podría ser influido hasta cierto punto por los intereses o deseos de los demás. Quizá cediera ocasionalmente a algunas de las demandas de la novia, para obtener alguna ventaja. Su razonamiento podría ser: «Si le doy el gusto de vez en cuando, ella seguirá haciendo lo que yo quiero». En el tercer nivel, se centraría más en los intereses mutuos, así como en aspectos de mayor alcance de su conducta, esforzándose por satisfacer y no frustrar a su novia, porque éste es un modo mejor de tratar a las personas en general, y porque así podría lograr una relación más estable y satisfactoria para ambos.

Tomar decisiones constructivas

Los pacientes que ven sus problemas como un conjunto de elecciones tienen menos posibilidades de sentirse manipulados, controlados o acusados de mala conducta. Para muchas situaciones problemáticas, paciente y terapeuta pueden llevar a cabo una revisión sistemática de la razón «riesgo-beneficio» de las diferentes elecciones. Los pacientes antisociales llevarán a cabo cambios conductuales con mayor probabilidad cuando los han escogido de un amplio espectro porque tienen ventajas relevantes y claras.

Por ejemplo Sam, un joven con TAP, estaba a punto de ser expulsado de la escuela de odontología. Sam creía que tenía que hacer lo que le parecía que deseaba, como contestarles mal a los supervisores o no volver hasta el miércoles de un viaje de fin de semana, aunque se hubiera previsto que atendiera un consultorio el lunes y el martes. Consideraba que las consecuencias de sus acciones eran sobre todo problemas de los otros, y no de él. Tendía a no prestar atención o a agredir a quienes trataban de convencerle de que tenía que avergonzarse de su mala conducta.

La alternativa del terapeuta fue ayudarle a reconocer que en realidad él deseaba evitar su expulsión de la escuela de odontología. En la terapia la discusión se centró en los modos de cambiar su creencia de que podía hacer todo lo que le apeteciese. Sam trabajó para reducir la conducta que justificaba con sus sentimientos inmediatos. Lo hizo para lograr su meta de obtener un título en la escuela de odontología.

Parte del ejercicio de «revisión de elecciones» puede adaptarse o modificarse para atender a las necesidades especiales de pacientes específicos. El primer paso consiste en identificar alguna situación problemática, y después listar todos los factores pertinentes. Los pacientes evalúan su satisfacción en esos ámbitos en una escala que va de 0 a 100.

A continuación, en la segunda columna se enumeran todas las opciones posibles. La columna de opciones suele incluir la conducta inadaptada presente, así como alternativas más adaptativas; están las reacciones inmediatas, «automáticas», del paciente, y también otras posibilidades que surgen de una discusión entre paciente y terapeuta. En las columnas adyacentes se puntualizan las ventajas y desventajas de cada alternativa. El terapeuta señala las desventajas de la conducta inadaptada que el paciente haya pasado por alto, lo mismo que las ventajas de la conducta más adaptativa. Finalmente, el propio paciente evalúa la eficacia probable de cada elección, en una escala de 0 a 100.

El seguimiento adecuado de este ejercicio incluye la reseña constante de las opciones conductuales consiguientes realizadas en las zonas problema examinadas, con una concomitante evaluación de su eficacia. Las reiteradas elecciones ineficaces indicarían la necesidad de repasar de nuevo las ventajas y desventajas, o quizá subrayen la conveniencia de abordar el déficit en alguna habilidad específica. También es posible que el paciente necesite revisar por qué continúa realizando opciones ineficaces. Ello podría deberse a alguna creencia disfuncional que antes no fue detectada.

Ejemplo ilustrativo. Aunque un poco complejo, el siguiente ejemplo ilustra los beneficios de una intervención específica, centrada en el problema, de un paciente con TAP. En el curso del tratamiento, las cogniciones de la paciente pasaron, poco a poco, de un foco predominante en su propio interés y en sus reacciones emocionales inmediatas, a un mayor reconocimiento de las consecuencias de su conducta sobre otras personas y el modo como a su vez las reacciones de éstas le afectaban a ella.

Susan era una joven blanca de 28 años, paciente externa en psicoterapia en el marco de una complicada intervención de terapia familiar. Tenía dos hijas, Candy, de 7 años de edad, que residía con una familia acogedora (el señor y la señora R.) y Carol, que residía con su abuela materna.

La historia de Susan, recogida en entrevistas con ella misma y con los R., así como en copias de los testimonios judiciales revelaba un trastorno de conducta antes de los 15 años y una persistente conducta irresponsable y antisocial desde esa edad. A los 18 años se la había condenado por vender drogas y había pasado un año en la cárcel. Susan concibió a su hija mayor Candy en el curso de una breve relación con el señor R., pero no le dijo que estaba embarazada, ni él supo nada de la existencia de su hija hasta que la niña tuvo casi 3 años. La conducta impulsiva e irresponsable de Susan finalmente llevó a que se le retirara la custodia de sus dos hijas debido a su negligencia.

En el momento del contacto terapéutico inicial, Susan vivía en una ciudad a unos 240 kilómetros de los R. Durante un par de meses había viajado una vez por mes y visitado a su hija biológica menor, Carol, permaneciendo por la noche en casa de su propia madre. También quería volver a visitar a Candy, de modo que aceptó la exigencia de los R. de que iniciara una terapia. Durante los años anteriores, Susan había visitado a su hija muy esporádicamente, llegando incluso a pasar un año completo sin verla. El derecho de visita de Susan dependía del consentimiento de los padres adoptivos y era supervisado por ellos, pues la justicia había encontrado a la paciente culpable de negligencia.

Al principio, Susan fue cordial, pero también defensiva, y demostró resentimiento por las circunstancias de la terapia. A regañadientes se sometió al Inventario Multifásico de la Personalidad de Minnesota (MMPI), y produjo un perfil válido caracterizado por rabia y una posición defensiva, con una elevación en la escala 4 (Desviación Psicopática).

Después de entrevistas separadas con Candy y Susan, y de observarlas jugar juntas, el terapeuta advirtió un alto grado de apego e interés interpersonal entre ellas. Con sus esfuerzos por visitarla con más frecuencia, Susan demostró un interés acrecentado por tener un papel en la vida de su hija. Los R. informaron que, cuando estaba con la niña, Susan se comportaba adecuadamente, la cuidaba, jugaba con ella, no la maltrataba ni la desatendía. Susan adujo que había estado varios meses en una escuela comercial, que durante más de seis meses había trabajado en el mismo empleo y que tenía una relación de pareja de más de seis meses de duración, todo lo cual demostraba una creciente estabilidad en su vida, aunque todo ello bastante reciente.

Sobre la base de esta información, el terapeuta acordó trabajar con Susan, en sus esfuerzos por reunificarse con Candy. Le informó a Susan que su historia y los resultados del test psicológico indicaban que tenía un TAP. Se le explicó que se trataba de un trastorno del estilo de vida que incluía juicios y conductas generadores de consecuencias negativas para ella misma y para otras personas, como Candy. La meta acordada de la terapia cognitiva fue ayudar a Susan a conseguir autorización para visitas más frecuentes a la hija tanto en cuanto no se diesen problemas en el ajuste general de la niña.

Candy respondió positivamente a los contactos con Susan, pero tenía celos de que su media hermana Carol hiciera más cosas con la madre, y le costaba despedirse cuando terminaban las pocas horas de la visita. Candy presentaba problemas de desobediencia y mal humor después de las visitas de su madre si Carol pasaba la noche con la madre, mientras Candy tenía que regresar a casa de los señores R. La conducta de la niña también empeoraba hacia mediados de mes, cuando empezaba a dudar de que la madre volviera a verla.

La reseña de las opciones se centró en las visitas a Candy, así como en otras preocupaciones específicas de la paciente, relacionadas con la forma de conducirse con sus dos hijas. En la figura 8.1 se presenta un ejemplo de ejercicio de reseña de las opciones, realizado por Susan, que listó sus reacciones inmediatas, «automáticas», a la situación de visita, así como otras reacciones posibles que ella examinó con el terapeuta. Por medio de la discusión de este ejercicio, Susan pudo ver que tenía capacidad para influir en el futuro de sus visitas a Candy. Decidió que expresar su resentimiento por lo que ella consideraba la injusticia de los límites impuestos a las visitas no tenía tantas probabilidades de permitirle conseguir su objetivo como tratar de establecer con los R. una relación «de buena fe». El terapeuta la ayudó a determinar cuándo y cómo tenía que poner a prueba el desarrollo de la «buena fe» con el requerimiento gradual de autorizaciones más amplias para el trato con Candy.

Al cabo de unos ocho meses, Susan, a la que al principio no le confiaban a Candy para que la llevara en su auto a la terapia conjunta, llegó a almorzar sola con la niña después de la sesión; también se amplió el tiempo de las visitas, de 4 a 8 horas. Más tarde, se les permitió estar solas durante la mayor parte de la visita y finalmente compartieron toda una noche en casa de la abuela materna de la niña.

Susan había ido consiguiendo por sí misma esas autorizaciones de los R., después de practicar con el terapeuta el modo de pedirlas. Al principio la negociación entre Susan y los R. se realizó en presencia del terapeuta, para facilitar la comunicación. Los R. expusieron sus reparos, que Susan trató de responder tranquilizándoles y no de un modo hostil, tal como lo había practicado con el terapeuta. Cuando Susan respondía con hostilidad, los R. se retraían y por el momento se negaban a ampliar la autorización, lo cual resultaba útil, porque le permitía a Susan advertir que su propia actitud le impedía obtener lo que buscaba. El terapeuta la ayudó mostrándole su conducta (haciendo de espejo) y centrándola en el enfoque sistemático. También se cuidó de no intervenir para tranquilizar a los R. en beneficio de Susan, sino que trabajó con la paciente, ayudándola a tener presentes sus prioridades y a considerar la eficacia de su conducta.

Candy presentó una mejoría en su estado de ánimo general. Era más cooperativa en el hogar y la escuela. Un factor crítico en el progreso logrado con Candy y Susan consistió en que ésta siguió visitando a los R. y actuando de manera adecuada y responsable cuando la niña estaba a su cuidado. Aparentemente valoraba la relación con su hija y estaba dispuesta a trabajar por ella. Podía funcionar razonablemente bien en un rol parental estructurado y limitado en el tiempo. Pero, al mismo tiempo, esa estructura tenía que ser lo bastante flexible como para permitirle un contacto agradable con la hija, en lugar de poner énfasis en las limitaciones como castigo por no haber sido una buena madre en el pasado.

Las intervenciones ayudaron a Susan a perseguir su meta de hacer más visitas y a reconocer que los esfuerzos graduales eran más eficaces que las exigencias del tipo «todo o nada». Sus habilidades emocionales aumentaron gracias al *role play* y al ensayo de situaciones interpersonales difíciles, enfatizando sus habilidades para tolerar las expectativas de los demás sin reacciones airadas inmediatas. Su habilidad para usar habilidades emocionales recibió una gran influencia cuando se trabajó sobre las deseadas funciones de su conducta y su mayor habilidad para adoptar una perspectiva interpersonal.

Cuando llegó a reconocer que su actitud respecto de los otros influía en el trato que después recibía, y que podía conseguir otro trato cambiando de actitud, hubo un ascenso de sus pensamientos y razonamientos en la jerarquía cognitiva. Demostró poseer algún potencial para avanzar hacia el tercer nivel (del interés social general) al considerar también las necesidades y los deseos de varias personas. No obstante, esas consideraciones seguían respondiendo a un interés personal, aunque condicionado, y no al compromiso de ser una buena madre porque ello era importante para la adaptación de Candy. Por ejemplo, tendía a poner énfasis en lo que podía disfrutar con su hija, y no en lo que ésta podía disfrutar con ella. En otro momento, cerca del final de la terapia, Susan planteó la posibilidad de irse a vivir a Europa con su novio. Le preocupaba principalmente que la niña se enojara y la rechazara, sin demostrar sensibilidad a que Candy podría echarla mucho de menos; no pensaba en su responsabilidad de madre. Sin embargo, el tratamiento terminó cuando se alcanzaron las metas acordadas de la terapia, con un programa de visitas mutuamente satisfactorio, cumplido sin incidentes durante tres meses; Candy presentó una mejoría significativa en su estado de ánimo y en la cooperación en el hogar y la escuela.

Problema	**Opción**	**Ventajas**	**Desventajas**
Las visitas. Los R. tienen una resolución judicial que les permite controlar mis visitas a Candy. Sólo me autorizan una visita de cuatro horas en su casa. S = 10.	Decirles que se dejen de resoluciones. E = 40.	Me sentiré mejor.	Puede ser un tiro por la culata y provocar mayores restricciones.
	Renunciar e interrumpir por completo las visitas. E = 20.	Es fácil. Menos problemas. Puede ser lo mejor en todos los sentidos.	No es lo que realmente quiero. Podría herir a Candy.
	Ir a buscar a Candy a la escuela. E = 25.	Volver a casa de los R. y ganar tiempo con Candy.	Quizás me arresten. Candy podría asustarse.
	Disfrutar del tiempo que tenemos y pedir gradualmente que nos concedan más. E = 50.	No grandes confrontaciones.	Demasiado lento. Candy quiere estar conmigo ahora.
Los R. no confían en mí. Piensan que soy una madre inepta. Quiero pasar tiempo a solas con mi hija. S = 0.	Tratar de convencer a los R. de que no soy una mala madre. E = 40.	Los R. podrían creerme y darme más libertad con Candy.	Es un rollo. No debería tener que pedir permiso para ver a mi propia hija.
	Exigirles a los R. que me den más tiempo con Candy. E = 20.	Enseñarles que yo también tengo derechos. Sentirse mejor.	Son tercos y no cambiarán de opinión. Quizás hagan las cosas más difíciles.
	Seguir pidiendo más libertad con Candy según un plan gradual; manejar su actitud negativa. E = 70.	Podría producir resultados rápidos, aunque graduales. Da la oportunidad de establecer una relación de buena fe con los R.	Demasiado lento para mi gusto, pero puedo sobrellevarlo.

FIGURA 8.1. Ejercicio de revisión de las opciones de Susan. Las puntuaciones «S» de la columna «Problema» indican la satisfacción del cliente con los hechos de la situación, en una escala de 0 a 100. Las puntuaciones «E» en la columna «Opción» indican la estimación de la efectividad de cada opción para el paciente en una escala de 0 a 100.

Mantenimiento del progreso

Existen más probabilidades de mantener los beneficios conductuales y cognitivos de este tipo de pacientes si éstos son capaces de identificar razones de tipo emotivo para implementar las estrategias aprendidas. Por lo tanto, es útil revisar con los pacientes cuáles son las situaciones de alto riesgo y establecer un objetivo o una prioridad personal que les conduzca a revisar sus elecciones. Además, se debería implementar el uso de apoyos ambientales siempre que se pueda, tales como la participación en grupos de apoyo orientados a la calma y la sobriedad. Sin embargo, se deben elegir bien esos grupos de apoyo comunitario, ya que los pacientes con TAP tendrán la tendencia de aprovecharse de los compañeros más débiles.

Conclusión

Después de producida la intervención terapéutica, en realidad ya nunca más podrá saberse cómo se habría comportado el paciente destructivo y antisocial de no haber mediado el tratamiento. De modo análogo, tampoco se puede prever cuántas veces el antisocial decidirá no mentir, no hacer trampas, no engañar, no golpear, no violar, no robar, no hostigar, no dejar deudas pendientes, ni quebrar de otro modo la armonía social porque advierte que le conviene más no hacerlo. Pero cada uno de los casos descritos en este capítulo ilustra de qué modo la terapia cognitiva puede tener un efecto positivo en el curso de la vida de la persona antisocial. Si bien el funcionamiento óptimo no deja de ser una meta carente de realismo para el tratamiento, la mejoría de la conducta social representa beneficios obvios para la estabilidad del paciente y el bienestar de sus allegados, así como de la sociedad en conjunto.

CAPÍTULO 9

EL TRASTORNO LÍMITE DE LA PERSONALIDAD

El trastorno límite de la personalidad (TLP) se caracteriza por una remarcable inestabilidad que invade muchos, sino todos, los aspectos del funcionamiento del individuo, incluidos sus relaciones, su imagen personal, sus sentimientos y su conducta. Por ejemplo, Natasha, de 29 años de edad, acudió a terapia después de verse incapaz de trabajar durante más de un año. Se quejaba de encontrarse demasiado cansada para hacer nada quedándose todo el día en la cama. Los problemas parecían haber empezado a causa de un conflicto en el trabajo. Tuvo una aventura con su jefe y éste no quiso abandonar por ella sus planes de matrimonio. Natasha se sintió muy desilusionada y se embarcó inmediatamente en una relación con otro hombre. Según ella, su jefe inició una campaña para perjudicarla porque estaba dolido por ello: le empezó a dar tareas inferiores a su nivel y a criticarla delante de sus compañeros. Al poco tiempo, terminó «quemada». El clínico que la vio pensó inicialmente en un trastorno de adaptación con turbulencias emocionales y problemas de relación. En la segunda visita, las cosas se complicaron un poco más. La paciente describió la relación con su marido como un sinfín de peleas, amenazas y agresiones. También mostró mucho resentimiento hacia su familia y admitió un uso desmesurado de canabis y alcohol. Una y otra vez decía que, para ella, la vida no tenía sentido y desconfiaba de todo el mundo. Cuando se le preguntó qué deseaba trabajar en el tratamiento, su respuesta fue vaga. Daba respuestas del tipo «Me gustaría sentirme en casa conmigo misma». Pese a que era evidente que Natasha debía de sufrir de mucha ansiedad, tristeza y soledad, su aspecto superficial era duro; su actitud podía provocar irritación e ira en los demás.

Siendo esto evidencia de una psicopatología más profunda, el terapeuta procedió a llevar a cabo varias entrevistas clínicas semi-estructuradas para establecer un diagnóstico completo. Además de una serie de problemas del Eje I y del Eje II, se hizo evidente que Natasha cumplía los criterios de un TLP. También se vio que padecía muchos problemas emocionales irresueltos desde su juventud y con la relación con sus padres. Al final, el clínico se planteó la posibilidad de que el TLP fuese el problema principal y, consecuentemente, quiso valorar los pros y los contras de un tratamiento a largo plazo para sus problemas de personalidad. Natasha decidió empezar una terapia cognitiva con el razonamiento de que se debía de hacer algo radical con su propia visión del yo y los demás. También quería procesar emocionalmente las experiencias dolorosas que había tenido con sus padres.

El TLP es un trastorno relativamente común (lo padece el 1,1-2,5 % de la población general adulta), con enormes costes sociales comparables a la esquizofrenia (Linehan y Heard, 1999; Van Asselt, Dirksen, Severens y Arntz, 2002), con alto riesgo de suicidio (sobre un 10 % mueren a causa de ello; Paris, 1993) y considerable deterioro de la vida del individuo. La proporción de pacientes con TLP suele aumentar según se hable de servicios ambulatorios o unidades especializadas. De un 10 % en el primer caso se pasa a más de un 50 % en el segundo (American Psychiatric Association, 1994). Los pacientes con TLP son una carga para los parientes, amigos y colegas y existe un alto riesgo de que induzcan psicopatología en sus hijos (Weiss y otros, 1996). Muchos sujetos con TLP son inteligentes y talentosos, pero su trastorno les impide su normal desarrollo, tienen problemas para acabar los estudios, no trabajan en absoluto o tienen empleos por debajo de sus capacidades. En ellos, son habituales las crisis de relación, se autolesionan frecuentemente y se dan al abuso de sustancias, normalmente como forma de automedicación.

Aparte de tratamiento psicológico, los pacientes con TLP hacen un gran uso de los servicios médicos generales (Van Asselt y otros, 2002). Muchos buscan ayuda tras experimentar una crisis relacionada con un trastorno de estrés postraumático, una depresión, una fobia social o problemas de relación. En ese caso, se les debe ayudar a que vean sus dificultades en relación a sus problemas de personalidad, dándoles esperanzas, al mismo tiempo, de que sus problemas pueden ser tratados.

Bien conocidos por sus estallidos de ira y sus crisis, los pacientes con TLP tienen muy mala reputación en los centros médicos y muchos terapeutas les tienen miedo. Está muy extendida la creencia de que estos sujetos no se pueden tratar con éxito, pero recientes investigaciones sugieren que no es así. Entre las mejores opciones disponibles se cuentan algunas formas especializadas de terapia cognitiva. Aunque la terapia cognitiva para los pacientes con TLP no es en absoluto sencilla, muchos terapeutas han descubierto que usando este marco de trabajo, se pueden obtener buenos resultados.

Perspectiva histórica

El diagnóstico «límite» fue introducido en la década de 1930 para etiquetar a aquellos pacientes que presentaban una mezcla de síntomas neuróticos y psicóticos (Stern, 1938). Los teóricos de las relaciones objetales han seguido por este camino desarrollando un particular concepto de «límite»: una organización de la personalidad relacionada con una hipotética fijación en la fase de separación-individuación del niño. Tal organización da lugar a una personalidad inmadura que se caracteriza por una pobre integración de la identidad y el uso de unas defensas muy primitivas como la identificación proyectiva y divisoria, y una «prueba de realidad» relativamente intacta (Kernberg, 1976, 1996; Kernberg, Selzer, Koenigsberg, Carr y Appelbaum, 1989). La idea es que las representaciones de las relaciones objetales (incluidas las autorepresentaciones) no están integradas, sino divididas las unas de las otras. Están organizadas según su valencia, positiva (buena) frente a negativa (mala), para prevenir que los impulsos agresivos, asociados a las malas representaciones, destruyan a las representaciones positivas. Debería tenerse en cuenta que el concepto de organización (o estructura) límite que manejan estos analistas es mucho más amplio que lo que nosotros definimos por TLP pues abarca un espectro de tipos de personalidad y trastornos sintomáticos, entre los que se incluyen el abuso de sustancias, el trastorno bipolar y los trastornos del control de los impulsos. En la década de 1970, Gunderson y Singer (1975) introdujeron la primera definición operacional del TLP. Esta definición se apoyaba en trabajo empírico de manera que se impuso como base para la inclusión del TLP en el DSM-III. Con algunas adaptaciones, esta definición todavía prevalece en el DSM-IV-TR. A partir de entonces, los pacientes más psicóticos, socialmente aislados (de tipo esquizofrénico) que antes eran diagnosticados como «límite» pasaron a ser diagnosticados como esquizotípicos. La esencia del concepto de TLP que maneja el DSM-IV-TR es la de inestabilidad en las relaciones interpersonales, la imagen del yo y los afectos, así como una importante impulsividad (véase la tabla 9.1).

Investigación y datos empíricos

Modelos psicológicos

Los primeros intentos de poner a prueba el modelo psicológico del TLP se centraron en hipótesis derivadas de la teoría de las relaciones objetales. Usando tests proyectivos como el test de apercepción temática, los investigadores intentaron encontrar representaciones de las relaciones objetales de los pacientes con TLP y sus procesos psicológicos relacionados, tales como la división como mecanismo de defensa. En general, se puede decir que la hipótesis de que los pacientes con TLP funcionan a un nivel pre-edípico, como afirma la teoría de las relaciones objetales, no ha recibido confirmación. En los tests proyectivos, los pacientes con TLP son capaces de atribuir intenciones altamente desarrolladas a las figuras, mientras que hay poca evidencia de escisión. Además, en muchos estudios, los pacientes con TLP atribuyen motivos malévolos a los demás. Según Westen

(1991), la malevolencia no caracteriza el mundo objetal del niño pre-edípico normal y las complejas atribuciones producidas por los sujetos con TLP son cognitivamente mucho más evolucionadas de lo que un niño pequeño podría nunca producir. Similares hallazgos fueron descritos por Baker, Silk, Westin, Nigg y Lohr (1992) cuando investigaron las evaluaciones que hacían los pacientes con TLP de sus padres.

Varios estudios han encontrado que los pacientes con TLP se caracterizan por unas representaciones desorganizadas de sus apegos (Fonagy y otros, 1996; Patrick y otros, 1994). Tales representaciones de los afectos o apegos parecen ser típicas de aquellas personas con traumas infantiles irresueltos, especialmente cuando sus figuras parentales exhibieron conductas amenazantes directas. Se considera que tal desorganización de sentimientos es resultado de una situación en la que «el padre es, al mismo tiempo, la fuente de temor y el refugio de seguridad potencial» (Van Jzendoorn, Schuengel y Bakermans-Kranenburg, 1999, pág. 226).

Una línea de investigación diferente ha estudiado el origen y desarrollo del TLP. Inicialmente, se habló de una alta prevalencia del abuso sexual infantil (en el sentido global de malos tratos), especialmente entre las edades de 6 y 12 años por parte de los cuidadores (por ejemplo, Herman, Perry y Van der Kolk, 1989; Ogata y otros, 1990; Weaver y Clum, 1993). La asociación entre el TLP y esos hechos parecía tan fuerte que se propuso que el TLP podía ser un trastorno postraumático específico (por ejemplo, Herman y Van der Kolk, 1987). El abuso sexual grave del niño, especialmente por los cuidadores, parecía explicar la mayor parte de los síntomas y conductas de los sujetos con TLP, incluida la visión malévola de los demás y las pautas de apego desorganizadas. Pero algunos estudios también encontraron asociaciones entre el TLP y los malos tratos emocionales y físicos en la infancia.

El que las experiencias infantiles traumáticas jueguen un papel en la patogénesis del TLP, podría explicar por qué muchos pacientes dicen no experimentar dolor cuando sea autolesionan. Un estrés alto e incontrolado puede liberar ciertos opioides endógenos que reducen la experiencia de dolor (Janssen y Arntz, 2001; Pitman, Van der Kolk, Orr y Greenberg, 1990). El estrés extremo resultante del abuso emocional, físico o sexual del niño puede haber conducido a una liberación incondicionada de esos opiáceos. Los procesos de condicionamiento clásicos pueden entonces conducir a una liberación condicionada de opiáceos en respuesta a estresores tales como la expectativa de la repetición del abuso. En concordancia con esta visión, algunos estudios experimentaron con la estimulación dolorosa y hallaron la existencia de una analgesia inducida por el estrés en los pacientes que afirmaban no sentir dolor durante las autolesiones. (Bohus y otros, 2000; Kemperman y otros, 1997; McCown, Galina, Johnson, DeSimone y Poas, 1993; Russ y otros, 1992, 1994). El grado en el que esa analgesia es inducida por el estrés en (algunos) pacientes con TLP (y mediada por opiáceos), es todavía objeto de discusión.

Aunque continúa el debate sobre el papel del abuso sexual infantil en la patogénesis del TLP (Fossati, Madeddu y Maffei, 1999; Trull, 2001; Weaver y Clum, 1993; Zanarini, 1997), existe un acuerdo general de que, en estos sujetos, se da en bastante medida el abuso en la niñez (como ya hemos indicado, en un sentido amplio de maltrato). Casi todos los pacientes con TLP parecen haber sufrido maltratos por parte de sus padres como por ejemplo castigos físicos, abuso emocional, amenazas, problemas psiquiátricos graves de los padres o abuso sexual. Si no fue uno de los padres el perpetrador, entonces suele resultar que fueron negligentes a la hora de proteger al niño o ayudarle a procesar emocionalmente el abuso. De hecho, estos padres suelen responder castigándolos o culpándolos de tales actos.

Existe otra visión, más moderna, que afirma que la causa del trastorno no es el trauma en sí, sino la manera en la que el niño lo procesó y lo dotó de significado dado su temperamento, su edad y factores situacionales varios (Arntz, 1994; Zanarini, 2000). Algunas de las experiencias traumáticas pueden haber tenido lugar en edad muy temprana, especialmente las de castigo, abandono y rechazo de los cuidadores, lo cual puede conducir a una desorganización afectiva. En términos cognitivos, las experiencias traumáticas pueden haber conducido a determinadas interpretaciones infantiles y a conductas de oposición, lo cual puede haber provocado más respuestas negativas por parte de los cuidadores, un proceso que finalmente condujo a la formación de los esquemas nucleares y estrategias patogénicas.

Arntz (1994) hipotetizó que los traumas infantiles se hallan en la base de la formación de los esquemas nucleares, los cuales a su vez conducen al desarrollo del TLP. Un estudio para comprobar esta hipótesis comparó el TLP con el grupo C y sujetos normales en cuanto a sus supuestos y traumas infantiles y demostró que los pacientes con TLP se podían distinguir claramente de los otros grupos por un conjunto específico de supuestos. Estos supuestos estaban relacionados (en el sentido estadístico) con los informes sobre el abuso sexual y emocional, los cuales también discriminaban el TLP de los dos grupos control (Arntz, Dietzel y Dreessen, 1999).

Un estudio más reciente proporciona mayor evidencia a favor de la hipótesis de que los pacientes con TLP, además de creer en un amplio rango de supuestos también hallados en otros trastornos de la personalidad (especialmente en los trastornos por evitación y paranoides), se caracterizan por un conjunto específico de supuestos. Los temas específicos son la soledad, la incapacidad para ser amados, el rechazo y el abandono por parte de los demás y el hecho de verse merecedores de castigo (Arntz, Dreessen, Schouten y Weertmen, en prensa). Usando un enfoque diferente, Butler, Brown, Beck y Grisham (2002) demostraron que un conjunto de 14 ítems del Personality Belief Questionnaire, originalmente no formulados como creencias específicas del TLP, discriminaban el TLP de otros seis trastornos de la personalidad. Esas creencias específicas del TLP giraban en torno a temas de dependencia, incapacidad, desconfianza, conductas extremas de búsqueda de atención, miedo a ser rechazado, abandonado y pérdida de control emocional. Usando un instrumento ya existente, el World Assumption Scale, Giesen-Bloo y Arntz (2003) encontraron evidencia para la hipótesis de Pretzer (1990) de que existen tres temas dominantes en las creencias del TLP: «El mundo es peligroso y malévolo», «No tengo capacidad y soy vulnerable» y «Soy inaceptable de forma inherente». Aunque existe un solapamiento considerable entre los temas encontrados en estos tres estudios, las diferencias requieren que se lleven a cabo estudios ulteriores.

TABLA 9.1. Criterios diagnósticos del DSM-IV-TR para el trastorno límite de la personalidad

Pauta generalizada de inestabilidad de las relaciones interpersonales, la autoimagen y los afectos y una marcada impulsividad que empieza en la adultez temprana y se presenta en diversos contextos, indicada por cinco (o más) de los rasgos siguientes:

(1) Esfuerzos frenéticos tendentes a evitar el abandono real o imaginado. *Nota*: no incluir aquí la conducta suicida o autolesiva descrita en el criterio 5.
(2) Una pauta de relaciones interpersonales inestables e intensas, caracterizada por la alternancia entre extremos de idealización y desvalorización.
(3) Perturbación de la identidad: acentuada y persistente inestabilidad de la autoimagen o sentido del yo.
(4) Impulsividad en al menos dos zonas en las que el sujeto puede perjudicarse a sí mismo, por ejemplo, los gastos, el sexo, el uso de sustancias tóxicas, el hurto en negocios, el manejo temerario de automóviles, el *binge eating* (comer descontrolado). *Nota*: no incluir las conductas suicidas o de autolesión cubiertas por el criterio 5.
(5) Amenazas, gestos o conductas suicidas recurrentes, o conducta automutiladora.
(6) Inestabilidad afectiva debida a los cambios repentinos del estado de ánimo (por ejemplo, disforia episódica intensa, irritabilidad o ansiedad que, por lo común, duran sólo unas horas, o raramente unos pocos días).
(7) Sentimientos crónicos de vacío o aburrimiento.
(8) Ira inadecuada, intensa, o dificultad para controlarla (por ejemplo, frecuentes despliegues de malhumor, cólera constante y luchas físicas recurrentes).
(9) Síntomas pasajeros de ideación paranoide o disociativos relacionados con el estrés.

Nota: Reproducido con permiso de la American Psychiatric Association (2000, pág. 710). *Copyright* 2000 de American Psychiatric Association.

Recientemente, se ha estudiado el modelo de Young (McGinn y Young, 1996; Young, Klosko y Weishaar, 2003). Arntz y colaboradores demostraron que los pacientes con TLP se caracterizan por conductas, creencias y emociones relacionadas con los cuatro modos patogénicos del TLP (protector distante, niño abandonado/abusado, infante enfadado y padre punitivo) y todo ello en mayor medida que dos grupos control formados por pacientes del grupo C y normales (Arntz, Klokman y Sieswerda, 2003). Los sujetos del grupo C se caracterizaban por los modos de sobrecompensación (perfeccionismo, etc.). También se introdujo un estresor artificial (una película en la que se abusaba de un niño) y en los sujetos con TLP se produjo un mayor incremento del modo protector distante en comparación a los dos grupos control.

Aparte del contenido de los esquemas del TLP, las primeras visiones cognitivas han hipotetizado que los pacientes con TLP se caracterizan por la hipervigilancia (son vulnerables en un mundo peligroso en el que no te puedes fiar de nadie) y el pensamiento dicotómico (Pretzer, 1990). Tres estudios han comprobado la hipótesis de la hipervigilancia con el paradigma emocional STROOP. Como se hipotetizaba, se encontró una mayor latencia a la hora de identificar colores cuando las palabras presentadas eran amenazadoras (Arntz, Appels y Sieswerda, 2000; Sieswerda y Arntz, 2001; Waller y Button, en prensa). Los dos primeros estudios fracasaron a la hora de encontrar especificidad de estímulos (por ejemplo, todos los tipos de palabras amenazadoras elicitaban la interferencia), pero el último halló que sólo las palabras autopunitivas suscitaban ese sesgo. Un estudio demostró el efecto incluso a un nivel subliminal (o inconsciente) (Sieswerda y Arntz, 2001). Hasta el momento, no queda claro en qué grado esta hipervigilancia es específica del TLP o es común a un rango más amplio de trastornos de la personalidad, como sugiere el primer estudio sobre la materia.

Un estudio de Veen y Arntz (2000) proporcionó evidencia empírica de que el pensamiento dicotómico es muy característico de los pacientes con TLP. Después de ver determinados fragmentos con temas como abuso y abandono, los pacientes con TLP dieron evaluaciones más polarizadas sobre las personalidades de la película que los sujetos con trastornos del grupo C y los no psiquiátricos. Pero, después de ver fragmentos neutrales o emocionales no específicos, los pacientes con TLP eran tan moderados como los de ambos grupos control. Es interesante saber que las evaluaciones polarizadas de los sujetos TLP en una lista de rasgos de carácter no estaban organizadas en una dimensión bueno-mala, como predeciría la teoría de las relaciones objetales, que afirma que los pacientes con TLP tienden a ver a los demás como totalmente buenos o totalmente malos (división).

Cuando se les pedía que describiesen las personalidades de determinados fragmentos de las películas en un formato no estructurado, los pacientes de TLP, así como los del grupo C, dieron descripciones menos complejas y con menos rasgos que los sujetos de los grupos control (Arntz y Veen, 2001). Los pacientes con TLP eran los más negativistas, confirmando los hallazgos de los test proyectivos de antaño. En conjunto, estos resultados sugieren que los pacientes con TLP son capaces de funcionar al nivel más elevado (por ejemplo, usando más dimensiones en sus evaluaciones) en una situación estructurada que no estructurada.

La investigación sobre la regulación del afecto, la cual, según hipótesis, se halla desregulada en los sujetos con TLP, ha arrojado resultados diversos. Índices periféricos psicofisiológicos, expresiones faciales y autoinformes han sugerido que las respuestas de los pacientes con TLP a estímulos emocionales en situaciones experimentales son comparables a los sujetos normales del grupo control (Herpertz y otros, 2000; Herpertz, Werth y otros, 2001; Renneberg, Heyn, Gebhard y Bachmann, en prensa), pero índices centrales (fMRI, respuestas de la amígdala) sugerían una hiperactivación (Herpertz, Dietrich y otros, 2001). Esta disociación entre regiones periféricas y centrales es una reminiscencia del contraste entre las impresiones distantes que suelen mostrar los pacientes con TLP y sus fuertes experiencias emocionales interiores. Determinados estudios (de autoinformes) en contextos naturales han apoyado esta hipótesis de que los pacientes con TLP tienen un afecto negativo fuerte y lábil (Cowdry, Gardner, O'Leary, Leibenluft y Rubinow, 1991; Stein, 1996).

Investigación sobre psicoterapia

Los estudios más antiguos se han centrado principalmente en la terapia psicodinámica. En general, se han dado los mayores índices de abandono de la terapia cuando se aplicaban formas tradicionales de psicoterapia dinámica: 67 % en los 3 primeros meses (Skodol, Buckley y Charles, 1983); 46 % dentro de un plazo de 6 meses, 67 % en total (Waldinger y Gunderson, 1984); 43 % dentro de un plazo de 6 meses (Gunderson y otros, 1989); 64 % dentro de un plazo de 12 meses (Yeomans, Selzer y Clarkin, 1993), y 42 % dentro de un plazo de 6 meses (Clarkin y otros, 1994). En cuanto al riesgo de suicidio, los enfoques psicodinámicos tradicionales no parecían dar lugar a una reducción del mismo. En cuatro estudios, aproximadamente un 10 % de los pacientes murieron durante el tratamiento o durante los 15 años que siguieron al tratamiento, a causa del suicidio (Paris, 1993). Este porcentaje es comparable al riesgo de suicidio en sujetos con TLP en general (8-9 %; Adams, Bernat y Luscher, 2001).

Los primeros enfoques cognitivo-conductuales del TLP se centraban en las conductas problemáticas sin enfocar el trastorno como un todo desde una formulación integradora. Los enfoques centrados en el esquema parecían de valor limitado si el tratamiento era de corta duración (Davidson y Tyrer, 1996). Pero, cuando se introdujeron métodos integrados de mayor duración, los estudios de casos sugerían que tales enfoques eran prometedores (Turner, 1989).

En un estudio muy importante, Linehan, Armstrong, Suarez, Allmon y Heard (1991) demostraron que para los pacientes parasuicidas con TLP, un año de terapia dialéctico-conductual (TDC) era mejor que el tratamiento usual, en tres índices: el número de pacientes que siguieron toda la terapia (83 % frente a 50 %), número promedio de días de hospitalización (17 frente a 51) y número de pacientes todavía parasuicidas durante los 3 primeros meses de tratamiento (36 % frente a 62 %). Sin embargo, informes subjetivos sobre depresión, desesperanza, razones para vivir e ideación suicida no indicaron que la TDC fuese mejor que la terapia tradicional. En un estudio holandés con sujetos con TLP y toxicodependientes se hallaron resultados similares (Van den Bosch, Verheul, Schippers y Van den Brink, 2002). Mientras la TDC redujo el índice de bajas (37 % frente al 77 % en 1 año) y la conducta de autolesión comparado con la terapia tradicional, no se observaron efectos en otros índices, incluido el abuso de sustancias. De forma similar, Linehan y otros (1999) hallaron que la TDC era superior a la tradicional a la hora de reducir el abuso de sustancias, pero no en las demás medidas de la psicopatología. Por lo tanto, la TDC podría ser especialmente efectiva para reducir la conducta de autolesión, pero no el sufrimiento emocional que padecen estos pacientes. Aunque un año de TDC conduce a una mejora del paciente en muchos ámbitos, avance que se mantiene en las entrevistas de seguimiento (Linehan, Heard y Armstrong, 1993), los datos indican que el paciente medio todavía sufre de muchos problemas (véase Koons y otros, 2001).

La terapia cognitivo-conductual de la línea de Beck, Freeman y colaboradores (1990) ha sido evaluada, al menos, en dos estudios no controlados. Brown, Newman, Charlesworth y Chrits-Cristoph (2003) encontraron una disminución significativa en la ideación suicida, desesperanza, depresión, número de síntomas propios del TLP y creencias disfuncionales tras un año de terapia cognitivo-conductual para los pacientes con TLP con conductas autolesivas o suicidas. Estos resultados se mantuvieron en el seguimiento a los 6 meses. El tamaño del efecto fue moderado (de 0,22 a 0,55). El índice de *drop out* (abandono prematuro de la terapia) fue de 9,4 %. Arntz (1999a) encontró efectos positivos en la terapia cognitivo-conductual a largo plazo en una muestra de sujetos con varios trastornos de la personalidad que incluía a 6 pacientes con TLP. Dos pacientes con TLP abandonaron la terapia prematuramente, pero los otros cuatro obtuvieron buenos resultados. En un experimento controlado, Berk, Forman, Henriques, Brown y Beck (2002) y Beck (2002) demostraron que la terapia cognitivo-conductual a corto plazo tenía más éxito que un tratamiento control para reducir la ideación suicida y los intentos de suicidio en sujetos con TLP y grande tendencia al suicidio.

En estos momentos, se está llevando a cabo un estudio comparativo entre el enfoque cognitivo-conductual basado en el modelo de los modos de Young (McGinn y Young, 1996; Young, Klosko y Weishaar, 2003), la ampliación de Arntz (1994) de la terapia cognitivo-conductual de Beck y la moderna terapia psicodinámica (psicoterapia centrada en la transferencia [TCT], desarrollada por Kernberg y colaboradores, 1989). Antes de que empezase el estudio, los terapeutas trataron a pacientes piloto que no fueron repartidos al azar entre las dos formas de terapia. Los hallazgos preliminares indican que el 10 % de los 20 pacientes que siguieron una terapia cognitivo-conductual piloto y el 47 % (3 por suicidio) de los 17 pacientes piloto, acabaron el tratamiento prematuramente (Arntz, 1999b). Todos los que acabaron el tratamiento, en los dos tipos de terapia, mejoraron gradualmente. Los resultados deben ser interpretados con extrema cautela ya que los pacientes no fueron asignados al azar a cada uno de los tratamientos. Los resultados preliminares del estudio multicentro final, que investiga 3 años de tratamiento (N=88, ahora al azar) con la mayor parte de los pacientes con terapias de menos de un año, sugieren de nuevo que en los tratamientos psicodinámicos se da un mayor índice de abandono de la terapia (en ese momento, un 28 % de la TCT frente a un 7 % de la cognitivo-conductual; Giesen-Bloo, Arntz, Van Dyck, Spinhoven y Van Tilburn, 2001). A los dos años, el índice de abandono de la TCT era de un 42 %, comparado al 13 % de la terapia cognitivo-conductual (Giesen-Bloo, Arntz, Van Dyck, Spinhoven y van Tilburn, 2002). Los datos sugieren que un año de tratamiento puede conducir a una reducción significativa de las manifestaciones del TLP (tamaño de efectos de 0,89 a 1,12) y aumentos significativos en la calidad de vida, incluso en dominios no directamente relacionados con los síntomas psiquiátricos (tamaño del efecto de 0,66) y que esas variables continúan mejorando durante el segundo año de tratamiento (efectos acumulados para las manifestaciones del TLP de 1 a 1,35; y de 0,67 en la calidad de vida) (Giesen-Bloo y otros, 2001, 2002). Todavía no se dispone de comparaciones completas de ambos tratamientos con respecto a ambos ámbitos.

Resumiendo, las versiones modernas de la terapia cognitivo-conductual diseñadas específicamente para resolver los problemas del TLP parecen haber aumentado la eficacia del tratamiento psicológico del trastorno. La proporción de pacientes que abandonan la terapia antes de tiempo se ha reducido mucho y los efectos del tratamiento parecen ahora mucho más amplios y profundos que con los enfoques anteriores que se centraban en un número limitado de conductas problemáticas. Tratamientos más cortos (por ejemplo, de un año) son capaces de reducir las conductas más problemáticas y mejorar el control de la ira y el funcionamiento social, pero el paciente medio está lejos de ser curado. Al parecer, sólo con tratamientos más prolongados se pueden conseguir mejoras considerables.

Diagnóstico diferencial

El TLP es uno de los trastornos más comunes que se tratan en ambulatorios y unidades de internación. Se estima que la prevalencia en la población general es de un 1,1 a un 2,5 %, porcentaje que varía mucho en poblaciones clínicas dependiendo de qué tipo de servicio se hable: va incluso del 10 al 60 %. A pesar de la alta prevalencia del TLP, muchas veces su diagnóstico se pasa por alto. Ello no es demasiado importante cuando se halla presente un trastorno claro, estable y autónomo del Eje I y ésa es la razón por la que se pide ayuda, porque en tales circunstancias los trastornos del Eje II tienden a no interferir con la terapia cognitivo-conductual del Eje I (Dreessen y Arntz, 1998). En muchos casos, sin embargo, el principal problema es el TLP. Entonces, si no se diagnostica, nos encontramos frente un problema porque el tratamiento resulta siempre insuficiente. En muchos casos vemos que el terapeuta malgasta años de esfuerzos hasta darse cuenta de que el problema es que el paciente, en realidad, sufre de TLP.

La alta comorbilidad normalmente asociada al TLP complica aún más las cosas. Junto con el TLP puede aparecer la práctica totalidad de los trastornos psicológicos: trastornos del estado de ánimo, dependencia/abuso de sustancias, trastornos de ansiedad (trastorno de estrés postraumático), trastornos psicóticos y otros trastornos de la personalidad. Los pacientes con TLP suelen cumplir los criterios de uno a cinco trastornos de la personalidad. Debido a que el TLP es visto como uno de los trastornos de la personalidad más graves, se recomienda el uso del diagnóstico de TLP como primera opción y adaptar el tratamiento de los trastornos de personalidad concomitantes. Los trastornos de la personalidad antisocial y narcisista pueden ser una excepción a esta regla que acabamos de mencionar, especialmente cuando se hayan presentes características delictivas.

Con algunas excepciones, el TLP también debería ser el primer diagnóstico cuando se hallan presentes trastornos del Eje I. Algunas excepciones a esta regla son el trastorno bipolar, la depresión grave, los trastornos psicóticos (a excepción de la psicosis transitoria, relacionada con el estrés, la cual se solapa con el criterio 9 del TLP), el abuso de sustancias que necesita de un tratamiento de desintoxicación, la hiperactividad/el déficit de atención y la anorexia nerviosa. Estos trastornos deben ser tratados primero. Estos trastornos son también problemáticos porque se solapan parcialmente (en cuanto a criterios) con el TLP y pueden hacer el diagnóstico muy problemático. El trastorno bipolar, por ejemplo, puede ser confundido con el TLP o al revés. Finalmente, algunas condiciones pueden conducir a unos cambios de personalidad aparentes similares al TLP, como el trastorno por estrés postraumático (TEP) y el abuso crónico de sustancias (por ejemplo, la cocaína).

La evaluación estructurada del Eje I y del Eje II es quizás la mejor salvaguarda contra los errores de diagnóstico. Dado el alto coste del tratamiento (Van Asselt y otros, 2002; Linehan y Heard, 1999), el sufrimiento de los pacientes con TLP y la dificultad y larga duración del tratamiento, vale la pena el esfuerzo de llevar a cabo entrevistas clínicas semi-estructuradas.

Conceptualización

Existen, en general, tres conceptualizaciones cognitivo-conductuales del TLP: la concepción dialéctico-conductual de Linehan, las formulaciones de Beck y el modelo de Young.

La concepción dialéctico-conductual de Linehan

Según el modelo de Linehan, los pacientes con TLP se caracterizan por una disfunción en la regulación de las emociones, probablemente temperamental (Linehan, 1993). Esta disfunción provoca las características reacciones tormentosas de estos pacientes ante los acontecimientos estresantes, así como, que tarden tanto en volver a una línea base emocional. Un segundo supuesto es que el ambiente del paciente con TLP ha sido o es invalidante. Se hipotetiza que la negación, el castigo o la respuestas incorrectas a las reacciones emocionales del niño contribuyen a los problemas que tienen los pacientes con TLP para regular, entender y tolerar sus reacciones emocionales. Después, estos pacientes invalidan sus propias reacciones emocionales y las adaptan a su visión irreal y simplista de las emociones. Los primeros objetivos del tratamiento son las reacciones emocionales inadecuadas, especialmente, el pobre control de la expresión de los impulsos y la conducta autolesiva. El terapeuta debe adoptar una postura dialéctica, por un lado aceptando el dolor emocional (en vez de intentar cambiarlo) y, por otro, modificando los antecedentes del estrés y la manera en que el paciente intenta manejar las emociones. La adquisición de habilidades para la tolerancia y regulación de las emociones, así como la validación de las relaciones emocionales, son dos puntos centrales del tratamiento de esta autora. La terapia dialéctico-conductual fue originalmente desarrollada para tratar a los pacientes que se autolesionan, aunque, después, la mayor parte de ellos han pasado a ser diagnosticados de TLP. No es sorprendente pues que las investigaciones hayan concluido que los mejores resultados de la terapia dialéctico-conductual se dan sobre el manejo de la autolesión (y el abandono precoz de la terapia, que también es una forma de dañarse).

Las formulaciones de Beck

Las primeras formulaciones de Beck sobre el TLP enfatizaban el papel de los supuestos básicos del individuo. Beck y otros (1990) hipotetizaron que en el TLP están activos muchos supuestos comunes a otros trastornos de la personalidad. Pretzer (1990) añadió que son tres los supuestos claves: «El mundo es peligroso y malo», «Soy impotente y vulnerable» y «Soy intrínsecamente inaceptable». El primer supuesto, en combinación con el segundo, conducía a un alto nivel de vigilancia y a una desconfianza interpersonal excesiva. Además de la hipervigilancia, existen otras dos importantes características cognitivas en la conceptualización del TLP: el pensamiento dicotómico y un débil sentido de identidad (por ejemplo, un autoesquema pobremente articulado). Los tres supuestos claves y las tres características cognitivas mencionadas juegan un papel fundamental en el mantenimiento del trastorno y son consecuentemente importantes objetivos para la terapia. Por ejemplo, la combinación paradójica de supuestos dependientes (la creencia del paciente de ser débil e incapaz, mientras los demás son fuertes y capaces) y supuestos paranoides (la creencia de que no se puede confiar en los demás) alimentan una conducta interpersonal inestable y extrema del paciente con TPL. Frecuentemente alterna entre colgarse de la gente y apartarla con desconfianza. El pensamiento dicotómico contribuye a la tormenta emocional y a su tendencia de tomar decisiones extremas. Su incapacidad para evaluar las cosas con matices (no sólo o blanco o negro) contribuye a los cambios de estado de ánimo extremos. Consecuentemente, un importante ingrediente del tratamiento que propone Pretzer es reducir su pensamiento dicotómico, lo cual se debe llevar a cabo lo antes posible, tan pronto como se establezca una buena relación paciente/terapeuta.

Layden, Newman, Freeman y Morse (1993) elaboraron después el modelo cognitivo y sugirieron muchos otros factores y procesos y relacionaron todos ellos a un determinado desarrollo infantil. Según ellos, debía darse un estancamiento en el desarrollo. Layden y otros también enfatizaron el papel de los elementos no verbales en los esquemas nucleares de los pacientes con TLP; éstos también se podrían haber desarrollado en una etapa muy temprana de la niñez. Consecuentemente, Layden y otros creen que es importante el uso de técnicas experienciales en la terapia, entre las que destacan la imaginería. Arntz (1994) relacionó las observaciones de Pretzer con la evidencia de que existen muchos casos de abusos infantiles en estos sujetos, sugiriendo que la manera en que procesan el abuso conduce a la formación de los supuestos claves y las características cognitivas propias del trastorno. Este autor propuso una integración entre la terapia cognitiva de Beck del «aquí y ahora» y un trabajo de procesamiento del abuso infantil (para corregir las conclusiones patógenas que produjo este abuso en ellos). De acuerdo con Layden y otros, Arntz le da mucha importancia a los métodos experienciales en el tratamiento de los recuerdos de la primera infancia (véanse también Arntz y Weertman, 1999; Smucker, Dancu, Foa y Niederee, 1995).

El modelo de Young

El modelo desarrollado por Young tiene mucho que ver con aquella conceptualización del TLP que entiende el trastorno como consecuencia de haber dejado solo, en un mundo malévolo, a un niño del que se ha abusado. El pequeño está muy asustado y desconfía de todo porque tiene miedo de que se abuse más de él y se le abandone, lo cual está muy relacionado con el modelo desarrollado por Young (McGinn y Young, 1996). Para entender los cambios abruptos en la conducta de los pacientes con TLP, Young elaboró una idea introducida en la década de 1980 por Aaron Beck en sus talleres clínicos (D. M. Clark, en comunicación personal), según la cual algunos estados patológicos de los pacientes con TLP son una suerte de regresión a estados emocionales intensos experimentados de niños. Young llamó a estos estados «modos de los esquemas» y además de estados regresivos infantiles también estipuló que existían modos menos regresivos. Un modo es una pauta organizada de pensamiento, sentimiento y conducta basada en un conjunto de esquemas, relativamente independiente de los otros modos. Se supone que el paciente con TLP cambia de repente de un modo a otro. Como observó Beck, algunos de esos estados parecen muy infantiles y pueden ser confusos tanto para el paciente como para la otra gente. Young hipotetizó que existen cuatro modos que definen el TLP: protector distante, niño abandonado (el autor de este libro propone la denominación niño abandonado/abusado), infante enfadado y padre punitivo; además, existe el modo de adulto sano, que es la parte sana del paciente.

El modo del niño abusado y abandonado denota el estado de desesperación en el que se puede situar el paciente frente al abandono y el abuso experimentados de niño (o la amenaza del mismo). Las creencias nucleares típicas son que los demás son malévolos, no se puede confiar en ellos y que nos abandonarán o castigarán, especialmente cuando se intima. Otras creencias nucleares son: «Mi dolor emocional nunca cesará», «Siempre estaré solo» y «No le importo a nadie». El paciente puede comportarse como un niño enfadado y desesperado, que reclama consuelo y apoyo, pero que también lo teme. A muchos terapeutas no les gustan tales expresiones emocionales porque tienen miedo de las crisis y de que el paciente establezca una dependencia excesiva. Normalmente el paciente teme este modo, no sólo por la intensidad del dolor emocional que conlleva y la reactivación del trauma relacionado con los recuerdos y sentimientos, sino también porque a su activación le puede seguir una activación del modo padre punitivo. Esto lleva a un estado autopunitivo grave, durante lo cual el paciente parece condenarse a ser malo, con lo que merece un castigo. Los cuidadores solían castigar las expresiones de las emociones, opiniones y deseos negativos, atribuyéndolos a defectos de carácter, tanto implícitos («Eres un niño malo») como explícitos (por ejemplo, ignorando al niño durante días). Es de suponer que en este modo se han internalizado las amenazas de abandono («Te enviaré a un orfanato»), las agresiones verbales o físicas y los castigos (o amenazas) severos. Las creencias nucleares típicas son: «Eres malo y mereces un castigo»; «Tus opiniones/deseos/emociones están equivocados»; «No tienes derecho a expresar tus opiniones/deseos/emociones»; «Lo único que haces es manipular». Después, el paciente no sólo experimenta esos pensamientos relacionados con el castigo, sino que se los adjudica autolesionándose, arruinando las buenas cosas de su vida o dejando de acudir a las sesiones. La culpa es el principal sentimiento. El paciente puede incluso provocar que los demás le castiguen, incluido el terapeuta.

Uno de los modos que más teme el paciente (¡y el terapeuta!) es el modo del niño enfadado/impulsivo. Este modo denota un estadio de rabia infantiloide o impulsividad autogratificante que, a largo plazo, es dañina para el paciente y para sus relaciones. Aunque Young afirma que los pacientes con TLP suelen evitar la experiencia y la expresión de ira, la tensión de esta ira retenida puede ir creciendo y ser expresada, de repente, de una forma incontrolada. A estas pataletas les sigue, según el modelo, una activación del modo padre punitivo. Las conductas impulsivas que requieren una gratificación inmediata también pueden ser atribuidas a este modo. Las creencias subyacentes son: «Se me está privando de mis derechos básicos»; «La gente tiene mala idea»; «Tengo que luchar, tomar lo que necesito y sobrevivir».

Aunque los pacientes con TLP destacan por sus crisis y su ira, los terapeutas que trabajan con ellos durante largos periodos han observado que tienden a ser distantes la mayor parte del tiempo. Parece que, en realidad, no entran en contacto con los demás o con sus propios sentimientos y opiniones. Según Young, se hallan en el modo protector distante, una suerte de estilo prospectivo que el niño desarrolla para sobrevivir en un mundo peligroso. Se ha hipotetizado que este modo sirve para proteger al paciente de los apegos (porque a los apegos les sigue el dolor, el abandono, el castigo o el abuso), la experiencia emocional, la asertividad y el desarrollo, ya que todo ello es signo, para el sujeto, de dolor y potencial activación del modo punitivo. Las creencias nucleares son que no tiene sentido sentir emociones y conectar con los demás; que eso es incluso peligroso; que ser distante es la única manera de sobrevivir y controlar la propia vida. Frecuentemente, el paciente usa toda una serie de estrategias para mantener este modo, incluyendo la evitación cognitiva de los sentimientos y el pensamiento; el silencio; la evitación de la gente y las actividades sociales; dormir en demasía; el desarrollo (y la queja) de malestares somáticos; la ingesta de drogas y alcohol e incluso el (para)suicidio. Superficialmente, el paciente puede parecer racional y sano, pero realmente no lo es porque elimina temas muy importantes para la vida de cualquier persona.

Enfoque de tratamiento

Estrategia de colaboración

Antes de que empiece propiamente la terapia, el terapeuta debe decidir qué tratamiento desea ofrecer. Por un lado, puede ofrecer un tratamiento relativamente corto dirigido a reducir las conductas más problemáticas y peligrosas del

TLP. Los objetivos de tal tipo de terapia son la reducción de la impulsividad y las conductas de autolesión y quizás, del abuso de sustancias, además de ganar control sobre las emociones y adquirir conciencia de los problemas, de manera que el paciente pueda llevar a cabo una psicoterapia más profunda. Los estudios de Linehan y otros (1991) y Brown y otros (2003) demostraron que se pueden conseguir estos objetivos en el curso de un año de tratamiento. Pero esos mismos trabajos también demostraron que es necesario llevar a cabo una terapia más prolongada para conseguir un cambio más profundo y amplio. Nosotros creemos que para llevar a cabo un tratamiento real de TLP es necesario una terapia más larga, durante la cual se desarrolle una relación personal intensa entre terapeuta y paciente. Una de las razones de ello es que los pacientes con TLP tienen tal desconfianza en la gente, especialmente cuando llegan a intimar, y su estilo de relación es tan patológico, que únicamente hace falta tiempo para superar esas barreras interpersonales (Gunderson, 1996). Por lo tanto, el buen tratamiento de este trastorno necesita tiempo para desarrollar un apego seguro como corrección fundamental de lo que sucedió en la infancia del paciente. Por la misma razón se debe prestar mucha atención al tratamiento de los recuerdos infantiles traumáticos, lo cual también requiere tiempo.

El tipo y los objetivos de la terapia no sólo afectan a la duración del tratamiento, sino también al tipo de relación que el terapeuta intenta desarrollar con el paciente. Con la primera opción, el terapeuta debería mantener un poco más la distancia con el paciente, porque puede ser un problema muy serio que el tratamiento se detenga cuando apenas se acaba de empezar a desarrollar la relación. Puede incluso llegar a ser dañino. Se deberá proporcionar permanente apoyo ante las crisis, pero con la primera opción de tratamiento el terapeuta no necesita estar tan profundamente implicado en el tratamiento de las mismas. La frecuencia de las sesiones puede ser de una o dos veces por semana.

Con la segunda opción, a la cual dedicamos lo que resta de capítulo, el terapeuta intenta desarrollar una relación más personal con el paciente. El terapeuta deberá intentar romper el distanciamiento del paciente, participará muy activamente en sus crisis, le ofrecerá apoyo cuando esté triste y, en definitiva, se le ofrecerá como persona. La frecuencia de las sesiones puede ser también de una o dos veces por semana. Este enfoque casi necesariamente provocará sentimientos difíciles en el paciente, basándose en sus esquemas nucleares, lo cual es bueno porque sobre eso mismo se puede trabajar en la terapia. Por lo tanto, este enfoque «reparental» se considera un ingrediente esencial del tratamiento. Para establecer una relación segura, les damos a nuestros pacientes unos medios (por ejemplo, un número de teléfono especial) para contactar con el terapeuta cuando se hallen emocionalmente necesitados. Esta conexión personal les ayuda a rechazar la creencia de que a nadie le importan, que la expresión de sentimientos negativos será respondida con castigos o abandono y, en definitiva, a crear una relación segura.

Hablarles y, sobre todo, escucharles con plena aceptación en sus momentos de crisis, es especialmente eficaz para enseñarles a tolerar y aceptar las sensaciones negativas y demostrarles que con tal enfoque, esas sensaciones normalmente se calman. Darles un medio para contactar con el terapeuta entre sesiones no implica que el terapeuta tenga que estar siempre disponible o que sea omnipotente porque ello crearía una carga demasiado pesada para éste. Para manejar esos momentos, se aconseja que el paciente disponga también de un centro al que acudir en caso de que no encuentre al terapeuta o éste no consiga calmarlo.

Tal enfoque terapéutico requiere de los terapeutas que se sientan seguros a la hora de poner límites cuando el paciente va más allá de los límites personales del terapeuta. En un enfoque reparental es esencial frustrar al paciente poniéndole límites personales, como sucede con los padres normales. Además, puede ser muy positivo que el paciente, gracias a estos límites, compruebe la validez de sus creencias de «que me pongan límites significa que no les gusto como persona»; «si me excedo el terapeuta me abandonará». Existen dos importantes advertencias a la hora de comunicar al paciente con TLP los límites personales. Una es que el terapeuta debería sólo comentar la conducta del paciente y no hacer atribuciones sobre su carácter. Eso es precisamente lo que hacían sus cuidadores. Más aún, el terapeuta debería explicarle las razones de la imposición de límites y no contentarse con decir que se trata de unas reglas profesionales. Por ejemplo, el terapeuta puede limitar las llamadas a una cierta hora del día porque, según explicará, tiene otros compromisos que atender. El siguiente es un ejemplo en el que el terapeuta explica al paciente las razones del establecimiento de límites personales.

NATASHA: Este fin de semana celebraré mi 30 cumpleaños y me gustaría invitarle. Así podré presentarle a mi marido y a mis amigos.

TERAPEUTA: Está muy bien de tu parte que me invites a tu fiesta de cumpleaños, pero me temo que no quiero ir.

NATASHA: ¿Por qué no? Tenía tantas esperanzas de que pudiese venir.

TERAPEUTA: Te aprecio mucho, pero quiero pasar mi tiempo libre con mi familia y mis amigos.

NATASHA: (*enfadándose*) ¿Así que no me considera como amiga? ¿Y fue usted quien me dijo que podía considerar la terapia como un lugar especial y que me ayudaría a contactar con mis sentimientos más profundos; que iba a cuidar de mí? ¿Como un padre con su hija? Y ahora que le pido algo personal, algo que es muy importante para mí, me está diciendo que no. ¡Me ha mentido! ¡Debo haber estado loca para confiar en usted!

TERAPEUTA: Estás en lo cierto. Yo no te veo como una amiga, aunque me caes muy bien. Además, necesito pasar tiempo con mi familia para recuperarme. Ésa es mi decisión. Me encanta verte y trabajar contigo aquí, pero no quiero ir a tu fiesta.

NATASHA: ¡Por Dios! No hace falta que lo repita. No añada sal a la herida. Sé lo que ha dicho; ya le he oído. (*Ahora parece asustada*) No debía de habérselo pedido. Lo sabía. Sabía que rechazaría y que me echaría en cara el haberle pedido algo tan impertinente. Quiero irme. No puedo estar aquí. (*Se levanta y comienza a dejar la sala.*)

TERAPEUTA: No te vayas; por favor, quédate. Veo que mi rechazo te ha dolido mucho. También veo que estás muy asustada porque piensas que puedo herirte por haberme pedido esto. ¿Estoy en lo cierto? Hablémoslo otra vez. No me sentiría nada bien si te fueses ahora. ¿Podemos intentarlo?

NATASHA: (*Se sienta de nuevo y empieza a llorar.*) Está bien, pero estoy tan avergonzada...

Este enfoque requiere que el terapeuta sea capaz de tolerar un nivel muy alto de emociones negativas, especialmente la ira dirigida hacia su persona y también la tristeza y la desesperación. Las emociones positivas dirigidas hacia el terapeuta también pueden ser comprometedoras, especialmente los enamoramientos y otras expectativas poco realistas. Cuando se tratan pacientes con TLP es inestimable la posibilidad de consultar con colegas.

Los objetivos de la relación terapéutica pueden estar muy claros, pero su aplicación no estará, casi nunca, libre de problemática. Aunque los pacientes con TLP desean más que nada una relación amorosa, también la temen profundamente y tienen problemas serios para tolerar los miedos y la desconfianza evocadas por relaciones íntimas y duraderas. Por lo tanto, el terapeuta debería intentar equilibrar la distancia y la intimidad para adaptarse a cada fase del tratamiento, pero también tratar los miedos y la desconfianza evocadas por el tratamiento. Como ha dicho Pretzer (1990), «para establecer una relación de confianza mutua es importante reconocer y aceptar la dificultad del cliente para confiar en el terapeuta; después uno se debe comportar consistentemente como corresponde: demostrando que no traicionamos esa confianza» (pág. 191). En relación al problema de los esquemas nucleares subyacentes (y los modos, si el terapeuta usa ese modelo), puede ser de utilidad tratar tales problemas desde una nueva perspectiva y transmitir la esperanza de que todo ello se superará con el tratamiento.

Como ya se ha dicho, uno de los grandes problemas de tratar a pacientes con TLP es su alto índice de abandono precoz de la terapia. Para prevenirlo, el terapeuta debe esforzarse para evitarlo, llamándolos cuando no se presenten a las sesiones, preguntándoles (y sugiriendo activamente que dejen su actitud distante) qué razones tienen para abandonar y, por último, adaptándose a lo que el paciente necesita. Normalmente, las razones que esgrimen para dejar la terapia están relacionadas con ciertas estrategias de distanciamiento que usan (no conectar con la gente, evitar y apartar sentimientos y pensamientos acerca de las dificultades como vía para sobrevivir), el miedo a que el terapeuta abuse de ellos o les abandone y otras actitudes autopunitivas (no merezco la terapia, debo destruir todo lo positivo para castigarme). Tales creencias subyacentes deben ser clarificadas y mostradas de una manera no crítica, dando a entender que la finalización de la terapia significaría la continuación de la patología y la pérdida de la oportunidad de corregir las creencias subyacentes. Experimentos recientes han demostrado que tales enfoques son muy exitosos a la hora de reducir el abandono.

Con estos pacientes es más fácil avanzar con un tratamiento limitado en el tiempo y en cuanto a objetivos. En los tratamientos largos los objetivos son necesariamente globales y suelen girar en torno a la reducción de la influencia de los esquemas nucleares y las estrategias disfuncionales, así como la creación e incremento de estrategias y esquemas sanos. Esto último pueden resultar complicado, porque muchos pacientes con TLP no tienen ni idea de qué son unas estrategias y visiones de la realidad sanas. Aquí se requiere mantener una postura activa y educativa (de nuevo, como si fuésemos unos buenos padres), no moralista, pero capaz de explicar por qué ciertas posturas y concepciones son más sanas que otras. También es de mucha ayuda el uso de técnicas de *role play* y experimentos conductuales para desarrollar estrategias y esquemas funcionales.

Como los pacientes con TLP tienen creencias negativas acerca de la experiencia de sentimientos, pues piensan que sus sentimientos son erróneos o malos, que perderán el control si se dejan llevar por los sentimientos y que la gente (incluido el terapeuta) les penalizará o rechazará por ello, una de las actitudes más importantes que debe adoptar el terapeuta es la aceptación y validación de las emociones, aunque, por otro lado, debe rechazar los actos emocionales impulsivos. Ésta es la base de un esquema más sano de regulación emocional. Los terapeutas cognitivos que están acostumbrados a trabajar con problemas del Eje I deberán resistir su hábito habitual de buscar las interpretaciones desviadas que conducen a las emociones disfuncionales: aquí el tema fundamental es el significado patógeno que le dan a la propia experiencia de emociones.

Una última e importante técnica de relación es la práctica confrontacional, un mensaje confrontacional que consiste en tres elementos: (1) expresión empática de que el terapeuta entiende por qué se escoge determinada estrategia disfuncional; (2) confrontación con los efectos negativos de la estrategia y la continuación del trastorno, si realmente continúa; (3) formulación explícita de una nueva estrategia alternativa disfuncional para pedirle después al paciente que la siga.

«Entiendo que estés muy enfadada por lo que ha dicho Mark. Sé que te duele en lo más profundo de tu corazón y entiendo que sientas una fuerte tendencia a hacerte daño. Creo que lo haces para demostrarle que es un cerdo, pero te pido que no lo hagas porque si lo haces, tu relación con Mark todavía se complicará más. Él se enfadará, tú te asustarás y se producirá un escalamiento que reforzará tu idea de que la gente es mala y que nunca podrás confiar en nadie. En otras palabras, si sigues tu antigua estrategia tus problemas no acabarán jamás. En vez de ello, yo te pido, por favor, que pruebes una nueva estrategia que consiste en que le digas que te ha hecho daño. Explícale por qué te ha hecho daño y pídele que deje de hacerlo. De esa manera no te dañarás y mantendrás el control de tu conducta. Ésta es la manera más sana de manejar el problema. Y, si no para, trabajaremos para ver qué se puede hacer, pero insisto en ello porque tienes la oportunidad de aprender a lidiar mucho mejor con estas situaciones.»

Intervenciones específicas

Enfoque jerárquico

A la hora de escoger qué problema trabajar, va muy bien usar un enfoque jerárquico. La tabla 9.2 ofrece una visión general de esta estrategia. Se les debe dar prioridad a los esquemas de la vida y la muerte, por ejemplo, los impulsos suicidas y otras conductas peligrosas como amenazar las vidas de los demás, especialmente la de los niños dependientes de ellos. Lo siguiente en la jerarquía es todo aquello que amenaza la relación terapéutica. Esto incluye el deseo prematuro de detener la terapia, trasladarse a otra ciudad, no acudir a la terapia y empezar otro tratamiento paralelo al actual; los sentimientos negativos del paciente hacia el terapeuta o del terapeuta hacia el paciente; llegar tarde; usar el teléfono móvil durante las sesiones; etc. La razón de que los temas que amenazan la relación terapéutica sean tan importantes en la jerarquía es que una buena relación terapéutica es un prerrequisito fundamental para el resto de temas. Tercero, aunque no se trate de algo que amenace directamente la vida de las personas, muchas conductas son tan autolesivas que no hay lugar para trabajar los esquemas subyacentes. La autolesión, el abuso de sustancias y de medicación, el no ir a trabajar, los actos impulsivos, una mala alimentación, mantener el hogar desordenado y las tormentas emocionales sin control son conductas perturbadoras. Aunque es útil tratar repetidamente estas conductas, de manera que el paciente las abandone y trabaje sobre alternativas y soluciones, el terapeuta no se debería esperar cambios al principio del tratamiento y, por supuesto, no insistir en ello. La patología del paciente puede ser tan grave que el terapeuta tenga que soportar todo ello durante largo tiempo, lo cual no significa que no se deba incluir en la agenda una y otra vez. Por último, se deben también tratar otros temas importantes como el procesamiento de los traumas o el trabajo sobre los esquemas.

TABLA 9.2. Jerarquía de temas a tratar

1. Temas sobre actitudes que significan una amenaza para la vida
2. Relación terapéutica
3. Temas sobre actitudes que llevan a la autolesión
4. Otros problemas, trabajo sobre los esquemas y procesos de trauma

La jerarquía no sólo es una ayuda para decidir qué temas tratar dentro de la agenda de la sesión, sino que se trata de una planificación de toda terapia. El terapeuta debería tener en cuenta que cuando nos hallamos en la fase de la terapia en la que se trabaja sobre los esquemas, muchas veces, hay que dejar de lado lo relativo a los temas de 1-3. Trabajar los traumas infantiles puede, por ejemplo, activar conductas amenazadoras para la vida, las cuales deberían entonces priorizarse. Después, se puede uno concentrar de nuevo en el procesamiento del trauma.

Manejo de las crisis

Aunque se debiera siempre disponer de un servicio de tratamiento de crisis, el terapeuta es la persona más importante a la hora de tratarlas. Como ya hemos dicho antes, la mayor parte de las crisis están motivadas por las creencias negativas del paciente acerca de la experiencia de emociones. La primera estrategia para contrarrestar estas creencias es adoptar una postura sosegada y acogedora. Es importante escucharle de forma empática, preguntarle cómo se siente y qué interpretación hace de lo que le ocurre validando sus sentimientos. Frecuentemente, las ideas y acciones autopunitivas (en el modelo de Young: el modo padre punitivo) juegan un rol disfuncional y puede ser importante preguntar directamente por esos pensamientos y contrarrestarlos (por ejemplo, «No es verdad; eres una buena persona; es absolutamente normal sentirse triste y enfadada cuando tu marido te deja y me gusta que me hables de esos sentimientos»).

La disponibilidad puede ser de mucha ayuda ya que una intervención temprana puede prevenir un empeoramiento, la autolesión, el abuso de sustancias u otras acciones desadaptativas y reducir la necesidad de hospitalización. Tarde o temprano en el tratamiento será posible llegar a un acuerdo con el paciente para que no lleve a cabo conducta disfuncional (como la autolesión) sin antes hablar con el terapeuta. Hemos aprendido que, en muchos casos, una escucha empática y hablar con el paciente por teléfono acaba con la crisis en cuestión de 15 o 20 minutos. Durante el tratamiento, el paciente gradualmente internaliza esta nueva actitud hacia los sentimientos difíciles y puede aplicarlos ‚ r sí mismo, de manera que ya no necesita tanta ayuda de los demás. El terapeuta también puede ayudar a hacer esta transición grabando una cinta con palabras tranquilizadoras dichas por sí mismo y haciendo tarjetas que el paciente puede releer para sosegarse.

Un inconveniente común ocurre cuando el terapeuta empieza demasiado temprano a ofrecer sugerencias prácticas sobre cómo manejar el problema y las crisis. Esto generalmente alimenta las creencias punitivas («Lo hago todo mal») y contrarresta la creación de una actitud sana con respecto al experimentar emociones. Los problemas prácticos se deben tratar cuando el paciente ya ha calmado sus emociones. Entonces, frecuentemente, puede tratarlas por sí mismo. Existen, sin embargo, circunstancias en las que no es productivo seguir estas normas. Un ejemplo es cuando el paciente está tan intoxicado (alcohol, benzodiacepinas, etc.) que de poco sirve hablar con él ya que no puede controlar sus impulsos. En estos casos está indicado una ayuda más médica. Otro ejemplo es cuando el paciente lleva a cabo conductas autolesivas mientras habla con el terapeuta. Éste debe entonces imponer límites firmes (por ejemplo, «Quiero que dejes de cortarte ahora mismo y después hablaremos de tus sentimientos, así que aleja ese cuchillo ahora mismo»).

Establecimiento de límites

Algunas conductas son tan inaceptables que deberían ser limitadas por el terapeuta. Entre ellas se cuentan aquellas que traspasan la frontera de la integridad del terapeuta (por ejemplo, amenazarlo e insultarlo). Entre las conductas inaceptables también incluimos las acciones peligrosas que amenazan la vida del paciente o la continuación de la terapia. El establecimiento formal de límites, tal y como describimos aquí, se debe llevar a cabo con una premisa fundamental, que es que el terapeuta sea coherente y firme hasta el final y, si es necesario, detenga la terapia. En el caso de que no pueda hacerlo, debería en todo caso insistir denodadamente en el respeto de los límites, confrontando al paciente con ello y trabajando hacia el cambio. Por otro lado, se recomienda mencionar motivos personales para explicar las razones de la imposición de límites y referirse siempre a la conducta del paciente y no criticar su carácter. No se debe sugerir nunca que el paciente ya debería haber sabido que tal o cual conducta es inaceptable para el terapeuta.

> «Ayer me llamaste porque estabas sufriendo mucho a nivel emocional. Yo mismo te dije que lo hicieses así. Pero la cosa es que estabas bebida y habías tomado muchas benzodiacepinas. Como estabas intoxicada, era imposible razonar contigo. Conversaciones como las de ayer no nos llevan a ningún lado. Así que te pido que no me llames cuando ya estés intoxicada. Me puedes llamar siempre que quieras, pero antes de tomarte las pastillas o beber porque si no, no podemos comunicarnos. Por favor, llámame antes de llegar a ese límite.»

Si el paciente hace caso omiso a estas indicaciones, el terapeuta le repetirá firmemente dónde están los límites.

> «Hace dos semanas hablamos de que había unas condiciones para que me llamases. Te pedí que no me telefoneases después de haber bebido o tomado benzodiacepinas. Pero el miércoles me llamaste y te habías bebido una botella de vino y tomado un montón de pastillas. Te tengo que decir que me enfadé un poco. No me gusta hablar con gente bebida; me gusta hablar contigo, pero no en esa situación. Así que pongamos las cosas claras: llámame siempre que me necesites, siempre que estés en crisis, pero sólo si estás sobria. No me llames si estas intoxicada. Llámame, si quieres, antes de beber o de tomarte las pastillas.»

La tabla 9.3 (basada en una comunicación personal de Young) resume los pasos que se deben seguir para establecer límites. Como se indica, las consecuencias (castigos) sólo se dan después de haber advertido adecuadamente al paciente, de manera que tenga la oportunidad de cambiar su conducta. Además, estas consecuencias deben ser suaves al principio y, si es posible, intrínsecamente relacionadas con la conducta problemática (por ejemplo, si un paciente se empeña en hablar sólo de lo que le interesa, se puede reducir el tiempo de duración de la siguiente sesión). El establecimiento de límites puede provocar una fuerte ira, pero podemos tratarla con las estrategias de colaboración que hemos descrito con anterioridad.

TABLA 9.3. Pasos a seguir en el establecimiento de límites

(1) Explique la regla; use para ello las motivaciones personales.
(2) Repita la regla; muestre un poco sus sentimientos; repita la exposición de motivaciones personales.
(3) Repita el paso 2. Introduzca una advertencia y anuncie cuáles serán las consecuencias.
(4) Repita el paso 3. Ejecute las consecuencias.
(5) Repita el paso 4. Anuncie una consecuencia más severa.
(6) Repita el paso 5. Ejecute la consecuencia más severa.
(7) Anuncie que se va a llevar a cabo una interrupción temporal de la terapia para que el paciente pueda pensar sobre sus acciones.
(8) Ejecute la interrupción de la terapia, de manera que el paciente pueda decidir si desea llevar a cabo una terapia con tales límites.
(9) Anuncie que va a hacer finalizar el tratamiento.
(10) Detenga el tratamiento y refiera el paciente a otro profesional.

Nota: Basado en una comunicación personal de Young.

Técnicas cognitivas

Desvelar esquemas subyacentes (modos). Debido a que los pacientes con TLP tienen una pobre comprensión de sus propias emociones, pensamientos y conductas, una importante parte del tratamiento se dedica a ayudar al paciente a entenderlos. Tener claro qué esquemas subyacentes (o modos) juegan qué papel les ayuda a reducir la confusión y a ganar control sobre su conducta. Llevar un diario de emociones, pensamientos y conductas puede ayudar a detectar los esquemas y modos subyacentes. Es especialmente útil relacionar los esquemas (o modos) subyacentes con el pasado del paciente, de manera que éste pueda ver cómo se desarrollaron y a qué función servían.

Por ejemplo, Natasha aprendió que fue precisamente en un momento en el que se sintió muy perdida y dolida cuando adoptó su presente actitud arrogante y combativa, que viene a decir que nadie la puede herir. El problema es que esa actitud, muchas veces, provoca el que la gente la trate mal, la última cosa que ella desea. Natasha y su terapeuta averiguaron que había adoptado esa actitud de niña para lidiar con las amenazas y los malos tratos físicos de su madre. Si le demostraba a su madre que se sentía herida o que estaba enfadada, ésta respondía con más castigos. Por lo tanto, su solución, en ese momento, fue adoptar permanentemente una actitud arrogante, que le servía, de alguna manera, para mantener su autoestima y responder a su madre. Este análisis histórico le ayudó a entender la función protectora de su esquema, además del hecho de que éste era, en un principio, adaptativo. Sólo gracias a la terapia pudo darse cuenta de que ya de adulta esas reacciones automáticas sólo empeoraban las cosas. Tras hacer este análisis, Natasha se mostró interesada en aprender formas alternativas de manejar las situaciones problemáticas o de amenaza subjetiva.

Combatir el pensamiento dicotómico. Los pacientes con TLP piensan frecuentemente en términos dicotómicos, lo cual sólo hace que provocar emociones extremas, polarizar los conflictos y conducir a una toma de decisiones impulsiva y extremista. Es muy importante que el terapeuta les ayude a cobrar conciencia de este estilo de pensamiento y sus implicaciones negativas, para que aprendan a evaluar las situaciones con ecuanimidad. En este sentido, se pueden llevar a cabo ejercicios estructurados para desarrollar un estilo de pensamiento más adaptativo. Un método consiste en usar ejemplos en una pizarra para ilustrar la diferencia entre el pensamiento extremista (o blanco o negro) y el ecuánime (donde entran los matices). Se describe determinada conducta primero evaluándola con dos ítems (por ejemplo, o buena o mala) y, luego, usando una escala continua con muchas posibilidades entre esos dos extremos. A partir de ahí, se trata de comparar la evaluación dicotómica y la continua en diferente gente, acciones y rasgos de carácter. Si tenemos que llevar a cabo evaluaciones multidimensionales es útil dibujar diferentes continuos para cada dimensión.

Tarjetas educativas. A los pacientes con TLP les puede resultar difícil aplicar lo que han aprendido en la terapia a su vida cotidiana. Cuando se les activa un esquema, parece que todo su pensamiento y sus sentimientos están determinados por él y, entonces, tienen muchas dificultades para adoptar otra perspectiva. Las tarjetas educativas pueden ser muy útiles para ayudarles a recordar esas opciones alternativas y luchar contra los esquemas patógenos en los momentos de crisis. Normalmente, describimos en una cara de la tarjeta el razonamiento patógeno y el esquema (modo) activado, de manera que el paciente pueda entender que sus emociones están causadas por la activación de tal esquema. En la otra cara, se describe la visión sana junto con una manera funcional de manejar los problemas. Muchos pacientes llevan siempre encima sus tarjetas como medida de seguridad, no sólo por su contenido, sino porque así se sienten permanentemente en contacto con la terapia y su terapeuta.

Técnicas experienciales

Reescritura del pasado y 'role play' histórico. Una poderosa técnica para conseguir cambiar los recuerdos infantiles dolorosos en cuanto esquema es la reescritura imaginaria del pasado (Weertman y Arnzt, 2001). Existen trabajos que describen este procedimiento con mucho detalle (Arntz y Weertman, 1999; Smucker y otros, 1995). Por lo general, lo que se hace es tomar un sentimiento negativo presente como puente mnemónico para llegar a un recuerdo infantil que el paciente imagina con los ojos cerrados (si le es posible). Cuando el paciente puede ver claramente en su mente el recuerdo infantil y se activan los sentimientos negativos correspondientes, el terapeuta (u otra persona sana y segura) entra en la escena e interviene. Los pacientes con TLP, al menos al inicio del tratamiento, no tienen la suficiente fuerza para intervenir por ellos mismos, así que tiene que ser otra persona la que haga de interventor. El interventor detiene los malos tratos, rescata al niño y le pregunta qué necesita. Se debe prestar especial atención a la corrección de las interpretaciones negativas y a calmarlo, de manera que se le puede hacer imaginar que se le acaricia, puesto que ésta es la mejor forma de transmitir amor a un niño. Si el paciente no acepta este contacto físico, no se le debe forzar nunca a ello.

En el siguiente ejemplo, Natasha imagina un recuerdo infantil amenazador con su madre.

NATASHA: No puedo hacer nada. Tengo mucho miedo.

TERAPEUTA: ¿Te sientes mejor cuando yo estoy ahí? ¿Puedes imaginarme allí contigo?

NATASHA: Sí; le veo a mi lado.

TERAPEUTA: Muy bien. Ahora voy a hablarle a la pequeña Natasha... ¿Qué necesitas? ¿Hay algo que yo pueda hacer?

NATASHA: (*No dice nada; parece muy asustada.*)

TERAPEUTA: Muy bien. Escucha lo que le voy a decir a tu madre entonces... Señora, ¿es usted la madre de Natasha, verdad? Tengo que decirle que lo que le hace a su hija es terrible. Le han robado la bicicleta; no ha podido hacer nada y, además, está muy triste por ello. Eso es normal. Todo el mundo se siente mal si le roban algo que aprecia mucho. Y lo que es peor, usted la culpa a ella de que le hayan robado. Le dice que es una niña mala, que sólo causa problemas y que por su culpa usted está tan mal. Eso no es cierto; Natasha es una buena chica. Usted lo que debería hacer es consolarla porque es su madre y ella lo está pasando mal. Si usted no es capaz de darle lo que necesita (que es lo que necesita cualquier niño), tiene un problema. Pero ella no tiene la culpa de eso; el problema lo tiene usted como madre. Así que ¡deje de acusarla y pídale perdón!

Natasha, mira a tu madre y dime qué está haciendo. ¿Qué dice?

NATASHA: Parece sorprendida... No está acostumbrada a que le hablen así... no sabe qué decir... bueno, ahora me dice que debiera aprender la lección y no dejar la bici descuidada...

TERAPEUTA: Escúcheme, señora. Eso no tiene sentido. Natasha no es la culpable de que le hayan robado la bici, sino los ladrones. Además, se siente triste. Si usted no puede consolarla, déjelo estar ya y salga de la habitación...

¿Qué es lo que hace tu madre ahora, Natasha?

NATASHA: Ha dejado de hablar y se ha sentado en su butacón...

TERAPEUTA: ¿Cómo se siente la pequeña Natasha?

NATASHA: Tengo miedo de que mamá me castigue cuando usted se vaya...

TERAPEUTA: Si hay algo más que yo pueda hacer, dímelo. ¡Pídemelo!

NATASHA: Quiero que se quede y cuide de mi.

TERAPEUTA: Eso está bien. Me quedaré aquí contigo y te cuidaré... ¿Qué necesitas ahora?

NATASHA: Que cuide no sólo de mí, sino también de mi hermana...

TERAPEUTA: ¿Qué hago? ¿Le digo a tu madre que se vaya u os llevo conmigo?

NATASHA: Llévenos con usted.

TERAPEUTA: Muy bien. Nos iremos los tres. Imagina que te llevas tus muñecas y todo lo demás y que nos vamos de aquí junto con tu hermana. Conducimos hasta mi casa. Entramos en ella y os sentáis. ¿Queréis tomar algo?

NATASHA: Estoy triste ahora. (*Empieza a llorar.*)

TERAPEUTA: Eso está bien. ¿Quieres que te consuele? Déjame que te abrace... ¿puedes sentirlo?

NATASHA: (*Llora todavía más.*)

Véase como el terapeuta adopta diferentes roles, interviene y protege al niño, corrigiendo sus ideas disfuncionales acerca de la culpa y la maldad y consolándole para que experimente que el dolor puede ser procesado emocionalmente. El terapeuta actúa, en otras palabras, como lo haría un buen padre. El propósito de la reescritura no es distorsionar o reemplazar la realidad de la infancia del paciente (generalmente mala), sino proporcionar experiencias correctivas y evocar sentimientos evitados o suprimidos. Este tipo de imaginería suele ser controvertida porque el paciente empieza a darse cuenta que ha vivido experiencias desagradables innecesarias y que ha recibido injustamente malos tratos y, por eso, frecuentemente, necesita un periodo de duelo. El terapeuta debe entonces dejarle pasar por este periodo, equilibrando el presente con este procesamiento de recuerdos infantiles. Entonces, se pueden usar los ejercicios de *role play* (escenificaciones) de situaciones de la niñez, en lugar de la imaginería. Sin embargo, para aquellas conductas que resultarían extrañas o poco éticas en un *role play* (por ejemplo, poner al niño en el regazo), se puede seguir usando la imaginería.

La técnica de la silla vacía. Los cuidadores punitivos, las personas amenazadoras del presente o el modo punitivo en general, pueden ser representados simbólicamente sobre una silla vacía. Así, el terapeuta y/o el paciente pueden expresar libremente sus sentimientos y opiniones hacia todo ello. Muchas veces, lo mejor es que sea el terapeuta quien modele primero esta técnica ya que los pacientes pueden estar demasiado asustados para expresarse. Natasha sufría frecuentemente del esquema punitivo aprendido de su madre; así que el terapeuta puso este modo (en este caso, a su agresiva madre) en una silla vacía para contradecirla firmemente, indicarle que se detuviese y alejarla. Más tarde, el terapeuta ayudó a Natasha a hacerlo por sí misma, cada vez que se le activaba ese modo.

Experimentar emociones. Los pacientes con TLP deben aprender a tolerar la experiencia de fuertes emociones negativas sin intentar evitarla o escapar de ella. Las técnicas de exposición desarrolladas por la terapia conductual son de mucha ayuda. Entre ellas se pueden destacar los ejercicios de escritura, como escribir una carta al antiguo maltratador (sin enviarla) en la que se expresan todos los sentimientos. Los pacientes con TLP tienen miedo de experimentar ira porque temen perder el control y ponerse agresivos. Como paso intermedio, el terapeuta puede modelar verbalmente la expresión de la ira aporreando un almohadón y pidiendo al paciente que se le una. Esto reduce el miedo a la ira. Después, se le puede pedir al paciente que intente experimentar la ira sin llevar a cabo ninguna acción conductual. El paciente, entonces, descubre que puede soportar altos niveles de emoción sin tener que expresarse conductualmente y sin perder el control.

Técnicas conductuales

'Role plays'. La técnica del *role play* o escenificación es útil para enseñar a los pacientes habilidades interpersonales, como la asertividad o a expresar sentimientos hacia otra persona. Normalmente, el terapeuta empieza por modelar la expresión de la asertividad porque muchos pacientes con TLP se sienten muy confusos acerca de esa tarea. A veces, los pacientes se niegan en rotundo a practicar esas habilidades, pero hemos visto que el modelamiento les acaba por convencer.

Experimentar con nueva conducta. Una importante forma de reforzar los nuevos esquemas y estrategias es pedir al paciente que se comporte según los mismos. A veces, el paciente siente que todavía no ha integrado las nuevas conductas, pero la práctica le ayuda. Después de un tiempo de tratamiento, Natasha empezó a dejar de lado su actitud hostil para mostrar a la gente su propio dolor emocional e incertidumbre. Con cierta sorpresa, halló que la mayor parte de la gente reaccionaba bien. Después de divorciarse de su agresivo marido, intentó comportarse de otra manera a la hora de salir con otros hombres. Así averiguó que había personas más sensibles y menos amenazadoras que sus antiguas parejas que también podían interesarse por ella.

Intervenciones farmacológicas

Los pacientes con TPL suelen tener muy poca tolerancia a las sensaciones negativas y, sin embargo, no dejan de experimentar emociones desagradables. Por eso, se les prescribe medicación con mucha frecuencia. Algunos estudios han indicado que los antidepresivos pueden ser eficaces a la hora de reducir sentimientos depresivos, y los neurolépticos, para reducir la ansiedad, la ira, los problemas de impulsividad y los síntomas psicóticos (para más información sobre el tema, véanse Dimeff, McDavid y Linehan, 1999 y Soloff, 1994). Debe destacarse que los efectos de estos tratamientos han sido generalmente modestos, aunque se han evaluado en periodos cortos. En general se considera que la farmacoterapia es sólo una ayuda a la psicoterapia, no un tratamiento en sí misma. Además, la prescripción de medicamentos a esta población conlleva riesgos específicos: efectos paradójicos, dependencias, abusos y uso para objetivos suicidas. Esto es especialmente cierto en el caso de las benzodiacepinas, que se suelen prescribir cuando los pacientes experimentan estados agudos de ansiedad. A menudo, el miedo está alimentado por unos impulsos agresivos que el paciente cree no poder controlar. El uso de benzodiacepinas puede conducir a una reducción del miedo a expresar esos impulsos, de manera similar al alcohol (véase Cowdry y Gardner, 1988; Gardner y Cowdry, 1985, para la evidencia empírica). Frecuentemente, hemos observado que, tras el uso de benzodiacepinas, se produce una intensificación de una crisis emocional que puede conducir a la autolesión o a un intento de suicidio. El terapeuta debe explicarle al paciente este efecto «paradójico» y pedirle que deje de tomar las benzodiacepinas y el alcohol. Cuando los niveles de ansiedad parecen ser intolerables, los neurolépticos (por períodos cortos) pueden ser una alternativa más segura. Muchas veces, sin embargo, el contacto personal es la mejor opción. El uso continuado de neurolépticos puede reducir los síntomas del TLP, pero hará imposible un tratamiento profundo, por lo cual no es recomendable.

Mantenimiento del progreso

Debido a que el paciente se puede asustar ante la finalización del tratamiento, debemos preparar muy bien el cierre del mismo. Se deben clarificar adecuadamente los sentimientos y las creencias negativas acerca del final de la terapia. Además, se debe confeccionar una lista de los problemas que todavía no se hayan solucionado y las opciones disponibles para tratarlos. Se recomienda ir reduciendo la frecuencia de las sesiones gradualmente, de manera que el paciente pueda averiguar cómo es la vida sin la ayuda regular del terapeuta. Una vez acabada la terapia, puede ser útil mantener algunas sesiones de supervisión a lo largo del tiempo, para comprobar que el paciente no recae. Algunos terapeutas recomiendan un cierre abierto, en el sentido de que el paciente pueda siempre volver para reanudar la terapia, si así lo necesita. Paradójicamente, esta posibilidad puede hacer que la recaída sea menos probable porque el paciente sabe que tiene una especie de red de seguridad. Por otro lado, como estos pacientes suelen escoger parejas no muy recomendables, las mejoras que trae el tratamiento pueden conllevar problemas de relación. En esos casos, se puede referir al paciente a una terapia de pareja, de manera que pueda adaptarse a la nueva situación. Muchas veces, el paciente decide dejar a su pareja. Entonces, el terapeuta puede ayudar al paciente a escoger a una persona más fiable. Algunos profesionales afirman que los pacientes que rehacen sus vidas con parejas emocionalmente estables, tienen menos probabilidad de sufrir recaídas.

De forma parecida, se puede animar al paciente a descubrir y desarrollar sus verdaderos intereses y capacidades. Esto puede traer novedades en cuanto a estudios, trabajo, aficiones y amistades. En los últimos estadios de la terapia, puede ser importante crear, en el sentido más amplio, un contexto sano en la vida del paciente. Existe el riesgo de que el paciente quiera finalizar el tratamiento demasiado pronto, afirmando que ya no tiene problemas, cuando el terapeuta sabe que todavía no se han tratado temas cruciales. En esos casos, se recomienda confrontar empáticamente esta estrategia de distanciamiento, pero en el caso de que ello no dé frutos, lo mejor es ofrecer la posibilidad de seguir con el tratamiento cuando el paciente lo necesite.

Conclusión

Aunque los pacientes con TLP presentan una notable inestabilidad en muchos aspectos de su funcionamiento, una intervención cognitiva intensa y dirigida puede reducir su inestabilidad, modificar su desconfianza interpersonal y alterar los esquemas nucleares subyacentes, entre los que se incluyen aspectos relacionados con los traumas que tan frecuentemente han padecido.

Agradecimientos

Quiero expresar mi agradecimiento a Tim Beck, Christine Padesky y Jeffrey Young por lo que me han enseñado durante sus talleres y en las charlas que he tenido con ellos. También quiero dar las gracias a Frank Yeomans por sus ideas, aunque procedemos de orientaciones teóricas diferentes. Las ideas y métodos que se describen en este capítulo son fruto de la ayuda de muchos colegas y clientes. Nuestra investigación sobre el TLP ha contado con la ayuda gubernamental OG 97-001 de la Dutch Fund for Developmental Medicine.

CAPÍTULO 10

EL TRASTORNO HISTRIÓNICO DE LA PERSONALIDAD

El trastorno histriónico de la personalidad (THP) se caracteriza por una excesiva emocionalidad y tendencia a llamar la atención. Los individuos con este trastorno están muy preocupados por su atractivo físico, son abiertamente seductores y se sienten muy cómodos siendo el centro de atención. Su emocionalidad parece ser inapropiadamente exagerada, lábil y superficial y tienden a tener un estilo de hablar globalizador y llamativo. Su conducta es demasiado intensa y reaccionan ante nada. Emocionalmente son excitables y necesitan constante estimulación; frecuentemente responden a pequeños estímulos con erupciones de ira y pataletas irracionales. Sus relaciones interpersonales se ven perjudicadas por ello. Los demás los ven como superficiales, exigentes y demasiado dependientes.

Las relaciones interpersonales del histriónico tienden a ser tormentosas e insatisfactorias. Estos individuos dependen de la atención que les brinden las otras personas, por lo cual son especialmente vulnerables a la angustia de separación, y es posible que recurran al tratamiento cuando los ha perturbado intensamente la ruptura de una relación. En su estudio de 32 pacientes internados en un hospital psiquiátrico con el diagnóstico de personalidad histriónica, Slavney y McHugh (1974) encontraron que casi el 80 % de ellos debieron ser hospitalizados por su tendencia suicida, su depresión o ambas cosas. La mayoría de los intentos suicidas no habían puesto en peligro la vida y se habían producido después de un acceso de cólera o una decepción. Los trastornos por ansiedad tales como el trastorno de pánico, con agorafobia y sin ella, son también comunes entre los problemas presentados. De hecho, existen estudios que demuestran que el THP es uno de los trastornos de personalidad más comunes entre la población con trastornos de pánico (Diaferia y otros, 1993; Sciuto y otros, 1991). Otras complicaciones frecuentes del THP que pueden llevar a que se busque tratamiento son el alcoholismo y otros abusos de sustancias tóxicas, el trastorno de conversión, el trastorno por somatización y la psicosis reactiva breve.

Reseña histórica

El término «trastorno histriónico de la personalidad» fue acuñado recientemente. Durante la mayor parte de la historia, este trastorno era conocido como trastorno histérico de la personalidad, un concepto que tiene más de 4.000 años de vida (resumido por Vieth, 1963). Este término es polémico, y el concepto mismo ha sido rechazado por las feministas como un rótulo sexista, destinado a descartar los problemas de las mujeres cuando no son fáciles de explicar, o cuando plantean exigencias que parecen excesivas.

Se ha aplicado el término «histeria» a fenómenos tan diversos como la pérdida transitoria del control resultante de un estrés abrumador, el trastorno de conversión, el síndrome de Briquet, un trastorno o un rasgo de la personalidad. Lo más común es que se diga que son histéricas las pacientes difíciles de tratar. En la reseña que realizan de este fenómeno, Temoshok y Heller (1983) dicen que la «histeria», en su carácter de rótulo diagnóstico, «es tan vago, lábil, difuso, inestable y superficialmente atractivo como los diversos fenómenos con los que se lo ha asociado» (pág. 204). Con la finalidad de reducir la confusión (y las posibles connotaciones sexistas) en la utilización del término «histeria», la American Psychiatric Association (1980) no lo incluyó en el DSM-III. En su lugar, se han designado las categorías separadas del trastorno por somatización, trastorno de conversión, hipocondría, los trastornos disociativos y el trastorno histriónico de la personalidad.

El término «histeria» comenzó con la idea egipcia de que si el útero no estaba bien sujeto vagaba por el cuerpo, se alojaba en un lugar y producía en él los síntomas correspondientes. El tratamiento consistía en atraer de nuevo al útero a su posición normal mediante la aplicación en la vagina de perfumes o sustancias preciosas, a veces en forma de sahumerios, o expulsándolo de su localización falsa mediante la inhalación o la aplicación de sustancias malolientes, fétidas, en el lugar del malestar. Los hipocráticos también solían prescribir casarse y tener hijos, cosa que los médicos han recomendado desde entonces a sus pacientes histéricas.

Aunque la teoría psicoanalítica se originó en la explicación por Freud de los síntomas histéricos, su interés primordial era la histeria de conversión, y no los rasgos de la personalidad histérica. Las primeras descripciones psicodinámicas hicieron hincapié en los conflictos edípicos no resueltos como determinantes primarios de este trastorno, mientras se consideraba que la represión era la defensa más característica (Abraham, 1949; Fenichel, 1945; W. Reich, 1972). Sobre la base de la creencia de que la descarga de las emociones sexuales reprimidas producía la cura, el primer tratamiento analítico de la histeria consistía en sugestión e hipnosis para facilitar la abreacción. Más tarde, Freud modificó su método, incluyendo el empleo de la asociación libre y la interpretación de la resistencia y la transferencia a fin de desarrollar *insight* y abreacción. Aunque el tratamiento de la histeria ha sido caracterizado como la base del método psicoanalítico, son pocos los estudios empíricos controlados que se han publicado al respecto.

Marmor (1953) cuestionó el pensamiento psicoanalítico clásico, al plantear que la fijación involucrada en la personalidad histérica es de una naturaleza primariamente oral, y no fálica, lo que sugiere una perturbación más profunda y primitiva. Varios pensadores psicoanalíticos han llegado a una transacción entre estas dos concepciones, proponiendo una diferenciación dentro del espectro de la personalidad histérica (Baumbacher y Amini, 1980-1981; Easser y Lesser, 1965; Kernberg, 1975; Zetzel, 1968).

Investigación y datos empíricos

Un estudio epidemiológico del THP halló que éste tenía una prevalencia del 2,1 % en la población general, que podía ser diagnosticado con fiabilidad y que era un constructo válido (Nestadt y otros, 1990). A pesar de la impresión clínica de que la mayoría de individuos con THP son mujeres, este estudio encontró que hombres y mujeres estaban afectados casi por igual.

En estudios factoriales, Lazare, Klerman y Armor (1966, 1970) encontraron que cuatro de siete rasgos clásicamente asociados con la personalidad histérica se agrupan tal como se había esperado. Los rasgos de la emocionalidad, el exhibicionismo, el egocentrismo y la provocación sexual aparecían fuertemente asociados entre sí, mientras que los rasgos de la sugestionabilidad y el temor a la sexualidad no formaban grupos. La dependencia quedaba en una posición intermedia.

Ya en el DSM-I (American Psychiatric Association, 1952), se había trazado una discriminación entre los que se consideraron aspectos neuróticos de la histeria (reacción de conversión) y los aspectos de la personalidad histérica (entonces denominada personalidad emocionalmente inestable). El DSM-II (American Psychiatric Association, 1968) diferenciaba la neurosis histérica (que incluía la reacción de conversión y la reacción disociativa) de la personalidad histérica.

Ya ha habido alguna investigación sobre los rasgos específicos de la labilidad emocional. En una serie de estudios, Slavney y sus colaboradores demostraron que la variabilidad del estado de ánimo estaba positivamente correlacionada con la autocalificación en rasgos histéricos de hombres y mujeres normales, y que los pacientes a los que se había diagnosticado un THP presentaban una mayor variabilidad del estado de ánimo que los pacientes de control (Rabins y Slavney, 1979; Slavney, Breitner y Rabins, 1977; Slavney y Rich, 1980). Standage, Bilsbury, Jain y Smith (1984) encontraron que las mujeres con el diagnóstico de THP presentaban una capacidad deteriorada para percibir y evaluar su propia conducta tal como era percibida y evaluada por otros miembros de la misma cultura.

Las relaciones entre el THP, la personalidad antisocial y el trastorno por somatización han sido estudiadas por Lilienfeld, Van Valkenburg, Larntz y Akiskal (1986). Estos autores encontraron que tales trastornos se superponen considerablemente en los individuos; la relación más fuerte es la que existe entre el THP y la personalidad antisocial. Además, el THP modera la relación entre la personalidad antisocial y el trastorno por somatización, pues esa relación sólo resultó significativa en individuos sin THP. En razón de esto, hay autores que sugieren la posibilidad de que los individuos histriónicos desarrollen una personalidad antisocial si son varones y un trastorno por somatización si son mujeres. Algunos autores han hipotetizado que las características propias de las personalidades psicopáticas se manifiestan en diferentes trastornos de la personalidad según el sexo, tales como el THP y el trastorno antisocial de la personalidad. Los datos al respecto de esta hipótesis han sido inconsistentes y se hallan resumidos en Cale y Lilienfeld (2002).

El THP es el único trastorno de la personalidad explícitamente vinculado a la apariencia física de una persona. Un interesante estudio de Robert Bornstein (1999) encontró que las mujeres con THP eran consideradas más atractivas que las mujeres con otros trastornos e incluso que las que no presentan ningún trastorno. Sin embargo, esta relación no se ha hallado entre hombres.

En un estudio de 1992 (Nakao y otros) que usaba la Global Assessment of Functioning Scale, se halló que aunque los pacientes con trastornos de la personalidad muestran mayores problemas funcionales que los que no tienen problemas de personalidad, el THP fue uno de los trastornos de la personalidad con menor disfuncionalidad general. En un estudio sobre los ambientes familiares de muestras no clínicas de sujetos con personalidad histriónica (Baker, Capron y Azorlosa, 1996), los histriónicos fueron caracterizados como poseedores de familias de origen con control alto, orientación intelectual-cultural y baja cohesión. Esto coincidía con las teorías de Millon (1996) acerca de las familias de histriónicos. La baja cohesión que reflejaban sus puntuaciones reflejaban la hipótesis de este autor de que los padres de esas familias están dedicados sólo a ellos mismos.

Se ha escrito muy poco acerca del tratamiento de la histeria desde un punto de vista conductual y la mayor parte de la poca investigación conductual se ha limitado al tratamiento de los trastornos de conversión y somatización (resumidos por Bird, 1979). Más restringida aún es la literatura sobre el tratamiento conductual específico del paciente con THP. En dos estudios no controlados sobre tratamientos conductuales (o en parte conductuales) de la histeria se encontraron resultados bastante positivos (Kass, Silvers y Abrams, 1972; Woolson y Swanson, 1972). Aunque se ha visto repetidamente que los clientes con trastornos de la personalidad ofrecen pocos resultados con tratamientos estandarizados, en algunas ocasiones se ha encontrado exactamente lo contrario con el THP. Tanto Turner (1987) como Chambless, Renneberg, Goldstein y Gracely (1992) hallaron que en tratamientos cognitivo-conductuales debidamente estructurados para los trastornos de ansiedad, los sujetos con THP mostraban mejores respuestas que los demás en medidas de frecuencia del pánico. Se ha hipotetizado que el hecho de centrarse en reetiquetar el afecto es lo que ha dado esos buenos resultados con los pacientes histriónicos.

Diagnóstico diferencial

Como el rótulo diagnóstico lo sugiere, la indicación más fuerte de un THP es una presentación de sí mismo abiertamente dramática, teatral o histriónica. Slavney (1978) pidió a funcionarios y profesores universitarios que ordenaran según su importancia diagnóstica los rasgos característicos de la personalidad histérica. Sus encuestados consideraron que los rasgos más importantes desde el punto de vista del diagnóstico y reconocidos con más seguridad eran la autoteatralización, la búsqueda de atención, la inestabilidad emocional y la intención de seducir. La vanidad, la inmadurez y los síntomas de conversión se consideraron relativamente poco importantes y reconocidos con menos certidumbre.

Ejemplo clínico

Cathy era una mujer de veintiséis años que trabajaba como vendedora en una tienda de moda e inició la terapia por un trastorno por angustia con agorafobia. Vestía de un modo rimbombante y su peinado era muy elaborado y teatral. Impresionaba su aspecto, porque era muy baja (medía menos de un metro y medio) y presentaba un sobrepeso de unos treinta y cuatro kilos. Aun dentro del consultorio y ante la evaluación usó gafas de sol, jugando sin cesar con ellas; se las ponía y sacaba nerviosamente, agitándolas a veces para subrayar una frase. En diversos momentos lloró de modo ruidoso y teatral, sonándose con una gran cantidad de pañuelos de papel. Continuamente pedía ser tranquilizada («¿Me pondré bien?», «¿Podré superar esto?»). Durante la evaluación habló sin parar. Cuando el evaluador la interrumpía con suavidad, ella se disculpaba, riendo y diciendo: «Ya sé que hablo demasiado», pero no dejó de hacerlo en toda la sesión.

Pfohl (1991) revisa algunos criterios diagnósticos que fueron cambiados después en el DSM-IV-TR (American Psychiatric Association, 2000). Los dos criterios «Constantemente busca o exige reaseguramiento, aprobación o elogio» y «Está centrado en sí mismo; sus acciones apuntan a obtener una satisfacción inmediata; no tolera la frustración o la demora de la gratificación» fueron retirados y ya no aparecen en el DSM-IV-TR. Fueron eliminados como criterios no porque esas características no fueran prevalentes en el THP, sino porque aparecen con tal frecuencia en otros trastornos de la personalidad que ya no discriminan. Por otro lado, el DSM-IV-TR añade un criterio que no estaba presente en el DSM-III-R. El criterio «Considera las relaciones como más íntimas de lo que en realidad son» estaba basado en conceptos clásicos de la literatura sobre el tema y permite mantener el mismo número de criterios que en el DSM-III-R.

El paciente con THP ha sido conceptualizado como una caricatura de lo que en nuestra cultura se define como feminidad: es vanidoso, superficial, afectado; es inmaduro, dependiente en exceso y egoísta. Cuando se les pidió que evaluaran los conceptos de «mujer», «hombre», «personalidad histriónica», «personalidad antisocial» y «personalidad compulsiva», utilizando una técnica semántica diferencial, los residentes psiquiátricos y los psiquiatras establecieron implícitamente una conexión más fuerte entre los significados de los conceptos «mujer» y «personalidad histriónica» que entre los conceptos de «hombre» y «personalidad antisocial» o «personalidad compulsiva» (Slavney, 1984).

A nivel clínico, el THP se diagnostica más en mujeres que en hombres y cuando se diagnostica en hombres, viene con frecuencia asociado a la homosexualidad. No obstante, esta diferenciación por sexos podría deberse más a nuestras expectativas que a los hechos reales que se manifiestan en el trastorno. Se ha sugerido que lo más adecuado es verlo como una caricatura de los dos roles sexuales, tanto de la masculinidad extrema como la feminidad extrema (Kolb, 1968; MacKinnon y Michaels, 1971; Malmquist, 1971). Ahora bien una feminidad extrema suele ser diagnosticada como histriónica, mientras que una caricatura de masculinidad (un varón abiertamente «macho», teatral, buscador de sensaciones, egocéntrico, vanidoso) es raramente diagnosticado de THP, aun cuando cumple los criterios (véase tabla 10.1). Por otro lado, tal persona no suele buscar tratamiento y no suele, por tanto, recibir ninguna diagnosis.

Las emociones del individuo histriónico se expresan con intensidad, pero parecen exageradas o poco convincentes, como si el paciente estuviera interpretando un papel teatral. En la evaluación, el clínico puede remitirse a sus propias reacciones como indicadoras de la posibilidad de que esté en presencia de este tipo de trastorno. Si un paciente expresa un malestar extremo, pero el clínico tiene la sensación de observar una interpretación teatral, sin experimentar una verdadera empatía con el cliente, tal vez sea útil que explore la posible existencia de un THP. Estos pacientes son cálidos, encantadores e incluso seductores, pero sus sentimientos parecen carecer de profundidad o autenticidad.

Por ejemplo, en una sesión de terapia grupal, uno de los terapeutas comentó el hecho de que Cathy siempre aparecía con un gran vaso de agua. Cathy respondió: «El agua es lo de menos; miren todas las otras cosas que tengo que llevar conmigo». Entonces tomó teatralmente su bolso y sacó una Biblia, sal, un impermeable, una bolsa de papel y un frasco de medicamento, explicando el uso que tenía que darle a cada uno de esos objetos si sufría una crisis de angustia. Aunque estaba describiendo lo ansiosa que se ponía y afirmaba que de ningún modo podía salir a la calle sin todos esos objetos, en realidad parecía orgullosa de la exhibición de aquel arsenal. Se le veía disfrutar montando el espectáculo.

TABLA 10.1. Criterios diagnósticos del DSM-IV-TR para el trastorno histriónico de la personalidad

Una pauta generalizada de emocionalidad excesiva y búsqueda de atención, que empieza en la adultez temprana y se presenta en diversos contextos, indicada por cinco (o más) de los rasgos siguientes:

(1) Se siente incómodo en las situaciones en las que no es el centro de atención.
(2) La interacción con los demás está frecuentemente caracterizada por una conducta provocativa o seductiva inapropiada.
(3) Expresa las emociones de un modo rápidamente cambiante y superficial.
(4) Usa constantemente su apariencia física para atraer la atención.
(5) Tiene un estilo de lenguaje excesivamente impresionista y falto de detalles.
(6) Muestra una expresividad de las emociones demasiado teatrales y exageradas.
(7) Es muy sugestionable. Por ejemplo, muy influenciable por los demás o las circunstancias.
(8) Considera las relaciones como más íntimas de lo que en realidad son.

Nota: Reproducido con permiso de la American Psychiatric Association (2000, pág 714). *Copyright* 2000 de American Psychiatric Association.

Estos pacientes suelen presentar sus propios síntomas, pensamientos y acciones como si fueran entidades externas impuestas contra su voluntad. Tienden a usar gestos ampulosos y a formular enunciados absolutos, como por ejemplo: «¡Estas cosas siempre me pasan a mí!». Su lenguaje suele ser intenso y dramático, con una gran cantidad de hipérboles. Tienden a emplear frases fuertes y sorprendentes al mismo tiempo, pero después el clínico descubre que no tiene la menor idea de lo que el paciente quiso decir. Los histriónicos emplean una entonación teatral, con gestos y expresiones faciales dramáticos. Suelen vestir de un modo que atrae la atención, con colores brillantes, estilos sorprendentes y provocativos y un exceso de cosméticos y de tinte para el cabello.

Aunque una presentación dramática de sí mismo puede indicar la presencia de un posible THP, un estilo teatral o una manera inusual de vestir no bastan por sí solos para fundar un diagnóstico de este trastorno. Si se pretende que el término no se limite a reemplazar a la palabra «histérico» con todo su carácter tendencioso, los clínicos deben utilizar escrupulosamente todos los criterios diagnósticos del DSM-IV-TR, y no clasificar a un paciente como histriónico sólo sobre la base de indicaciones de que tiene talento teatral (por ejemplo, que un vestido rojo sea un indicativo de que un paciente es histriónico). No obstante, estas características pueden indicar la necesidad de sondear con cuidado en busca de más información útil para llegar al diagnóstico.

Una parte integral del diagnóstico de THP es explorar en profundidad las relaciones interpersonales. Deben obtenerse detalles sobre el inicio de la relación, los hechos ulteriores y la ruptura. Hay que prestar atención a indicaciones tales como una concepción romántica que pronto se frustra, relaciones que tienen un principio idílico y terminan desastrosamente o relaciones tormentosas con finales dramáticos. También hay que obtener información sobre el modo como estos individuos manejan la ira, las peleas y los desacuerdos. El clínico debe pedir ejemplos específicos y buscar signos de estallidos dramáticos, descontrol nervioso y empleo manipulador de la cólera.

Cathy tenía una historia de relaciones tormentosas con los hombres. Cuando era adolescente había estado con un jovencito muy celoso que la seguía sin que ella lo supiera. Esta relación terminó con un ataque con arma blanca, aunque en el momento de iniciar el tratamiento Cathy todavía veía al muchacho de vez en cuando. Poco después de cumplir veinte años, cuando el novio de pronto dejó de llamarla, Cathy conoció a otro muchacho con el que «se casó por despecho». Cuando se le preguntó qué había tenido de bueno ese matrimonio, ella dijo que la pareja era compatible porque «a los dos les gustaba la ropa». La relación había sido muy buena, pero poco después de casados «él empezó a controlarme». No obstante, esta afirmación fue contradicha por descripciones posteriores: la noche anterior a la boda ella le había rogado que no se casaran, ante lo cual él la amenazó con matarla si no lo hacían. Sólo cuando el terapeuta le preguntó detalladamente qué quería decir al referirse a que el hombre la controlaba, Cathy dijo concretamente que era un alcohólico y un jugador compulsivo, que la maltrataba físicamente y que le era infiel. Se habían divorciado al cabo de unos meses.

La mayoría de las personas no están dispuestas a reconocer que presentan muchos de los rasgos negativos del THP, pero preguntándoles a los pacientes cómo tienden a verlos los demás es posible obtener material relevante. Un modo de hacerlo consiste en examinar las relaciones anteriores que no se desarrollaron bien, indagando de qué se quejaban las otras personas. Con cualquier paciente hay que tratar de recoger detalles sobre las ideas, amenazas e intentos de suicidio, para determinar si existe en ese momento algún riesgo al respecto. Con un paciente potencialmente histriónico, esta información es también útil para determinar si hay una característica teatral o manipulativa en las amenazas o intentos del presente. También puede ser útil pedir detalles sobre los tipos de actividades con los que el paciente disfruta más, para ver si le gusta especialmente ser el centro de atención o si busca procurarse actividad y excitación.

En los pacientes con THP también se pueden encontrar periodos hipomaniacos, cosa que también sucede con pacientes con los trastornos ciclotímicos y bipolar, propios del Eje I. Millon (1996) describe una urgencia, intensidad e hiperactividad de esa fase hipomaníaca que no es típica del paciente histriónico. Aunque la conducta del paciente histriónico puede ser ocasionalmente inapropiada, el histriónico generalmente ha adquirido un nivel de habilidades sociales razonable y puede experimentar cierta hipomanía sin una interferencia seria con su rutina social y su funcionamiento ocupacional, mientras que los periodos hipomaníacos del paciente ciclotímico son mucho más desbaratadores.

Es muy posible que exista un solapamiento entre el trastorno histriónico y otros trastornos de la personalidad. Pueden coexistir múltiples dimensiones. Ambos pacientes, histriónicos y narcisistas, desean ser el centro de atención. Sin embargo, los histriónicos están más dispuestos a actuar de manera subordinada para atraer la atención, mientras que los narcisistas sacrificarán esa atención para mantener su superioridad. Ambos, pacientes con trastorno de personalidad límite e histriónicos, muestran gran labilidad y teatralidad emocional; sin embargo, los límite tienen mucha más probabilidad de mostrar conducta autodestructiva y gran malestar con afectividad muy acentuada.

Conceptualización

Shapiro (1965) escribió que el estilo cognitivo general del histérico es global, difuso y basado en impresiones con independencia del contenido. Entre los teóricos de la terapia cognitiva y conductual, Beck (1976) ha realizado una conceptualización cognitiva de la histeria, pero más relacionada con la histeria de conversión que con el THP. Millon (1996) presentó respecto de este trastorno una teoría del aprendizaje biosocial, según la cual el THP concuerda con la pauta de la personalidad activo-dependiente. La figura 10.1 describe gráficamente la conceptualización cognitivo-conductual del THP combinando algunas de las ideas de Millon y Shapiro con la teoría cognitiva de Beck.

Uno de los supuestos subyacentes del individuo con THP es «Yo soy inadecuado e incapaz de manejar la vida por mí mismo». Otros trastornos pueden basarse en un supuesto análogo, pero es el modo como el sujeto se encuentra con esta creencia lo que distingue específicamente al THP. Por ejemplo, los depresivos que tienen esta creencia básica hacen hincapié en los aspectos negativos de sí mismos: se sienten indignos y desamparados. Los sujetos con un trastorno de la personalidad por dependencia optan por subrayar su desamparo y esperan pasivamente que alguien se haga cargo de ellos. Las personas histriónicas tienden a asumir un enfoque más pragmático, sin dejar nada al azar. Llegan a la conclusión de que puesto que son incapaces de cuidarse por sí mismas, necesitan

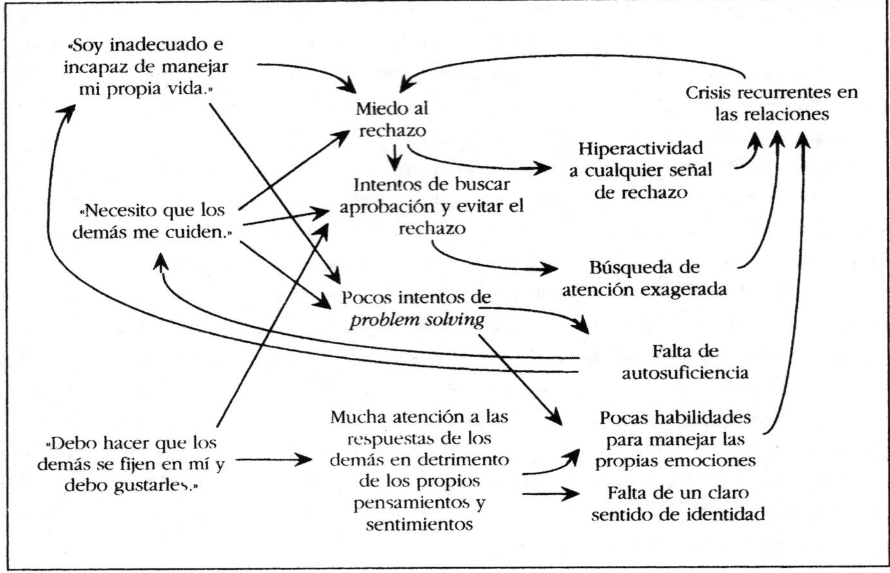

FIGURA 10.1. Modelo cognitivo del trastorno histriónico de la personalidad.

encontrar el modo de que otros las cuiden. Entonces emprenden activamente la búsqueda de atención y aprobación, para asegurar que los demás satisfagan sus necesidades.

Como considera que las otras personas son esenciales para su supervivencia en el mundo, el paciente histriónico tiende también a tener la creencia básica de que es necesario que todos lo amen por lo que hace. Esto genera un fuerte temor al rechazo. Incluso la idea de que el rechazo es posible resulta extremadamente amenazadora, pues le recuerda al histriónico que su posición en el mundo es muy débil. Toda indicación de rechazo es devastadora, incluso aunque la persona que rechaza en realidad no sea importante para el paciente. Como se siente inadecuada, pero se desespera por obtener la aprobación como su única posibilidad de salvación, la persona con un THP no puede relajarse ni dejar al azar el logro de ese objetivo. En lugar de ello, siente una constante presión que le lleva a atraer la atención con los medios que mejor ha aprendido, y que a menudo consisten en asumir un extremo del estereotipo de su rol sexual. Los histriónicos de sexo femenino (así como algunos varones) parecen haber sido recompensados desde edad temprana por ser bellos, por su atractivo físico y su encanto, más que por su capacidad o por algún esfuerzo que exigiera pensamiento y planificación sistemáticos. Los histriónicos varones «machos» han aprendido a interpretar un rol masculino extremo, pues se les recompensaba por la virilidad, la rudeza y el poder, más que por su capacidad real o por la aptitud para resolver problemas. Es entonces comprensible que los histriónicos varones y mujeres aprendan a concentrarse en el desempeño de roles y la «interpretación teatral» para otros.

Los padres de Cathy se divorciaron cuando ella era todavía un bebé, tras lo cual su padre se mudó a Nueva York y entró en el negocio del espectáculo. De niña ella lo veía una vez al año; sentía claramente que tenía que competir con todos esos interesantes amigos del teatro y con «todas las mujeres» que rodeaban al padre. El hombre siempre había querido que ella fuera «la niñita perfecta»; a Cathy la había preocupado constantemente la posibilidad de defraudarle.

En el examen de un caso de THP, Turkat y Maisto (1985) formularon los problemas de estos pacientes como «una necesidad excesiva de atención, e incapacidad para aplicar las habilidades sociales apropiadas a fin de lograr esa atención de los otros» (pág. 530). De modo que aunque la aprobación de los demás es la meta primaria, estos individuos no han aprendido métodos eficaces para obtenerla. En lugar de aprender a observar y analizar las reacciones de otras personas, y de encontrar planes sistemáticos para agradarles o impresionarles, el histriónico ha sido más frecuentemente recompensado por la interpretación global de ciertos roles, de modo que sólo aprende a mostrarse de esa manera. La lucha por agradar a los demás no es necesariamente disfuncional en y por sí misma. Pero las personas histriónicas quedan tan enredadas en esta estrategia que van mucho más allá de lo que es realmente eficaz. Arrastradas por la teatralidad y el deseo de llamar la atención, pierden de vista la meta real y llegan a perseguir la estimulación y el dramatismo por sí mismos.

Las personas con THP se ven a sí mismas como sociables, amistosas y agradables. De hecho, al principio se las suele percibir como encantadoras. No obstante, a medida que la relación se prolonga, el encanto va desapareciendo, y poco a poco se las ve como abiertamente exigentes y necesitadas de un apoyo constante. Dado que ser directos implica el riesgo de rechazo, frecuentemente usan enfoques indirectos como la manipulación, pero si sus métodos sutiles fracasan, pronto llegan las amenazas, coerciones, estallidos de ira y las amenazas de suicidio.

A los histriónicos les importa tanto obtener aprobación externa que aprenden a valorar los hechos externos más que su propia experiencia interna. Con una atención tan débil a la propia vida interior pierden todo sentido claro de su identidad independiente y se ven a sí mismos fundamentalmente en relación con otros. De hecho, es posible que sientan por completo extraña e incómoda su propia experiencia interna; a veces evitan activamente el autoconocimiento porque no saben cómo enfrentarse a él. Tienen una sensación vaga de la naturaleza superficial de sus sentimientos, lo cual puede inducirles a apartarse aún más de una verdadera intimidad con otro ser humano, por miedo a ser descubiertos. Como han prestado poca atención a sus propios recursos internos, cuando una relación exige una cierta profundidad no tienen la menor idea de cómo responder. De modo que sus relaciones tienden a ser muy superficiales, planas y basadas en la representación de un papel.

La cognición del THP es global y carente de detalles. Conduce a un sentido del yo basado en impresiones, más que en características y logros específicos. Si uno no ve las propias acciones y sentimientos de una forma detallada, es difícil que tenga una impresión realista de sí mismo. Además, como según la terapia cognitiva los pensamientos ejercen una fuerte influencia sobre las emociones, se sigue que los pensamientos globales y exagerados llevan a emociones también exageradas y globales. Estas emociones globales pueden ser muy intensas y lábiles; los pacientes histriónicos se dejan arrastrar por el afecto aun cuando no se sientan totalmente conectados consigo mismos. Como no disponen de una integración cognitiva compleja, esas emociones indiferenciadas pueden ser muy difíciles de controlar, lo cual deja al sujeto a merced de estallidos y explosiones.

El estilo de pensamiento característico del paciente histriónico genera varias de las distorsiones cognitivas definidas por J. Beck (1995), especialmente el pensamiento dicotómico. El paciente histriónico reacciona intensamente y llega a conclusiones precipitadas y extremas, tanto positivas como negativas. Así, una persona es vista inmediatamente como maravillosa, mientras que a otra se la considera horrible. En razón de la intensidad de sus emociones y de la falta de atención al detalle y la lógica, los pacientes histriónicos son también proclives a la distorsión en el sentido de una generalización excesiva. Si se los rechaza una vez, infieren dramáticamente que se los ha rechazado siempre y siempre serán rechazados. Pero, a diferencia de los depresivos, pueden ser también extremistas en sus conclusiones positivas sobre las personas y las relaciones, y no es difícil que oscilen entre ambos polos. También padecen la distorsión del razonamiento emocional. Es decir, toman sus emociones como prueba de la verdad. El individuo histriónico tiende a suponer que si se siente inadecuado, lo es realmente; que si se siente estúpido, debe ser estúpido.

Enfoque de tratamiento

Obviamente, en el curso del trabajo con situaciones problemáticas específicas es útil toda la gama de técnicas cognitivo-conductuales (descritas en J. Beck, 1995). Según sean las metas del paciente, es útil utilizar diversas técnicas, incluso la puntualización y el cuestionamiento de los pensamientos automáticos, la realización de experimentos conductuales para poner a prueba esos pensamientos, la programación de la actividad y el entrenamiento en relajación, solución de problemas y asertividad. Esta conceptualización del THP sugiere una estrategia de tratamiento que integra trabajar la conducta interpersonal del paciente y su estilo de pensamiento y llevar a cabo los cambios necesarios para conseguir los objetivos inmediatos del paciente. Finalmente, para que los cambios sean más o menos permanentes habrá que cuestionar los supuestos subyacentes «Soy inadecuado e incapaz de manejar mi vida por mí mismo» y «Necesito ser amado (por todos y siempre)».

Estrategia de colaboración

Los estilos de pensamiento del paciente histriónico y del terapeuta cognitivo pueden entrar en conflicto, lo cual, al principio, dificultará el tratamiento. Sin embargo, si se van resolviendo estas diferencias, los cambios cognitivos promovidos por la terapia podrán paliar las dificultades emocionales del paciente. El primer reto de la terapia cognitiva con el paciente histriónico es mantener un esfuerzo consistente y constante y ser suficientemente flexible para capacitar al paciente a que acepte un enfoque que es, inicialmente, muy antinatural para él. La naturaleza sistemática y de *problem solving* de la terapia cognitiva expone al paciente histriónico a una nueva manera de percibir y procesar las experiencias. Por lo tanto, el proceso de aprendizaje de la terapia cognitiva es más que un medio para un fin; las habilidades adquiridas al participar activamente en la terapia pueden constituir la parte más significativa del tratamiento.

Al menos al principio de la terapia, es probable que el paciente vea al terapeuta como a un salvador omnipotente que hará que todo marche mejor. Esto puede hacerle sentir mejor, pero interferirá gravemente en el tratamiento. Cuanto más activo sea el rol que se le pide al paciente que desempeñe, menos podrá él mantener esa imagen. Por lo tanto, el empleo coherente de la cooperación y el descubrimiento guiado tiene una importancia especial, en vista de la tendencia del paciente histriónico a ser dependiente en sus relaciones. Siempre que el paciente le pide ayuda al terapeuta, éste debe tener cuidado de no dejarse seducir y no asumir el (a veces tentador) papel de salvador; en lugar de ello habrá de seguir interrogando, para ayudar al paciente a llegar a su propia solución de cada problema.

El terapeuta incauto puede ser fácilmente llevado a asumir el papel de «salvador», después de lo cual cargará con demasiada culpa si el paciente no trabaja por el cambio y cederá a demasiadas exigencias. Entonces es posible que se sienta manipulado, provocado y engañado por el paciente. Un terapeuta con intensos deseos de ser útil a los demás puede estar reforzando inadvertidamente los sentimientos de desamparo que tiene el paciente de THP, y terminar enredado en una de las relaciones típicas del paciente. Cuando el terapeuta toma conciencia de tener fuertes reacciones emocionales frente al paciente y de que no es coherente en el refuerzo exclusivo de las respuestas asertivas y aptas, quizá sea oportuno que controle sus propias cogniciones y sentimientos (véase el capítulo 5 de este volumen).

El terapeuta de Cathy descubrió que ésta le producía una mezcla de sentimientos. Por una parte, la encontraba agradable y podía imaginar lo divertido que era tenerla como amiga. Pero, como terapeuta, Cathy le provocaba una sensación de frustración. Por ejemplo, cuando intentó sondear los pensamientos y sentimientos que precedieron y acompañaron a un ataque de pánico reciente, lo único que pudo obtener de la joven fue la reflexión superficial de «Me voy a desmayar», reiterada una y otra vez. Se sintió entonces inútil y frustrado, con ganas de darse por vencido y renunciar. Pensó, por ejemplo: «¿Por qué preocuparme por esto? Nada va a cambiar, de todas maneras». En momentos como ése tenía necesidad de contrarrestar esos pensamientos reflexionando: «No puedo estar seguro del efecto de lo que estamos haciendo. Ella está mejorando, de modo que en realidad progresamos. Esto es un desafío. Simplemente tengo que seguir ayudándole a procesar los hechos, puesto que a ella el método le resulta muy extraño».

Es importante reforzar al paciente histriónico por su capacidad para atender a los detalles en las sesiones de terapia. Aprender que prestar atención a los detalles y la asertividad en las sesiones tienen sus recompensas, es el primer paso para aprender a ser asertivo y a solucionar problemas. Por lo tanto, es esencial que el terapeuta no caiga en la pauta de muchas de las relaciones previas del paciente. Esto puede ser un desafío incluso para el terapeuta experimentado, puesto que el estilo del paciente histriónico acostumbra a ser muy atractivo, y el relato dramático de la experiencia, sumamente interesante, entretenido y absorbente. Es esencial que el terapeuta no quede demasiado implicado en el drama de la presentación del paciente, y que sea consciente de los intentos de manipulación dentro de la terapia, para que pueda establecer en ella límites claros y no recompensar esas tentativas.

Durante meses Cathy trató de acordar honorarios especiales de diverso tipo, a veces «pasando por encima del terapeuta» y tomando contacto con administradores del hospital, para hacer «tratos» sin su conocimiento. Por fortuna, él se enteró muy pronto, de modo que clara y repetidamente le estipuló a Cathy los mismos honorarios que a los otros pacientes. Cuando ella vio esas negativas a satisfacer su demanda como un rechazo, se examinaron sus sentimientos, pero sin ceder en cuanto a la fijación de honorarios más bajos. Ella puso a prueba los límites insistiendo en que entonces sólo podría tomar sesiones quincenales, y le sorprendió y encolerizó que el terapeuta estuviera de acuerdo, en lugar de hacer una excepción para que pudiera acudir una vez por semana. Después de unas cuantas sesiones quincenales y de perder las esperanzas de alguna consideración especial, Cathy volvió a la terapia semanal. Más adelante en el tratamiento, cuando sus ingresos realmente cambiaron y planteó asertivamente la cuestión con el terapeuta, esa asertividad le fue recompensada y se realizó un ajuste adecuado de los honorarios.

INTERVENCIONES ESPECÍFICAS

El individuo con THP tiene que aprender a enfocar la atención en un problema por vez. Establecer una agenda de temas permite comenzar a enseñarle a centrar la atención en temas específicos. El histriónico tiende de modo natural a dedicar la mayor parte del tiempo de la sesión al relato elocuente de todos los hechos excitantes y traumáticos que le ocurrieron durante la semana. En lugar de luchar contra esta tendencia, conviene reservar a tal fin una parte de cada sesión. Entonces, un ítem de la agenda puede ser repasar el modo como marcharon las cosas durante la semana (con un límite de tiempo claro), de modo que el terapeuta pueda brindar el apoyo conveniente y el paciente se sienta comprendido; después se dedica el resto de la sesión a trabajar sobre las metas establecidas.

Uno de los mayores problemas en el tratamiento de los individuos con THP consiste en que suelen abandonar la terapia antes de que se produzcan cambios significativos. Lo mismo que con las otras actividades y relaciones, son proclives a perder interés y a pasar a algo que los entusiasme más. Una manera esencial de retener a los pacientes histriónicos en el tratamiento es establecer metas auténticamente significativas e importantes para ellos y que permitan obtener algunos beneficios más o menos inmediatos, además de ventajas a largo plazo. Estos pacientes tienden a establecer metas amplias y vagas que se adecuan a lo que ellos piensan que se espera de un paciente, pero que no parecen particularmente auténticas. Es esencial que las metas sean especificas y concretas y que tengan una significación real para el paciente (y no sólo una imagen de lo que «deberían» querer). El terapeuta puede ayudar al paciente a definir las metas de forma operativa haciendo preguntas tales como «¿Qué le permitiría a usted afirmar que ha alcanzado su meta?», «¿Qué es exactamente lo que vería y sentiría de forma distinta, de qué modo?», «¿Por qué exactamente quiere usted lograr esto?». Quizá sea útil que el paciente fantasee en la sesión sobre cómo se sentiría si hubiera cambiado su vida, para ayudarle a empezar a ordenar sus ideas en un modelo hipotético de la persona en la que le gustaría convertirse. Una vez establecidas las metas, pueden enumerarse, como método para enseñarle al paciente a centrar su atención durante la sesión. Cuando el paciente divaga o se demora en detalles menudos sobre algún tema extraño, el terapeuta, con suavidad e insistencia, le pregunta qué relación tiene ese tema con la meta que los dos habían acordado examinar.

Cathy llegó al tratamiento con metas muy prácticas como volver al trabajo, conducir sola su automóvil y permanecer sola en su casa. No obstante, el tratamiento empezó a interesarle mucho más cuando las metas se ampliaron para incluir la de entrar en situaciones que le aseguraban una gratificación más inmediata. El trabajo con metas tales como ir de compras («¡Especialmente a comprar zapatos!»), asistir a conciertos de rock, comer en restaurantes e ir a la iglesia (a una congregación carismática) retenía su interés más tiempo que otras metas más prácticas. Una de las motivaciones más poderosas de Cathy fue la oportunidad de volar hacia un exótico lugar de veraneo. Esa meta tenía tal atractivo para ella que en el breve periodo anterior al viaje hizo muchos progresos.

Después de las etapas iniciales del tratamiento, las intervenciones reales dependen en alguna medida del problema que presenta el paciente y de sus metas. No obstante, para realizar cambios duraderos en el síndrome general (figura 10.1) es importante abordar cada uno de los elementos de la conceptualización.

Como los problemas del paciente histriónico son exacerbados por su estilo de pensamiento global y vago (que incluye la incapacidad para centrarse en detalles específicos), enseñarle a controlar y puntualizar con exactitud pensamientos específicos constituye una parte importante del tratamiento, con independencia del problema presentado. Al enseñarles a esos pacientes a observar los pensamientos por medio de un registro de pensamientos disfuncionales (RPD), es probable que se tenga que dedicar mucho tiempo a especificar los acontecimientos, los pensamientos y los sentimientos en las primeras tres columnas. Aunque muchos otros tipos de pacientes vuelven a sus casas y observan con precisión sus pensamientos después de una explicación simple y una demostración en la sesión, esperar esto de los histriónicos carece de realismo. Es mucho más probable que olviden el propósito de observar los pensamientos automáticos y en lugar de ello aparezcan con un extenso relato de todo lo que les sucedió durante la semana. El terapeuta tiene que recompensarles por todo intento de realizar las tareas encomendadas, pero es probable que tenga que recordarles muchas veces cuál es el objetivo del RPD, que no es simplemente hablar con el terapeuta. Debe quedarles claro que el objetivo del RPD es adquirir la capacidad de identificar y cuestionar sus pensamientos disfuncionales, a fin de modificar las emociones. Algunos pacientes histriónicos sienten una intensa necesidad de comunicarle todos sus pensamientos y sentimientos al terapeuta y, en tal caso, se les propone que escriban un relato no estructurado, además del registro de pensamientos disfuncionales (pero no para reemplazarlo). El RPD puede ser especialmente útil para ayudar a los pacientes a no confundir la realidad con sus fantasías extremas, y a juzgar con más exactitud las atribuciones de causa y efecto.

Cathy atribuía cualquier leve cambio de su estado físico a una enfermedad terrible, y de inmediato llegaba a la conclusión de que tenía cáncer o sida, y de que iba a morir. No pensaba que sentía vértigo y le costaba respirar porque la habitación era calurosa y estaba atestada, o porque tenía una crisis de angustia. Cualquiera que fuese la causa real del vértigo, enseguida llegaba a la conclusión de que se iba a desvanecer o a morir. Enseñarle a hacer un alto y explorar las causas alternativas posibles de sus síntomas físicos le ayudó a realizar atribuciones causales más adecuadas y a interrumpir el ciclo del pánico.

Como es probable que la idea de escribir en su casa le resulte al paciente histriónico aburrida y tonta, quizás haya que dedicar algún tiempo de las sesiones de terapia a contrarrestar esos pensamientos mencionando sus beneficios potenciales. En lugar de luchar contra el sentido del drama del histriónico, su rica imaginación puede servirnos para las tareas terapéuticas. Por ejemplo, se puede alentar al sujeto a ser dramático cuando escribe sus respuestas racionales, dándoles más fuerza y poder que a los pensamientos automáticos. Sus cogniciones suelen tomar la forma de imágenes más bien que de verbalizaciones, por lo tanto, conviene estimular la modificación vívida de las imágenes. El cuestionamiento verbal dramático de los pensamientos automáticos, tales como la externalización de voces, en la que el terapeuta enuncia los pensamientos automáticos del paciente y éste da respuestas más adaptativas, resulta particularmente convincente para el paciente histriónico.

El terapeuta de Cathy encontró que ésta prestaba más atención cuando podía utilizar sus propias palabras dramáticas al plantearle tareas. Así le hizo encargos insólitos, como «encuentro con la cucaracha», en lugar de la expresión más corriente «encuentro con mi jefe». La externalización de voces resultó para Cathy un método muy elocuente y por lo tanto potente de respuesta racional a los pensamientos automáticos. Después de una exteriorización dramática de voces en la sesión, al volver a casa era más capaz de cuestionar sus pensamientos automáticos y escribirlos.

La realización de experimentos conductuales dramáticos es otro potente método para cuestionar los pensamientos automáticos. Por ejemplo, cada vez que Cathy sentía vahídos, tenía pensamientos del tipo «Me voy a desmayar y voy a hacer el ridículo». Para cuestionar esos pensamientos, era importante que advirtiera los indicios intraceptivos del mareo, lo cual podía lograrse de un modo dramático en la terapia grupal.

TERAPEUTA: Cathy, parece que el síntoma principal que la asusta es el mareo.

CATHY: Sí, lo odio. Es horrible, ¿no es cierto?

TERAPEUTA: Bien, sé que usted siente eso. Pero sólo puedo ayudarla preguntándole si está convencida de que es terrible, cuando quizá sea simplemente desagradable. ¿Nos puede decir qué hace que el mareo sea horrible?

CATHY: Es terrible. Me voy a morir y me voy a avergonzar.

TERAPEUTA: De modo que cree que si se marea se va a morir. Y si se muere, ¿qué es lo que le asusta?

CATHY: Me veo levantándome y volviéndome a morir una y otra vez, eternamente.

TERAPEUTA: ¿Ve que ocurre continuamente? ¿Durante cuánto tiempo?

CATHY: Para siempre, como si nunca fuera a terminar. (*Cathy ríe.*)

TERAPEUTA: Usted misma se ríe de lo que dice. ¿Duda de su predicción?

CATHY: Bien, sé que suena un poco tonto, pero es así como yo lo siento continuamente.

TERAPEUTA: De modo que usted hace una predicción basada en sus sentimientos del momento. ¿Y cuántas veces se ha sentido mareada?

CATHY: Oh, miles de veces. Usted sabe que siempre estoy hablando de eso.

TERAPEUTA: Entonces, ¿cuántas de las miles de veces que usted se sintió mareada y supuso que se iba a desvanecer eso sucedió realmente?

CATHY: Ninguna. Pero esto es sólo porque lucho contra el mareo. Estoy segura de que si no lo hiciera me desmayaría.

TERAPEUTA: Eso es exactamente lo que necesitamos poner a prueba. Tal como yo lo veo, el problema no es el mareo en sí, sino el miedo que usted ha llegado a tenerle. Cuanto más llegue a aceptar el mareo y menos lo considere una catástrofe, más se liberará de la agorafobia. De modo que lo que tenemos que hacer es trabajar para que usted se sienta más cómoda con el mareo. ¿Tiene esto sentido?

CATHY: Sí, supongo que tiene sentido. Pero no veo cómo hacerlo. Hablamos de ello, pero me parece que sigue asustándome igual.

TERAPEUTA: Es cierto, y eso se debe a que usted necesita pruebas reales de que no ocurrirá ninguna catástrofe si usted se marea. Las pruebas que tenemos hasta este momento son muy débiles. Tiene que exponerse intencionadamente al mareo, en lugar de permitir que le ocurra en cualquier momento. ¿Está dispuesta a intentar un experimento que le será útil?

CATHY: No, si me va a decir que haga algo ridículo.

TERAPEUTA: ¿Está de acuerdo con lo que he dicho hasta este momento?

CATHY: Supongo que sí.

TERAPEUTA: Entonces, si bien lo que le voy a pedir puede parecer un poco extraño, concuerda con lo que usted acaba de aceptar. Me gustaría que vaya al centro del grupo y gire hasta que esté muy mareada.

CATHY: No quiero hacer eso.

TERAPEUTA: Le voy a hacer una demostración. (*El terapeuta se pone de pie y da unas cuantas vueltas.*) Así... Me he mareado enseguida. Cuando era chico lo hacía siempre. ¿Usted no?

CATHY: Sí. Pero ahora es distinto. Entonces era divertido y ahora me da miedo.

TERAPEUTA: Si no está dispuesta a girar hasta marearse mucho, ¿daría una cantidad limitada de vueltas?

CATHY: Unas dos vueltas. Ninguna más.

TERAPEUTA: ¡Fantástico!

CATHY: (*Se levanta con reticencia y gira dos veces tanteando tímidamente.*) ¡Detesto esta sensación!

TERAPEUTA: Más razón para hacerlo. Cuando se enfrente directamente con esa sensación en lugar de tratar de evitarla, espero que la aceptará más. ¿Qué ha descubierto?

CATHY: Que no me desmayo. Pero esto se debe probablemente a que sé que estoy en un hospital y tendría ayuda al alcance de la mano. (*Cathy ríe.*)

TERAPEUTA: Por eso le voy a pedir que practique dar vueltas todos los días, primero en su casa, para que pueda enfrentarse al mareo en su ambiente natural. Después, en la próxima sesión de grupo, veremos si puede dar algunas vueltas más.

CATHY: ¿Quiere decir que tengo que hacer esto de nuevo?

TERAPEUTA: Creo que es el modo más rápido de trabajar con su problema. El hecho mismo de que vacile indica que vamos por buen camino. Pero podemos trabajar con esto al ritmo que a usted le resulte tolerable.

CATHY: Parece algo loco, pero supongo que tiene sentido.

Otra ventaja de enseñar a los pacientes histriónicos a puntualizar los pensamientos automáticos consiste en que el proceso de observación también ayuda a controlar la impulsividad. Si aprenden a detenerse antes de reaccionar, lo suficiente como para registrar sus pensamientos, ya han dado un paso importante hacia el autocontrol.

Una técnica cognitiva valiosa para mejorar la capacidad de control del individuo con THP es la enumeración de las ventajas y las desventajas de las diferentes opciones. Conviene introducir esta técnica al principio del tratamiento, en cuanto el paciente se resista a mantener la atención sobre el tema acordado. Si el terapeuta simplemente insiste en no distraerse de las metas, quizá se produzca una lucha por el poder y el paciente decida que el terapeuta es «desconsiderado» y «no comprende». Por el contrario, si el terapeuta señala coherentemente que el propio paciente puede elegir cómo pasar el tiempo de la terapia, pero que la ventaja de ceñirse a la meta establecida consiste en que de tal modo es más probable alcanzarla, la decisión en sí está en manos del paciente. Lo que entonces se decida se sentirá como proviniendo del paciente, más que del terapeuta. Realizando elecciones conscientes dentro de la sesión de terapia mediante el examen de las ventajas y desventajas de los diversos cursos de acción, el paciente se prepara para elegir y resolver activamente los problemas también en la vida cotidiana.

Aunque Cathy había enumerado como una de sus metas primarias «poder estar sola en mi casa», nunca había cumplido con los encargos de permanecer sola periodos breves (por ejemplo cinco minutos). En lugar de exigirle una mayor cooperación, el terapeuta planteó la cuestión de si Cathy realmente quería traba-

TABLA 10.2. Análisis de Cathy de las ventajas y desventajas de quedarse sola en su apartamento

Ventajas	*Desventajas*
Quedarme en casa de mamá	
·Me evito tener que hacer muchas cosas (comida, limpieza).·	·A la abuela le gusta el calor y a mí el fresco; me siento incómoda.·
·Tengo alguien que me hace compañía.·	·No tengo independencia.·
·Hacemos muchas cosas juntas.·	·No tengo mi propia casa.·
·Cuando estoy allí no me asusto tanto como cuando estoy sola.·	·Mamá me puede regañar muchas veces (por ejemplo, porque como demasiado o porque fumo).·
·Estar con mamá es casi siempre divertido.·	·Siento como un fracaso no estar en mi propia casa.·
	·No tengo equipo estereofónico.·
	·El vídeo de mamá no funciona para que grabe cuando no estoy en casa.·
Permanecer en mi propio apartamento	
·Me gusta el aspecto y la atmósfera de mi casa.·	·Ahora no me siento cómoda en mi casa.·
·Tengo toda mi ropa y cosas allí.·	·El alquiler es alto, y no lo estoy usando.·
·Allí tengo llamada en espera en el teléfono.·	
·Puedo poner al volumen que me plazca la televisión o el equipo estereofónico.·	·Pienso en cómo estaba yo antes de la agorafobia, y me siento mal por no disfrutarlo ahora de la misma manera.·
·Puedo mantener la casa fresca.·	
·Me siento independiente.·	
·Mi vídeo funciona, de modo que puedo grabar mientras estoy fuera.·	

jar en esa dirección. Confeccionar una lista con las ventajas y desventajas de estar en casa de la madre, en comparación con las de permanecer en su propia casa, la ayudó a decidir que realmente quería alcanzar esa meta (véase la tabla 10.2). Después de llegar a esa decisión por sí misma, empezó a trabajar con más coherencia para realizar los deberes relativos a ese objetivo.

Además de con estas estrategias cognitivas, los histriónicos pueden también mejorar su capacidad para enfrentarse a las situaciones mediante el entrenamiento en habilidades específicas de resolución de problemas. Como pocas veces tienen conciencia de las consecuencias antes de actuar, les resulta útil aprender lo que se ha denominado «pensamiento de medios y fines» (Spivack y Shure, 1974). Este procedimiento de *problem solving* supone generar una variedad de soluciones posibles (medios) para un problema, y después evaluar con exactitud las consecuencias probables (fines) de las diversas alternativas.

Pocas veces el tratamiento de pacientes con THP es completo si no se ha prestado atención a sus relaciones interpersonales problemáticas. A estos individuos les interesa tanto conservar la atención y el afecto de los demás que manipulan sus relaciones, aunque de modos indirectos, con lo que el riesgo de rechazo parece menor. Los métodos más usados para manipular las relaciones son las crisis emocionales, provocar celos, seducir y usar su encanto, negarse a tener relaciones sexuales, sermonear, regañar y quejarse. Aunque estas conductas suelen dar un resultado lo suficientemente bueno como para que se repitan, a largo plazo tienen costes a menudo no percibidos por los pacientes, debido a que ellos se concentran en los beneficios inmediatos. Pero quizá no baste con cuestionar los pensamientos inmediatos, porque estos individuos suelen utilizar los estallidos emocionales con propósitos de mayor alcance. Así, si una mujer con THP pierde el control porque el esposo vuelve tarde del trabajo, sus pensamientos inmediatos son: «¿Cómo puede hacerme esto? ¡Ya no me ama! ¡Me moriré si me abandona!». No obstante, como resultado de su enojo, es posible que el esposo afirme con energía su eterno amor por ella, con lo cual la mujer satisface su deseo de apoyo. Si sólo combate los pensamientos disfuncionales, puede descuidar uno de los aspectos más importantes de esta situación. Así, además de cuestionar sus pensamientos cuando se siente emocionalmente perturbada, también es necesario que esta paciente aprenda a preguntarse qué es lo que realmente quiere y explore otras opciones para lograrlo.

En cuanto el paciente ha aprendido a suspender su reacción y a determinar lo que quiere de la situación (en los pacientes histriónicos, suele tratarse de apoyo y atención), puede aplicar su capacidad para resolver problemas. Entonces, en lugar de tener automáticamente un estallido, debe elegir entre ese estallido y otras alternativas. No se le pide que realice cambios permanentes en su conducta (como por ejemplo, renunciar por completo a los ataques de ira); el terapeuta sugiere la realización de experimentos conductuales breves para descubrir cuáles son los métodos más eficaces y menos costosos a largo plazo. Estos experimentos son mucho menos amenazadores para el paciente que la idea de realizar cambios conductuales duraderos, y quizá le ayude a ensayar algunas conductas que al principio habría rechazado.

Después de haber pasado tanto tiempo concentrados en cómo obtener atención y afecto, estos pacientes han perdido de vista lo que realmente quieren, y tienen muy poco sentido de sus necesidades, deseos o de su propia identidad. Por ello, el entrenamiento asertivo eficaz con los pacientes histriónicos supone el empleo de métodos cognitivos para ayudarles a prestar atención a lo que quieren y a iniciar el desarrollo de un sentido de identidad, además de los métodos conductuales para enseñarles a comunicarse de un modo más adecuado.

En una sesión de terapia grupal, el coordinador del grupo alentó a Cathy a aceptar una tarea difícil. Ella estuvo de acuerdo, pero faltó a una sesión, y al reaparecer en la sesión siguiente permaneció enfurruñada. Cuanto otro miembro del grupo le reprochó su conducta, se puso muy ansiosa y tuvo un ataque de pánico. Al principio no estaba en condiciones de identificar lo que había pensado y sentido, sino sólo de referirse a una sensación vaga de desagrado en cuanto a seguir perteneciendo a cualquier grupo. Finalmente pudo identificar sus pensamientos y decirle asertivamente al líder del grupo que sentía que la estaba castigando con excesiva dureza, y que el encargo que le había asignado era demasiado difícil. Los miembros del grupo y el líder le recompensaron generosamente por su asertividad y ella llegó a la conclusión de que había valido la pena soportar la ansiedad.

El concepto de «identidad» o de «sentido de sí mismo» es con toda probabilidad una fuente de muchos pensamientos disfuncionales en el paciente histriónico, que tiende a ver la identidad como algo enorme y mágico que de algún modo las otras personas tienen pero que a él le falta. La idea de explorar su sentido de sí mismo le resulta totalmente abrumadora, y se inclina a ver la identidad como algo que uno ya tiene o que no tiene. En cuanto este paciente comienza a utilizar algunas de las técnicas cognitivas que hemos considerado, ya presta alguna atención a sus emociones, deseos y preferencias, pero quizá no los vea como partes importantes de su identidad. Entonces puede ser útil describir el desarrollo del sentido de la identidad simplemente como la suma total de muchas cosas diversas que no sabe acerca de sí mismo y empezar a listar algunas de ellas en la sesión, empezando por ítems frívolos y concretos, como los colores y las comidas favoritos, etcétera. La elaboración de esta lista puede ser un encargo que acompañe al resto de la terapia; cada vez que el paciente diga algo sobre sí mismo durante las sesiones (por ejemplo: «Realmente detesto que me hagan esperar»), el terapeuta puede señalárselo y hacer que lo añada a la lista.

Además de trabajar en la mejora de las relaciones interpersonales, es importante que estos pacientes finalmente cuestionen su creencia de que la pérdida de una relación sería desastrosa. Aunque sus relaciones parezcan correctas, mientras sigan creyendo que no pueden sobrevivir si una relación termina, les resultará difícil asumir el riesgo de ser asertivos. El fantaseo sobre lo que sucedería en realidad si una relación se cortara, y el recuerdo del modo como se sobrevivía antes del comienzo de esa relación son dos métodos para ayudar al paciente a «descatastrofizar» la idea del rechazo. Otro método útil consiste en idear experimentos conductuales que deliberadamente susciten pequeños «rechazos» (por ejemplo, con extraños), de modo que el paciente pueda realmente practicar sentirse rechazado sin quedar destrozado.

Por último, el paciente tiene que aprender a cuestionar su supuesto fundamental: la creencia «Soy inadecuado y para sobrevivir tengo que apoyarme en otros». Muchos de los procedimientos que hemos examinado (incluso la asertividad, la resolución de problemas y los experimentos conductuales) tienen la finalidad de acrecentar la capacidad del paciente para el manejo exitoso, y de tal modo ayudarlo a experimentar una sensación de aptitud. No obstante, en vista de la dificultad que tienen estos pacientes para extraer conclusiones lógicas, es importante señalarles sistemáticamente de qué modo cada tarea que realizan refuta la idea de que no pueden ser competentes. También suele resultar útil emprender experimentos conductuales pequeños y concretos cuya meta explícita es combatir la idea de que no pueden ser independientes.

Mantenimiento del progreso

La compañía de los histriónicos suele ser animada, estimulante y divertida, y ellos perderían mucho si renunciaran por completo a su emotividad. De hecho, pueden tener miedo de que de prosperar la terapia se conviertan en personas grises e insípidas. Por lo tanto, es importante aclarar a lo largo de todo el tratamiento que la meta no consiste en eliminar las emociones, sino en utilizarlas de modo más constructivo. De hecho, el terapeuta alienta el empleo adaptativo de la imaginación vivida y el sentido teatral del paciente durante todo el tratamiento, ayudándole a emplear medios dramáticos y convincentes para cuestionar sus pensamientos automáticos. También es posible estimular otras vías constructivas para la búsqueda de sensaciones, como por ejemplo la participación en actividades teatrales, en empresas interesantes y deportes competitivos, en la evasión ocasional mediante la literatura dramática, el cine y la televisión. Para Cathy, su redescubierto cristianismo le proporcionó una vía más constructiva de buscar sensaciones; llegó a quedar muy absorbida por la espectacularidad de su bautismo y la imposición de manos que practicaba su iglesia.

Con los pacientes reacios a renunciar al trauma emocional de sus vidas y que insisten en no tener más opción que estar terriblemente deprimidos y perturbados, un recurso posible es ayudarles a obtener por lo menos algún control enseñándoles a «programar un trauma». El paciente escoge un momento específico del día (o la semana) durante el cual se entregará a sus sentimientos más fuertes de depresión, ira, estallidos de rabia, etcétera. Pero en lugar de quedar abrumado cada vez que esos sentimientos aparecen, aprende a posponerlos hasta el momento conveniente, y a mantenerlos dentro de un marco temporal establecido. Esto suele tener un efecto paradójico. Cuando el paciente experimenta que realmente le es posible «programar la depresión» y atenerse a los límites temporales, sin permitir que ese estado de ánimo interfiera en su vida, puede no tener la necesidad de programarla regularmente. No obstante, ésa sigue siendo una opción, de modo que, mucho después de que la terapia haya concluido, subsiste la convicción de que «basta con romper el círculo vicioso», y el paciente ha aprendido un modo menos destructivo de lograrlo.

Como al paciente histriónico le importa tanto recibir aprobación y atención, el grupo estructurado de terapia cognitiva representa un modo de tratamiento particularmente eficaz. Kass y otros (1972) han demostrado que se puede comprometer a los miembros del grupo para que ayuden a reforzar la asertividad y contribuyan a la extinción de las respuestas disfuncionales, abiertamente emocionales. Como en la terapia cognitiva de la mayor parte de los trastornos de la personalidad, el tratamiento en general tiende a ser más largo de duración que los diagnósticos del Eje I.

El tratamiento de Cathy empezó con terapia individual. Cuando ya dominó los conceptos básicos de la terapia cognitiva, se le asignó a un grupo de terapia cognitiva grupal como último paso de su tratamiento. Como ella era la más histriónica, pronto asumió un papel de dirección, dando el tono para el refuerzo dramático del progreso a lo largo de la jerarquía de exposiciones. Alentados por Cathy, los miembros del grupo aplaudían y a veces ovacionaban a algunos compañeros por el logro de ciertas metas particularmente difíciles. El grupo le proporcionó una palestra ideal para que ella desarrollara su asertividad y para su necesidad de entretener y agradar. Por ejemplo, en una sesión, Cathy hizo una broma que no encontró la respuesta que había esperado. En la sesión siguiente, el grupo decidió dedicar algún tiempo al examen de la asertividad. Cathy dijo: «Bien, ya que hablamos sobre la asertividad, quiero decirles cómo me sentí la sesión pasada». Entonces pudo describir pensamientos como «Me puse a hacer chistes que no gustaron, así que ahora me echarán a patadas», «Hice algo erróneo» y «La gente quiere que sea diferente de lo que soy». Al examinar este tema, se dijo que estaba sobre todo preocupada por la posible reacción del terapeuta masculino del grupo. Esta discusión y el cuestionamiento de esos pensamientos la llevaron a trabajar durante varias sesiones con el objetivo de decidir qué era lo que quería y qué era lo mejor para ella, con independencia de las otras personas, incluso de los hombres con autoridad.

La terapia de pareja puede ser especialmente útil con pacientes que tienen relaciones afectivas permanentes. En el tratamiento de pareja, se puede ayudar a ambos cónyuges a reconocer las pautas de la relación y los modos como uno y otro las sostienen.

Cathy acudió a un total de 101 sesiones en el curso de tres años. Al empezar la terapia era incapaz de trabajar debido a su agorafobia, y en el inventario de la depresión de Beck tenía una puntuación de 24. Después de seis sesiones había vuelto al trabajo y su puntuación con el mismo inventario había descendido a 11 (lo que está dentro de la gama normal). Aunque demostró una rápida mejoría sintomática en las primeras etapas de la terapia, le llevó mucho más tiempo lograr cambios duraderos no sólo en su agorafobia y depresión, si no también en su THP. Dos años después de haber terminado la terapia, Cathy informó que no había padecido ninguna recurrencia de la agorafobia ni ninguna depresión seria, a pesar de haber atravesado varias crisis importantes: la ruptura de una relación, la eutanasia de su perro (un querido compañero) y una enfermedad grave de su madre. Al enfrentarse a esas importantes tensiones se decía a sí misma: «Si he podido vencer la fobia, puedo enfrentarme a cualquier cosa». Había puesto fin a una relación problemática y se comprometió con un hombre que, según dijo, era estable, maduro y la trataba bien. Añadió que, por primera vez en su vida, tenía una relación buena, sólida y con un sexo fenomenal.

Conclusión

Aunque no pueda decirse que 101 sesiones en un período de tres años constituyan una terapia breve, debe observarse que Cathy fue tratada por la agorafobia y la depresión recurrente, además del THP. Aunque la modificación de los síntomas del Eje I puede lograrse en períodos de tiempo mucho menores, nuestra experiencia ha sido que cambiar las características del THP en sí suele requerir de uno a tres años. Es evidente que los informes no sometidos a control tienen una utilidad limitada. Es preciso realizar con urgencia investigaciones empíricas para verificar la eficacia del tratamiento con esta población, clarificar los componentes indispensables de la terapia y, finalmente, determinar qué tipo de pacientes son los más adecuados para qué variantes del enfoque terapéutico.

CAPÍTULO 11

EL TRASTORNO NARCISISTA DE LA PERSONALIDAD

El trastorno narcisista de la personalidad (TNP) es una pauta generalizada de distorsión en el interés que se tiene por uno mismo y por los demás. Aunque es normal y sano tener una actitud positiva hacia uno mismo, las personas narcisistas exhiben una visión desmesurada del yo; se ven superiores y especiales. Más que una confianza sólida en sí mismos, los narcisistas reflejan una preocupación excesiva por una supuesta excelencia, a todas luces exagerada. Los narcisistas son muy activos y competitivos a la hora de buscar estatus, ya que los signos exteriores de estatus son toda su medida de valía personal. Si los demás no confirman esa posición especial que creen merecer, los narcisistas se sienten intolerablemente maltratados, se enfadan, se ponen a la defensiva o se deprimen. El hecho de que no se les considere superiores o especiales, les activa unas creencias subyacentes de inferioridad, falta de importancia o incapacidad, además de las estrategias compensatorias de autoprotección y autodefensa.

Los sujetos narcisistas están orgullosos de tener una buena posición social, cuando la tienen, pero sin embargo, muestran unas sorprendentes lagunas a la hora de seguir las normas y expectativas que rigen la reciprocidad social. Autocentrados y despreocupados de los sentimientos de los demás, los narcisistas pueden convertir un intercambio amistoso en una irritante muestra de exclusivo interés personal. Muchas veces muestran una actitud cálida, para acto seguido estropearlo con salidas arrogantes, comentarios hirientes o acciones insensibles. Les falta la capacidad para atender a las necesidades y sentimientos de los demás, tanto en cuestiones sencillas como reconocer la contribución de los demás a una tarea o en relación a cuestiones más complejas y profundas, como los sentimientos de los demás. Es frecuente que envidien los éxitos de los demás y desacrediten a aquellos que ven como competidores. Los narcisistas pueden ser auténticos maestros a la hora de tergiversar el contenido de las confrontaciones, para hacer que los demás se sientan culpables.

Cuando se les pone límites o se les critica, los narcisistas pueden volverse muy desagradables y defensivos. Muchas veces se les encuentra demasiado exigentes, insensibles, poco fiables (especialmente como fuente de apoyo emocional), difíciles de influenciar e irritantes debido a su conducta arrogante. Los sujetos narcisistas pueden contar con una corte de admiradores, que en poco tiempo caen en una espiral de obligaciones hacia la persona admirada, pero, en todo caso, a esas relaciones les falta intimidad y, a largo plazo, suelen volverse tensas. Las personas de su entorno suelen conocerlos bien, ya que han tenido numerosas experiencias que les han hecho ver que tienen dos caras. Los narcisistas pueden sentir muy fácilmente la necesidad de rechazar a las personas, siempre temerosos de que se les asocie a gente con «mala imagen» o que entorpezca su camino hacia la cumbre social.

Normalmente, los sujetos con TNP acuden a consulta a causa de que ha habido cambios en su entorno que amenazan su autoestima. Por ejemplo, problemas de relación o en el trabajo, pérdidas o nuevas limitaciones que emborronan o limitan su imagen social. Sin embargo, ellos no ven sus problemas en los términos comunes, y pueden pretender fascinar al terapeuta como pacientes extraordinariamente originales y complejos. A veces, esas exageradas expectativas no satisfechas se acumulan a lo largo del tiempo y el sujeto se presenta pesimista acerca de un mundo en el que las oportunidades le pasan por delante, sin parar en su puerta. Los pacientes deprimidos con TNP suelen buscar una rápida restauración de su poder y estatus y, consecuentemente, centran sus quejas en las circunstancias y en la gente que, presuntamente, les han perjudicado. Su exagerado concepto del yo queda en evidencia con su resentimiento respecto de sus propios pequeños éxitos. No pueden soportar el no ser capaces de mantener el estatus «especial» del que una vez disfrutaron.

El narcisista puede también llegar a terapia a consecuencia de las quejas de sus seres queridos o como resultado de su actitud agresiva, explotadora o el abuso de poder. Los conflictos con los que llegan suelen reflejar las discrepancias entre sus ideas de grandiosidad y los límites realistas que les impone el entorno.

Por ejemplo, «Misty» era una enfermera de 27 años de edad que se ganaba un sobresueldo participando en pequeños festivales de belleza. Acudió a terapia a petición de su abuela después de que se evidenciara toda una serie de problemas en el trabajo y en su vida personal. Según ella y su familia, la causa era su estado de ánimo deprimido. De hecho, ella se lamentaba amargamente de que su novio la hubiese dejado recientemente. Al hacerlo, la había acusado de «egoísta» y «niña mimada». Según ella, se trataba de increíbles calumnias, después de todo lo que «había hecho ella para mejorar su carrera profesional». Estaba incluso decidida a interponer una querella contra él. Se trataba de su primera ruptura sentimental no provocada por ella. Había salido con muchos chicos y siempre era ella quien «cerraba la puerta y se buscaba otro mejor». En el trabajo, le habían dicho que «tenía problemas» y que debía buscar ayuda. Este consejo llegó después de una discusión con el jefe de cirugía a causa de que éste la corrigiese delante de otros enfermeros. Además, estaba a punto de perder el carnet de conducir por la acumulación de multas: incontables infracciones de aparcamiento y el reciente choque contra un vehículo de la policía, entre otras cosas. Misty nos detalló este último incidente con la policía. Había una retención de tráfico causada por otro accidente y «ella no iba a esperar toda la tarde, como el resto de aquellos borregos». Ocupó el arcén de la carretera a toda velocidad hasta topar con el coche de la policía, sorprendida por la descarada maniobra de la joven. Los problemas de Misty son un buen ejemplo de las actitudes que presentan los pacientes con TNP. Su caso ilustra la metodología de la terapia cognitiva para este diagnóstico.

Perspectiva histórica

El término «narcisista» proviene del mito griego de Narciso, que se enamoró de su propia imagen reflejada en las aguas de una fuente. Estaba tan embebido en su propia imagen que su destino fue quedar plantado en el lugar y transformarse en una flor de narciso. La primera referencia a este mito en la literatura psicológica apareció en una historia clínica publicada por Havelock Ellis (1898), que describía las prácticas masturbatorias o «autoeróticas» de un joven.

Más tarde, Freud (1905/1953) incorporaría el término «narcisista» en sus primeros ensayos teóricos sobre el desarrollo psicosexual. En un momento dado, conceptualizó el narcisismo como una fase normal del desarrollo caracterizada por el auto-erotismo que, de manera natural, madura hacia la elección de un objeto externo. La causa de la fijación en un estadio narcisista era debida a importantes conflictos en el desarrollo del amor objetal (Freud, 1914/1957).

El trabajo de los teorizadores de las relaciones objetales define el narcisismo como un déficit caracterológico que surge de una relación parental inadecuada durante el desarrollo temprano (S. Johnson, 1987; Kernberg, 1975; Kohut, 1971). A veces, en la fase de desarrollo correspondiente al período que va de los meses 15 a 24, conocida como «reaproximación», se produce una alteración porque el niño alterna entre actitudes exploratorias en el ambiente y el regreso a la custodia de un cuidador, pero en ocasiones, recibe un apoyo inadecuado en sus esfuerzos por conocer el mundo. Las personas que los educan son inconsistentes, no están suficientemente disponibles o hacen demandas demasiado autocentradas. El niño, tan vulnerable a esa edad, recibe una herida en su yo emergente, que se llama «la herida narcisista». Para compensar, desarrolla un yo falso y grandioso que satisfará las necesidades de sus cuidadores. La rabia no es accesible al consciente, ocupado en conseguir la adoración perpetua a través de ese falso yo. En esta conceptualización del narcisismo, es evidente que existe un dolor emocional que parte de una sensación de incapacidad, incompetencia y la falta de importancia o placer de cualquier logro. Todo lo que persigue y consigue el narcisista tiene como motivación sostener su frágil autoestima basada en un yo falso (S. Johnson, 1987).

La perspectiva interpersonal, desarrollada por Alfred Adler (1929/1991), uno de los primeros colaboradores de Freud, sostiene que una de las mayores fuerzas motivadoras en el desarrollo de la personalidad es la lucha por superar los sentimientos de inferioridad que surgen al compararnos con los demás. Adler calificó este proceso de «compensación». Por lo tanto, un individuo que se percibe a sí mismo como deficiente en relación a los demás debe trabajar más para conseguir unos resultados mínimos. La personalidad narcisista, según este modelo, sería el resultado de las acciones compensatorias que lleva cabo el sujeto que se percibe como inferior en relación a los demás.

Una teoría del aprendizaje social propuesta por Millon (1969) descarta la hipótesis de la privación materna y se centra primordialmente en la valoración parental excesiva como causa del narcisismo. Según Millon, cuando los progenitores responden al niño de un modo tal que amplifican la sensación que éste tiene de su propio valor, la autoimagen internalizada se ve realzada más de lo que la realidad externa puede validar. Esta autoimagen inflada genera ira cuando se produce la discrepancia, aunque un refuerzo intermitente mantiene las distorsiones. Las estructuras intrapsíquicas inferidas se limitan a la autoimagen exagerada de la persona.

El enfoque cognitivo centrado en los esquemas detallado por Young (1990) describe una serie de esquemas desadaptativos tempranos y creencias autoperpetuantes aprendidas en pautas de interacción de la primera infancia. Los sujetos con TNP adquieren unos esquemas inadaptativos tempranos (EIT) que les llevan al establecimiento de unos límites inadecuados y unos criterios de rendimiento demasiado altos. Los límites inadecuados se refieren a su conducta explotadora y autocentrada y los criterios de rendimiento, a sus propias exigencias exageradas.

La explicación del autocentramiento característico de los narcisistas ha evolucionado a lo largo del tiempo. Al principio se entendía como el paso de la masturbación a un desarrollo poco evolucionado de la personalidad. Luego, como fruto de las creencias desadaptativas o de una imagen del yo exagerada. La literatura psicodinámica acerca del narcisismo proporciona mucha fenomenología, pero le falta evidencia empírica para sostener sus afirmaciones. El enfoque cognitivo se ajusta más a los datos que disponemos sobre el narcisismo y ofrece estrategias de tratamiento más accesibles tanto a pacientes como a clínicos.

Investigación y datos empíricos

En la actualidad, existe cierta evidencia que contradice la noción habitual de que el narcisismo está, de alguna manera, ligado a una baja autoestima «subyacente» (Baumeister, 2001). En las evaluaciones con autoinformes, los narcisistas se suelen ver como superiores a los demás y tienen una autoestima de moderada a superior. En estudios de laboratorio con poblaciones clínicas seleccionadas, se ha encontrado relación entre narcisismo y alta autoestima, además de conductas agresivas y violentas. Sin embargo, hay que decir que se debería clarificar esta relación con poblaciones no clínicas (y clínicas, pero generales), ya que los sujetos narcisistas frecuentemente presentan determinadas deficiencias en cuanto a la autoestima y, de hecho, reaccionan muy rápidamente a las amenazas a esa autoestima.

Según la teoría de la autoverificación, la autoestima es la fuerza motivadora para buscar *feedback* o retroalimentación (Swann, 1990). En un amplio rango de contextos, los individuos con una autoimagen exagerada tienden a crear y mantener un sesgo positivo ilusorio cuando solicitan confirmación positiva de los demás, evitan cambiar su autoconcepto y, si aparece una valoración negativa, empiezan a hacer preguntas incómodas a los demás y se manejan con hostilidad y agresividad. Todo ello es bastante improbable de encontrar en aquellos que tienen una baja autoestima (Baumeister, Smart y Boden, 1996). También se ha encontrado relación entre tener un sesgo positivo en la imagen de uno mismo y la conducta agresiva, los déficits en las relaciones interpersonales, la presencia de rasgos indeseados y el rechazo de los demás entre adultos (Colvin, Block y Funder, 1995) y, todo ello, con una hospitalización en edad temprana (Pérez, Pettit, David, Kistner y Joiner, 2001). Los niños que amenazan a los demás suelen evaluar sus habilidades académicas y de relación interpersonal de manera exageradamente positiva (Gresham, MacMillan, Bocian, Ward y Forness, 1998). De forma similar, algunos estudios sobre miembros de bandas callejeras muestran que sus jóvenes componentes tienen más bien una alta autoestima (Baumeister, 2001).

Existen algunos estudios de laboratorio que estudian la relación entre narcisismo y agresividad (Kernis, Grannemann y Barclay, 1989; Rhodewalt y Morf, 1995). El narcisismo parece estar positivamente relacionado con la dominancia y la hostilidad (Raskin, Novacek y Hogan, 1991), así como con la grandiosidad, el exhibicionismo y la falta de interés por los demás (Wink, 1991). La disposición del narcisista a actuar agresivamente parece estar mediada por las amenazas específicas a su ego, tales como que le evalúen negativamente (Baumeister, Bushman y Campbell, 2000; Bushman y Baumeister, 1998). En una población reclusa por actos violentos, se halló que tanto niveles altos de narcisismo como el trastorno narcisista de la personalidad eran factores de riesgo para la aparición de violencia contra miembros de la propia familia, especialmente cuando se daba conjuntamente un pasado de maltrato o abusos en la familia (Dutton y Hart, 1992). En otro estudio con delincuentes violentos, la autoestima, que iba de moderada a alta, era comparable a la del típico estudiante universitario masculino. Por otro lado, la puntuación media de narcisismo entre delincuentes violentos era más alta que la del resto de grupos (Baumeister, 2001). Sin embargo, Baumeister, afirma que «los narcisistas no son más agresivos que el resto de la gente, siempre que nadie les insulte o les critique» (pág. 101).

Bushman y Baumeister (1998) aplican la teoría psicodinámica y motivacional para discriminar entre alta autoestima *per se* y narcisismo, separando emoción de cognición. Los autores encontraron que «alta autoestima significa pensar bien de uno mismo, mientras que narcisismo implica querer apasionadamente pensar bien de uno mismo» (pág. 228). Ellos consideran que el narcisismo es una subcategoría de la alta autoestima, en la que se exagera la autoimagen de forma estable en el tiempo, a pesar de la presencia de amenazas externas de cualquier tipo. Sin embargo no especifican el rol de la cognición en su teoría.

Aunque existe relación entre autoestima y narcisismo, no se trata de una misma cosa. Los individuos con mucha autoestima no son necesariamente narcisistas, sino que puede ser que confíen mucho en su valía personal. En todo caso, su autoestima se basa en valoraciones realistas, basadas de la demostración de talentos, logros y relaciones exitosas, dentro de un contexto social ajustado a las normas y oportunidades del entorno. La retroalimentación correctiva no desencadena una pérdida dramática de autoestima. Para el paciente con TNP, la autoestima es fruto de un éxito externo y cualquier experiencia que amenace ese éxito se convierte en una amenaza. Nuestro sujeto permanece sólidamente plantado en la creencia de que lo más importante es la imagen, de la misma manera que Narciso se hallaba firmemente plantado frente al río admirando su reflejo. Sin una imagen intachable se activan las creencias nucleares de inferioridad.

Diagnóstico diferencial

El TNP tiene lugar en un 2-16 % de la población clínica (DSM-IV-TR; American Psychiatric Association, 2000; véase la tabla 11.1). Entre los trastornos adicionales que suelen sufrir están los trastornos del estado de ánimo (especialmente la hipomanía), la anorexia nerviosa, las adicciones (sobre todo a la cocaína) y otros trastornos de la personalidad, por ejemplo el histriónico, el límite, el antisocial y el paranoide. Debido a que los cambios en el desarrollo afectan a la autoimagen y a la sensación de capacidad en la vida, la persona con TNP puede ser bastante vulnerable a los trastornos de la adaptación. El narcisismo puede ser subestimado como trastorno concomitante debido a que es difícil de identificar en el contexto de otra sintomatología. A la hora de llevar a cabo la evaluación, el clínico debería descartar cualquier proceso psicótico que indicase la presencia de un trastorno alucinatorio, especialmente aquellos relacionados con la erotomanía y la grandiosidad.

Es importante señalar que algunas personas con notable éxito social también presentan rasgos narcisistas (American Psychiatric Association, 2000, pág. 717). La característica definitoria que puede distinguir la psicopatología narcisista de personalidades normales, dentro de la formulación cognitiva, es la creencia de que sin un éxito y distinción superiores, uno no vale nada.

En este trastorno, se suele encontrar una notable desadaptación vital resultante de la grandiosidad en la que está inmerso el que lo padece. Así, si investigamos en sus relaciones interpersonales, su rendimiento laboral y su conducta encontramos serios problemas relacionados con la falta de ética o la explotación de los demás, como por ejemplo, ser infiel o acosar sexualmente a los compañeros de trabajo. Las dificultades legales y financieras no son una excepción, así como los problemas afectivos asociados con los trastornos del Eje I. El malestar subjetivo suele estar centrado en el resentimiento, el malestar ante los errores ajenos y la percepción de injusticia a la que le somete la vida. Sin embargo, todo esto no parece afectar a la imagen que tienen de ellos mismos.

TABLA 11.1. Criterios diagnósticos del DSM-IV-TR para el trastorno narcisista de la personalidad

Pauta generalizada de grandiosidad (en la fantasía o la conducta), necesidad de admiración y falta de empatía, que empieza en la adultez temprana y se presenta en diversos contextos, indicada al menos por cinco (o más) de los rasgos siguientes:

(1) El sujeto tiene un sentido grandioso de su propia importancia (por ejemplo, exagera sus logros y talentos y espera ser tenido como superior sin haber logrado nada especial).
(2) Ocupan su mente fantasías de éxito, poder, brillo, belleza o amor ideal ilimitados.
(3) Cree que es especial y que sus problemas son únicos y que sólo pueden comprenderlos otras personas (o instituciones) especiales o de alto nivel.
(4) Requiere de una admiración excesiva.
(5) Cree tener derechos especiales, por ejemplo, que se le dé siempre un tratamiento favorable o que se le satisfagan automáticamente todas sus expectativas.
(6) Es explotador en las relaciones interpersonales, por ejemplo, se aprovecha de los otros para lograr sus propios fines.
(7) Le falta empatía: es incapaz de reconocer e identificar los sentimientos y necesidades de los demás.
(8) Ocupan su mente sentimientos de envidia o cree que los demás le tienen envidia a él.
(9) Muestra conductas y actitudes arrogantes y altivas.

Nota: Reproducido con permiso de la American Psychiatric Association (2000, pág. 717). *Copyright* 2000 de American Psychiatric Association.

Conceptualización

El esquema narcisista, por el cual uno se ve en la necesidad de ser superior o especial para evitar sentimientos de inferioridad, puede desarrollarse a través de muchos y variados caminos. Las tendencias narcisistas pueden heredarse (Livesley, Jang, Schroeder y Jackson, 1993) y ser modeladas por padres que intentan compensar los propios sentimientos de inferioridad. En vez de aprender a aceptar y manejar los sentimientos de inferioridad normales y pasajeros, nuestros sujetos catalogan esas experiencias de amenazas que deben ser eliminadas, fundamentalmente adquiriendo símbolos y validación externa. En algunos casos pueden darse circunstancias externas negativas que el sujeto no puede vencer y entonces se suelen dar sentimientos de inferioridad más profundos. Las estrategias que suelen desarrollar para luchar contra esos sentimientos y mantener una autoestima positiva, no hacen más que magnificar sus actitudes de automagnificencia. Piensan que necesitan, a todo coste, el reconocimiento de ciertas personas a las cuales consideran poderosas. Al mismo tiempo, también están muy atentos a cualquier flaqueza en los demás ya que desean relacionarse solamente con aquellos que reflejan una imagen superior. Esto también es parte de sus estrategias compensatorias. A veces, tienen algunas experiencias vitales que refuerzan el desarrollo de esa idea exageradamente positiva que tienen de sí mismos. Por ejemplo, la presencia de algún talento socialmente apreciado, una posición social destacada o un atributo original, reforzarán su esquema de superioridad. El hecho de afiliarse a grupos o instituciones sociales que afirman ser superiores y condenan a los foráneos, puede dar gran fuerza a su esquema. Gracias a su capacidad para aislarse del *feedback* negativo y al hecho de que la sociedad refuerza intermitentemente su conducta explotadora y exhibicionista, se apuntalan de forma natural sus creencias de superioridad. La fantasía, por último, será un ensayo cognitivo perfecto para su grandiosidad y mantendrá sus exageradas estrategias bien engrasadas.

Aunque estas estrategias podrían ser efectivas a la hora de conseguir el éxito, a causa de su compulsión, los pacientes narcisistas parecen no poder evitar atravesar la línea de lo disfuncional. No saben contenerse a la hora de perseguir sus intereses, reaccionan exageradamente a las amenazas a su imagen, explotan en demasía sus posiciones de poder y no logran usar habilidades adaptativas, especialmente aquellas relacionadas con la identificación grupal. Sentirse mal, tener mal aspecto, perder su estatus especial o verse de alguna forma limitado, son intolerables amenazas a la imagen personal. A esta amenaza exagerada la llamamos «el insulto narcisista». Cuando los narcisistas se enfrentan a este malestar reaccionan agresivamente y pueden dar sorprendentes muestras de desinterés total hacia los demás.

Cuando sus actitudes autocentradas provocan controversia, desaprobación, y quizás disgusto entre los demás, se suelen meter en un espiral negativa sin fin. El paciente experimenta el insulto narcisista y, como es de esperar, reacciona defensivamente, enfadándose y exigiendo un tratamiento especial. A veces también se deprime o se pone ansioso y alberga pensamientos punitivos y críticos hacia sí mismo y hacia los demás, debido a que su sentido del propio valor depende de un constante éxito y admiración externa. Hay que subrayar que el paciente con TNP tiene una poquísima tolerancia al malestar y al afecto negativo. No pocas veces, las quejas, las demandas continuas y los escándalos, le dan buenos resultados y restauran su sensación de superioridad.

Misty, la enfermera con problemas en el trabajo, con una montaña de multas y una reciente ruptura sentimental, creció creyendo que ser una «chica bonita» significaba tener derecho a que los demás la tratasen con especial deferencia. Estaba convencida de que era superior a las personas menos atractivas. Su madre y su abuela estaban muy orgullosas de su éxito. El padre de Misty había fallecido trágicamente en un accidente de coche cuando ella era pequeña. Su madre se había casado de nuevo con un hombre que había prometido «mimar» a madre e hija para compensar las desafortunadas circunstancias de su pérdida. Ello significaba principalmente que no les iba faltar nada material y que esperaba de ellas su admiración por el éxito que había conseguido en la vida. La pareja tuvo otros dos hijos varones, lo cual permitió a Misty seguir siendo la «niña bonita» de la casa. Sin embargo, sus hermanos eran tenidos por «los inteligentes» y frecuentemente tomaban el pelo a su hermana calificándola de «rubia tonta». De hecho, Misty, como estudiante, estaba dentro de la media. Su madre se concentraba en dirigir su gran familia y participar en compromisos sociales. La relación con sus hijos giraba en torno a actividades competitivas. Para acabar de adobar el asunto, su familia pertenecía a una congregación religiosa que mantenía creencias etnocéntricas acerca de la superioridad de la raza y la salvación de los elegidos. En la tabla 11.2 se detalla la conceptualización cognitiva de las experiencias tempranas de Misty, sus creencias y estrategias desadaptativas y cómo estas pautas ejercían una influencia sobre sus problemas actuales.

Creencias nucleares narcisistas

La creencia nuclear del trastorno narcisista de la personalidad es la de sentirse inferior o irrelevante. Esta creencia sólo se activa bajo ciertas circunstancias y normalmente se puede observar cuando la autoestima se ve amenazada. De otra manera, la creencia manifiesta es una actitud compensatoria de superioridad: «Soy una persona exclusiva y especial» o «Soy superior a los demás». Otra creencia compensatoria sostiene que «Los demás deberían reconocer lo especial que soy». En terapia, el paciente narcisista busca la admiración por sus especiales cualidades, pero se resiste a explorar sus sentimientos de inferioridad; prefiere pensar que la fuente de sus problemas es externa.

En terapia, Misty habló largo y tendido acerca de sus experiencias en los concursos de belleza y con sus novios, pero de sus problemas legales, interpersonales o financieros, no quería saber nada. El asunto de las multas de tráfico era atribuido a injusticias externas. «Las carreteras están plagadas de gente que no sabe conducir y no voy a permitir que se entrometan en mi camino», decía.

TABLA 11.2. Conceptualización cognitiva del caso de Misty

Datos de la infancia

Los padres son generosos con cosas materiales, pero le prestan poca atención; promocionan los conductas competitivas entre los niños.

Se siente intelectualmente inferior comparada con sus hermanos.

Un aspecto externo excepcional le hace sentir especial e importante.

Creencias fundamentales

«Soy inferior; para compensar, tengo que ser especial.»

Supuestos

«Ser hermosa significa que soy especial y superior.»

«Me merezco un tratamiento especial.»

«Necesito que la gente me admire.»

Estrategias de afrontamiento

Busca constantemente atención y gratificación y si no lo consigue, presenta conductas agresivas.

Situación

	Críticas en el trabajo	Atrapada en un embotellamiento de tráfico	Derrotas en concurso de belleza
Pensamiento automático	«Cómo se atreve a hablarme así.»	«No debería tener que aguantar esto.»	«Me merezco ganar.»
Significado de los pensamientos automáticos	«No puedo soportar el quedar mal.»	«Yo estoy por encima de los problemas pequeños.»	«Piensan que soy inferior.»
Emoción	Enfado	Impaciencia	Ansiedad, enfado
Conducta	Desplantes a los compañeros.	Tocar el claxon; conducir pegada al vehículo de de delante; ir demasiado rápido	Se queja a los jueces; compensa yendo de compras y gastando mucho

Supuestos condicionales

Evidencia de superioridad

La persona narcisista asume que ciertas circunstancias o hechos tangibles le proporcionan evidencia de que es superior, se merece un estatus especial y posee una mayor importancia que la mayoría. Por lo tanto, la creencia es que «Debo tener éxito para probar mi superioridad». Tales pruebas incluyen ser una persona influyente en su comunidad, tener unos ingresos altos, ser físicamente atractivo, poseer bienes de lujo (como coches o viviendas exclusivos), obtener premios y reconocimientos varios o tener relaciones a alto nivel. No todo el mundo, sin embargo, considera que esas cosas sean signos de una supuesta superioridad personal general. Se trata de un supuesto del narcisista el creer que los logros, la posición, las posesiones o el reconocimiento público son indicaciones de valor personal o de la falta del mismo. Y por el contrario, el narcisista también asume que «Si no tengo éxito, no valgo nada». Y en esos casos, si se pierden o no se consiguen esos signos externos de éxito continuo, la autoestima puede caer en picado.

Las relaciones son herramientas

Para el narcisista, las personas son objetos o herramientas útiles en la búsqueda de distinción. Por eso, el paciente gasta mucha energía mental comparándose y juzgando la valía propia y la de los demás. Si alguna persona, de alguna manera, tiene el potencial de promocionarle, éste lo idealizará y buscará. Los que son percibidos como ordinarios o inferiores, son dejados de lado, o quizás explotados para alguna pequeña ganancia para después desecharlos. Como dijo en una ocasión uno de estos pacientes, «Muy poca gente se merece que le dedique mi tiempo. En general, la gente me aburre». El valor de las personas reside en su capacidad para servirle o admirarle. Si no tratan al narcisista de forma especial, éste piensa que le ningunean, lo cual desencadena toda una serie de reacciones defensivas. El paciente narcisista también experimenta ansiedad si cree que alguien le hace competencia atrayendo la atención de una persona útil; para ellos esto puede provocar una crisis de relación. A veces, surgen personas que presentan intereses legítimos en amigos o compañeros sentimentales y esto precipita la crisis. Por ejemplo, un varón narcisista respondió a la pérdida de atención de su pareja ante el nacimiento de un hijo iniciando una aventura con alguien sólo porque ésta le proporcionaba una admiración inagotable.

Cuando le pedimos a Misty que evaluase jerárquicamente a un grupo de personas, lo hizo basándose fundamentalmente en criterios de aspecto físico, celebridad y éxito competitivo. Sólo quería que se la asociase a gente que «tuviese estilo», a «ganadores». Su principal interés consistía siempre en comprobar que su imagen era mejor que la de los demás. Si la rechazaba cualquier hombre se sentía muy humillada; para ella, se trataba de una terrible pérdida de estatus.

Poder y derechos

Los sujetos narcisistas también usan el poder que puedan detentar como evidencia de su superioridad. El narcisista sostiene la siguiente creencia: «Si soy suficientemente poderoso, tendré total confianza en mí mismo y estaré libre de dudas». Como medio para demostrar su poder, puede pretender alterar los límites tácitos que se establecen en las relaciones, así como tomar decisiones unilaterales, controlar a los demás y crear excepciones a las reglas generales. Cualquier pérdida de poder puede provocar una gran crisis, con la consecuente resistencia, hostilidad y depresión.

El sujeto narcisista puede ser muy crítico y muy poco flexible a la hora de emitir opiniones, porque cree que la gente superior posee un juicio superior. Sus procesos cognitivos se caracterizan por un razonamiento del tipo blanco o negro, lleno de sesgos autoconfirmatorios, inferencias arbitrarias y generalizaciones sobre los demás. Las opiniones y críticas por parte de los demás son fácilmente desechadas, independientemente del rigor y prestigio del que las emite. Por otro lado, cuando el narcisista se decide a consultar algo a alguien, busca a una figura «superior». Según su mentalidad, la gente «superior» sabe arbitrariamente qué es lo correcto, aun cuando el tema en cuestión quede lejos de su dominio (por ejemplo, puede pedirle a una celebridad que le dé consejo financiero, aunque ésta no haya estudiado nada al respecto). Además de creer que su juicio es el mejor, el narcisista viola constantemente toda clase de límites ya que se siente muy cómodo dando órdenes («Yo sé qué es lo que les conviene») y muy incómodo aceptando la influencia de los demás. Nuestro paciente se sorprende o, directamente, se enfada si los demás no siguen ciegamente sus directrices. Cualquier demostración de que se ha equivocado puede hacer añicos su sensación de autoestima.

Misty estaba muy irritada porque sus compañeros de trabajo no la habían apoyado en su disputa con el jefe de cirugía. «Yo sé perfectamente qué es lo que se necesita aquí y le digo que ese cirujano no sabe de lo que habla», era toda su valoración de la situación.

Otro supuesto condicional relacionado con el poder es la creencia de que uno está exento del cumplimiento de toda regla. Y eso incluye a las leyes de la ciencia y la naturaleza. Con respecto al riesgo piensan que se trata de una cosa remota, mínima y de fácil manejo. El paciente puede obviar cualquier riesgo, por muy evidente que sea para los demás, porque tiene la firme creencia de que él es una «excepción». Ante conductas peligrosas como fumar, beber, conducir alocadamente, gastar en demasía, darse al alcohol y las drogas, abusar emocionalmente o sexualmente de los demás o incluso causar daño físico, responde con frases como «No pasa nada; yo soy especial; ya me las arreglaré». Cuando, tarde o temprano, se evidencia que no hay excepción posible, no acepta fácilmente la realidad; suele decir frases del estilo «¡Cómo puede sucederme esto a mí!» Cuando se enfrenta a la posibilidad de una pérdida definitiva, por ejemplo la amenaza de una enfermedad mortal, muchas veces, reacciona pensando que él no tendrá que pasar por el estrés emocional por el que pasan las personas «ordinarias». El paciente con TNP también rechaza aquellas situaciones vitales que requieren de cierto sacrificio como, por ejemplo, las transacciones propias del matrimonio porque tiene la creencia de que «No tengo por qué pasar por esto; mis relaciones tienen que ser fluidas y no requerir esfuerzo».

El paciente narcisista también asume que su estatus de poder le confiere el derecho a que «los demás deban satisfacer mis necesidades» o que «las necesidades de otros no debe interferir con las mías». Es por eso que se enfrenta a muchas situaciones con la creencia de que su deber y su derecho es conseguir la gratificación instantánea. Por ejemplo, desde cosas sencillas como conseguir el mejor asiento, la mejor comida o elegir habitación a cosas más complejas como dominar toda la conversación hablando sólo de sus intereses, gastar una proporción excesiva del presupuesto familiar o exigir una parte exagerada de una herencia. Las personas que no satisfacen las «necesidades» del narcisista, entre las que se incluyen tener un aspecto radiante o estar libre de toda inconveniencia, «se merecen un castigo».

Misty creía que el hecho de tener una cita con alguien, le confería el derecho de recibir todo tipo de regalos, joyas, dinero, viajes y demás. En realidad, estaba muy orgullosa de su capacidad para jugar con «el ego masculino», lo cual consistía en enumerar a sus parejas la lista de regalos que le habían hecho otros hombres para que éstos quisiesen superarlos con mejores presentes. Su interés real por esas personas era lo de menos. Si la persona en cuestión no caía en esta suerte de extorsión, Misty no dudaba en divulgar mentiras acerca de su pobre rendimiento sexual.

Cuidado de la imagen

Los sujetos narcisistas creen que «la imagen lo es todo», porque es la armadura de su autoestima. Por lo tanto, su principal preocupación es comprobar y mantener su imagen; se perciben a sí mismos como constantemente en el escaparate. Sus típicos pensamientos automáticos exageran la probabilidad de que les evalúen positivamente, de que les comparen con celebridades u otros individuos de alto estatus. Un paciente narcisista dijo en una ocasión: «Dios me admira». Si no logran que los demás les elogien, experimentan un gran malestar. Entonces se enfadan y se obsesionan con las dudas y los miedos asociados a sus creencias nucleares negativas.

La creencia en la importancia suprema de la apariencia se suele extender, aunque no siempre, a aquellas personas que pertenecen a su núcleo familiar o de amistades (por ejemplo, el cónyuge o los hijos). Para ellos es natural pretender que su hijo (o su pareja) estén obligados a darles una buena imagen. Esto puede provocar sorprendentes dobles vínculos en sus seres queridos. Si no consiguen actuar de manera admirable (según el narcisista), pueden ser ridiculizados, castigados o atormentados. Si tienen éxito se suscita la posibilidad de que el narcisista quede en la sombra, por lo cual son ridiculizados, castigados o atormentados.

Amanda y Lewis acudieron a la terapia de pareja en limusina, cortesía de los padres de Amanda. Los progenitores de la paciente sólo querían lo mejor para su hija. Los problemas del matrimonio giraban en torno a la creciente insatisfacción de Amanda ya que Lewis no parecía «tan dispuesto» a complacerla como antes. Según ella, su marido, a sus 42 años, estaba perdiendo cabello y ganando barriga, pese ser un deportista profesional que se mantenía en bastante buena forma. De todas formas, la delgada Amanda afirmaba con orgullo que ella usaba la misma talla desde los 16 años. Una de las muestras de los pocos deseos de Lewis por complacerla era su negativa a implantarse cabello. En su opinión, era esencial reponer el cabello que iba perdiendo su marido. «Lo que está claro es que no puedo seguir casada con un tipo calvo y gordo», decía. «¡Quedaría fatal!».

El supuesto de la contribución meritoria

Los sujetos narcisistas tienden a crear un mundo particular en el que ellos lucen en toda circunstancia. El truco consiste en exagerar las necesidades y debilidades de los demás y subrayar las propias virtudes y méritos. Frases como «Me necesitan» y «Les estoy haciendo un favor» racionalizan acciones que tienen como principal objetivo la autogratificación o la explotación de los demás. El verse a uno mismo como generoso y noble benefactor contradice y previene cualquier acusación. Aunque puedan ayudar en alguna medida a los demás, los narcisistas exageran los beneficios que producen y sólo atienden a los agradecimientos por parte de los otros. En ocasiones, castigan injustificadamente a la gente, pero en su opinión están «Dándoles la lección que necesitan»; «Es por su propio bien».

Misty vivía en casa de su abuela sin pagar ningún alquiler y, además, recibía de ella «una paga para su mantenimiento», que en realidad servía para sufragar sus tratamientos cosméticos, la ropa y accesorios de moda. La abuela trabajaba como dependienta en unos grandes almacenes pese a sufrir artritis, pero eso no era impedimento para que Misty creyese que la pobre «necesitaba» darle el dinero para sentirse útil y feliz.

El supuesto del afecto negativo

Las personas con TNP tienden a exagerar las implicaciones negativas de emociones tales como la tristeza, la culpa y la indecisión porque piensan que esos sentimientos son muestras de debilidad personal que van en detrimento de una imagen positiva. Por otro lado, obvian los posibles riesgos asociados a la ira desenfrenada o al autobombo excesivo. Estos pacientes tienen muy poca tolerancia a la frustración; no sólo pretenden que se les satisfagan todos sus deseos, sino que también esperan estar en un estado permanente de refuerzo positivo. Cuando esto no ocurre, experimentan lo que antes hemos llamado «insulto narcisista». Entre sus supuestos condicionales se hallan las nociones de «Si se quiere algo es muy importante conseguirlo» y «Debo sentirme feliz y cómodo todo el tiempo» y «Si no soy feliz, nadie puede serlo» y «Para ser feliz tengo que sentirme especial». El paciente narcisista ve la vulnerabilidad como una «debilidad» intolerable. Por eso se mostrará muy reacio a discutir sus problemas pues ello mermaría su imagen. Que los demás estén preocupados por ellos es algo que sólo pueden tolerar, pero que, en todo caso, no reciben bien, ya que les hace sentirse inferiores. Incluso en el contexto de la terapia se muestran reacios a hablar de sus «debilidades», pero al mismo tiempo esperan que se les restaure el bienestar.

ESTRATEGIAS COMPENSATORIAS

Los sujetos narcisistas son muy activos a la hora de reforzar sus creencias de excelencia personal y evitar las experiencias incómodas o que les sitúan en una posición vulnerable. Tienen grandes sueños y buscan la fama, el amor ideal romántico o el poder. Esto último, el poder, puede ser sobre algo objetivo (cargos con capacidad de decisión o abundancia material) o sobre las relaciones interpersonales (tener autoridad e influencia sobre los demás). En todo caso, el objetivo de estos esfuerzos es hacerse con la admiración de los demás, demostrar superioridad y hacerse invulnerable al dolor o a las pérdidas de estima. Existen, al menos, tres tipos de estrategias que expresan esta orientación. Si se les critica o contradice, existen muchas posibilidades de que usen estas maniobras de una manera abusiva e incluso violenta contra la propia persona o los demás.

Estrategias de confirmación

Los sujetos narcisistas buscan la confirmación de su poder e importancia solicitando halagos, comportándose de manera arrogante y condescendiente en relación a las personas que se hallan en posiciones subordinadas. Estas estrategias parecen decir «¡Mirad lo importante e influyente que soy!».

Estrategias de publicidad

Para los sujetos narcisistas es muy importante acumular todo tipo de símbolos de estatus, perfección y poder. Algunos les dan mucha relevancia a las posesiones materiales; su lema podría ser «Yo sólo me merezco lo mejor». Otros se centran fundamentalmente en los logros o el reconocimiento por parte de los demás; para éstos, las apariencias o los bienes materiales tienen poca importancia.

El sujeto narcisista tiene la tendencia a exponerse a múltiples conductas de riesgo, por ejemplo, llevar a cabo negocios inseguros, deportes extremos, conquistas sentimentales compulsivas, cirugía plástica reiterada, viajes de aventura, entretenimiento sin pausa o cualquier cosa que pueda demostrar un tipo de vida distintivo. Estas actividades pueden aparecer como hipomaníacas, pero tienen objetivos claros y están bien organizadas, a diferencia de los estados maníacos. Siempre que exista la posibilidad de destacar, alcanzar un estatus más alto o ganar cualquier competición, el narcisista encontrará muy pocas razones para detenerse, sean cuales sean las consecuencias.

Estrategias de protección

Las estrategias narcisistas más perniciosas son aquellas cuyo objetivo es evitar las amenazas a su perfecta imagen personal. Las amenazas son idiosincrásicas y pueden ser percibidas de muchas maneras. Sin embargo, existen amenazas predecibles y entre ellas se contarán, con mucha probabilidad, la retroalimentación o los comentarios valorativos de los demás, los cuales, sino son precisamente halagos, serán recibidos como críticas. Más amenazas predecibles son los desacuerdos, el no demostrar el apropiado «respeto» o admiración o el contradecir sus creencias. Debido a que «la imagen lo es todo», las situaciones que con mayor probabilidad amenazarán al narcisista son aquellas que tienen que ver con una audiencia (o con la presencia de alguien importante). Comentarios triviales hechos en presencia de amigos pueden causar una verdadera «tormenta» debido al insulto narcisista; mucha gente considera al narcisista, una persona defensiva, poco receptiva o demasiado sensible al *feedback* constructivo, aun cuando se le trata con mucho tacto.

El narcisista tiene el peligro de que su posición defensiva se convierta, en un momento dado, en un conjunto de acciones destructivas e incluso violentas. En muchos casos no duda en hablar mal de los demás y rechazar a la gente. A veces, llegan a amenazar violentamente para asustar al competidor («Te arrepentirás. ¡No sabes con quien estás hablando!»), o llevan a cabo actos de violencia física para castigar al rival.

Chief fue arrestado por el asesinato múltiple de seis miembros de su familia y, poco después, diagnosticado de TNP. El episodio violento de Chief se produjo después de un conjunto de situaciones estresantes. Se separó de su mujer, reteniendo la custodia de varios de sus hijos pequeños, fue despedido del trabajo y le embargaron los muebles, dejando la casa sin camas ni sillas. Su ex mujer le llamaba por teléfono para explicarle las cualidades sexuales de su nuevo novio y sus posesiones materiales, entre las que se contaba un arma. Chief estaba cada día más enfadado y obsesionado con la idea de que el novio «tenía un arma más grande que la mía» y que sus hijos le iban a abandonar a cambio de la opulencia de la nueva pareja. Para asegurar su posición de poder, planeó el asesinato de su mujer y su novio. El día en que tenía que llevar a cabo el acto, sin embargo, decidió «hacerse cargo» de sus cuatro hijos disparándoles un tiro a cada uno, para que su mujer no los recuperase jamás. Finalmente, encontró a su mujer en casa de la madre de ésta y mató a ambas. Después, siguió al novio durante seis horas y consiguió herirle, aunque no asesinarle. Todos los análisis psicológicos que se le efectuaron, demostraron que los asesinatos fueron cometidos para defender su autoestima, castigar a aquellos que le habían amenazado y proteger sus supuestos derechos.

Enfoque de tratamiento

Los pacientes narcisistas suelen empezar el tratamiento en un momento que Freeman y Dolan (2001) describen como «anticontemplación». En ese periodo entre la pre-contemplación y la contemplación, la postura del paciente es de oposición al cambio. En esencia, vienen a decir. «Estoy bien como soy; no necesito estar aquí ni cambiar. Además, ¡usted no puede cambiarme!». Incluso aunque estén sufriendo un gran malestar, los pacientes narcisistas son ambivalentes acerca del tratamiento y evitan cualquier forma de análisis porque ello amenaza con activar sus creencias nucleares negativas de inferioridad. La estrategia protectora, en este caso, es externalizar las fuentes del malestar. Algo tiene que ser diferente, pero no ellos. Cuando el bienintencionado terapeuta intenta recomendarles que sigan ciertas acciones dirigidas al cambio personal, como se hace típicamente con los trastornos del Eje I, hace aparición la resistencia del paciente y se producen inútiles luchas de poder.

Estrategia de colaboración

Las características defensivas de este trastorno pueden fácilmente provocar el aburrimiento, la ansiedad, la comisión de errores y la adopción de posturas defensivas por parte del terapeuta. El narcisista suele usar tanto la crítica como los halagos como estrategia interpersonal para conseguir sus objetivos. A veces, incluso, en el primer encuentro, critican la decoración del despacho del terapeuta o su localización, poniendo en entredicho la valía del terapeuta y se comportan de forma arrogante hacia el personal como si esperasen un tratamiento especial. Tal conducta puede complicar el establecimiento de un buen vínculo emocional con esa persona. En otros casos, el narcisista intenta deslumbrar al terapeuta para llevarlo a su terreno, introduciéndole en su círculo de personas «excepcionales». Es importante tener claro que sus comentarios idealizadores y exagerados son parte de su psicopatología. El terapeuta no tendrá problemas en distinguir esos comentarios narcisistas de los agradecimientos típicos del resto de los pacientes. Por ejemplo, algunas personas gustan de comentar las hermosas vistas que tiene el despacho del terapeuta. El paciente narcisista, sin embargo, querría las vistas para su propia oficina y evalúa las ventanas como una medida de estatus personal.

Es esencial estar atento a estas estrategias y ajustar las propias expectativas y respuestas. Lo más importante será trabajar consistentemente desde la conceptualización de las creencias y estrategias narcisistas. Si el terapeuta espera poder aplicar sus técnicas cognitivas de manera lineal, lo más seguro es que se desanime. Los pacientes narcisistas presentan problemas que típicamente interfieren con la colaboración, entre los que se cuentan la falta de *insight* y la búsqueda del cambio en el exterior. Es muy posible que sea necesario mostrarles sus problemas antes de que acepten la influencia del terapeuta. La terapia puede ser entendida como una amenaza y, entonces, necesitarán que se les explique lo contrario. O, muchas veces, esperan un tratamiento especial y trivializan acerca de las recomendaciones concretas y normales. Esperan sentirse mejor sin esfuerzo o riesgo y les molestan los comentarios acerca de sus problemas. Si el terapeuta renuncia demasiado rápido al enfoque cognitivo o atribuye esas dificultades sólo a su propio dominio de las técnicas, es posible que se acabe sin tratar los aspectos desadaptativos de la personalidad del paciente.

A los pacientes narcisistas, es importante darles apoyo y reforzar sus cualidades, así como ser flexible y variar la estructura del trabajo cuando sea necesario. No deben faltar, pues, las reflexiones y comentarios favorables para adaptarse al estilo de relación que le gusta al paciente, pero se debe actuar estratégicamente para reforzar las conductas deseables.

A veces, las reacciones emocionales a los pacientes narcisistas van más allá de los parámetros normales, tanto en positivo como en negativo, y desafían a las propias capacidades del terapeuta. Éste puede sentir disgusto o aversión ante determinadas respuestas inmorales, abusivas o ilegales. Por otro lado, puede sentirse seducido por los halagos o el respaldo de este sujeto, aparentemente capaz y brillante. Cualquiera de estas reacciones suponen una amenaza a la integridad del tratamiento e indican la necesidad de conceptualizar posibles respuestas terapéuticas. En este sentido, será de especial ayuda el uso de herramientas cognitivas como el registro de pensamientos disfuncionales, para encontrar alternativas y maneras de manejar las fuertes reacciones emocionales que se experimentarán hacia el paciente. Como siempre, será importante tener en cuenta las recomendaciones y disposiciones éticas, legales y clínicas para enfrentarse a las amenazas, a la conducta peligrosa o a las violaciones potenciales de los límites y consultar con especialistas cuando sea necesario.

Intervenciones específicas

Entre las áreas clave que incluye el tratamiento de la personalidad narcisista se hayan (1) mejorar las habilidades para lograr objetivos y revisar el significado del éxito; (2) incrementar la conciencia de la existencia de límites y perspectivas de los demás; (3) explorar creencias acerca de la valía personal, las emociones y desarrollar alternativas constructivas. En ese sentido, disponemos de toda una serie de herramientas cognitivas para guiar a los pacientes con TNP en su proceso de recogida de datos y comprobación de hipótesis acerca de esas áreas problemáticas. Los gráficos de queso de factores contribuyentes pueden ser un método útil para llegar a pensar de una manera más amplia, en términos más complejos y también para establecer prioridades. Los *role plays*, sobre todo cuando se escenifica la postura de la otra persona, pueden ser de mucha utilidad para aprender a tener empatía y entender los límites y las perspectivas de los demás; podremos atenuar las reacciones emocionales exageradas frente a situaciones de crítica usando métodos de valoración con escalas y la revisión de opciones y alternativas. El establecimiento de objetivos y tareas graduales pueden ayudarnos a trabajar los problemas de excesiva confianza en una gratificación fantasiosa. También podemos usar algunas preguntas de descubrimiento personal para explorar las creencias y supuestos de grandiosidad y desarrollar unas alternativas más adaptativas. Por último, la hipnoterapia cognitiva puede ser también una buena herramienta para modificar el pensamiento narcisista, especialmente a un nivel estructural o de esquema (véase Dowd, 2000). Como afirma Dowd (2000), es importante que tanto terapeuta como paciente estén adecuadamente preparados para usar esta intervención especializada.

Lista de problemas, agenda y motivación para el tratamiento

Debido a que los pacientes con TNP temen que salgan a la luz sus sentimientos de inferioridad, debe establecerse, lo más rápido posible, una lista concreta de problemas basada en las dificultades específicas que presenta el paciente. La ambivalencia acerca de la conveniencia de seguir una terapia puede trabajarse revisando los pros y los contras del tratamiento, y precisamente eso será un ejemplo de cómo se debe trabajar con cada uno de los problemas de la lista mencionada. Esta estructura le permite al paciente entender la terapia como una opción positiva y de mejora personal. Muchas veces, es útil mencionar que la terapia es una herramienta que usa mucha gente exitosa y famosa y que, en la mayoría de los casos, se tiene por una experiencia positiva, que aunque algunos temas pueden provocar cierto malestar, la gente disfruta de la guía y la ayuda que proporciona el terapeuta, que la gente suele tener ganas de ir a la siguiente sesión y demás. Además, se puede subrayar que paciente y terapeuta valoran, durante toda la terapia, el progreso y la utilidad de la misma.

A medida que se desarrolla una buena relación con el paciente, puede ser útil usar una herramienta estructurada como el Personality Belief Questionnaire (PBQ), que nos servirá para evaluar creencias narcisistas específicas y determinar su intensidad. Esta evaluación aportará una mejoría en la conceptualización del caso ya que, al ser algo compartido entre paciente y terapeuta, posibilitará que se exploren modificaciones de creencias nucleares. Cuando la lista de problemas incluya conductas delictivas, será necesario usar estrategias adicionales de tratamiento (sin embargo, va más allá de los objetivos de este capítulo tratar problemas de criminalidad, como por ejemplo, atracos con violencia, etc.).

Como demuestra la experiencia, es útil (1) trabajar cualquier crisis inmediata o conducta destructiva, (2) trabajar cualquier síntoma de trastorno del Eje I, (3) modificar las creencias subyacentes mediante experimentos y del descubrimiento guiado. En vez de amplios objetivos de reestructuración de la personalidad (por ejemplo, «Tengo que convertir a Misty en una persona humilde y altruista») necesitaremos centrarnos en objetivos más limitados como que el paciente adopte determinadas estrategias adaptativas («Ayudaré a Misty a que deje de explotar a su abuela y a los demás, a que establezca objetivos laborales realistas, a que asuma el insulto narcisista y a que construya creencias más adaptativas acerca de su autoestima»).

Como hemos mencionado con anterioridad, Misty inició la terapia gracias a la insistencia de algunas personas, entre ellas, su abuela. Ella no veía la necesidad de cambiar, pero estuvo de acuerdo en llevar a cabo una serie inicial de 12 sesiones con opción a continuar si, al final, el trabajo le parecía útil. Los objetivos del tratamiento iban a ser sus problemas de relación, su frustración en el trabajo y las multas y demás cuestiones legales a las que se enfrentaba. Una de las cosas que motivaron a Misty a iniciar la terapia fue leer en una revista que una famosa actriz, admirada por ella, llevaba a cabo terapia de pareja para «ayudarla a no perder el norte». Con eso en mente, empezó a pensar que las sesiones eran una oportunidad de mejora personal y no una amenaza, una desagradable revelación de debilidades o algo vergonzoso.

Misty no mostraba ninguna preferencia en cuanto a qué problema trabajar primero, pero tenía la tendencia a usar las sesiones como plataforma para explicar sus grandiosas historias acerca de sí misma. En esos casos, el terapeuta le proporcionaba orientación sobre el modelo cognitivo.

TERAPEUTA: ¿Sabes Misty?, está muy bien que tengas tantas ganas de hablar, sobre todo, al inicio de la sesión. Ese entusiasmo nos va muy bien.

MISTY: ¡Gracias!

TERAPEUTA: Es muy útil saber reconocer qué es lo que nos hace sentir bien y aprender de nuestros éxitos. Sin embargo, asegurémonos de que dedicamos suficiente tiempo a trabajar, al menos, uno de los problemas de nuestra lista. ¿Cuál te gustaría trabajar hoy?

MISTY: Bueno, tengo que explicarle lo del sábado. Fue genial.

TERAPEUTA: Está bien. Me encantaría oírlo. Y si este tema no nos lleva automáticamente a uno de nuestros puntos de trabajo, no pasa nada; me parece bien dedicar diez minutos a calentar motores. Después podemos hablar, por ejemplo, de tu carrera laboral. ¿Qué te parece?

MISTY: Perfecto. Ahora, volviendo al sábado...

Consecución de objetivos y significado del éxito

La consecución de grandes objetivos es uno de los principales valores de las personas con TNP. En ello basan su amor propio e identidad. Sin embargo, los esfuerzos y la frustración inherente a la mayor parte de las experiencias de obtención del éxito les despiertan creencias nucleares negativas. Sus actitudes altivas, su uso excesivo de la fantasía, sus expectativas grandiosas e inflexibles y los esfuerzos insuficientes les impiden el logro real de objetivos. A veces, existe un notable nivel de éxito, pero el significado que le dan a esos logros sigue siendo problemático porque es siempre la medida de su valía personal. Frente a todo ello, podemos usar estrategias de trabajo cognitivas y conductuales. En resumen, lo que perseguiremos es un establecimiento de objetivos más efectivo y el examen crítico de sus creencias acerca del significado del éxito.

Cuando exploramos sus aspiraciones laborales, Misty nos explicó que tenía fantasías acerca de ganar grandes certámenes de belleza, convertirse en actriz y obtener diversos premios por sus excelentes interpretaciones. Veía la entrega de los premios Oscar en televisión y pensaba: «Yo debería estar allí». Sin embargo, gran parte de su frustración provenía de que sus esfuerzos para construirse una carrera consistían en poco más que soñar. Dedicaba tanto tiempo a fantasear sobre su futuro ideal (y hacer poco), que no prestaba atención a sus otros objetivos personales.

Para ayudar a Misty a clarificar sus prioridades, su terapeuta le pidió que realizase un gráfico de queso con los objetivos potenciales que deseaba para su vida (sus sueños). Además de ser una actriz famosa, quería tener buenos amigos y una familia que le hiciese feliz y le diese estabilidad. Después, debía determinar, en porcentajes, qué era más prioritario. Así, estableció que su carrera como actriz era importante en un 40 %, los novios en un 30 %, los amigos y la familia en un 20 % y ganarse la vida, en un 10 % (esto último, le costó reconocerlo). Misty y su terapeuta establecieron después una serie de pasos para llegar a la consecución de tales objetivos. Se trataba de hacer algo práctico, no simplemente soñar. El plan de acción de la paciente incluía llevar a cabo audiciones para actuar como «extra» en películas y vídeos, apuntarse a un curso de interpretación y trabajar a tiempo parcial en un teatro.

Una parte importante de este ejercicio consistía, por otro lado, en analizar las reacciones de Misty a la hora de establecer sus planes y así se captó que minimizaba y ridiculizaba con frecuencia los pasos intermedios. Una vez entendida esta cuestión, se le pidió que, durante su vida diaria, analizase esa tendencia suya usando el registro de pensamientos disfuncionales. La paciente se mostró incluso capaz de explorar las razones de esas reacciones negativas y salieron a la luz algunas creencias clave que tenían que ver con el éxito, la superioridad y la idea de valía personal (por ejemplo, «Me tienen que dar un papel principal. Si no, soy un fracaso»). Todo ello sirvió para construir un experimento con el que comprobar si un poco de flexibilidad podía dar beneficios (interpretar un papel pequeño en vez de querer ser la protagonista), lo que, a su vez, sirvió para que empezase a cambiar sus creencias nucleares subyacentes.

Cuando este tipo de paciente nos habla de que ha fracasado en sus sueños o expectativas, muchas veces vemos que el problema parte de unos objetivos exagerados e inflexibles. En estos casos, además, se suele dar una excesiva comparación con los demás, una minimización de la necesidad del esfuerzo y se obvia la importancia de los resultados parciales. Y a veces, incluso, se presenta una minimización o negación de determinadas acciones agresivas que, no por casualidad, han impedido su progreso.

Scott era un joven agente de inversiones que acababa de ser despedido de una empresa por tercera vez consecutiva. Acudió a terapia quejándose de su infortunio: «¿Cómo me puede pasar esto a mí?». Pensaba obsesivamente acerca del éxito que se «merecía» y cuando se comparaba con sus antiguos compañeros de universidad, se sentía fatal. Sus expectativas eran ganar «al menos» un millón de dólares al año y era incapaz de ver la conexión entre las acusaciones de acoso sexual de sus empleados y sus reiteradas pérdidas de empleo. Después de un poco de trabajo, Scott aceptó que compararse constantemente con los demás no le beneficiaba mucho. Que intentar conseguir un sueldo de un millón de dólares trabajando en una empresa de «prestigio» y provocar al mismo tiempo quejas de acoso sexual (bastante fundamentadas) no era muy compatible. Hasta ahí, la cosa no fue difícil. Los problemas surgieron a la hora de modificar el significado de sus expectativas de éxito y tener en consideración objetivos alternativos.

Cuando existe mucha envidia o ira a causa de la frustración de exageradas expectativas, una estrategia útil es aceptar la idea de que el paciente es un sujeto especial para pasar a analizar el coste/beneficios de su conducta. Se trata entonces de establecer una discusión orientada a la resolución de problemas, un debate sobre opciones. Por ejemplo, Misty creía que, cuando tenía prisa, tenía todo el derecho de exigir a la gente que se apartase de su camino. El terapeuta se mostró inicialmente de acuerdo en ello, pero añadió que las probabilidades de que algo así sucediese eran más bien remotas. Por lo tanto, ¿de qué otra opción disponía? El coste de intentar que la gente respetase sus «justificadas» exigencias había sido muy alto: estaba a punto de perder el carnet de conducir, debía cientos de dólares en multas, le habían subido varias veces el precio de la póliza del seguro del coche y no ganaba para reparaciones. Al final, Misty accedió a probar la estrategia de limitar voluntariamente sus «derechos», lo cual se traducía en no atosigar a los demás conductores y pensar en cosas agradables cuando hubiese mucho tráfico. Para el lector interesado, DiGiuseppe (2001) ha demostrado la eficacia de otras estrategias para manejar este tipo de ira.

Además de lo dicho hasta el momento, si la relación terapéutica es lo suficientemente buena, el terapeuta puede explorar las razones que hay detrás de las engreídas ideas del paciente para, poco a poco, ir combatiendo tal cognición. A la larga, se trabaja la idea de renunciar a la gran excelencia. Se trata de cuestionarse: ¿realmente, pierdo mucho renunciando a un poco de gloria? ¿Qué puedo ganar haciendo tal concesión? En el caso de Misty, por ejemplo, se la animó a que renunciase a esa costumbre suya de pedir regalos a sus novios. A Scott se le pidió que evaluase qué era mejor: ¿pasarse todo el día pensando en lo que se merecía o enviar currículo a empresas de «segundo» o «tercer» nivel? ¿Enfrentarse con las anticuadas normas de conducta de las empresas o adecuarse a ellas?

Límites interpersonales y perspectiva de los demás

Una tarea central de los pacientes con TNP es la mejora de sus habilidades interpersonales, aunque es probable que se tomen la idea de hacer un curso en formación de habilidades sociales como insulto narcisista. Más que las habilidades sociales básicas, lo que necesitan estos pacientes es aprender a escuchar, ponerse en el lugar de los demás, ser amables y cariñosos y aceptar la influencia de los sentimientos ajenos. Pensemos que el narcisista tiende a juzgar, manipular y dominar las relaciones. Plantear el trabajo como algo relativo a límites y perspectivas puede resultarles más llevadero. Los límites harán referencia a cuestiones sexuales, físicas, sociales y emocionales, así como a acotar la atención que se prestan a sí mismos y a los demás. La estrategia de atender a la perspectiva de los demás puede ser modelada si el terapeuta anima al paciente a que le pida *feedback* durante las sesiones. Se le indicará al sujeto que los juicios y las comparaciones son, en cierta medida, violaciones de los límites emocionales de las interacciones; se insistirá en que es mucho mejor hacer descripciones no evaluativas que muevan a la aceptación, ya que simplemente son más útiles, más respetuosas y empáticas.

Después de varias investigaciones acerca de la salud y el bienestar de su abuela, Misty accedió a hablar de su relación con ella: qué vínculos mantenía con ella y en qué medida entendía la perspectiva de la misma. Aunque tendía a ser desdeñosa con ella, aceptó que era una persona importante en su vida. Usando un ejercicio de visualización de intercambio de roles y la confrontación empática, el terapeuta guió a Misty para que tuviese más empatía con respecto a las necesidades y límites de su abuela.

TERAPEUTA: Así que tu abuela está muy irritable por las noches, especialmente cuando tú no te presentas para la cena. Intentemos imaginarnos qué es lo que ella debe pensar en esos casos. ¿Puedes ponerte en su lugar y decirnos qué es lo que hace Misty para ponerla tan nerviosa?

MISTY: Ella diría algo así como: «Estoy cansada de trabajar y la artritis me está matando. Me cuesta moverme y hacer la cena es todo un suplicio. Sólo quiero irme a la cama».

TERAPEUTA: Dime, ¿no es posible que tu abuela esté estresada por tener que trabajar a su edad y que tú dependas todavía de ella?

MISTY: ¡No, qué va! A ella le encanta mimarme para que yo esté feliz.

TERAPEUTA: Estoy seguro de que te quiere y que desea hacerte feliz. Pero es posible que eso mismo también la estrese porque, ¿no es verdad que el cansancio, el dolor, la necesidad de dinero y demás, también pueden ser una carga emocional o física?

MISTY: No lo sé. Supongo que sí.

TERAPEUTA: ¿Querrías investigar un poco en esa dirección? Por ejemplo, podrías preguntarle cómo se siente, pedirle que te hable de sus sentimientos.

MISTY: Supongo que sí.

TERAPEUTA: Muy bien; hablemos ahora de cómo vas a hacerlo.

Los pacientes narcisistas, así como los maníacos, tienden a dar demasiada importancia a las respuestas positivas de los demás ante sus acciones. No hay que decir que, muchas veces, esas acciones son, en realidad, más que cuestionables. Los hay que pueden provocar grandes quebrantos en los demás y no darse cuenta de ello. Con éstos, se necesita trabajar intensamente sobre sus percepciones de riesgo y perjuicio ocasionado.

Creencias disfuncionales acerca del yo y las emociones

El tercer grupo de problemas que debemos trabajar con estos sujetos está relacionado con la rigidez de juicio y las creencias disfuncionales acerca de las emociones negativas.

En primer lugar, su excesiva confianza les puede impedir ser críticos con sus propias creencias. Frecuentemente, piensan que aceptar la influencia de los demás. cambiar de postura para acomodarse a una nueva información que viene de fuentes externas, es una forma de debilidad o pérdida de poder que pone en peligro su propia imagen. Se dicen a sí mismos cosas del estilo «Cuando se decide algo, pase lo que pase, no se debe cambiar de opinión» o «Si cambio de idea, pareceré débil e inferior» o, peor aún, «Aceptar la influencia de los demás es una derrota humillante». En la imagen mental del narcisista, «La gente exitosa y segura de sí misma nunca cambia de postura». Uno de los primeros pasos para cambiar el conjunto de creencias de las personas con TNP es, precisamente, explorar alternativas a la convicción que acabamos de mencionar. Un buen método para ello es decirles que, en ciertas circunstancias y en ciertos ámbitos, hasta las personas más exitosas se replantean sus decisiones. Por ejemplo, cuando se encuentran en callejones sin salida o en el contexto de la relaciones interpersonales.

El sujeto con TNP cree que es esencial estar permanentemente cómodo, feliz y seguro de sí mismo. Es típico, de hecho, que pidan ayuda al terapeuta para restaurar continuamente su estado emocional, que ha de ser siempre positivo. Sin embargo, esta reacción automática puede ser perfectamente una estrategia de evitación para minimizar la privación de esquemas negativos. Algunos pacientes con TNP creen que si se sienten mal, algo no marcha en ellos porque la gente superior, segura de sí misma, nunca experimenta miedo, tristeza, ansiedad u otras emociones negativas. Relacionado con ello están las creencias acerca de la necesidad de defender la imagen propia. Suelen decir cosas como, «Si me retan, tengo que defenderme» o «No puedo permitir que nadie me critique».

El primer paso hacia la aceptación de las experiencias emocionales puede ser, sencillamente, proporcionarles apoyo y validación. En segundo lugar, insistir en que el hecho de no tolerar el malestar produce el efecto contrario al deseado, es decir, mayor malestar, ya que, entonces, cualquier sentimiento negativo se convierte en una amenaza a la autoestima. Además, el terapeuta puede hacerles ver que se juzgan demasiado severamente: «Si me siento herido, soy estúpido y débil» o «Es intolerable que no me sienta feliz todo el tiempo». Luego, se pueden explorar las ventajas y desventajas de tales juicios en comparación con algunas creencias alternativas, por ejemplo, que tener un rango amplio de sentimientos y sensaciones es totalmente normal, parte de la vida. Hay que animarles a que se arriesguen y comprueben qué pasa si aceptan tales emociones, qué sucede si valoran positivamente esta importante dimensión de su personalidad.

Mediante estas estrategias, Misty reconoció que cuando la corregían en el trabajo se sentía muy avergonzada, enfadada y a la defensiva. A causa de ello, arremetía contra la fuente de ese malestar, en ese caso, el cirujano supervisor. El resultado era terrible porque sólo recibía palos. También identificó la siguiente creencia operativa: «Tengo que pelear para probar que los que se equivocan son ellos». Su malestar giraba en torno a ofrecer «una mala imagen ante los compañeros» y que no se le «reconociesen» los méritos. Después, el terapeuta le preguntó si su actitud de defenderse como gato panza arriba solucionaba uno de los dos problemas. Misty aceptó que, a pesar de los berrinches, todo seguía igual o peor. A continuación, el terapeuta le invitó a considerar la posibilidad de aceptar los sentimientos negativos derivados de las correcciones de sus superiores. De esta manera, a base de insistir en ello, Misty llegó a plantearse el hecho de que la corrigiesen no era tan grave, que quizás todo era una exageración suya. A partir de ahí, se abrió la puerta a una nueva interpretación: quizás el cirujano sólo intentaba ayudarla, enseñarle a hacer su trabajo de manera que en un futuro, se le reconociesen los méritos.

Combatir las creencias disfuncionales y reforzar las funcionales

Basándose en su respuesta al PBQ, el terapeuta de Misty sacó el tema de la importancia de ser admirada y sentirse especial, de qué manera esto la había afectado en su vida y demás. Una de las principales consecuencias, según ella, era que había participado en muchos concursos de belleza. Se le pidió entonces que valorase si toda esa admiración, todas esas victorias le habían hecho más feliz o infeliz en su vida, cuánto tiempo había durado el placer de la victoria y cuánto dolor le habían procurado las derrotas. Las cosas empezaron a cambiar en su esquema de creencias cuando se dio cuenta de que aquellos concursos eran bastante estresantes y caros. Cuando ganaba se sentía feliz pero no por mucho tiempo, y la razón de esa alegría era que se sentía una persona especial. Sin embargo, filosóficamente hablando, aceptó la idea de que la valía del ser humano no depende de ganar o no ganar un concurso de belleza.

Después, trabajamos el origen de las creencias que había mantenido hasta entonces. Resultó que su familia le había inculcado desde niña la importancia de tener un estatus. Al parecer, su mejor cualidad era la belleza, por lo tanto, su importancia, su contribución a familia, se basaba en la imagen y no en la relación que tenía con los miembros de la misma.

Misty y su terapeuta exploraron la idea de cómo se sentiría si no tuviese un estatus especial, si fuese una persona normal, ordinaria. Misty percibió que sentía ansiedad y un miedo subyacente a ser inferior y carecer de valor. Al activar esta creencia nuclear, Misty empezó a entender que necesitaba sentirse especial porque pensaba, en su interior, que sin descollar se tenía que sentir inferior y poco valorada. El terapeuta sugirió que quizás sus relaciones emocionales ante las críticas eran debidas a que, en esos momentos, se accionaba esa creencia nuclear. La idea, a partir de entonces, era aprovechar toda aparición de esa creencia nuclear para combatirla introduciendo nuevas creencias alternativas más productivas. Así, se le ofrecieron diferentes creencias con las que experimentar; ideas que le permitiesen hallar nuevas fuentes de autoestima (véase tabla 11.3):

TABLA 11.3. Posibles creencias para ganar autoestima basadas en las relaciones personales

«Por el simple hecho de ser humano o normal, ya se puede ser especial.»

«Podemos alimentar nuestra autoestima sólo participando en cosas con los demás, sintiéndonos parte de un grupo.»

«Es bueno hacer cosas sólo para divertirse, hacer amigos o ayudar a los demás, sin esperar reconocimientos o recompensas.»

«Puedo ser normal y feliz.»

«Ser simplemente miembro de un grupo puede ser muy grato.»

«Las relaciones son experiencias, no símbolos de estatus.»

«A la gente, en general, se la tiene que entender como recursos y no como competidores.»

«La opinión de los demás [el feedback] puede ser útil y válida, aunque, a veces, resulte incómoda.»

«Todo el mundo es, de alguna manera, especial.»

«La superioridad y la inferioridad de la gente son juicios de valor y, por lo tanto, están sujetos a cambios.»

«Para ser feliz, no necesito ni la admiración constante de la gente ni un estatus especial.»

«Puedo disfrutar siendo simplemente como los demás. No necesito ser siempre mejor.»

«El estatus será la medida de mi valía sólo si así lo creo.»

Misty accedió a poner a prueba la idea «No tengo por qué sentirme especial para ser feliz». A partir de entonces, en cada sesión, el terapeuta le preguntaba si tenía alguna evidencia que apoyase esta nueva creencia. Por ejemplo, Misty halló que se lo había pasado muy bien yendo a comer con sus compañeros de trabajo sin necesidad de decir nada para que la admirasen. Simplemente, se fijó en lo que contaban sobre sus vidas. También se discutía sobre aquellos hechos que contradecían su nueva creencia. Por ejemplo, vio una noche a su ex novio acompañado por una joven y prometedora artista y se sintió como si no valiese nada. Al revisar el episodio se dio cuenta de que había activado la antigua creencia de forma automática. Sopesando ventajas y desventajas de no salir ya con esa persona, concluyó que las cosas estaban mejor así. Por lo tanto, el nivel de interés que demostrase el chico por ella era irrelevante con respecto a su valor o importancia personal.

Misty también estaba intrigada que uno pudiese basar su autoestima en sus aficiones, en el hecho de cultivar la amistad o en ayudar a los demás sin buscar algo a cambio. De hecho, dudaba de que esto pudiese ser cierto, pero accedió a intentar hacer algunos deberes dirigidos a comprobarlo. Ella mismo sugirió algunas ideas: llevar a su abuela a visitar algunos parientes un domingo por mes e integrarse en un grupo de debate literario. Después de un tiempo, el terapeuta le pidió que evaluase el resultado de tales experiencias «ordinarias», en qué medida podía tolerar participar en ello. Misty respondió muy bien; disfrutaba, cosa que no se esperaba inicialmente porque, de entrada, le parecían actividades poco valiosas. También le sorprendía el hecho de que los demás pensasen bien de ella sólo por esas pequeñas cosas, tareas que cualquiera podía hacer.

Mantenimiento del progreso

En el caso de los narcisistas, es importante mantener un contacto prolongado con el paciente, aunque sea muy de tanto en cuanto. Esa supervisión nos permitirá comprobar que sigue trabajando hacia una dirección funcional y que no se produce una regresión a las estrategias narcisistas descritas en este capítulo. En esa dirección, puede ser útil anticipar posibles retos o transiciones por las que tendrá que pasar el paciente o hacer un resumen individualizado de herramientas útiles que se hayan visto durante la terapia.

Misty llevó a cabo 40 sesiones de tratamiento en un periodo de un año y medio. En las últimas sesiones, redactó, con la ayuda de su terapeuta, una lista de los cambios que se habían producido en el curso de la terapia. Entre los mismos se contaba aprender a llevar a cabo pasos concretos para conseguir objetivos y no vivir de sueños, ser capaz de relacionarse con la gente común en su trabajo, mostrar interés por su abuela cuidando de su salud y dejando de pedirle dinero, renunciar a la explotación del «ego masculino» y responsabilizarse de sus hábitos de conducción automovilística. A la creencia de que podía ser feliz sin ser especial o admirada, decía darle un 90 % de crédito y se sentía muy bien ayudando a los demás. En el trabajo le habían dicho que había mejorado mucho su rendimiento y, en los últimos meses, no le habían retirado el carnet de conducir. Su valoración final de la terapia fue muy buena y accedió a volver si experimentaba en el futuro cualquier tipo de recaída.

Conclusión

La conceptualización cognitiva del narcisismo mantiene que en estos pacientes existen unas creencias distorsionadas acerca de que son inferiores. Estas creencias les llevan a sostener ciertos supuestos condicionales acerca de la superioridad, la imagen, el poder, el mérito y las emociones. El insulto narcisista se desarrolla cuando se produce una disonancia entre esas creencias y la realidad, con la consecuente amenaza a la autoestima. Las estrategias de autobombo refuerzan sus creencias compensatorias, pero merman la vida relacional y el ajuste funcional. La propuesta de nuestra forma de terapia consiste en mejorar sus habilidades para relacionarse y realizar objetivos y reinterpretar creencias desadaptativas sobre el yo y las emociones como medios para desarrollar un sentido del yo (seguridad en sí mismo) menos exagerado y combativo.

CAPÍTULO 12

EL TRASTORNO DE LA PERSONALIDAD POR DEPENDENCIA

Se dice que los sentimientos de dependencia y apego son conductas universales y quizá definitorias de los mamíferos (Frances, 1988). Si bien apoyarse en alguna medida en los otros es sin duda adaptativo para los individuos, una dependencia excesiva resulta muy problemática, y el grado extremo de dependencia ha sido definido por el DSM-IV-TR (American Psychiatric Association, 2000) como trastorno de la personalidad por dependencia (TPD). Según el DSM-IV-TR, la característica esencial del TDP es «una excesiva y generalizadora necesidad de ser cuidado que conduce a una conducta sumisa y dependiente y a miedos de separación, que se hace patente desde el inicio de la vida adulta y que se da en diversos contextos» (véanse American Psychiatric Association, 2000, pág. 725; tabla 12.1). Los sujetos dependientes son reacios a tomar las decisiones cotidianas a menos de que cuenten con el consejo y el apoyo de otras personas y suelen estar de acuerdo con casi todo el mundo, independientemente de lo que ellos opinen. Les cuesta iniciar proyectos o hacer cosas por sí mismos; cuando están solos sienten tanto malestar que hacen grandes concesiones para estar con otros. Se sienten fácilmente heridos por la crítica o la desaprobación y tienden a sentir temor a ser abandonados. Tienden a someterse a otros y se esfuerzan mucho por gustar. Tienen tanto miedo al rechazo que se manifiestan de acuerdo con otros incluso cuando creen que están equivocados. Estos individuos carecen de autoconfianza; tienden a descartar sus propias capacidades y fuerzas.

El tratamiento del TPD le plantea al terapeuta un interesante dilema. Al principio de la terapia, estos pacientes parecen a veces fáciles de tratar. Prestan tanta atención a los esfuerzos del terapeuta y los aprecian tanto que proporcionan un oportuno alivio, en contraste con muchos otros pacientes que no parecen escuchar o respetar lo que el terapeuta dice. Es fácil comprometerlos con el tratamiento, y empiezan siendo tan cooperadores que hacen creer al terapeuta que la terapia progresa rápidamente. Pero quizás esto sólo incremente la frustración del terapeuta en las etapas ulteriores, en las que esos pacientes se aferran al tratamiento, resistiéndose a los esfuerzos del terapeuta tendientes a que asuman una mayor autonomía. D. Hill (1970) resume parte de la frustración que implica el trabajo con los dependientes: «Invariablemente el paciente tiene un retroceso cuando comprende que la terapia no es una experiencia pasiva» (pág. 39).

TABLA 12.1. Criterios del DSM-IV-TR para el trastorno de la personalidad por dependencia

Una excesiva y generalizadora necesidad de ser cuidado que conduce a una conducta sumisa y dependiente y a miedos de separación, iniciada al principio de la adultez y presente en diversos contextos, indicada por cinco (o más) de los rasgos siguientes:

(1) El sujeto tiene dificultad para tomar las decisiones cotidianas sin una excesiva cantidad de consejos o recomendaciones por parte de los demás.
(2) Necesita que los demás asuman la responsabilidad en la mayor parte de las áreas de su vida.
(3) Tiene dificultad para expresar desacuerdo debido al miedo de perder apoyo o aprobación. *Nota*: no incluir aquí miedos realistas ante la posibilidad de perder determinada retribución.
(4) Tiene dificultades a la hora de iniciar proyectos o hacer cosas por su cuenta (debido a una falta de confianza en sus propias capacidades o juicio, más que a una falta de motivación o energía).
(5) Va demasiado lejos para obtener el apoyo de los demás, hasta el punto de presentarse voluntario para realizar las tareas más desagradables.
(6) Se siente incómodo o desvalido cuando se encuentra solo debido a sus exagerados miedos de ser incapaz de cuidar de sí mismo.
(7) Cuando una de sus relaciones llega a su fin, busca urgentemente otra relación como fuente de cuidados y apoyo.
(8) Está preocupado, sin fundamento, por que le dejen y tenga que cuidar solo de sí mismo.

Nota: Reproducido con permiso de la American Psychiatric Association. (2000, pág. 725). *Copyright* 2000 de American Psychiatric Association.

En los sujetos con este trastorno, suelen estar presentes la depresión y la ansiedad. Debido a que los sujetos dependientes creen que necesitan de los demás para su supervivencia, son especialmente proclives a la ansiedad de separación y a la preocupación de ser abandonados a su suerte. Si creen que van a tener que manejar responsabilidades demasiado grandes, pueden experimentar ataques de pánico. Las fobias tienden a atraer cuidados y protección y permiten evitar las responsabilidades, procuran beneficios secundarios y concuerdan plenamente con la orientación dependiente básica del individuo (Millon, 1996). Otros problemas que presenta comúnmente este tipo de paciente son las quejas somáticas, que van desde síntomas de conversión hasta hipocondría y trastornos por somatización. También se dan altos índices de alcoholismo y otros abusos de sustancias.

Perspectiva histórica

Las primeras descripciones de los individuos dependientes fueron a menudo peyorativas. En los escritos de los psiquiatras del siglo XIX, la pasividad, la ineficacia y la docilidad excesiva características de estos pacientes se consideraban déficit del desarrollo moral; en la descripción del dependiente se empleaban expresiones tales como «inútil», «de voluntad débil» y «degenerado». Aunque observada con frecuencia, la personalidad abiertamente dependiente no tuvo su propio diagnóstico como tipo en casi ninguno de los primeros sistemas de clasificación.

Una perspectiva muy diferente adoptaron los primeros teóricos del psicoanálisis. Tanto Freud como Abraham atribuyeron el carácter «oral-pasivo» a la indulgencia excesiva o a la privación en la etapa oral (o de lactancia) del desarrollo. Abraham (1924/1927) escribió: «Algunas personas son dominadas por la creencia de que siempre habrá alguien —desde luego, un representante de la madre— que cuidará de ellas y les brindará todo lo que necesitan. Esta creencia optimista las condena a la inactividad [...] no hacen ningún tipo de esfuerzo, y en algunos casos incluso desdeñan trabajar para ganarse el pan» (págs. 399-400).

El antecedente de la categorización diagnóstica de los tipos de personalidad pasivo-agresiva y dependiente fue la categoría (empleada durante la Segunda Guerra Mundial) de «reacción inmadura», definida como «un tipo neurótico de reacción a las tensiones militares de rutina, que se manifiesta como desamparo o respuestas inadecuadas, pasividad, obstruccionismo o estallidos agresivos» (Anderson, 1966, pág. 756). La personalidad dependiente sólo apareció mencionada brevemente en el DSM-I (American Psychiatric Association, 1952) como subtipo pasivo-dependiente del trastorno pasivo-agresivo, caracterizado por un aferramiento inadecuado frente a la frustración ambiental. La personalidad dependiente era ignorada totalmente en el DSM-II (American Psychiatric Association, 1968); la categoría más próxima era el trastorno de la personalidad por inadecuación, caracterizado por «respuestas ineficaces a las exigencias emocionales, sociales, intelectuales y físicas. El paciente no parece ni física ni mentalmente deficiente, pero pone de manifiesto inadaptabilidad, ineptitud, juicio pobre, inestabilidad social y falta de vigor físico y emocional» (pág. 44).

Empleando las polaridades clásicas de activo/pasivo, placer/dolor y sí-mismo/otro, Millon (1969) derivó un sistema clasificatorio con ocho tipos básicos de personalidad. La pauta pasivo-dependiente (originalmente conocida como «personalidad sumisa de Millon») supone búsqueda de placer y evitación del dolor, con espera pasiva de que otras personas proporcionen refuerzo. Millon amplió esta categoría en varios ensayos sucesivos, hasta llegar al TPD tal como apareció por primera vez en el DSM-III (American Psychiatric Association, 1980).

La conceptualización psicodinámica contemporánea del TPD sostiene que la excesiva indulgencia o la privación pueden por igual conducir a una dependencia excesiva e inadaptada resultante de la fijación en la etapa oral-lactante del desarrollo. En su estudio de la sobreprotección materna, Levy (1966) consideró que la indulgencia excesiva generaba rasgos de dependencia excesiva como la exigencia, la falta de iniciativa y la insistencia en que los otros hagan por el sujeto lo que él se siente incapaz de hacer por sí mismo. En algunos casos, se entiende que la dependencia excesiva representa la expresión regresiva de los anhelos fálicos insatisfechos de una mujer, que espera que por medio de un apego excesivo logrará el pene que cree necesario para la autoestima (Esman, 1986). Esman (1986) subraya la preeminencia de la hostilidad latente e inconsciente del individuo dependiente hacia sus figuras primarias; la dulzura y la sumisión empalagosas son vistas como una formación reactiva contra la expresión de los sentimientos hostiles que podrían amenazar lo que se considera una relación vital.

Para West y Sheldon (1988), el TPD es un claro ejemplo de trastorno del sistema del apego, examinado sobre todo por Bowlby (1969, 1977). La pauta de apego más característica del TPD es el «apego ansioso», que según Bowlby se desarrolla a partir de experiencias que llevan al sujeto a dudar de la disponibilidad y la respuesta de la figura con la que se ha establecido el apego. Cuando estos individuos establecen relaciones se vuelven excesivamente dependientes y viven en una constante ansiedad por temor a perderlas. Los estudios sobre el tema de las relaciones llevados a cabo por Pilkonis (1988) apoyan la asociación entre apego ansioso y dependencia excesiva.

Investigación y datos empíricos

Los diagnósticos del Eje I más frecuentemente asociados con el TPD son, según Koenigsberg, Kaplan, Gilmore y Cooper (1985), la depresión mayor y los trastornos de adaptación. Utilizando criterios de inventarios de personalidad, Reich y Noyes (1987) hallaron que el 54 % de sus sujetos deprimidos merecían un diagnóstico de TPD. Como estos sujetos se sostienen demasiado en otras personas de quienes esperan apoyo y cuidados, y se sienten desvalidos ante un abandono potencial, parecen tener una mayor predisposición a la depresión (Birtchnell, 1984; Zuroff y Mongrain, 1987). Overholser, Kabakoff y Norman (1989) señalan que los criterios para este trastorno incluyen muchos rasgos que también aparecen en la depresión, entre ellos la falta de iniciativa, sentimientos de desvalimiento y dificultad para tomar decisiones. En estudios empíricos, Overholser (1992) encontró que los sujetos que mostraban altos niveles de dependencia tenían también altos niveles de depresión, sentimientos de soledad y autocrítica y niveles significativamente inferiores de autoestima. Los sujetos dependientes también muestran una tendencia a atribuir la felicidad a hechos externos y a mostrar unas expectativas absolutistas con respecto a su propia conducta y a la de los demás, así como déficits en habilidades sociales y de resolución de problemas (Overholser, 1991). También mostraban bajos niveles de confianza en su capacidad para la resolución de problemas y una tendencia a evitar enfrentarse a las situaciones problemáticas. Estas diferencias fueron halladas a pesar de la equivalencia entre grupos en cuanto a nivel de inteligencia y severidad de la depresión.

Los trastornos por ansiedad son también comunes entre los individuos con TPD. En su estudio de pacientes con trastorno por angustia, Reich, Noyes y Troughton (1987) encontraron que el TPD era el diagnóstico más frecuente del Eje II, especialmente en el subgrupo con evitación fóbica. Con alguna oscilación determinada por el instrumento utilizado, más o menos el 40 % de los sujetos con alguna evitación fóbica satisfacen los criterios para el TPD. En una muestra de pacientes psiquiátricos internos, Overholser y otros (1989) hallaron que los pacientes dependientes presentaban en el Minnesota Multiphasic Personality Inventory (MMPI) perfiles que sugerían ansiedad, dudas sobre sí mismos o inseguridad social, con independencia del nivel de depresión. Los clientes dependientes en tratamiento por trastornos de ansiedad mostraron una mejor respuesta en términos de reducción de la evitación cuando el terapeuta llevó a cabo una exposición estructurada y dirigida (Chambless, Renneberg, Goldstein y Gracely, 1992; Turner, 1987).

Las quejas somáticas también son comunes entre los pacientes con TPD. En un estudio de 50 mujeres clasificadas como pasivo-dependientes y atendidas como pacientes externas, Hill (1970) encontró que todas comunicaban quejas somáticas, que por lo general les procuraban más atención por parte de la familia y los profesionales. Muchas de esas pacientes creían que la medicación era la principal fuente potencial de ayuda. Según Greenberg y Dattore (1981), los hombres que padecían un trastorno físico (cáncer, tumores benignos, hipertensión o úlcera gastrointestinal) tenían puntuaciones premórbidas en las escalas del MMPI relacionadas con la dependencia significativamente más altas que las de hombres que se mantuvieron con buena salud durante un periodo de 10 años. De modo análogo, Vaillant (1978) y Hinkle (1961) encontraron una relación entre rasgos de la personalidad dependiente y una predisposición general a la enfermedad. En una reseña reciente de la literatura empírica, Greenberg y Bornstein (1988) llegan a la conclusión de que «un individuo con orientación de personalidad dependiente corre indudablemente mayor riesgo de padecer diversos trastornos físicos, que de presentar un tipo particular de síntoma» (pág. 132). Además concluyen que las personas dependientes tienden más a considerar sus problemas en términos somáticos que en términos psicológicos y que es más probable que busquen ayuda profesional, que lo hagan antes, y que cumplan con el tratamiento de modo más escrupuloso que las personas independientes.

Las mujeres son más diagnosticadas de TPD que los hombres (Bornstein, 1996). Los pacientes con este trastorno atendidos en ambulatorios tenían más probabilidad de tener un ambiente familiar caracterizado por una baja expresividad y un alto control que los pacientes sin este trastorno o los sujetos del grupo control (Head, Baker y Williamson, 1991). Un estudio de ambientes familiares en sujetos no clínicos encontró que los individuos dependientes tenían familias que ponían menor énfasis en la independencia, tenían poca cohesión y un alto control (Baker, Capron y Azorlosa, 1996).

Un estudio de Beck y colaboradores (Beck y otros, 2001) examinó si se podía asociar conjuntos específicos de creencias disfuncionales con cinco trastornos de personalidad (dependiente, por dependencia, obsesivo-compulsivo, narcisista y paranoide) como predecía la teoría cognitiva de Beck. Estos investigadores hallaron que los pacientes con TPD defendían más un conjunto de creencias teóricamente consistentes con la personalidad dependiente que los demás pacientes con otros trastornos de personalidad y que los pacientes sin trastornos de personalidad.

Diagnóstico diferencial

Cuando un individuo se presenta al tratamiento con poca confianza en sí mismo y una clara y elevada necesidad de apoyo debe considerarse la posibilidad de un TPD.

Debbie era una mujer casada de 45 años derivada por su médico debido a problemas de crisis de angustia. Durante la evaluación pareció preocupada, se mostró sensible e ingenua. La emoción la desbordaba fácilmente; lloró varias veces. No desperdició ninguna ocasión para la autocrítica. Por ejemplo, cuando se le preguntó cómo se llevaba con la gente, expresó: «Todos piensan que soy tonta e inadecuada», aunque no podía aducir ninguna prueba. Dijo también que no le había gustado la escuela porque ella «era tonta», y que siempre sintió que no era suficientemente buena. El terapeuta tuvo que brindarle mucho apoyo para que por lo menos intentara realizar una cuenta regresiva desde 100, y de 7 en 7, como parte de un examen de su estado mental. Además de las crisis de angustia y la conducta de evitación, manifestó que había estado seriamente deprimida, con alternancias, durante por lo menos cinco años, y que padecía un síndrome premenstrual severo. Bebía de una a tres copas diarias de alguna bebida alcohólica, pero no consideraba que fuera un problema para ella.

Para diagnosticar un TPD es importante ir más allá de la presentación inicial y evaluar con cuidado la historia de las relaciones del paciente, observando en particular de qué modo reaccionó a las rupturas y lo que han dicho otras personas sobre el modo como lo ven. Puede ser útil indagar con detalle cómo toma las decisiones, tanto las cotidianas como las importantes. También se debe recoger información sobre lo que siente el paciente en cuanto a estar solo durante periodos prolongados. Conviene averiguar de qué modo maneja las situaciones en que discrepa con alguien, o se le pide que haga algo desagradable, o es menospreciado. La propia reacción del terapeuta puede alertarle de la posibilidad de que el sujeto tenga un TPD. Si el terapeuta se siente tentado a rescatar al paciente o hace excepciones inusuales debido a las especiales necesidades del paciente, debería recoger más datos para comprobar si se trata de un paciente con TPD.

Debbie permaneció casada durante 10 años, aún cuando su matrimonio «era un infierno». Su esposo tuvo relaciones con muchas otras mujeres y la maltrataba verbalmente. Ella intentó dejarle muchas veces, pero cedía ante sus ruegos insistentes y volvía con él. Finalmente pudo divorciarse, y poco después conoció a su actual esposo y se casó con él, a quien describió como un hombre bueno y sensible, que le brindaba su apoyo. Debbie manifestó que prefería que otros tomaran las decisiones importantes, y que ella estaba de acuerdo para evitar conflictos. Le preocupaba que la dejaran sola sin que nadie velara por ella, y dijo que sin el apoyo de otras personas se sentía perdida. Era fácil que se sintiera herida, de modo que trabajaba con empeño para no hacer nada que le atrajera críticas.

Los rasgos de dependencia pueden formar parte de diversos trastornos, de modo que es importante ser escrupulosos para diferenciar un auténtico TPD. Por ejemplo, aunque los pacientes con trastorno histriónico de la personalidad y con TPD parecen igualmente infantiles y proclives al apego, los dependientes son menos engreídos, egocéntricos y superficiales. El individuo con TPD tiende a ser pasivo, sumiso, discreto y dócil. Esto contrasta con las conductas activamente manipulativas, gregarias, atractivas y seductoras del individuo con trastorno histriónico de la personalidad. El sujeto con trastorno de personalidad por evitación, como el sujeto con TPD, tiene una fuerte necesidad de afecto por parte de los demás. Sin embargo, el evitador tiene muchas dudas y miedos ante la eventual consecución de ese afecto, mientras que el individuo con TPD tiende a confiar y a apoyarse en los otros sin temor pues prevé que sus esfuerzos se verán recompensados con afecto y cuidado. Los agorafóbicos son muy dependientes de los demás, pero debido a que tienen miedo de estar solos frente a un ataque de pánico. Por lo general los agorafóbicos insisten más en afirmar su dependencia que los individuos con TPD; exigen activamente que se les acompañe a cualquier lugar a donde vayan. Pero es posible que el paciente satisfaga tanto los criterios del trastorno por angustia con agorafobia como los del TPD, en cuyo caso corresponden los dos diagnósticos (del Eje I y el Eje II, respectivamente).

Aunque Debbie recurrió al tratamiento por sus crisis de angustia y había demostrado pautas amplias de evitación en los últimos siete años, reconoció que muchos de sus problemas databan de mucho antes de la agorafobia y las crisis de angustia. No le gustaba hacer cosas sola, y por lo menos desde el tercer grado había tenido pensamientos del tipo «No soy buena». Era claro que esta paciente satisfacía los criterios del TPD y también de la crisis de angustia con agorafobia, así como los de la depresión mayor.

Conceptualización

El TPD puede concebirse como derivado de dos supuestos clave. Primero, estos individuos se ven a sí mismos como intrínsecamente inadecuados y desvalidos, y por lo tanto incapaces de enfrentarse con éxito al mundo por sí solos. El mundo les parece un lugar frío, solitario e incluso peligroso, en el que es probable que no puedan manejarse solos. Segundo, llegan a la conclusión de que la solución al problema de ser inadecuado en un mundo espantoso consiste en tratar de hallar a alguien que les proteja y les cuide. Deciden que vale la pena renunciar a la responsabilidad y subordinar sus propias necesidades y deseos, a cambio de que alguien se haga cargo de ellos. Desde luego, esta adaptación tiene consecuencias adversas para el individuo. Por un lado, al apoyarse en otros para manejar los problemas y tomar decisiones, el sujeto tiene pocas oportunidades de aprender las habilidades necesarias para la autonomía. Algunos individuos nunca adquieren las habilidades de la vida independiente (como la asertividad, la resolución de problemas y la toma de decisiones), mientras que otros no reconocen las aptitudes que sí tienen, de modo que no las usan, y así se perpetúa la dependencia. Además, la idea de volverse más competente puede ser terrorífica, porque los dependientes temen que si dejan de estar necesitados los abandonarán, y ellos no están en condiciones de enfrentarse solos al mundo.

Este orden de cosas tiene varias desventajas adicionales para la persona dependiente. El sujeto tiene siempre que cuidarse mucho de agradar a los otros y evitar el conflicto por temor a poner en peligro esas relaciones de suma importancia, no vaya a quedarse solo para defenderse en el mundo. Por esto, la asertividad y la expresión de la propia opinión están claramente excluidas. Por otro lado, la persona dependiente parece tan desesperada y necesitada, y se aferra tanto a los demás, que puede resultar difícil encontrarle un compañero dispuesto a satisfacer esas necesidades durante un período prolongado, o capaz de hacerlo. Si la relación concluye, el dependiente se siente destruido y no ve ninguna alternativa salvo encontrar a alguien nuevo de quien pueda empezar a depender.

Debbie dijo que siempre había tenido una relación excelente con su padre: «Yo era su angelito». Agregó que se había enojado con ella solamente una vez, por una cuestión sin importancia, pero que, salvo eso, entre ellos las cosas siempre habían marchado bien. Describió a la madre como a una persona más dominante, con la que tendía mucho a chocar, pero «Yo recurría a ella para todo». Fue en la escuela donde Debbie aprendió que «era tonta e incapaz». Solía «leer hacia atrás» y los profesores, a veces, la ridiculizaban frente a los demás. Estuvo enferma, a veces faltaba a la escuela, y otras evitaba ir.

Debbie se había casado joven, y pasó directamente de apoyarse en sus padres a apoyarse en su marido, sin ningún periodo intermedio en el que hubiera vivido por su propia cuenta. Le resultó muy difícil dejar a su primer esposo, aunque él la maltrataba y le era infiel; cuando finalmente se separaron, vivir sin él le resultó horrible. Muy pronto después del divorcio entabló una nueva relación, y cuando un nuevo compañero se hizo cargo de ella se sintió tremendamente aliviada.

La principal distorsión cognitiva de los sujetos con TPD es el pensamiento dicotómico con respecto a la independencia. El individuo con TPD tiende a tener creencias básicas como «No puedo sobrevivir sin alguien que se haga cargo de mí», «Soy inadecuado para manejarme en la vida por mí mismo», «Si mi esposo (padre, etcétera) me deja, me desmoronaré», «Si fuera más independiente, estaría aislado y solo», «La independencia significa vivir completamente por sí mismo». Estos individuos creen que uno está completamente desvalido y es dependiente, o es completamente independiente y está solo, sin ninguna gradación intermedia. También muestran pensamiento dicotómico con respecto a sus habilidades: o son capaces de hacer las cosas «bien» o las hacen completamente «mal». Por supuesto, generalmente concluyen que las hacen completamente mal puesto que son incapaces. Un fracaso total. También tienden a presentar la distorsión cognitiva del «catastrofismo», sobre todo cuando se trata de la pérdida de una relación. Se preocupan mucho más de lo normal por lo triste y difícil que sería vivir sin esa relación; creen que perderla representaría un desastre total y determinaría el hundimiento total y permanente de su persona.

Las creencias básicas y las distorsiones cognitivas del TPD conducen a pensamientos automáticos tales como «No puedo», «Nunca seré capaz de hacer eso» y «Soy demasiado estúpido y débil». Cuando a estos pacientes se les pide que hagan algo, tienen también pensamientos del tipo «Oh, mi esposo puede hacer esto mucho mejor que yo» y «Estoy seguro de que en realidad no esperan realmente que yo sea capaz de hacer esto».

Cuando se le pidió que recitara la escala del 7 en el curso de la evaluación inicial, Debbie hizo comentarios como «Oh, no sirvo para la aritmética, nunca podré hacerlo» y «¿Es realmente necesario? No hace falta, ya le digo que no puedo hacerlo». En la primera sesión de terapia, cuando el terapeuta esbozó el plan de tratamiento, dijo: «Oh, no seré capaz de registrar los pensamientos» y «Estoy segura de que esto ayuda a algunas personas, pero yo soy demasiado tonta para hacerlo».

Enfoque de tratamiento

Es fácil suponer que la meta del tratamiento con el TPD es la independencia. En realidad, lo que más temen muchos pacientes dependientes es que la terapia les lleve a una independencia y un aislamiento totales: que tengan que enfrentarse a la vida por sus propios medios, sin ninguna ayuda ni respaldo de otros. Una palabra mejor para designar la meta de la terapia con el TPD sería «autonomía». Se ha dicho que tener autonomía es actuar con independencia de los demás, pero siendo también capaz de desarrollar relaciones estrechas e íntimas (Birtchnell, 1984). Para que el paciente lo logre, es necesario ayudarle a aprender a separarse gradualmente de los otros significativos (incluso el terapeuta) y a acrecentar su autoconfianza y su sentido de la propia eficacia. Ahora bien, en vista de su miedo habitual a que la capacidad conduzca al abandono, esto se debe hacer poco a poco y con alguna delicadeza.

Aunque al terapeuta podría resultarle obvio desde el principio que la dependencia es el problema principal, pocas veces el propio paciente la reconoce como parte del problema planteado. De hecho, incluso el uso de las palabras «dependencia», «independencia» o «autonomía» puede asustarle en el inicio del tratamiento, si no se siente preparado para explorar esas cuestiones. Sean cuales fueren las metas específicas de la terapia, la cuestión de la dependencia les resultará obvia a terapeuta y paciente a medida que avance el tratamiento. Pero podría ser más natural y menos temible para el paciente que sea él quien empiece a usar esos términos cuando esté maduro para traerlos a colación.

Aunque en las primeras sesiones del tratamiento no se emplearon explícitamente palabras como «dependencia», Debbie pudo enunciar como metas de la terapia, por ejemplo, «Aumentar mi autoconfianza para (1) ser más espontánea e iniciar contactos; (2) iniciar proyectos; (3) asumir tareas en el trabajo; (4) sentirme más cómoda con otras personas, y (5) reducir mi miedo al fracaso y atribuirme más méritos por lo que hago».

Estrategia de colaboración

Debido a que el individuo con TPD entra en terapia buscando desesperadamente a alguien que le resuelva sus problemas, para que se implique en el tratamiento vamos a necesitar inicialmente conceder alguna dependencia. La colaboración no necesita ser siempre del 50-50 %, y al principio del tratamiento, el terapeuta puede necesitar hacer más de la mitad del trabajo. Sin embargo, esa pauta tiene que cambiarse a lo largo del curso de la terapia, pidiéndole al paciente que aporte sus objetivos, propuestas de deberes y demás, de manera que el tratamiento vaya pasando a sus manos. Se trata de un trabajo constante para que el paciente vaya apartándose de su dependencia para adquirir la necesaria autonomía.

En el trabajo con estos pacientes tienen una importancia particular el descubrimiento guiado y la interrogación socrática. Ellos probablemente consideren al terapeuta como «el experto» y estén pendientes de cada una de sus palabras, de modo que resulta tentador decirles exactamente en qué consiste el problema y lo que ellos tienen que hacer, asumiendo un papel autoritario. Lamentablemente, esto alienta al paciente a volverse dependiente del terapeuta, y no a desarrollar autonomía. Inicialmente, la guía activa por parte del terapeuta y algunas sugerencias prácticas pueden facilitar que el sujeto se implique en el tratamiento. Un enfoque totalmente no directivo podría generar demasiada ansiedad como para que ellos lo toleren por mucho tiempo. No obstante, cuando el paciente le pide al terapeuta que le diga lo que tiene que hacer, éste debe usar la interrogación socrática y el descubrimiento guiado, ayudándole así a llegar a sus propias soluciones.

Debbie parecía esperar que el terapeuta le diera las respuestas, sobre todo cuando se trataba de comprender y explicar sus propios sentimientos. Iniciaba las sesiones diciendo: «Esta semana me sentí deprimida y desalentada. ¿Por qué?». Creía que el terapeuta se iba a sentar a explicarle todo, sin ningún esfuerzo por su parte. Él, en cambio, le hacía preguntas sobre cómo se había sentido y cuándo parecieron cambiar sus sentimientos, y acerca de detalles de los pensamientos y sentimientos específicos que había tenido cuando estaba más perturbada. Mediante este proceso de indagación, Debbie podía profundizar en su propia comprensión de lo que había sucedido durante la semana y del modo como sus sentimientos se relacionaban con sus pensamientos.

Mientras el terapeuta persiste en el empleo del descubrimiento guiado para ayudar al paciente a explorar sus pensamientos y sentimientos, las interacciones entre ambos en el seno de las sesiones conduce a intervenciones que pueden tener un impacto particularmente fuerte sobre el paciente, debido a su inmediatez. Para usar con más eficacia la relación entre terapeuta y paciente como ejemplo de pauta actual de relación dependiente es necesario alentar al paciente a explorar sus pensamientos y sentimientos respecto del terapeuta y también respecto de otras relaciones. Estos pacientes suelen estar tan concentrados en otras relaciones de sus vidas que quizás ni siquiera les pase por la cabeza que puede ser importante, o incluso apropiado, que discutan sus pensamientos respecto del terapeuta.

En un momento del tratamiento, cuando el terapeuta se centraba en enseñarle a Debbie a puntualizar y examinar sus pensamientos automáticos, ella inició la sesión perturbada, disculpándose por no haber realizado los encargos. El terapeuta optó por utilizar los pensamientos y sentimientos de Debbie en ese momento como ejemplo para la puntualización de los pensamientos automáticos. Debbie dijo que experimentaba altos niveles de ansiedad y culpa; su pensamiento automático primario era «Voy a decepcionar a Tom [el terapeuta]». Pudieron entonces examinar ese pensamiento más objetivamente, y volvieron a evaluar la ansiedad y la culpa después de la discusión. Debbie se sintió mucho menos perturbada. El empleo de los pensamientos y sentimientos inmediatos sobre el terapeuta como base para explorar los pensamientos automáticos no sólo permitió realizar una demostración poderosa de la utilidad del proceso para cambiar los sentimientos, sino que también le brindó a la paciente un permiso explícito para discutir abiertamente sus sentimientos respecto del terapeuta.

Otra parte importante de la atención dirigida a la relación paciente-terapeuta consiste en que el terapeuta observe sus propios pensamientos y sentimientos respecto del paciente. La tentación de rescatar a este tipo de paciente suele ser fuerte; a menudo resulta muy fácil aceptar la creencia del paciente en su propio desvalimiento, y sentirse impulsado a salvarle de su frustración por la lentitud del progreso. Lamentablemente, los intentos de rescatar a estos pacientes son incompatibles con la meta de aumentar su independencia y autosuficiencia, Cuando el terapeuta descubre que está haciendo excepciones (por ejemplo, prescribiendo medicación o realizando intervenciones sin pasar por la evaluación completa habitual) porque parece urgente que estos pacientes «patéticos» obtengan una ayuda inmediata, es razonable que pondere si no se está limitando a aceptar la idea del «desamparo» que el dependiente tiene de sí mismo. Siempre que el terapeuta se siente tentado a ser más directivo y menos cooperativo, o a hacer excepciones, conviene que confeccione un registro de pensamientos disfuncionales para examinar si la excepción responde a los mejores intereses a largo plazo del paciente o sólo sirve para alentar la dependencia.

A menudo el terapeuta de Debbie le hacía una pregunta simple sobre sus pensamientos o sentimientos, y ella respondía diciendo: «Tengo la mente en blanco, no puedo pensar». Después de haber tropezado con esas reacciones muchas veces, él experimentaba una intensa frustración y fastidio por la autocensura y el aparente desvalimiento de la paciente. En esos momentos tomaba conciencia de tener pensamientos del tipo de «¡Oh, vamos, tú puedes hacerlo!», «Es muy simple», «Quizá sea realmente estúpida» y «¡Oh, deja de hacerte la desvalida y hazlo!». Pero en lugar de flagelarla con su impaciencia, el terapeuta respondía a sus propios pensamientos con refutaciones como las siguientes: «En realidad no es estúpida; sólo está acostumbrada a verse así. A mí puede parecerme simple, pero sin duda no lo es para ella. Si actúo con impaciencia e irritación, no haré más que confirmarle su creencia de que es estúpida. Lo que tengo que hacer es ir más despacio y ayudarla a advertir esos pensamientos y reflexionar».

En otros momentos de la terapia, el terapeuta se sentía frustrado por el lento progreso de Debbie. Por ejemplo, mientras ella se sometía a una exposición en vivo que consistía en conducir su automóvil, el terapeuta la esperaba en la puerta. Debbie conducía por sí misma hasta y desde el trabajo. Mientras esperaba, el terapeuta se sintió invadido por la frustración e identificó pensamientos automáticos como «¡Demonios, mira lo que estamos haciendo! ¡Todo este alboroto por conducir dos kilómetros y medio hasta el trabajo! ¿Cuál es el problema de conducir un estúpido automóvil dos kilómetros y medio? ¡Basta con meterse y hacerlo!». Pero en lugar de dejarse llevar por su frustración, cuestionó esos pensamientos automáticos con respuestas como «Mis metas no pueden ser las suyas. No puedo obligarla a que haga lo que yo quiero. Tiene que avanzar a su propia velocidad. No tengo que tener tanta prisa por mis objetivos. Lo que es insignificante para mí no lo es para ella».

Es esencial establecer límites claros en la relación profesional con ellos. Según nuestra experiencia clínica, estos pacientes, con más probabilidades que otros, dicen que se han enamorado del terapeuta. Aun cuando evitar el contacto físico forma parte del estilo habitual del terapeuta, en estos casos es más seguro que ese contacto se reduzca al mínimo (no se les da la mano, no se les dan palmadas en la espalda, no se les abraza nunca), y es importante hacer cumplir las reglas usuales que impone una relación claramente profesional. Si la exposición a situaciones que provocan ansiedad exige que el terapeuta salga del consultorio con el paciente, es importante que sea explícito acerca de las metas del ejercicio, y que lo mantenga dentro de límites profesionales (por ejemplo, tomando nota de las cogniciones y de los niveles de ansiedad a intervalos regulares), reduciendo al mínimo la conversación informal. Por ejemplo, cuando Debbie, por su ansiedad, eludía la tarea de conducir el automóvil, el terapeuta salía con ella para ayudarla a superar ese obstáculo. Pero previamente discutieron los detalles del ejercicio y planificaron una ruta específica; mientras ella conducía él observó sus niveles de ansiedad y sus cogniciones, de modo que Debbie no pudiera interpretar mal la situación como si se tratara de «dar un paseo con Tom».

Si el terapeuta advierte que el paciente está empezando a sentir un vínculo emocional o romántico con él o si el paciente expresa abiertamente ese sentimiento, es esencial que maneje la situación con cuidado y reflexión. Si la discusión de las reacciones hacia el terapeuta ha sido corriente durante el tratamiento, resultará más fácil y natural puntualizar y examinar esos pensamientos y sentimientos tan delicados. Es importante que el terapeuta reconozca los sentimientos del paciente y le explique que esas reacciones son comunes en la terapia. Pero también es crucial que establezca explícitamente que, a pesar de esos sentimientos, no hay posibilidad de que la relación deje de ser profesional para convertirse en personal. Es probable que el paciente presente intensas reacciones emocionales en el proceso de discutir esos sentimientos y ante los límites claros establecidos por el terapeuta. Los pensamientos y sentimientos del paciente sobre esta cuestión tendrán que ser examinados en el curso de varias sesiones, y quizás a lo largo de todo lo que resta de tratamiento.

Intervenciones específicas

El enfoque cooperativo estructurado que se utiliza en la terapia cognitiva también sirve para alentar al paciente a asumir un papel más activo en el abordaje de sus problemas. Incluso la confección de una agenda es un ejercicio de iniciativa. Por lo común, estos pacientes intentan delegar en el terapeuta todo el poder de la terapia. Por ejemplo, si se les pregunta: «¿En qué quiere que nos concentremos hoy?», responden: «Oh, en lo que usted quiera», o bien: «¿Cómo podría saberlo? Estoy seguro de que lo que piensa usted es mejor». En la terapia cognitiva estándar, el terapeuta le permite al paciente que sugiera temas para la agenda de la sesión, pero los propone él si el paciente no tiene en mente nada en particular. No obstante, con estos pacientes es importante dar un paso más, y explicarles que, como se trata de su terapia, se espera que en cada sesión indiquen a qué quieren dedicar el tiempo.

En el caso de Debbie, el terapeuta pudo hacerle colaborar en la confección de la agenda recogiendo todo lo que ella decía al comienzo de la sesión y preguntándole si debían discutirlo. Por ejemplo, cuando al comienzo de la sesión Debbie dijo bruscamente: «No hice nada esta semana», el terapeuta le preguntó: «¿Tendremos que incluir eso en nuestro plan para esta semana, y discutirlo?», a pesar de que Debbie, en principio, no pretendía proponer un ítem explícito de la agenda. Entre los encargos escritos para la semana se puede incluir tomar nota de algunas ideas de temas para la sesión siguiente. Si el terapeuta deja claro que se espera que el paciente proponga ítems para la agenda, sigue preguntando al principio de cada sesión aunque esas propuestas no aparezcan, y espera las sugerencias del paciente antes de avanzar; de esa manera alienta la participación activa desde el inicio del tratamiento. Como estos pacientes suelen estar ansiosos por agradar, por lo general tratan de hacer lo que se espera de ellos. Debbie terminó llevando sus propios temas para la sesión (por ejemplo, «me siento decaída», «problemas con mi hija»).

Establecer metas claras y específicas y progresar hacia ellas puede convertirse en una prueba poderosa para refutar el supuesto subyacente del dependiente de que está desvalido. Después de todo, uno de los mejores modos de refutar esta creencia consiste en reunir pruebas concretas de la capacidad personal. Puesto que el principal problema presentado por Debbie era la agorafobia, entre sus metas se encontraban las siguientes:

1. Ser capaz de conducir.
2. Ir sola al mercado.
3. Ir de compras sola.
4. Sentarme en la iglesia en cualquier lugar que yo quiera.

La exposición gradual a esas situaciones provocadoras de ansiedad proporcionó una excelente refutación de la creencia de Debbie en su desvalimiento. Cuando Debbie pudo ir sola al mercado, salir de compras y firmar cheques, se sintió muy orgullosa de sí misma y un poco más capaz. Pero no es necesario que el paciente trabaje con una jerarquía de ansiedades para recoger pruebas sistemáticas de capacidad. El logro de cualquier meta concreta sirve al mismo propósito. Cuando Debbie pudo realizar un proyecto de costura, tuvo más confianza en ser capaz de hacer cosas algo más difíciles para ella. Según el esquema de un caso ilustrativo de tratamiento de TPD realizado por Turkat y Carison (1984) terapeuta y paciente pueden desarrollar en cooperación una jerarquía de acciones independientes cada vez más difíciles. Por ejemplo, una jerarquía de toma de decisiones puede ir desde la elección de la fruta para el almuerzo hasta opciones relacionadas con el trabajo y el lugar de residencia. Cada decisión tomada refuerza la creencia del paciente en que puede hacer por lo menos algunas cosas sin depender de nadie.

Sean cuales fueren las intervenciones específicas en la terapia, es probable que el TPD le impida al paciente progresar hacia sus metas. Cuando esto ocurre, a veces sus pensamientos automáticos se convierten en un foco productivo para la intervención.

En la segunda sesión de Debbie, cuando se le presentó el concepto de jerarquía, le costó comprenderlo y se puso muy autocrítica. Le parecía demasiado complicado calificar su ansiedad en una escala de 0 a 100, de modo que se planteó emplear una escala de 0 a 10. Cuando se le expuso la idea del entrenamiento en relajación, en la tercera sesión, comunicó los pensamientos siguientes: «No podré hacerlo», «Es demasiado complicado» y «Fracasaré».

En particular, es probable que interfieran pensamientos automáticos acerca de la inadecuación cuando el paciente intenta cumplir con los encargos entre sesión y sesión; por lo cual es necesario suscitar y evaluar esos pensamientos desde el principio del tratamiento. Para refutar algunas de esas ideas son muy útiles los experimentos conductuales realizados en las sesiones.

Cuando se le expuso a Debbie la idea de observar y cuestionar los pensamientos automáticos, ella respondió con su típico «No puedo hacerlo». En lugar de asumir un papel autoritario y seguir avanzando de todos modos, el terapeuta le ayudó a confeccionar una lista con las ventajas y desventajas de llevar un registro de pensamientos disfuncionales. Mientras se realizaba esa exploración, ella dijo que pensaba: «No puedo comprender nada escrito». El terapeuta hizo un experimento conductual para cuestionar esa idea, tomando un libro de su biblioteca, abriéndolo al azar en cualquier página y pidiéndole a Debbie que leyera la primera oración en voz alta. Después le pidió que le explicara lo que quería decir lo que había leído. Ella pudo hacerlo, y entonces redactaron una respuesta racional convincente para el pensamiento automático: «Es cierto que me resulta difícil comprender algunas cosas escritas, pero si trabajo, por lo general lo logro».

En vista de la tendencia del paciente a sentirse incapaz de hacer cosas por sí mismo, tiene sentido que practique nuevas tareas y encargos para el hogar en la sesión, antes de emprenderlos solo. Por ejemplo, con la mayoría de los pacientes es posible explicar las tres primeras columnas de un registro de pensamientos disfuncionales y encargar la identificación de pensamientos de ese tipo entre sesión y sesión. En el caso de Debbie, fue necesario que ella y el terapeuta acordaran trabajar juntos en la puntualización de pensamientos durante la sesión hasta que se sintiera cómoda haciéndolo por sí misma. Gradualmente ella fue asumiendo más responsabilidad en la confección de las hojas de pensamientos en el consultorio; sólo al cabo de varias sesiones de práctica transcribió sola sus pensamientos y las correspondientes respuestas durante la sesión y se sintió preparada para empezar a hacerlo sin ayuda. Aunque menospreció su primer intento de llevar a cabo el registro de pensamientos disfuncionales en casa, no había sido peor que los esfuerzos iniciales de muchos pacientes (véase la figura 12.1). Después de algunas sugerencias del terapeuta, su segundo intento en casa mejoró mucho (véase la figura 12.2).

Cuando se plantean las intervenciones, no se puede presuponer que el paciente tiene verdaderos déficit, aunque parezca incapaz de valerse por sí mismo. Algunos pacientes poseen en realidad muchas de las aptitudes necesarias para un comportamiento adecuado e independiente, pero no reconocen su propia capacidad o no saben usarla. Cuando realmente existe un déficit de aptitudes, se puede entrenar al paciente en asertividad (por ejemplo, Rakos, 1991), resolución de problemas (Hawton y Kirk, 1989), toma de decisiones (Turkat y Carlson, 1984) e interacción social (Liberman, De Risis y Mueser, 1989), todo ello para incrementar su competencia.

Debbie se había apoyado en los demás durante tanto tiempo que tenía auténticos déficit de aptitud, de modo que necesitaba ser entrenada en diversas habilidades para comportarse adecuadamente, además de ser ayudada a refutar sus pensamientos negativos sobre su propia capacidad. Para enfrentarse con la ansiedad le hacía falta entrenamiento en relajación (por ejemplo, Bernstein y Borkovec, 1976; Bourne, 1995). Cuando se examinaron diferentes modos de relaciones con su esposo y con su hija, necesitó algún entrenamiento explícito en asertividad. Ni siquiera en esferas concretas de la vida se podía dar por sentado su nivel de aptitud. En la exposición gradual a situaciones como conducir, no bastó con reducir la ansiedad. Había estado convencida durante tanto tiempo de que era incapaz de hacerlo, que dudaba sobre las decisiones elementales del proceso (por ejemplo, preguntaba: «¿Cómo se decide cuándo detenerse si el semáforo está en ámbar?»), y había que abordar esos interrogantes, además de su ansiedad.

Además de entrenar a los pacientes dependientes en diversas habilidades generales para comportarse adecuadamente y para resolver problemas, Overholser (1987) recomienda que se les enseñen habilidades de autocontrol como las desarrolladas por Rehm (1977) para el tratamiento de la depresión. El entrenamiento del autocontrol incluye tres componentes básicos: la autoobservación, la autoevaluación y el autorrefuerzo. La autoobservación consiste en registrar la frecuencia, la intensidad y la duración de conductas específicas, con sus antecedentes y consecuencias respectivos. Tales registros le ayudan al paciente a advertir sus cambios y su mejoría, en lugar de trabajar únicamente por la aprobación del terapeuta. La autoevaluación se realiza comparando la propia actuación observada con las normas de actuación. Las personas dependientes (como Debbie) pueden

Situación	Emociones	Pensamientos automáticos	Respuesta racional
Entro en el trabajo y me angustio	Ansiosa	Hay demasiadas personas	No sé cómo terminar
	Molestia en el estómago	Comer lentamente, por el estómago	Molestia en el estómago durante dos horas
	Temblor	Calmarse	
		Distensión	Tranquilizada más o menos a las 3

FIGURA 12.1. Primer intento de Debbie de emplear el registro de pensamientos disfuncionales

Situación	Emociones	Pensamientos automáticos	Respuesta racional
Cena	Ansiosa Asustada Ira Tristeza 100	Hay personas que no conozco. 100 Voy a decir algo estúpido. 100 Espero que no haya sopa. 100 Todos me verán temblar si tomo sopa. 100 Causaré mala impresión y se preguntarán que es lo qué me pasa. 100	Tengo buenas cualidades, aunque no sea la más educada. La mayor parte de las personas no se darán cuenta de que estoy. Quizás algunas se den cuenta, y otras no.

FIGURA 12.2. Segundo intento de Debbie de emplear el registro de pensamientos disfuncionales.

tener normas de actuación elevadas, carentes de realismo, o bien atenerse tanto a las normas de otros que no ven con claridad las normas que les convienen. El entrenamiento de una autoevaluación más adecuada ayuda a estos pacientes a desarrollar esas normas propias más realistas, y a advertir en qué momento tienen que pedir ayuda y cuándo el pedido de ayuda no es más que un signo de su propia incertidumbre. El autorrefuerzo supone proporcionar consecuencias apropiadas a la actuación, con respecto a las normas. Enseñar al individuo dependiente a reforzar su conducta deseable es probablemente el aspecto más importante del autocontrol, puesto que el dependiente tiende a basarse exclusivamente en el refuerzo que puedan brindarles otras personas. Entre los autorreforzadores iniciales se cuentan las recompensas concretas (por ejemplo, fichas canjeables por un regalo deseado, ir a dar un paseo agradable, leer un capítulo de una novela), pero también deben incorporarse reforzadores cognitivos positivos (por ejemplo, «¡Eh, realmente fui hasta el final e hice un buen trabajo!»).

Si bien al principio del tratamiento los pacientes con TPD son por lo general colaboradores y están ansiosos por agradar, no suelen cumplir con las tareas para realizar por su cuenta, y este problema se debe a que el paciente cree que no es capaz de realizarlas, o bien a un déficit real de aptitudes. Pero también es posible que se asuste de avanzar con demasiada rapidez en la terapia y de alcanzar pronto sus metas. En tal caso es útil hacer una lista de las ventajas y desventajas de cambiar, explorando seriamente las desventajas que supone alcanzar las metas. A menudo, cuando por primera vez se le pregunta al paciente cuáles son las desventajas de mejorar en la terapia, él se sorprenderá e insistirá en que alcanzar los objetivos es totalmente positivo. Un examen cuidadoso descubre que cualquier tipo de cambio presenta también desventajas. La exploración de las razones para no cambiar induce al paciente a tratar de convencer al terapeuta de que el cambio vale la pena y eso puede incrementar la motivación para finalizar las tareas de casa.

Varios meses después de iniciado el tratamiento, Debbie tuvo su primera sesión «en vivo», conduciendo con el terapeuta a su lado. Aunque esa sesión se desarrolló muy bien, y la ansiedad de Debbie se redujo de acuerdo con lo esperado, de modo que pudo mantenerse al volante más de lo previsto, al final no estaba segura de cómo se sentía y dijo experimentar «muchos sentimientos mezclados», que se abordaron como sigue en la sesión siguiente:

TERAPEUTA: Aunque la sesión se desarrolló muy bien, usted tuvo algunos sentimientos mezclados. ¿Cuáles son sus pensamientos de esta semana sobre ese asunto?

DEBBIE: No estoy segura de lo que sentí sobre la semana pasada. Estoy muy confundida. Incluso pensé en dejar la terapia.

TERAPEUTA: Esto me sorprende un poco. Por un lado, lo hizo bien y su ansiedad se redujo enseguida, pero de pronto piensa en abandonar la terapia. ¿Qué cree que está sucediendo?

DEBBIE: No lo sé. Algo me ocurrió la semana pasada. ¿Tengo un conflicto porque sé que puedo hacerlo? ¿Tengo miedo de llegar a ser independiente? Me gusta que George [su esposo] me cuide.

TERAPEUTA: Esto parece muy importante. Ayúdeme a entenderlo. ¿Para usted conducir significa que podría volverse más independiente, y eso la preocupa?

DEBBIE: Tal vez.

TERAPEUTA: ¿Qué sucedería si se vuelve más independiente?

DEBBIE: Bien, podría fracasar.

TERAPEUTA: ¿Qué quiere decir?

DEBBIE: Las personas independientes hacen cosas. Y yo podría fracasar. Supongo que si me apoyo en George, no puedo fracasar.

TERAPEUTA: Entonces, si es capaz de conducir significa que es más independiente, y en tal caso estará más expuesta al fracaso en algunas cosas.

DEBBIE: Eso creo.

TERAPEUTA: Muy bien. Hay mucho que decir sobre eso, pero me ayuda a comprender lo que le está pasando. Parecería que su éxito le asusta porque rechaza el modo como se ve a sí misma. ¿Podemos dedicar algún tiempo a discutir esto, para tratar de comprender de qué se trata?

DEBBIE: Sí, me gustaría hacerlo, porque todo me parece muy confuso.

[Más tarde, después de explorar la red de cogniciones referentes a la independencia...]

TERAPEUTA: Muy bien, resumiendo, se diría que no estaba usted preparada para todos los cambios que puede acarrear una mayor independencia. Me pregunto si no tendría sentido ir un poco más despacio, para que sienta que controla más su cambio y que lo realiza a un ritmo que puede controlar.

DEBBIE: ¿Podemos hacer eso? Me siento más cómoda ahora. Estoy empezando a tranquilizarme.

TERAPEUTA: ¿Se le ocurren formas de avanzar más despacio, a una velocidad más aceptable para usted?

A veces, una exploración de las ventajas y desventajas de cambiar revelará que para el paciente el cambio realmente no vale la pena.

Mary, una ama de casa de poco más de 20 años de edad, recurrió al tratamiento por su depresión. Siempre había sido extremadamente dependiente de su madre y no había aprendido a hacer las cosas por sí misma. Creía, sin admitir la menor duda, que ella sola no podía hacer nada con éxito, y por lo tanto la aterraba intentar algo nuevo: estaba segura de fracasar. Se había casado con su novio, a quien conoció en la escuela secundaria, y se había ido a vivir a otro estado a causa del trabajo de su marido. El traslado le disgustó e inmediatamente se deprimió. Se sentía abrumada por lo que esperaba de sí misma como esposa, y desvalida para asumir sus nuevas responsabilidades sin tener cerca a su madre. Pensaba constantemente en su incompetencia y creía que todo estaría bien de nuevo si podía volver a su ciudad natal. A medida que avanzaba el tratamiento, reveló su temor de que, si cedía su depresión y aprendía a aceptar la vida lejos de su ciudad natal, su esposo no tendría razón para volver. Cuando reconoció que su meta principal era convencer al marido de que volvieran a su ciudad natal, resultó claro por qué se había opuesto al tratamiento. De hecho, su estado de ánimo no mejoró hasta que su esposo aceptó volver en el plazo de un año.

De modo que a veces existen razones muy fuertes para que la persona dependiente sea ambivalente respecto del cambio. Aunque luche contra su desvalimiento, quizá sienta que no tiene poder; asumir el papel de desvalido puede en realidad procurar mucho poder y refuerzo (como en el caso de Mary), y quizá resulte difícil renunciar a ese rol. Si se puede ayudar al paciente a identificar lo que perdería siendo menos desvalido, es posible hallar un sustituto más constructivo. Por ejemplo, si a Debbie le preocupaba que el esposo no pasara tiempo con ella porque dejaba de ser necesario que la acompañara en las compras, podrían programar una «cita» semanal. De ese modo seguiría pasando tiempo con él, sin necesidad de mostrarse desvalida para lograrlo.

La idea dicotómica que el paciente tiene de la independencia es una esfera crucial a explorar. Cuando el paciente cree que uno es totalmente dependiente y desvalido o totalmente independiente, aislado y solo, cualquier movimiento hacia la autonomía puede parecer un paso hacia el aislamiento completo y permanente. Puede ser útil trazar con el paciente un continuo desde la dependencia hasta la independencia (figura 12.3). Cuando él ve que entre los extremos de la dependencia total y la total independencia hay muchos puntos intermedios, le resulta menos terrorífico progresar dando pequeños pasos. Una ilustración útil para los pacientes es que incluso los adultos independientes y que saben arreglárselas toman medidas para asegurarse ayuda cuando la necesitan, por ejemplo asociándose a un automóvil club. Es decir que nadie tiene que ser totalmente independiente siempre, y no es ninguna vergüenza admitir que se necesita ayuda de vez en cuando.

El pensamiento dicotómico de Debbie la llevaba a inferir que era «estúpida» o «atolondrada» cuando percibía que no alcanzaba la perfección (por ejemplo, si cometía un error pequeño y simple). Le resultó útil refutar esa distorsión cognitiva, realizada poniendo de manifiesto la duplicidad de normas inherentes a su planteamiento. Cuando le preguntamos si sacaría las mismas conclusiones ante el mismo error cometido por un amigo, advirtió que tenía normas totalmente distintas para ella misma y para los demás. Teniendo presente ese pensamiento dicotómico al asignarle tareas, el terapeuta le indicó que confeccionara deliberadamente un registro imperfecto de pensamientos disfuncionales (por ejemplo, con mala ortografía y redacción confusa, sin incluir todos sus pensamientos, poniendo algunos ítems en una columna errónea). Se le explicó a Debbie que se pretendía «cortocircuitear» su tendencia a iniciar una tarea, abandonarla en cuanto veía que el resultado no era perfecto y llegar a la conclusión de que era una estúpida.

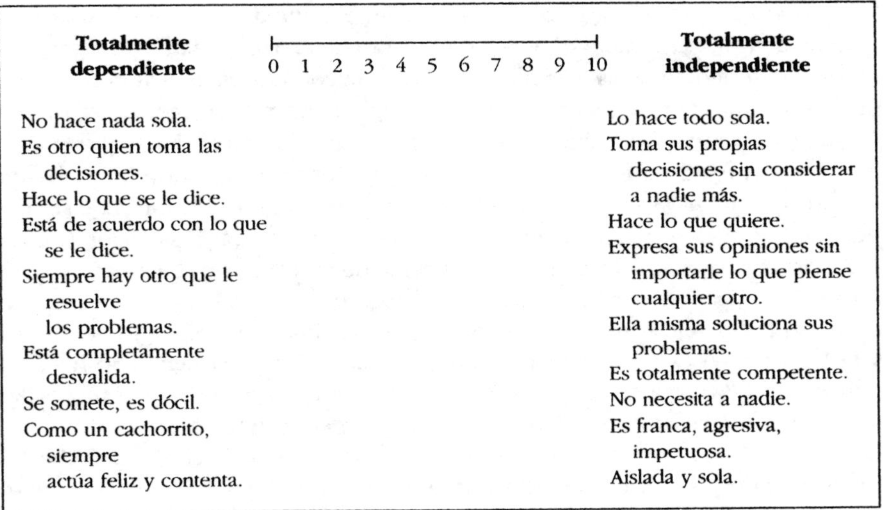

Totalmente dependiente
0 1 2 3 4 5 6 7 8 9 10
Totalmente independiente
No hace nada sola.
Es otro quien toma las decisiones.
Hace lo que se le dice.
Está de acuerdo con lo que se le dice.
Siempre hay otro que le resuelve los problemas.
Está completamente desvalida.
Se somete, es dócil.
Como un cachorrito, siempre actúa feliz y contenta.
Lo hace todo sola.
Toma sus propias decisiones sin considerar a nadie más.
Hace lo que quiere.
Expresa sus opiniones sin importarle lo que piense cualquier otro.
Ella misma soluciona sus problemas.
Es totalmente competente.
No necesita a nadie.
Es franca, agresiva, impetuosa.
Aislada y sola.

FIGURA 12.3. Un típico continuo de independencia desarrollado en colaboración con una paciente dependiente.

En algún momento del tratamiento, el paciente dependiente necesitará explorar la creencia de que si se vuelve más competente sera abandonado. Un modo útil de cuestionarla consiste en desdeñar experimentos conductuales específicos en los que se comporte con algo más de capacidad y observe la reacción de los demás. Como en este tipo de experimento conductual participan otras personas, se trata verdaderamente de un «experimento», en el sentido de que ni el terapeuta ni el paciente están seguros de cúal será el resultado. Aunque quizá sería irracional creer que uno acabará totalmente abandonado y solo para siempre si es asertivo, el terapeuta realmente no sabe si una mayor autonomía conducirá o no al abandono por parte de determinada persona. Sin conocer a George, el esposo de Debbie, el terapeuta no tenía forma de prever cómo reaccionaría a los cambios de su mujer. Muchas personas se sienten atraídas por los individuos dependientes, de modo que es posible que un cónyuge (o progenitor, etcétera) reaccione negativamente si el paciente empieza a cambiar, volviéndose más asertivo e independiente. La conducta dependiente puede ser reforzada activamente por las personas más próximas, que quizá castiguen los intentos de cambiar. Pero es también posible que el cónyuge reaccione bien a esos cambios, aunque el paciente haya estado convencido de que iba a suceder lo contrario. Empezando con pequeños pasos se puede observar la reacción del cónyuge sin provocar consecuencias serias o definitivas.

A Debbie la preocupaba mucho la posible reacción de su esposo a su mayor independencia. Su primera esposa había tenido una relación extraconyugal, y él había manifestado muchas veces el temor de que con Debbie le ocurriera lo mismo. Parecía facilitar de muchos modos la dependencia de su mujer —acompañándola a comprar, ofreciéndose a hacer cosas que ella podría hacer por sí misma y preocupándose por ella cuando no sabía exactamente dónde estaba en cualquier momento—. Aunque a Debbie le importaban las reacciones de su marido, se había estado sometiendo a una exposición gradual a situaciones cada vez más provocadoras de ansiedad, incluso la de ir sola al supermercado y conducir. Trató de observar las reacciones de su esposo; para su sorpresa, ante su progreso hubo sólo respuestas positivas. El terapeuta había ofrecido ver juntos a Debbie y a su esposo en unas cuantas sesiones si parecía necesario hacerlo, pero cuando la paciente pudo percibir la situación objetivamente comprendió que no hacía falta, porque el cónyuge aceptaba perfectamente su progreso.

Cuando la reacción de un cónyuge a la mayor asertividad del otro es de hecho negativa, tal vez sea necesario explorar otras opciones para el tratamiento. La terapia conyugal o familiar suele ayudar a la pareja a adaptarse a los cambios del paciente —y a veces incluso a cambiar juntos—. Pero si el paciente o el cónyuge no están dispuestos a seguir un tratamiento conjunto, existe la posibilidad de explorar las ventajas y desventajas de diversas posibilidades, incluso la de mantener el enfoque presente de la relaciones, modificando la nueva asertividad para que le resulte más tolerable al cónyuge, o aun la de poner fin a la relación, Esta última idea —poner fin a la relación— probablemente asuste mucho al paciente, pero quizás haya que reconocerla como una de las múltiples alternativas posibles.

Sea que el sujeto decida conservar la relación y trabajar por el cambio, seguir con la relación y aceptarla tal como es, o bien cortarla, el terapeuta finalmente tendrá que discutir la posibilidad de que la relación termine, y cuestionar el pensamiento catastrófico del paciente en relación con la pérdida de relaciones. Aunque el paciente insista en que las cosas marchan a las mil maravillas en la relación dependiente, nadie puede dar por sentado que siempre contará con la otra persona, puesto que existe la posibilidad de un accidente. Desde luego, el terapeuta no pretenderá minimizar el duelo que supone la pérdida de una relación importante. La meta no es convencer al sujeto dependiente de que el otro no tiene importancia, sino ayudarle a ver que, aunque el trastorno sea intenso, él puede sobrevivir y sobreviviría a la pérdida de la relación.

Mantenimiento del progreso

Cambiando la estructura misma de la terapia se puede fomentar el progreso desde la dependencia hacia la autonomía. Pasar de la terapia individual a la grupal suele ayudar a reducir la dependencia del paciente respecto del terapeuta, y permite atemperar la intensidad de la relación. En un escenario grupal, el paciente sigue teniendo mucho apoyo, pero empieza a obtener más de los pares que del terapeuta. Éste es un buen primer paso para encontrar medios más naturales de apoyo a la autonomía en el círculo familiar y de amigos del paciente. Se ha visto que el modelado aumenta la conducta independiente (Goldstein y otros, 1973), y en la terapia grupal los otros pacientes sirven como modelo para el desarrollo de muchas habilidades. Además, el encuadre grupal proporciona un espacio relativamente seguro para practicar nuevas aptitudes, como la asertividad.

El fin de la terapia puede resultarles muy amenazador a las personas con TPD, debido a que creen que sin el apoyo del terapeuta no podrán conservar sus progresos. En lugar de cuestionar esta creencia por medios estrictamente verbales, espaciar las sesiones sirve como experimento conductual para ponerla a prueba. Por ejemplo, una vez que el paciente vea que puede funcionar bien acudiendo cada dos semanas en vez de una, se intenta alargar la frecuencia de tratamiento a una sesión por mes. Si el paciente no conserva los cambios adquiridos entre las sesiones quincenales, es posible que aún no esté preparado para el fin del tratamiento, y que sea conveniente volver a las sesiones semanales hasta que queden resueltos más problemas. Cuando el paciente tiene un grado importante de control sobre el espaciamiento de las sesiones, es probable que se sienta menos amenazado y más dispuesto a intentarlo, puesto que no se trata de algo irrevocable. El terapeuta puede ir distanciando las sesiones cada vez más, ofreciendo entrevistas mensuales, trimestrales o incluso semestrales. Pero entonces, si el paciente comprueba que puede pasar un mes sin terapia, comprende que ya no necesita seguir con el tratamiento.

Otra estrategia que facilita el fin de la terapia con estos pacientes consiste en ofrecer sesiones de ayuda cuando resulten necesarias. Al dar por concluida la terapia, el terapeuta explica que si el paciente experimenta en el futuro cualquier dificultad, sea por problemas ya discutidos o por otros nuevos, será una buena idea que vuelva a tomar contacto con el profesional en una o dos sesiones de refuerzo. Esas sesiones sirven para «volver a encarrilar» al paciente, alentándole a reactivar las intervenciones que resultaron útiles en el pasado. Para muchos pacientes, el solo hecho de saber que se tiene esa posibilidad facilita la transición hacia el fin de la terapia. Si el paciente dependiente logra más autonomía, tomará decisiones independientes; entonces quizás el tratamiento siga un curso distinto del previsto por el terapeuta. A veces es necesario «aflojar las riendas» con el paciente para permitirle ser más independiente.

Ya avanzados en el tratamiento, Debbie mostró en varias sesiones que flaqueaba su motivación y que no realizaba las tareas para casa. Sus pensamientos y sentimientos sobre esas tareas ya habían sido examinados extensamente en algunas sesiones. Un día manifestó grandes dudas:

DEBBIE: No quiero hacer nada más.

TERAPEUTA: Ayúdeme a comprender. Creí que usted quería poder conducir mejor.

DEBBIE: Así es, pero no ahora. Siento que usted me empuja.

TERAPEUTA: Casi parece un poco enojada...

DEBBIE: (*Después de una pausa*) Bien, quizá lo esté. También me siento culpable.

TERAPEUTA: ¿Culpable?

DEBBIE: Porque debería poner más empeño, y usted se enfadará si no lo hago.

TERAPEUTA: Pero, ¿qué es lo que quiere usted?

DEBBIE: (*Con firmeza*) Trabajar este tema a mi propio ritmo.

TERAPEUTA: Se diría que lo tiene muy claro. ¿Qué hay de malo en eso?

DEBBIE: Bien, supongo que nada. Pero después me pregunto si he realizado algún progreso.

TERAPEUTA: ¿Le gustaría que dedicáramos algún tiempo a pasar revista a sus progresos, a ver qué nos dicen los hechos y lo que significan para lo que hagamos en adelante?

DEBBIE: Sí. Es una muy buena idea. Ya me siento aliviada. Creía que usted iba a enfadarse conmigo.

TERAPEUTA: ¿Siente alguna presión que la empuja a agradarme?

DEBBIE: Sí, pero supongo que proviene de mí y no de usted.

[Se dedicaron 15 minutos a pasar revista a sus progresos. Debbie se convenció de haber realizado progresos importantes con respecto a siete u ocho metas.]

DEBBIE: Ahora me siento mucho más tranquila. No sé cómo he llegado tan lejos.

TERAPEUTA: Los hechos parecen demostrar que lo ha hecho. ¿Hacia dónde quiere ir ahora?

DEBBIE: Quiero trabajar el tema de la conducción por mí misma. Sé que necesito hacerlo.

TERAPEUTA: Entonces, ¿desea que dediquemos algo de tiempo a considerar cómo lo hará, y lo que irá alcanzando con un progreso sostenido?

[Se discutió durante 15 minutos sobre el plan de Debbie para mejorar su conducción.]

TERAPEUTA: Muy bien. Parece que ahora usted tiene un plan claro para continuar progresando, así como algunas ideas sobre qué hacer si surgen problemas. ¿Qué impresión le deja?

DEBBIE: Muy buena. Creía que hoy me iba a ir sintiéndome mal. Pero sé que esto es lo que quiero.

TERAPEUTA: De modo que usted esperaba que si era clara sobre lo que quería de mí se produciría un desastre. ¿Qué es lo que descubrió?

DEBBIE: Que es todo lo contrario. Y que está muy bien tomar una decisión sobre lo que quiero,

TERAPEUTA: Y, desde luego, sabe que si desea más ayuda o presenta signos de retroceso lo razonable es que me llame para que consideremos cuál es la mejor forma de actuar.

Conclusión

Aunque el tratamiento del TPD puede ser un proceso lento, arduo y a veces frustrante, también es posible que resulte gratificador. Como lo demostraron Turkat y Carison (1984) en su estudio de un paciente con TPD, el reconocimiento del trastorno, una formulación global del caso y la planificación estratégca de las intervenciones sobre la base de dicha formulación probablemente logren que el tratamiento sea más eficaz y menos frustrante que el tratamiento sintomático por sí solo.

Con una concepción adecuada y una planificación estratégica cuidadosa, tal vez el terapeuta podrá ver que el paciente se convierte en un adulto autónomo, lo cual procura una satisfacción notablemente análoga a la de observar el crecimiento de un niño.

CAPÍTULO 13

EL TRASTORNO DE LA PERSONALIDAD POR EVITACIÓN

La mayoría de las personas emplean alguna vez en su vida la evitación para aliviar la ansiedad o anticiparse a situaciones o elecciones difíciles. El trastorno de la personalidad por evitación (TPE) se caracteriza por una evitación generalizada, conductual, emocional y cognitiva, hasta el punto de impedir la consecución de los objetivos o deseos personales. Esa evitación se nutre de temas tales como la autodesaprobación, una expectativa de rechazo en las relaciones interpersonales y la creencia de que las emociones y los pensamientos desagradables no pueden tolerarse, además de la asunción de que si se expone el «yo real» a los demás se encontrará solo el rechazo de los mismos.

Los pacientes con TPE expresan deseo de afecto, aceptación y amistad; sin embargo, suelen tener pocos amigos y es poca la intimidad que comparten con alguien. De hecho, quizá les resulte difícil incluso hablar de esos temas con el terapeuta. Sus frecuente soledad y tristeza son sostenidas por el miedo al rechazo, que inhibe el inicio o la profundización de las amistades.

Un paciente típico con TPE cree: «Soy socialmente inepto e indeseable» y «Las otras personas son superiores a mí y me rechazarían o criticarían si me conocieran». Cuando el terapeuta suscita los pensamientos y sentimientos incómodos que se desprenden de esas creencias, el paciente suele iniciar la evitación o «se reprime» cambiando de tema; se pone de pie y empieza a caminar, o dice que tiene «la mente en blanco». A medida que avanza la terapia se descubre que esta evitación emocional y cognitiva se acompaña por creencias tales como «No puedo manejar los sentimientos intensos», «Usted [el terapeuta] pensará que soy débil», «La mayor parte de las personas no tienen sentimientos como estos» y «Si me permito experimentar emociones negativas, la cosa aumentará en una escalada interminable». Estos pacientes tienen una baja tolerancia a la disforia, dentro y fuera de la terapia, y utilizan diversas actividades, a veces incluso adicciones, para distraerse de las cogniciones y las emociones negativas.

La gente con TPE puede presentarse en terapia con un cuadro inicial de depresión, trastornos de ansiedad, abuso de sustancias, trastornos del sueño o quejas relacionadas con el estrés, entre las que se pueden incluir trastornos psicofisiológicos. Es posible que se sientan atraídos a la terapia cognitiva porque es breve y creen (equivocadamente) que este tipo de terapia requiere poca revelación de uno mismo o de su historia pasada.

Perspectiva histórica

La expresión «personalidad evitativa» fue acuñada por vez primera por Millon (1969). La formulación de Millon del TPE se basa en gran medida en la teoría del aprendizaje social. Su descripción de este tipo de personalidad era la de una persona que presenta una pauta de «aislamiento activo» como respuesta a «miedo y desconfianza hacia los demás».

> Estos individuos se mantienen en estado de alerta constante, por temor a que sus impulsos y su anhelo de afecto ocasionen una repetición del dolor y la angustia que antes han experimentado con otros. Sólo pueden protegerse mediante un repliegue activo. A pesar de sus deseos de relacionarse, han aprendido que lo mejor es negar esos sentimientos y mantener la distancia interpersonal. (Millon, 1981a, pag. 61)

Se puede encontrar una perspectiva más cognitiva en los escritos de Karen Horney (1945), quien describió a la persona «interpersonalmente evitativa» más de cuarenta años antes de la formulación del DSM-III-R (American Psychiatric Association, 1987): «Hay una tensión intolerable en la asociación con otras personas, y la soledad se convierte primordialmente en un medio para evitarla [...] Existe una tendencia general a suprimir todo sentimiento, incluso a negar su existencia» (págs. 73-82). En un libro ulterior, Horney (1950) presentó una descripción de una persona evitativa, coherente con las formulaciones cognitivas:

> Con poco o ninguna provocación, siente que los demás lo menosprecian, no lo toman en serio, no desean su compañía y, de hecho, le desprecian. Su autodesprecio [...] le vuelve [...] profundamente inseguro acerca de las actitudes de los otros respecto de él. Incapaz de aceptarse como es, tal vez no puede creer que los demás, conociéndole con todos sus defectos, le aceptan con un espíritu amistoso o le aprecian. (pág. 134).

Hasta hace pocos años, poco se había escrito desde esta perspectiva sobre el TPE. En este capítulo demostraremos de qué modo el examen de los pensamientos automáticos, los supuestos subyacentes y los esquemas de los pacientes con TPE conducen a una conceptualización sintética que describe el desarrollo y mantenimiento de este trastorno. Luego se sugieren estrategias clínicas capaces de ayudar a modificar los pensamientos y las conductas problemáticas, así como los supuestos subyacentes y las creencias nucleares en los que se sostiene el trastorno.

Investigación y datos empíricos

La mayor parte de la investigación sobre terapia cognitiva de este trastorno publicada hasta la fecha ha consistido en informes clínicos no controlados y estudios de caso único (Beck, Freeman y otros, 1990; Gradman, Thompson y Gallagher-Thompson, 1999; Newman, 1999). Sólo disponemos de un estudio de resultados publicado que usó la intervención cognitiva junto con la formación en habilidades sociales (no se trataba de un curso completo en terapia cognitiva exclusivamente) con pacientes con TPE. Pero los resultados fueron buenos: los pacientes experimentaron una disminución en su ansiedad social y aumentaron su interacción social, tal y como hicieron los que recibieron sólo la formación en habilidades sociales (Stravynski, Marks y Yule, 1982).

Algunos investigadores (Heimberg, 1996; Herbert, Hope y Bellack, 1992) dicen que el TPE es simplemente una forma de ansiedad social generalizada de mayor intensidad y existen estudios que demuestran que la terapia cognitiva para la fobia social generalizada es efectiva, aunque en menor medida que en el caso de los fóbicos sociales no generalizados (Brown, Heimberg y Juster, 1995; Chambless y Hope, 1996). Sin embargo, hasta que no haya un mayor acuerdo con respecto a la idea de que estos dos diagnósticos sean una misma cosa, esta investigación debería ser considerada sólo como una prueba más a favor de la eficacia de la terapia cognitiva con el TPE.

Se necesitan, por lo tanto, más estudios sobre resultados de terapias cognitivas robustas. Si se halla que esta forma de terapia es eficaz, se deberá entonces explorar otros asuntos. Por ejemplo, este capítulo describe los factores sociales y cognitivos que parecen relevantes en la historia del desarrollo de este trastorno en la persona que lo padece. Son necesarios estudios de investigación que examinen si esas experiencias interpersonales y las creencias concomitantes que sostiene el paciente son una parte crítica del desarrollo del TPE. También es importante determinar la etiología del trastorno con vistas a desarrollar programas que prevengan, identifiquen o traten este trastorno en la infancia.

Diagnóstico diferencial

La tabla 13.1 resume los criterios del DSM-IV-TR (American Psychiatric Association, 2000) para el TPE. Es evidente que muchos rasgos de este trastorno coinciden con los de otras categorías diagnósticas, sobre todo la fobia social generalizada, el ataque de pánico con agorafobia y los trastornos dependiente, esquizoide y esquizotípico de la personalidad. Por lo tanto, para realizar un diagnóstico diferencial es importante que el terapeuta indague las creencias y los significados asociados con los diversos síntomas, así como el curso histórico de las pautas evitativas.

TABLA 13.1. Criterios del DSM-IV-TR para el trastorno de la personalidad por evitación

Una pauta generalizada de incomodidad social, sensación de ser inadecuado e hipersensibilidad a la evaluación negativa, iniciada al principio de la adultez y presente en diversos contextos, indicada por cuatro (o más) de los rasgos siguientes: (1) Evita las actividades sociales o laborales que suponen un contacto interpersonal significativo por miedo a las críticas, a la desaprobación o al rechazo. (2) No está dispuesto a involucrarse con personas a menos que esté seguro de que gustan de él. (3) Se muestra retraído en las relaciones íntimas por miedo a ser ridiculizado o avergonzado. (4) Le preocupa que le critiquen o rechacen en situaciones sociales. (5) En situaciones interpersonales nuevas se muestra inhibido a causa de sus sentimientos de ser inadecuado. (6) Se ve a sí mismo como socialmente inepto, con poco atractivo personal o inferior a los demás. (7) Es muy reacio a correr cualquier riesgo o a participar en nuevas actividades porque puede pasar vergüenza.

Nota: Reproducido con permiso de la American Psychiatric Association. (2000, pág. 721). *Copyright* 2000 de American Psychiatric Association.

El TPE comparte algunos de los rasgos cognitivos y conductuales de la fobia social. No obstante, las personas con fobias sociales experimentan ansiedad social en algunas situaciones específicas (por ejemplo, hablar o firmar cheques en público) mientras el que TPE implica ansiedad en la mayor parte de las situaciones sociales. En este sentido, la fobia social generalizada es muy parecida al TPE y, de hecho, cuando se diagnostica una fobia social, se debería explorar si existe también un TPE.

Los pacientes con pánico y agorafobia suelen presentar conductas de evitación similares a las del TPE. Sin embargo, las razones de uno y otro trastorno son diferentes. La evitación agorafóbica viene producida por el miedo al ataque de pánico, a las sensaciones asociadas a los ataques de pánico o a estar en un lugar en el que no dispondrá de auxilio o «rescate» en caso de un desastre (físico o mental). La evitación del TPE viene producida por el miedo a las críticas o al rechazo social en las relaciones.

El trastorno de la personalidad por dependencia y el TPE generan visiones similares de uno mismo («Soy inadecuado»), pero se diferencian por su visión de los demás. Las personas con trastorno de la personalidad por dependencia ven a los demás como fuertes y capaces de cuidar de ellos. La gente con TPE, como potencialmente críticos y proclives al rechazo. Por eso, los primeros buscan relaciones estrechas y se sienten cómodos con ellas mientras los segundos suelen tener miedo de establecer relaciones estrechas porque se sienten vulnerables en ellas.

Los pacientes con TPE se suelen aislar a nivel social, cosa que también hacen los que tienen personalidad esquizoide y esquizotípica. Las principales diferencias entre estos trastornos y el TPE son que la gente con TPE desea la aceptación y las relaciones estrechas. La gente diagnosticada de trastorno esquizoide o esquizotípico prefieren el aislamiento social. A los esquizoides, la crítica o el rechazo de los demás les resulta indiferente. Los esquizotípicos pueden reaccionar negativamente a los demás, pero frecuentemente con tintes paranoicos («¿Qué estarán tramando?») más que el autodesprecio en que incurren los que padecen de TPE.

Como ya hemos mencionado, el paciente con TPE a menudo recurre al tratamiento por trastornos asociados del Eje I. Es importante el diagnóstico temprano del TPE porque los trastornos del Eje I se pueden tratar con éxito con los métodos cognitivos estándar si el terapeuta incluye estrategias para superar la característica evitación que de otro modo podría causar bloqueos en el tratamiento.

También pueden acompañar al TPE trastornos somatoformes y disociativos, aunque esto último es menos común. Los trastornos somatoformes aparecen en virtud del beneficio secundario de justificar la evitación social. Los trastornos disociativos se producen cuando las pautas de evitación cognitiva y emocional del paciente son tan extremas que éste experimenta una perturbación de la identidad, la memoria o la conciencia.

Conceptualización

Los pacientes con TPE desean acercarse a otras personas, pero por lo general tienen pocas relaciones sociales, en particular pocas relaciones íntimas. Temen iniciarlas o responder a la iniciativa de otros que quieren relacionarse con ellos, porque están seguros del rechazo final y tal rechazo es visto como insoportable. Por lo general, su evitación social es manifiesta. Menos obvia es su evitación cognitiva y emocional. Evitan pensar en las cosas que les hacen sentirse disfóricos. La baja tolerancia a la disforia también les lleva a distraerse conductualmente de sus cogniciones negativas. En esta sección se explicará la evitación social, conductual, cognitiva y emocional desde una perspectiva cognitiva. El diagrama de conceptualización cognitiva (J. Beck, 1995) proporciona un ejemplo de una paciente con TPE y muestra la relación existente entre sus experiencias tempranas y la emergencia de sus creencias negativas y estrategias de afrontamiento y cómo esas creencias nucleares, supuestos y pautas de conducta influencian su reacción a las situaciones actuales (figura 13.1).

DATOS RELEVANTES SOBRE LA INFANCIA

La madre era alcohólica con trastorno límite de la personalidad. Ambos padres abusaban física y emocionalmente. Tenía pocos amigos y sólo entre los que «no encajaban».

CREENCIAS NUCLEARES

«No me puede querer nadie.» «Soy vulnerable [a las experiencias negativas].»

SUPUESTOS CONDICIONALES

«Si oculto mi verdadero yo, pareceré aceptable a los demás. Si muestro mi verdadero yo, me rechazarán.» «Si tapo mis emociones, estaré bien. Si empiezo a sentirme mal, no lo toleraré.»

ESTRATEGIAS COMPENSATORIAS

Evitar iniciar conversaciones, llamar la atención sobre uno mismo, revelarse a los demás. Evitar pensar acerca de las cosas que le ponen disfórica, evitar emociones negativas cuando sea posible, a través de distracciones y evitación de situaciones sociales. Evitar ser asertivo frente a los demás, desagradar a los demás, confrontarse.

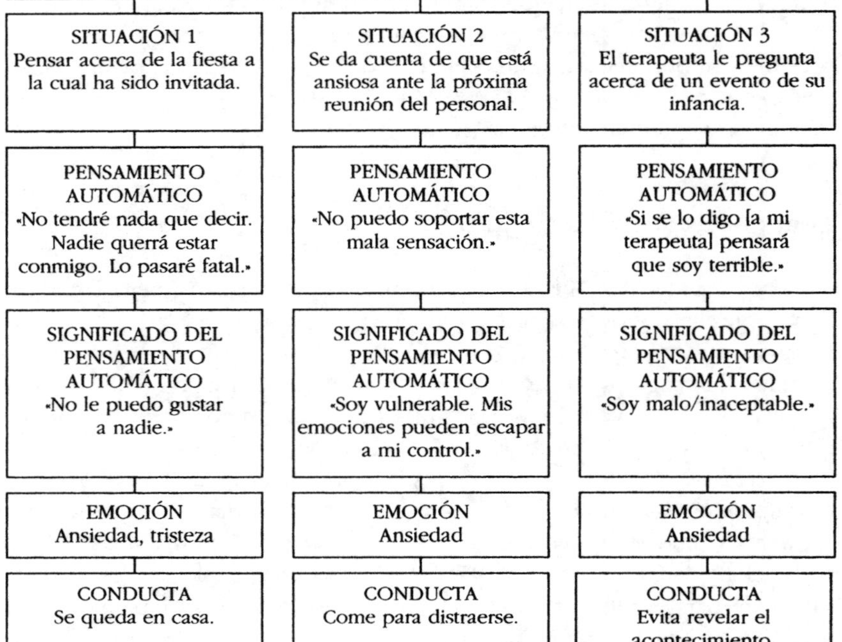

SITUACIÓN 1
Pensar acerca de la fiesta a la cual ha sido invitada.
PENSAMIENTO AUTOMÁTICO
«No tendré nada que decir. Nadie querrá estar conmigo. Lo pasaré fatal.»
SIGNIFICADO DEL PENSAMIENTO AUTOMÁTICO
«No le puedo gustar a nadie.»
EMOCIÓN
Ansiedad, tristeza
CONDUCTA
Se queda en casa.
SITUACIÓN 2
Se da cuenta de que está ansiosa ante la próxima reunión del personal.
PENSAMIENTO AUTOMÁTICO
«No puedo soportar esta mala sensación.»
SIGNIFICADO DEL PENSAMIENTO AUTOMÁTICO
«Soy vulnerable. Mis emociones pueden escapar a mi control.»
EMOCIÓN
Ansiedad
CONDUCTA
Come para distraerse.
SITUACIÓN 3
El terapeuta le pregunta acerca de un evento de su infancia.
PENSAMIENTO AUTOMÁTICO
«Si se lo digo [a mi terapeuta] pensará que soy terrible.»
SIGNIFICADO DEL PENSAMIENTO AUTOMÁTICO
«Soy malo/inaceptable.»
EMOCIÓN
Ansiedad
CONDUCTA
Evita revelar el acontecimiento.

FIGURA 13.1. Diagrama de conceptualización cognitiva.

Evitación social

Creencias nucleares

Los pacientes evitativos tienen varias creencias o esquemas disfuncionales, que han mantenido durante mucho tiempo, que interfieren en su funcionamiento social. Esas creencias pueden no haber sido totalmente expresadas, pero reflejan la comprensión que tiene el paciente de sí mismo y de los demás. De niño, quizás haya habido una persona significativa (padre o madre, profesor, hermano, compañero) que les criticaba y los rechazaba. A partir de las interacciones con dicha persona desarrollaron ciertos esquemas sobre sí mismos tales como «Soy inadecuado», «Soy defectuoso», «No gusto», «Soy diferente», «No encajo», y sobre los demás, «A la gente no le importo», «La gente me rechazará».

Supuestos condicionales

Pero no todos los niños cuyos seres cercanos son críticos y les rechazan se convierten en evitativos. El evitativo ha debido establecer ciertos supuestos para explicar las interacciones negativas: «Tengo que ser una mala persona para que esa persona me trate así»; «Debo ser diferente o defectuoso; por eso no tengo amigos», «Si no les gusto a mis padres, ¿cómo les podría gustar a otras personas?».

Miedo al rechazo

De niños, y más tarde como adultos, la gente evitativa comete el error de suponer que todos reaccionarán de la misma manera negativa que la persona cercana que los criticaba. Continuamente temen que se descubra que son defectuosos y los rechacen. Tienen miedo de no soportar la disforia que creen que les provocará el rechazo, de modo que evitan las relaciones y situaciones sociales, a veces limitando severamente sus vidas para no sufrir el dolor, a su juicio inevitable, de sentirse rechazados.

Esta predicción del rechazo causa una disforia que en y por sí misma es extremadamente penosa. Pero la perspectiva del rechazo es sumamente dolorosa porque el evitativo considera justificadas las reacciones negativas de los otros. Interpreta el rechazo de un modo muy personal, como provocado exclusivamente por sus carencias personales: «Me rechazó porque soy inadecuado», «Si él piensa que no soy inteligente [atractivo, etcétera], debe de ser así». Las atribuciones son generadas por las creencias negativas sobre el yo y, a su vez, refuerzan esas creencias disfuncionales, lo cual conduce a unos mayores sentimientos de inadecuación y desesperanza. Incluso las interacciones sociales positivas no le proporcionan pruebas de que no va a ser rechazado: «Si le gusto a alguien, eso significa que no ve la persona que soy en realidad. En cuanto me conozca, me rechazará. Es mejor que me retire ahora antes de que ello suceda». Entonces trata de evitar la disforia evitando las relaciones, tanto positivas como negativas.

Autocrítica

Los evitativos suelen experimentar una cadena de pensamientos autocríticos automáticos, tanto en las situaciones sociales como cuando piensan en futuros encuentros. Esos pensamientos producen disforia, pero pocas veces son sometidos a evaluación, pues los pacientes dan por seguro que son exactos. Surgen de las creencias negativas antes descritas. Las cogniciones negativas típicas son: «No soy atractivo», «Soy aburrido», «Soy estúpido», «Soy un perdedor», «Soy patético», «No encajo».

Además, tanto antes como durante los encuentros sociales, el paciente evitativo tiene una corriente de pensamientos automáticos que predicen una dirección negativa para lo que sucederá: «No tengo de qué hablar», «Me voy a poner en ridículo», «No le gustaré», «Ella me criticará». Al principio, el paciente puede tener o no una completa conciencia de esos pensamientos. Experimenta sobre todo la disforia que le producen. Incluso cuando reconoce sus cogniciones, las acepta como válidas sin ponerlas a prueba. Todo lo contrario, su solución será evitar activamente las situaciones que cree que le provocarán cogniciones negativas y disforia.

Supuestos subyacentes sobre las relaciones

Las creencias de los pacientes evitativos también dan origen a supuestos disfuncionales sobre las relaciones. Suelen creer que no pueden gustarle a nadie, pero que si ocultan sus verdaderas personalidades engañarán a los demás, por lo menos un poco o durante un tiempo. Desde luego, es preciso que nadie se acerque lo bastante como para descubrir lo que ellos «saben» sobre sí mismos: que son inadecuados, diferentes, y así sucesivamente. Los supuestos subyacentes típicos son «Debo ocultarme tras una fachada para gustar», «Si me conocieran, no les gustaría», «En cuanto me conozcan, se darán cuenta de que soy inferior» y «Es peligroso que la gente se me acerque demasiado y vea lo que soy realmente».

Cuando establecen una relación con alguien, la gente con TPE tienen supuestos sobre lo que deben hacer para preservar la amistad. Se retraen para evitar confrontaciones y no son asertivos. Los supuestos típicos son «Tengo que resultarle agradable en todo momento», «Le gustaré sólo si hago lo que quiere» y «No sé decir no». Quizá se sienta permanentemente al borde del rechazo: «Si cometo un error, va a cambiar completamente de idea sobre mí», «Si le desagrado de algún modo, pondrá fin a nuestra amistad» y «Advertirá cualquier imperfección mía y me rechazará».

Evaluación incorrecta de las reacciones de los demás

Los pacientes tienen dificultades para evaluar las reacciones de los otros. Quizás interpreten una reacción neutra o positiva como negativa. Como también hacen los fóbicos sociales, los pacientes con TPE suelen centrarse en sus propios pensamientos, sentimientos y reacciones fisiológicas internas, más que en las expresiones faciales y el lenguaje corporal de aquellos con los que interactúan. Esperan elicitar reacciones positivas intensas de gente que, en realidad, es irrelevante para sus vidas, como dependientes o conductores de autobús. Le atribuyen una gran significación a que nadie piense mal de ellos, debido a su creencia de que «Si alguien me juzga negativamente, la crítica tiene que ser justa». Les parece peligrosa cualquier posición en la que puedan ser evaluados, porque su percepción de las reacciones negativas o incluso neutras de las otras personas confirman su propia creencia de que son defectuosos y no le gustan a nadie. Carecen de criterios interiores para juzgarse a sí mismos de manera positiva: se basan exclusivamente en la percepción que tienen del juicio de otros.

Exclusión de los datos positivos

Aun cuando se le presentan pruebas, incontrovertibles para otros, de que es aceptado o de que gusta, el paciente evitativo las descarta. Cree que el juicio que determinada persona tiene sobre él es equivocado, que le falta la información necesaria para conocerle realmente o que él la ha engañado. Pensamientos automáticos típicos son «Cree que soy listo; lo que ocurre es que le he engañado», «Si me conociera realmente no le gustaría», «Al final va a tener que descubrir que no soy tan agradable».

Caso ilustrativo

Jane era un ejemplo de estos pacientes. La había criado una madre alcohólica con un trastorno límite de la personalidad que la maltrataba verbal y físicamente. De niña, Jane justificaba el trato abusivo de su madre con la creencia de que ella (la paciente) debía de ser una persona intrínsecamente indigna. Ni siquiera podía recurrir como explicación a su mala conducta, pues en realidad se comportaba muy bien y trataba desesperadamente de agradar a su madre. Por lo tanto, Jane llegó a la conclusión de que en el fondo de su corazón era mala. (Nunca había pensado que el maltrato podía deberse a problemas interiores de la propia madre.) Como adulta de cerca de treinta años, Jane todavía preveía el rechazo cuando se descubriera que era intrínsecamente indigna y mala.

Antes de cada encuentro social, Jane tenía una multitud de pensamientos automáticos. Era muy autocrítica y estaba segura de que no iba a ser aceptada. Pensaba que no iba a gustar, que la verían como a una perdedora y que no sabría de qué hablar. Para Jane era muy importante que toda persona que conocía respondiera a ella positivamente. La perturbaba que alguien, aunque fuera en el encuentro más fugaz, reaccionara (según ella lo percibía) de modo negativo o neutro. Si un vendedor de periódicos dejaba de sonreírle o en un negocio la trataban con un mínimo de sequedad, de inmediato pensaba que ello se debía a que de algún modo era indigna y no le gustaba a nadie, lo cual la entristecía muchísimo. Aunque recibiera retroalimentación positiva de un amigo, la descartaba. En tal caso creía haber presentado tan sólo una fachada y que su amigo cortaría la relación en cuanto descubriera lo que ella realmente era. En consecuencia, Jane tenía pocos amigos y ninguno íntimo.

La evitación cognitiva, conductual y emocional

Además de la evitación social, la mayoría de los pacientes evitativos también presentan una evitación cognitiva, conductual y emocional. Evitan *pensar* sobre temas que les producen disforia y actúan de modos que les permiten prolongar esa evitación. Se produce una pauta típica:

1. El paciente toma conciencia de un sentimiento disfórico (advierta o no advierta plenamente los pensamientos que precedieron o acompañan la emoción).
2. Su tolerancia a la disforia es baja, de modo que busca hacer algo rápido para poseer distraerse y sentirse mejor. Quizás interrumpa una tarea o no la inicie, aunque la tenga planeada. Puede ser que encienda la televisión, busque algo para leer, comida o un cigarrillo, que camine un poco y así sucesivamente. En síntesis, se procura una distracción para expulsar de su mente los pensamientos y sensaciones incómodos.
3. Esa pauta de evitación cognitiva y conductual, reforzada por una reducción de la disforia, finalmente queda grabada y se vuelve automática.

Los pacientes tienen conciencia, por lo menos en alguna medida, de su evitación conductual. Invariablemente se critican en términos globales estables: «Soy perezoso» o «Me resisto». Estos pronunciamientos refuerzan sus creencias acerca de la propia inadecuación y sus defectos, y conducen a la desesperanza. No se dan cuenta de que la evitación es el modo que tienen de lidiar con las emociones incómodas. Por lo general no tienen conciencia de su evitación cognitiva y conductual hasta que se les haga patente esa pauta con claridad.

Las actitudes respecto de la experiencia disfórica

Los pacientes evitativos presentan frecuentemente ciertas actitudes disfuncionales respecto de la experiencia de emociones disfóricas: «Es malo sentirse mal», «No debería sentirme ansioso», «Siempre debo sentirme bien», «Los demás muy pocas veces se asustan o se sienten mal o perturbados». Los pacientes evitativos creen que si se permiten sentirse disfóricos, el sentimiento los engullirá y nunca podrán recobrarse: «Si les doy vía libre a mis sentimientos, quedaré abrumado», «Si empiezo a sentirme un poco ansioso, me hundiré», «Si empiezo a sentirme abatido, perderé el control y no podré funcionar».

Excusas y racionalizaciones

Los pacientes evitativos tienen un fuerte deseo de alcanzar la meta a largo plazo de establecer relaciones estrechas. En tal sentido difieren de los esquizoides, para quienes la falta de intimidad con los demás es egosintónica. Los pacientes evitativos se sienten vacíos y solos, quieren hacer amigos más íntimos, conseguir un mejor empleo y cambiar sus vidas. Por lo general saben qué tienen que hacer para realizar sus deseos pero el coste inmediato en emociones negativas les parece demasiado alto. Encuentran una multitud de excusas para no hacer lo necesario para alcanzar sus metas: «No me va a gustar hacerlo», «Estoy demasiado cansado», «Si lo hago me encontraré peor [más ansioso, aburrido, etcétera]», «Lo haré más adelante», «No tengo ganas de hacerlo ahora». Cuando llega el más adelante, invariablemente vuelven a dar las mismas excusas continuando con la evitación conductual. Por otra parte el paciente evitativo no se cree realmente capaz de alcanzar sus metas. Mantienen ciertos supuestos: «No hay nada que pueda hacer para cambiar mi situación», «¿Para qué intentarlo? De todos modos, no lo podré hacer». «Más vale fracasar por omisión que hacer la prueba y fallar de forma inevitable».

La fantasía de la realización de los deseos

Los pacientes evitativos fantasean sobre su futuro. Creen que algún día caerá del cielo la relación perfecta o el empleo inmejorable sin que ellos realicen ni un mínimo esfuerzo. De hecho, suelen pensar que no pueden alcanzar sus metas con su propio esfuerzo: «Algún día me despertaré y todo estará bien. Yo mismo no puedo hacer nada para mejorar mi vida. Las cosas mejorarán, pero no por obra mía».

Caso ilustrativo

Jane, la paciente a la que ya nos hemos referido, trabajaba en un nivel profesional que estaba por debajo de sus capacidades. No obstante, evitaba dar los pasos que podrían llevarla a ocupar una posición mejor: hablar con el jefe de un ascenso, explorar las oportunidades de empleo, hacer circular su currículum entre sus conocidos. Continuamente se agarraba a la esperanza de que sucedería algo que la sacaría de su situación. También a la terapia llevaba una actitud de ese tipo. Jane confiaba en que el terapeuta iba a «curarla» sin necesidad de que ella hiciera ningún esfuerzo; creía que la «cura» tenía que llegarle de fuera, puesto que ella era completamente ineficaz para realizar cambios por sí misma.

Resumen de la conceptualización

De modo que los pacientes evitativos tienen profundas creencias negativas sobre sí mismos y experimentan sensaciones emocionales desagradables. Esas creencias parten frecuentemente de su infancia, cuando tienen interacciones con personas significativas rechazadoras y críticas. Se ven a sí mismos como inadecuados y carentes de valor. A los demás, como críticos y con ánimo de rechazar a los otros. Las emociones disfóricas son vistas como intolerables y abrumadoras. En lo social, evitan las situaciones en las que otras personas intiman y descubren su «ser real». En cuanto a la conducta, evitan las tareas capaces de provocarles sentimientos incómodos. En el plano cognitivo, evitan pensar en temas que producen disforia. Su tolerancia a la incomodidad es muy baja, y recurren a distracciones siempre que empiezan a sentirse ansiosos, tristes o aburridos. No están contentos con la vida que llevan, pero se sienten incapaces de cambiar por sí mismos.

Enfoque de tratamiento

Estrategia de colaboración

Con los pacientes con TPE podemos esperar dos tipos de impedimentos a la colaboración: su miedo al rechazo y la desconfianza en las expresiones de calidez de los demás. Suelen tener una multitud de cogniciones negativas sobre la relación terapéutica, lo mismo que sobre las otras relaciones. El proceso de identificar y poner a prueba esos pensamientos disfuncionales durante la terapia es esencial para construir una relación colaborativa activa y puede servir como modelo para hacer lo mismo con otras relaciones.

Incluso cuando los pacientes evitativos tienen conciencia de sus pensamientos automáticos sobre el terapeuta y la relación, al principio no suelen estar dispuestos a revelarlos. A menudo infieren críticas («Usted seguramente pensará que no hice bien el trabajo») y desaprobación («Seguramente le disgusta que yo llore así»). También descartan las expresiones directas de la aprobación o el interés del terapeuta: «Yo le gusto sólo porque usted es un terapeuta y está entrenado para que le guste todo el mundo», «Quizás usted piense que ahora soy una persona como tiene que ser, pero si le hablara sobre mi relación con mi madre le disgustaría».

El terapeuta puede detectar y poner de manifiesto esos pensamientos automáticos cuando el paciente demuestra un cambio de afecto («¿Qué le pasa por la cabeza en este momento?»), en medio de una discusión («¿Trata de imaginar lo que yo siento o pienso ahora?»), o hacia el final de la sesión («¿En algún momento de esta sesión se dio cuenta de que me estaba leyendo el pensamiento? ¿Por ejemplo, cuando examinamos su dificultad para completar los deberes de la semana?»).

Una vez expresados, los pensamientos automáticos se pueden evaluar de diversos modos. Al principio, el terapeuta puede revelar directamente lo que está pensando [el terapeuta] de verdad, y ayudar al paciente a descubrir cómo se equivoca también con otras personas. Es útil que el paciente califique el grado en que cree en la retroalimentación del terapeuta en una escala del 0 al 100 %, y observar los cambios en esa calificación a medida que crece la confianza en el terapeuta. Después de varias de tales expresiones directas, se alienta al paciente a evaluar sus cogniciones negativas sobre la relación terapéutica a la luz de esas experiencias pasadas con el terapeuta («¿Recuerda cómo reaccioné la última vez que usted no realizó los deberes?»).

El paciente puede también poner a prueba sus pensamientos automáticos con pequeños experimentos. Como lo demuestra el ejemplo siguiente, se le puede pedir que relate parte del algún acontecimiento que a su juicio el terapeuta considerará inaceptable, para evaluar la validez de esa creencia en pequeñas etapas.

Jane estaba segura de que el terapeuta la iba a juzgar negativamente si le revelaba lo abusivamente que la había tratado su madre cuando ella era pequeña. El fragmento siguiente muestra de qué modo trabajó el terapeuta con el pensamiento automático de Jane, y después pasó a identificar y evaluar el supuesto de Jane sobre la relación terapéutica.

JANE: No le puedo contar esto.

TERAPEUTA: No tiene por qué hacerlo, pero tengo curiosidad por saber qué piensa que sucederá si me lo cuenta.

JANE: Usted no querrá volver a verme.

TERAPEUTA: ¿Y qué cree que haré si no me lo cuenta?

JANE: Bueno, es complicado, pero no quiero que sepa esta cosa mala de mí.

TERAPEUTA: ¿Imagina algunas otras posibles respuestas mías que no sean que deje de querer visitarla? Es posible, por ejemplo, que lo que tiene miedo de contarme pueda ayudarme mucho a entenderla mejor.

[Durante algunos minutos, Jane y el terapeuta consideran este tema; sobre la base de su experiencia en el tratamiento, Jane decide que quizás el terapeuta no reaccionará con un rechazo, aunque le cuesta imaginarlo. Se ponen de acuerdo en hacer la prueba: Jane irá cediendo información en pequeños pasos.]

JANE: Bien, usted sabe que he tenido una infancia terrible.

TERAPEUTA: Vaya.

JANE: Y mi madre... Bueno, me pegaba mucho.

TERAPEUTA: Lo siento. ¿Puede contarme un poco más acerca de ello?

[Poco a poco, la Jane revela algunos episodios de maltrato físico y psicológico que obviamente no merecía y se echa a llorar.]

JANE: Ahora ya sabe lo mala que fui. (*Rompe a llorar de nuevo.*)

TERAPEUTA: Estoy confuso. ¿Dice que fue una niña mala? ¿Y que se *merecía* tales maltratos?

JANE: Sí. Debo habérmelo merecido. ¿Por qué si no mi madre me hubiese maltratado así?

TERAPEUTA: Bien, creo que hay más de una razón. Por otro lado, me pregunto si su madre no tenía un problema grave... En todo caso, incluso si usted hubiese sido mala, ¿por qué no querría verla más?

JANE: Bueno, ya no le caería bien.

TERAPEUTA: Oh, qué interesante. Pero ¿no es posible que al saber de tu infancia difícil yo quisiese ayudarte todavía *más*?

JANE: (*Lentamente*) No lo sé.

TERAPEUTA: ¿Cómo lo podría averiguar?

JANE: No lo sé.

TERAPEUTA: Podría preguntármelo.

JANE: (*Dubitativamente*) ¿Quiere que no venga más?

TERAPEUTA: No, por supuesto que no. ¡De hecho, todo lo contrario! Estoy muy contento de que me haya contado esto. Ahora es mucho más comprensible por qué tiene una idea tan negativa de sí misma... Pero ¿hasta qué punto me cree lo que le digo?

JANE: No sé... ¿Quizás 50-50?

TERAPEUTA: Eso está muy bien. Quizás podamos trabajar esto un poco cada sesión hasta que esté segura de que la comprendo y que quiero ayudarla. ¿Qué le parece?

JANE: Ok.

En este ejemplo y en el diálogo que siguió el terapeuta ayudó a Jane a reconocer que aunque ella se viese como mala y fácilmente rechazable, su terapeuta no compartía esta idea. El terapeuta la pudo persuadir de que revelase poco a poco su historia de maltratos y que experimentase la veracidad de sus temores al rechazo. De esa manera la terapia se convirtió en un modelo cuando Jane accedió a hacer lo mismo con su mejor amiga, lo cual le proporcionó otra oportunidad de averiguar que sus miedos a ser rechazada eran infundados. En verdad, las revelaciones a su mejor amiga sirvieron para estrechar su amistad. Ésta se mostró a partir de entonces más amable con ella.

Como los pacientes evitativos son reticentes a relatar cosas que les parece que harían que el terapeuta pensara mal de ellos, conviene preguntarles a veces directamente si no tienen miedo de revelar algo. A menos que el paciente con TPE dé expresión a estos temas reprimidos, continuará creyendo que el terapeuta lo rechazaría (o por lo menos, que lo vería negativamente) si tuviera la información pertinente. El terapeuta puede decir, por ejemplo, «Usted sabe que a veces los pacientes no me cuentan cosas porque creen que no me gustará y que reaccionaré negativamente. ¿Hay algo que no me haya contado por esa razón? No tiene por qué contármelo si no quiere, pero a lo mejor nos ayudaría mucho el saberlo.

Los evitativos suelen dar por sentado que cuando han establecido una relación tienen que tratar incesantemente de agradar a la otra persona. Creen que si exponen abiertamente sus deseos, el otro tendrá que cortar el vínculo. En la terapia, esto puede llevar a una conformidad extrema y a que nunca se responda al terapeuta con retroalimentación negativa.

Un modo de alentar la asertividad en la terapia consiste en emplear un formulario de retroalimentación para el terapeuta que se llena después de las sesiones. El paciente califica al terapeuta en una lista de cualidades referidas a procesos (por ejemplo, «Hoy el terapeuta me escuchó y pareció comprenderme») y contenidos (por ejemplo, «El terapeuta me explicó la tarea con suficiente claridad»). En la sesión siguiente, el terapeuta revisa las calificaciones, deteniéndose en las que son relativamente bajas. Como asume una posición no defensiva, y discute los cambios posibles en el proceso y el contenido de las sesiones, recompensa al paciente por las críticas asertivas, corrige lo que ha sido un motivo de queja legítima y demuestra el potencial de cambio de las relaciones. Más tarde se estimula al paciente a proporcionar más retroalimentación verbal directa. Se pueden diseñar experimentos para la práctica de la asertividad dentro de otras relaciones. Las tareas de dramatización (*role playing*) y evocación guiada de imágenes son muy útiles como preparación para la asertividad *in vivo*.

Intervenciones específicas

Los enfoques estándar de terapia cognitiva (Beck, Rush, Shaw y Emery, 1979; J. Beck, 1995; Greenberger y Padesky, 1995; Padesky, 1995; Salkovskis, 1996) son útiles para ayudar a estos pacientes a manejar la depresión, la ansiedad, los abusos de sustancias y otros problemas del Eje I. El método socrático y las técnicas cognitivo-conductuales para combatir los pensamientos automáticos y los supuestos subyacentes les ayudan a empezar a contrarrestar la autocrítica, las previsiones negativas, los supuestos inadaptados sobre las relaciones y la evaluación incorrecta de las reacciones de los demás. Ciertas técnicas especiales, detalladas a continuación, ayudan a estos pacientes a superar la evitación cognitiva y emocional que de otro modo obstaculizan estos enfoques estándar.

La superación de la evitación cognitiva y emocional

Aunque los pacientes con TPE experimentan toda una gama de estados de ánimo disfóricos, no es deseable enseñarles simplemente a eliminar la depresión y la ansiedad. Una de las complicaciones que perjudican el tratamiento es que el evitativo trata de no pensar en lo que le causa emociones desagradables. Como ya hemos dicho, también tiene muchos supuestos negativos sobre la experiencia de emociones negativas. Puesto que la terapia cognitiva *requiere* que el paciente experimente esas emociones y registre los pensamientos e imágenes que acompañan a las diversas experiencias emocionales, esa evitación cognitiva y emocional resulta a veces un serio impedimento para el tratamiento.

Los pacientes evitativos no sólo evitan experimentar las emociones negativas entre sesiones (por ejemplo, suele ocurrir que no inicien o completen las tareas), sino que también eluden la disforia en el curso de la sesión de terapia (por ejemplo, no comunican pensamientos negativos, o cambian de tema). Es deseable diagramar el proceso de la evitación para que el paciente examine el modo como se produce y cómo puede él intervenir para detenerlo. En la figura 13.2 presentamos un ejemplo típico; el paciente debe ser alentado a descubrir pautas similares día tras día. Cuando es posible, resulta útil replantear ciertas ideas que tiene sobre sí mismo, como la de que es «perezoso» o «resistente» (características que son más de rasgo de personalidad y que parecen más difíciles de modificar). Al evaluarse a la luz del diagrama, el paciente comprende en cambio que evita las situaciones en las que tiene pensamientos automáticos y que le produces emociones negativas. El terapeuta y el paciente pueden evaluar juntos esas cogniciones negativas y acrecentar la tolerancia del paciente a la disforia.

Antes de embarcarse en el proceso de aumentar esa tolerancia conviene proporcionar una justificación racional. Mediante el descubrimiento guiado, los pacientes confirman las desventajas de la evitación, tales como la improbabilidad de que alcancen sus metas y que al excluir las emociones negativas, tampoco puedan experimentar plenamente las positivas. Cuando es posible, terapeuta y paciente exploran el origen de la evitación de la disforia. A menudo esa evitación se ha iniciado en la niñez, cuando el paciente era sin duda más vulnerable y menos capaz de superar los sentimientos desagradables.

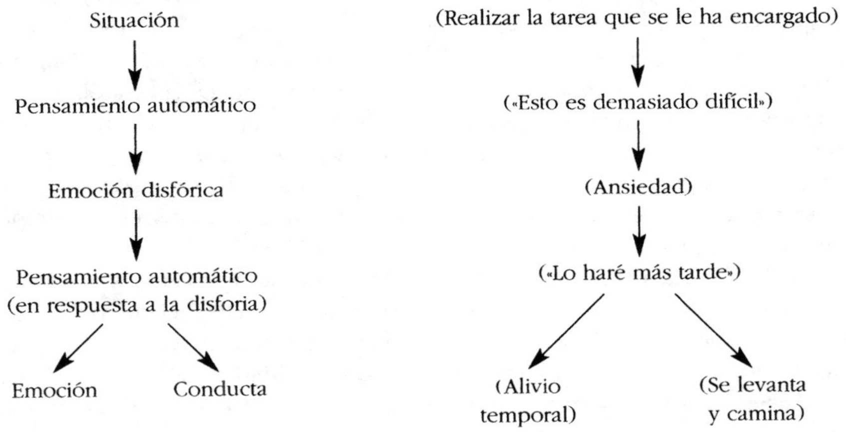

FIGURA 13.2. Diagrama de la pauta de evitación.

Uno de los mejores modos de empezar a aumentar la tolerancia emocional consiste en evocar emociones en la sesión, discutiendo las experiencias que los pacientes dicen que les provocan malestar. Cuando empiezan a reaccionar con intensidad quizás aparece algo de evitación cognitiva (el paciente cambia de tema, se pone de pie y camina, tiene la mente «en blanco»). El terapeuta vuelve a los sentimientos, para identificar y poner a prueba las creencias que conducen a la evitación. Un fragmento de terapia ilustra este proceso.

JANE (*en medio de un ejercicio de evocación de imágenes*): No quiero seguir hablando de esto.

TERAPEUTA: ¿Qué siente ahora?

JANE: Me siento deprimida..., y asustada. Realmente asustada.

TERAPEUTA: ¿Qué cree que ocurrirá si se sigue sintiendo así?

JANE: Me volveré loca. Mi caso no tiene remedio.

TERAPEUTA: Como hemos visto antes, esos sentimientos que usted evita pueden aportarnos alguna información útil. Trate de permanecer con ellos por el momento. Siga imaginándose a sí misma en el restaurante con su amiga. Dígame qué sucede. (*Larga pausa.*)

JANE: (*Entre sollozos*) Se va a enfadar conmigo. Soy una persona perversa por hacerla tan desdichada.

En este fragmento de sesión, el terapeuta ayudó a la paciente a tomar conciencia de sus pensamientos e imágenes angustiosos, y a «permanecer con ellos». Al mismo tiempo, ella pudo poner a prueba su creencia de que «enloquecería» y perdería el control si se permitía experimentar emociones fuertes. El terapeuta le recordó su predicción y le dio tiempo para que reflexionara acerca de que había experimentado emociones fuertes sin que nunca hubiera perdido realmente el control.

Quizá se necesiten reiteradas experiencias de este tipo para cultivar la tolerancia a la disforia y disolver las creencias disfuncionales sobre la experiencia de emociones desagradables. A fin de desensibilizar al paciente, se puede establecer una jerarquía de los temas cada vez más penosos que se discutirán en la terapia. El terapeuta saca a la luz lo que el paciente prevé y teme que suceda antes de pasar a discutir cada tema sucesivo, pone a prueba las predicciones y acumula datos que refutan las creencias falsas (por ejemplo, «Discutir será demasiado penoso», «Si empiezo a sentirme mal, la sensación no acabará nunca», etc.). Otro recurso es que el paciente establezca una jerarquía análoga para lo que se le encarga hacer fuera del consultorio, también a fin de acrecentar la tolerancia a las emociones negativas. A estos encargos se los puede denominar «práctica de tolerancia emocional» o «superar la evitación». En ellos se emprenden ciertas conductas («Trabaje en su tesis durante 30 minutos sin interrupciones») o una reflexión estructurada («Piense en decirle a su jefe que quiere más tiempo libre»). También en este caso es útil que los pacientes prevean lo que temen que ocurrirá si realizan una actividad asignada, y que pongan a prueba esas ideas y las modifiquen.

A los pacientes evitativos suele resultarles difícil la tarea de identificar sus pensamientos automáticos como tarea para casa (o incluso en la misma sesión de terapia). Les ayuda a conseguirlo imaginar y describir minuciosamente una situación como si se estuviera produciendo en el consultorio. Una segunda técnica aplicable a veces parte de la dramatización: el paciente se interpreta a sí mismo, y el terapeuta asume el rol de la otra persona involucrada en una situación específica. Mientras se revive una situación perturbadora, se instruye al paciente para que trate de captar los pensamientos automáticos. Si estas técnicas más estándar no dan resultado, el terapeuta hace una lista de pensamientos hipotéticos, basada en los pensamientos y creencias específicos identificados previamente, y en la conceptualización que el terapeuta hace del paciente. Se le pide a éste que repase la lista, para comprobar si alguno de esos pensamientos ha aparecido en la situación. En el futuro podrá usar esa lista para identificar las cogniciones mientras aún se encuentra en una situación que le provoca malestar.

Con los pacientes capaces de identificar sus pensamientos, pero que no cumplen con las tareas, puede ser útil usar la evocación de imágenes para el ensayo y la planificación fuera de las sesiones, como lo ilustra el ejemplo siguiente:

TERAPEUTA: Hemos acordado que va a pedirle a su jefe que le deje marchar antes a casa el viernes. Me gustaría que ahora se imagine a sí misma unos minutos antes de entrar en su despacho y vea si hay algo que le impida decírselo.

JANE (*pausa*): Ok. Estoy en la oficina y pienso: «Lo haré luego».

TERAPEUTA: ¿Y cómo va a responder a ese pensamiento?

JANE: No sé. Probablemente no responda. Lo más seguro es que no vaya.

TERAPEUTA: ¿El no ir y hablar con su jefe, le ayudará a conseguir su objetivo de salir antes del trabajo?

JANE: No.

TERAPEUTA: ¿Qué podría hacer o decir para hacer más probable que usted efectivamente le pida eso a su jefe?

JANE: Podría leer la nota que hemos escrito hoy que dice que cada vez que evito, refuerzo mis antiguos hábitos y, cada vez que sigo mis planes, refuerzo mis nuevos y mejores hábitos.

TERAPEUTA: Ok. Imagínese a sí misma cogiendo la nota. ¿Qué sucede después?

[Jane continúa describiendo el proceso de obtener el coraje de hablar con su jefe y cómo aparecen los pensamientos automáticos que le impiden enfrentarse a la tarea. Juntos diseñan las respuestas para cada uno de esos pensamientos. El objetivo es llevar a cabo la acción y no evitar.]

Si es necesario, el terapeuta emplea en ese momento un enfoque de contrapunto. Primero, el paciente aduce con su voz «emocional» las razones por las que no tiene que realizar el encargo, mientras el terapeuta responde (y modela) con voz «antievitación». A continuación cambian de roles, para que el paciente practique el empleo de respuestas antievitación. Finalmente, el paciente escribe sus pensamientos automáticos previstos en una ficha de cartulina, y las respuestas antievitación, con sus propias palabras, al dorso. Después lee esas fichas todos los días, sobre todo antes de abordar una tarea que es probable que evite.

Las experiencias en las sesiones de terapia y entre ellas del tipo de las que hemos descrito, ayudan a los pacientes a identificar pensamientos disfóricos y a tolerar los pensamientos negativos. A medida que esa tolerancia aumenta, el paciente empieza a relacionarse de otro modo con los miembros de la familia (por ejemplo, se vuelve más asertivo). Quizá también experimente una tristeza, un temor o una cólera más intensos, mientras surgen en su conciencia recuerdos y reacciones evitados durante muchos años. En este punto es útil enseñarle enfoques cognitivos y conductuales para manejar esos estados de ánimo.

El terapeuta señala que incluso aunque el paciente ya comprenda la importancia de los pensamientos negativos y esté dispuesto a tolerarlos, no es necesario o deseable experimentar constantemente sentimientos intensos. Se puede instruir al paciente para que lleve un diario de sus pensamientos y sentimientos cuando se produzcan, y después use los registros de pensamientos automáticos para detectar los «pensamientos candentes» más conectados a sus sentimientos (Greenberger y Padesky, 1995). Si todavía no ha aprendido los métodos de la reestructuración, puede usar la distracción después de consignar por escrito sentimientos y pensamientos, y llevar el diario a las sesiones para que el terapeuta lo ayude a poner a prueba sus cogniciones.

En este punto puede ser útil hacer terapia de pareja o de familia, si el paciente tiene una relación o vive con sus padres. Las sesiones de terapia proporcionan un ámbito seguro para poner a prueba la validez de las creencias y pensamientos correspondientes. Una paciente, por ejemplo, temía que su esposo hubiera estado enojado durante cierto tiempo porque ella no trabajaba fuera de casa. En una de las sesiones de pareja, el terapeuta la alentó a poner en discusión el tema. Ella lo hizo, y entonces el marido negó tal extremo, pero en el curso de la sesión, el esposo reveló otras situaciones que le molestaban. Las dificultades de ambos fueron superadas con una resolución conjunta de los problemas.

La terapia de pareja o familiar también puede ser indicada cuando las pautas evitativas tienen el respaldo del sistema social del paciente. Por ejemplo, el esposo de otra paciente tenía sus propios supuestos negativos sobre la expresión de la emoción («Expresar los propios sentimientos produce conflicto y daños irreparables»). La terapia con la familia ayuda a abordar los supuestos disfuncionales de todos los miembros, y proporciona un ámbito para enseñar habilidades constructivas de comunicación y solución de problemas (por ejemplo, Beck, 1988; Dattilio y Padesky, 1990).

Enseñanza de habilidades

A veces los pacientes con TPE tienen un déficit de habilidades debido a la pobreza de sus experiencias sociales. En estos casos, hay que incluir en la terapia ejercicios de entrenamiento en habilidades, para que el paciente tenga una probabilidad razonable de éxito en las interacciones sociales creadas con el fin de poner a prueba sus creencias disfuncionales. Con algunos pacientes, el entrenamiento en habilidades sociales se inicia con señales no verbales (por ejemplo, contacto ocular, postura y sonrisa). Los pacientes pueden practicar en las sesiones de terapia, en el hogar y después en situaciones sociales de bajo riesgo. Algunos pacientes con experiencia social escasa necesitan información educativa para evaluar con más exactitud lo que les ocurre (por ejemplo, «Si espera hasta el último momento para concertar salidas los fines de semana, la mayoría de sus amigos ya estarán comprometidos»). Un entrenamiento más avanzado en habilidades sociales incluye instrucciones sobre los métodos de conversación, la asertividad, la sexualidad y el manejo de conflictos.

Las creencias negativas de los pacientes sobre sí mismos acostumbran a obstaculizar la puesta a prueba de las nuevas habilidades adquiridas. Entonces se los alienta a actuar «como si» poseyeran una cierta capacidad. Por ejemplo, una paciente pensaba «No sabré conversar en la reunión. No tengo suficiente confianza en mí misma». Se la alentó a actuar como si tuviera confianza y descubrió que podía participar adecuadamente en la conversación. Durante el entrenamiento en habilidades conductuales es esencial suscitar pensamientos automáticos, sobre todo aquellos con los que el paciente descalifica sus progresos o el entrenamiento en sí mismo: «Estos ejercicios me enseñan a engañar a la gente para que no se dé cuenta de mi inadecuación», «Hay que ser un verdadero inútil para tener que aprender a hablar a esta edad». A continuación terapeuta y paciente trabajarán juntos para poner a prueba la validez y utilidad de estas creencias.

Identificación y puesta a prueba de las creencias mal adaptadas

Una parte importante de la terapia consiste en ayudar al paciente a identificar y poner a prueba los cimientos cognitivos de sus pautas evitativas. Para hacerlo, primero terapeuta y paciente llegan a una comprensión de las raíces evolutivas de los esquemas negativos prestando mucha atención a cómo esas creencias podrían haber sido de utilidad en etapas tempranas de la vida del mismo. A continuación, se identifican nuevas creencias alternativas (Mooney y Padesky, 2000; Padesky, 1994) que el paciente desease fuesen ciertas (por ejemplo, «Gusto a los demás», «La gente entenderá que cometa un error»). Estos esquemas, nuevos y viejos, se ponen a prueba con experimentos predicativos, observación guiada y dramatizaciones de los incidentes tempranos relacionados con tales creencias. Por último, se orienta al paciente para que advierta y recuerde datos que apoyen las creencias nuevas, más deseables. El caso que resumimos a continuación ilustra estos puntos.

A la edad de 24 años, Jane había salido muy poco con chicos y sólo tenía un amigo. Después de casi un año de terapia, aprendió reestructuración cognitiva, habilidades sociales básicas e incluso logró iniciar una relación estable con un hombre que conoció en el trabajo, pero seguía aferrada al esquema negativo de «No puedo gustarle a nadie». El terapeuta y Jane acordaron concentrarse en poner a prueba la validez de esta creencia, que parecía el tema nuclear de sus pensamientos automáticos negativos. Primero, el terapeuta y Jane hallaron los orígenes de este esquema en su desarrollo. Ella se había considerado incapaz de gustar desde que podía recordar, y su madre subrayaba abusivamente esa conclusión gritándole con frecuencia: «¡Eres horrible! ¡Ojalá no hubieras nacido!».

Un método potente, utilizable cuando el paciente recuerda esas vívidas escenas infantiles, es el psicodrama. Primero, Jane se representó a sí misma y el terapeuta actuó como la madre. Se le pidió a Jane que re-experimentase sus sentimientos infantiles como si tuviera 6 años y después describiese la experiencia al terapeuta. Después, Jane tenía que actuar como su madre mientras el terapeuta hacía el papel de Jane a los 6 años de edad. De nuevo, Jane informaba sobre su experiencia emocional y cognitiva.

En este caso, Jane fue capaz de empatizar con su madre y reconocer lo infeliz y mala que se sentía cuando el padre la abandonaba. Por vez primera, Jane se dio cuenta de que su madre se sentía fatal incluso cuando le echaba las culpas a ella ya que era un objetivo fácil. Una vez Jane entendió mejor la situación, fue capaz de especular que ella no era tan rara y difícil de amar como decía su madre.

Un tercer psicodrama le permitió a Jane «probar» ese nuevo punto de vista. Primero el terapeuta y Jane examinaron de qué modo una madre sana manejaría la pérdida de su marido. Después se habló de que casi cualquier chica de su edad sacaría conclusiones negativas e inválidas acerca de ella misma en esa situación. Acto seguido, Jane se puso en la piel de una niña de 6 años para tener una discusión con su madre; sin embargo, esta vez se defendió asertivamente:

MADRE [interpretado por el terapeuta]: ¡No eres buena! ¡Ojalá no hubieses nacido! Tu padre nos dejó porque no te quería.

JANE: No digas eso, mamá. ¿Por qué estás tan enfadada?

MADRE: ¡Estoy enfadada porque eres una chica tan mala!

JANE: ¿Pero yo qué he hecho que esté tan mal?

MADRE: Todo. Eres una carga para mí. Siempre tengo que ir detrás de ti. Tu padre no te quería en medio.

JANE: Yo estoy triste de que papá se marchara. ¿Tú también?

MADRE: Sí, yo también. No sé cómo nos las vamos a arreglar.

JANE: Ojalá no te enfadases tanto conmigo. Sólo soy una niña. Ojalá te enfadases con papá y no conmigo. Fue él quien nos abandonó. Yo me he quedado contigo.

MADRE: Lo sé, lo sé. No es tu culpa. Papá no cumple con sus responsabilidades.

JANE: Lo siento de veras, mamá. Ojalá no estuvieses tan mal. Así quizás no me gritases tanto.

MADRE: Supongo que te grito porque soy infeliz.

Una vez Jane entendió que los malos modos de su madre eran debidos a su infelicidad personal y que lo que le decía no tenía fundamento, fue capaz de reconsiderar su creencia de que no podía gustarle a nadie. En ese punto, Jane y su terapeuta empezaron a considerar históricamente sus creencias (Padesky, 1994; Young, 1984). Dedicando cada página a unos cuantos años de su vida, Jane y el terapeuta recogieron datos históricos a favor y en contra de la proposición de que la paciente no podía gustarle a nadie. Jane infirió que si el esquema reflejaba la realidad, habría pocos ítems en la columna de «pruebas en contra», y cada vez más ítems en la columna de «pruebas a favor» a medida que ella iba creciendo.

De hecho, la paciente descubrió que las pruebas de que podía gustar eran mucho más numerosas de lo que había imaginado (por ejemplo, tuvo una gran amiga en la escuela primaria, había gente amistosa con ella en el trabajo, su compañera de piso la invitaba frecuentemente a hacer cosas y sus primos parecían felices cada vez que la veían o hablaban con ella por teléfono). El balance también se inclinaba hacia la capacidad para gustar después de que se fue de casa e inició la terapia. Empezó a comprender que su auto-aislamiento redujo mucho su oportunidad de conocer gente.

La reseña histórica de una creencia nuclear negativa no la priva de su poder, aun cuando existan pruebas convincentes, como en el caso de Jane. Como durante toda su vida había interpretado (e interpretado mal) las experiencias de modo que confirmaran esa creencia, no tenía ninguna creencia de «gustar» que reemplazara a la de «no gustar». Otra parte importante de la terapia, por lo tanto, consistió en ayudar a Jane a construir y validar una creencia más positiva: «Soy normal».

En esa etapa de la terapia fueron útiles técnicas tales como la de los cuadernos de predicción de experiencias positivas o el ensayo visualizado de nuevas conductas. En los cuadernos predictivos, Jane registraba el resultado que esperaba de diferentes experiencias sociales (por ejemplo, «Intentaré hablar a tres personas en la fiesta de mañana, pero nadie querrá hablar conmigo»), y después el resultado real («Dos fueron muy amables y una normal»). Esta revisión de sus experiencias durante el tiempo ayudó a Jane a ver que su creencia nuclear negativa no predecía bien sus experiencias corrientes.

Además, Jane llevaba una lista de las interacciones sociales que respaldaban la nueva creencia de «gustar». El cuaderno de experiencias positivas exigía que la paciente dejara de prestar atención a las experiencias de rechazo y se centrara en las que suponían aceptación o diversión social. Cuando se volvía autocrítica y se activaba la creencia nuclear negativa, repasaba el cuaderno de experiencias positivas para reactivar la creencia más positiva.

Finalmente, al empezar a cambiar las creencias sobre sus posibilidades de gustar, Jane se sintió dispuesta a participar en más situaciones sociales (por ejemplo, apuntarse a un curso de fotografía, hacer un esfuerzo para hablar con sus compañeros todas las semanas, invitar a sus compañeros de trabajo a comer y organizar una fiesta para el cumpleaños de su compañera de piso). Para esas nuevas experiencias se preparaba por medio de ensayos visualizados con el terapeuta. Tenía esas experiencias imaginariamente y le describía al terapeuta las dificultades o perturbaciones que encontraba. Después discutían soluciones posibles a esos problemas sociales, y Jane ensayaba la conducta y las conversaciones deseadas, también imaginariamente, antes de la práctica *in vivo*.

Resumen del tratamiento

El tratamiento de los pacientes con TPE implica establecer una alianza confiable entre terapeuta y paciente, fomentada por la identificación y la modificación de los pensamientos y creencias disfuncionales del paciente sobre esa relación, especialmente las expectativas de rechazo. La relación terapéutica sirve como laboratorio para que los pacientes cuestionen sus creencias sobre sus otras relaciones; también proporciona un ámbito seguro para ensayar nuevas conductas (como la asertividad). Para enseñar al paciente a manejar su depresión, ansiedad u otros trastornos, se emplean técnicas de control del estado de ánimo.

La meta no es eliminar totalmente la disforia, sino aumentar la tolerancia a la emoción negativa. Un diagrama que ilustre el proceso de la evitación y una convincente justificación racional de la mayor tolerancia a la disforia ayudan a conseguir que el paciente acepte experimentar sentimientos negativos en la sesión, estrategia ésta que puede instrumentarse de manera progresiva o jerárquica. La tolerancia al afecto negativo en la sesión debe preceder a la práctica de la «tolerancia a las emociones» o «antievitación» fuera de la terapia. Una clave importante para aumentar la tolerancia es el desmentido constante de las creencias concernientes a lo que el paciente cree que sucederá si experimenta disforia.

Para este trastorno se puede indicar terapia de pareja o familiar, así como el entrenamiento en habilidades sociales. Finalmente, el tratamiento también comprende la identificación y modificación de las creencias nucleares inadaptadas por medio de intervenciones que incluyen evocación de imágenes, psicodrama, revisiones históricas y cuadernos de predicción. Quizás haya que construir y validar creencias más positivas mediante diversas técnicas del tipo «registrar las experiencias positivas», tal y como hemos descrito anteriormente.

Reacciones del terapeuta

El terapeuta puede experimentar una frustración considerable con estos pacientes, porque su progreso suele ser lento. De hecho, con frecuencia cuesta incluso conseguir que el paciente evitativo no abandone la terapia, pues quizá también evite las sesiones y cancele citas. Conviene que el terapeuta comprenda que la evitación por parte del paciente de las tareas conductuales asignadas o de la terapia en sí proporciona la oportunidad de descubrir los pensamientos automáticos y las actitudes asociadas con la evitación.

Si esa evitación existe, la desesperanza puede vencer al terapeuta (y también al paciente). Es importante prever esa desesperanza y quitarle base, concentrándose en el progreso realizado en las sesiones. Un modo funcional de abordar la evitación de las tareas es centrarse en los pensamientos que impiden iniciar o completar cada una de ellas, a fin de que el paciente quede preparado para responder a esos pensamientos en el futuro.

Entre las cogniciones típicas del terapeuta sobre el paciente evitativo se cuentan las siguientes: «El paciente no se esfuerza», «No me deja ayudarle», «Aunque yo ponga todo mi empeño, abandonará la terapia de todos modos», «Esta falta de progreso es una vergüenza para mí», «Otro terapeuta podría hacerlo mejor.» El terapeuta que tiene pensamientos de este tipo empieza a sentirse inerme, incapaz de ayudar al paciente a lograr un cambio significativo. Cuando esas creencias aparecen el terapeuta puede ponerlas a prueba pasando revista a lo que ha sucedido en la terapia. Es importante que las expectativas de progreso sean realistas y que pueda reconocerse el logro de metas modestas.

Por último, el terapeuta tiene que diferenciar la racionalización de la evitación por parte del paciente, por un lado, y los obstáculos reales. Por ejemplo, Jane pretendía que le resultaba imposible acudir a la fiesta de aniversario de sus tíos porque podía perderse y no quería que pagasen una comida en balde. También racionalizó que no la iban a echar de menos. Después de evaluar esos espúmeos razonamientos en la terapia, Jane se dio cuenta de que sus tíos querrían verla. Siempre habían sido muy cariñosos con ella, la habían invitado a muchas reuniones familiares en el pasado y se esforzaban por pasar tiempo hablando con ella. Después de esta charla, Jane accedió de buena gana a ir a verlos. Es probable que el terapeuta que no sepa enfrentarse con las excusas del paciente evitativo se sienta desvalido y desesperanzado, lo mismo que el propio paciente.

Mantenimiento del progreso

La fase final de la terapia incluye desarrollar un plan para mantener el progreso ya que los pacientes con TPE pueden recaer con facilidad. El mantenimiento del progreso implica trabajar tanto en la esfera conductual como en la cognitiva. Las metas conductuales suelen incluir actividades como las siguientes: hacer nuevas amistades; profundizar relaciones existentes; asumir más responsabilidades en el trabajo o cambiar de empleo; expresar opiniones y actuar de un modo adecuadamente asertivo con los demás; abordar tareas antes evitadas en el trabajo, la escuela o el hogar; intentar nuevas experiencias: un curso, iniciar un nuevo hobby, un voluntariado, etcétera.

Esas metas pueden parecerle arriesgadas al paciente. Si el solo hecho de pensar en ellas genera malestar, el terapeuta puede enmarcar la ansiedad de modo positivo. La aparición de la ansiedad indica la reactivación de una actitud disfuncional que podría evitar que el paciente consiguiese sus metas. Por lo tanto, la ansiedad se usa como acicate para buscar los pensamientos automáticos que traban la capacidad de alcanzar metas. El paciente puede revisar lo que ayudó en la terapia para diseñar un sistema para reconocer y responder a esas cogniciones y actitudes después de que la terapia haya terminado.

Es importante que el paciente atenúe sus actitudes disfuncionales residuales y que fortalezca sus creencias nuevas, más funcionales. Sea cotidiana o semanalmente, tiene que pasar revista a las pruebas que contradicen la antigua creencia y a las que confirman las nuevas. Un modo de lograr esta meta consiste en alentar a los pacientes a llevar un cuaderno en el que registrarán día a día sus experiencias, negativas y positivas, durante el período en que esas creencias están activadas. Después desarrollan argumentaciones para socavar la creencia disfuncional y fortalecer la funcional.

Dos entradas típicas del cuaderno de una paciente son las siguientes:

> 27/9 — Dos personas del trabajo me invitaron a ir a un concierto de blues. Hablé con ellos y creo que les gustó que yo estuviese allí. Esto contradice mi antigua creencia y apoya mi nueva creencia de que soy normal.
>
> 1/10 — Mi compañera de habitación se irritó cuando le dije que no quería salir a comer. Me sentí mal y pensé: «No debería haber dicho eso». Según mi antigua creencia, me habría considerado mala («Soy mala si perturbo a otro»). Según mi nueva creencia, no soy mala. Es inevitable que otras personas se molesten a veces, y eso no tiene nada que ver con lo que yo valgo. No es deseable pensar siempre primero en los demás. También es bueno afirmar mis propios deseos.

Tiene una particular importancia que los pacientes se mantengan alertas para identificar las situaciones que evitan, y que tomen conciencia de las cogniciones que nutren esa evitación. Para hacerlo, pueden emplear «cuadernos de bitácora» o bien «registros de pensamientos disfuncionales», a fin de descubrir las actitudes que están detrás del deseo de evitar, y desarrollar o fortalecer actitudes más funcionales. Una de las entradas típicas sobre la evitación de la paciente anterior decía lo siguiente:

> 24/10 — Pensé en pedirle tiempo libre al jefe. Me sentí muy ansiosa. P. A. [pensamiento automático]: «Se enojará conmigo». Actitud disfuncional: «Es terrible que la gente se enoje». Actitud funcional: «Si se enoja, paciencia. Quizá ni siquiera se eno-

je, pero, en todo caso, no se va a enojar para siempre. Actuar asertivamente es una buena práctica para mí. Nunca conseguiré lo que quiero si permito que mi actitud se me cruce en el camino. Lo peor que puede ocurrir es que me diga que no».

Una creencia particularmente perturbadora para el paciente con TPE es la siguiente: «Si la gente me conociera realmente, me rechazaría». Es probable que esa creencia se active cuando el paciente desarrolla nuevas relaciones y se expone más a los demás. En tal caso, suele ser útil que pase revista a su miedo inicial a mostrarse como es al terapeuta y qué piensa ahora sobre el particular. Entonces puede experimentar, revelando a alguien algún hecho relativamente «seguro» pero antes secreto sobre él y examinando lo que sucede. Después continúa haciendo lo mismo de una manera progresiva, jerárquica, descubriendo poco a poco a terceros otros hechos que le conciernen.

Además de los cuadernos de bitácora de las creencias, con anotaciones diarias, y los registros de pensamientos, también es útil el repaso cotidiano o semanal de fichas de creencias especialmente confeccionadas. En un lado, el paciente registra una creencia disfuncional perturbadora, y debajo las pruebas en contra. En la otra cara se especifica la actitud más funcional con pruebas que la respaldan. El propio paciente evalúa periódicamente su grado de creencia en cada una de esas actitudes. Un aumento significativo en la creencia disfuncional o una reducción significativa en la creencia en la nueva actitud, indican la necesidad de trabajar en esa zona.

Hacia el final de la terapia, el terapeuta debe sopesar la posibilidad y las ventajas de espaciar las sesiones. Los pacientes evitativos suelen necesitar aliento para experimentar con una frecuencia reducida de las sesiones de terapia, que les deja más tiempo para abordar nuevas experiencias entre sesión y sesión y poner a prueba la objetividad de sus miedos. Por otra parte, algunos pacientes evitativos desean terminar y se sienten preparados para hacerlo, pero temen que herirán los sentimientos del terapeuta si sugieren la conclusión del tratamiento.

Finalmente, es útil que el terapeuta y el paciente evitativo desarrollen juntos un plan para que este último continúe con una autoterapia después de que haya terminado la terapia formal. Por ejemplo, el paciente dedicará una hora por semana a actividades destinadas a prolongar el progreso terapéutico ya realizado. Durante ese tiempo pueden revisar el progreso en el trabajo que ellos mismos se hayan asignado, examinar cualquier situación que hayan estado evitando, investigar sobre posibles obstáculos, prever que situaciones problemáticas pueden aparecer durante la semana siguiente y diseñar una manera de manejar probables evitaciones. También puede repasar las notas pertinentes o los registros de pensamientos realizados durante la terapia. Y, por último, asignarse nuevas tareas y establecer el momento de la próxima sesión de autoterapia.

Una meta importante de la prevención de la recaída es predecir las dificultades probables en el periodo que sigue a la finalización del tratamiento. Después se alienta al paciente a planificar el control de las situaciones perturbadoras y se le guía en esta tarea. Por ejemplo, tal vez le resulte útil redactar algunos párrafos con sus ideas para enfrentarse a dificultades como las que plantean las preguntas siguientes:

¿Qué puedo hacer si advierto que de nuevo empiezo a tener una conducta de evitación?

¿Qué puedo hacer si empiezo a creer más en mis antiguas creencias que en mis nuevas creencias?

¿Qué puedo hacer si sufro un retroceso?

El repaso de estos párrafos en el momento oportuno puede ayudar a mantener el progreso.

Conclusión

Planteamos que la formulación cognitiva del TPE es sencilla y que la terapia cognitiva puede ser eficaz. Si bien presentamos datos clínicos en apoyo de estas conclusiones, requieren una demostración experimental. Puesto que algunos pacientes con TPE se han beneficiado con la terapia cognitiva que describimos aquí, se pueden proyectar estudios de resultados para comparar la terapia cognitiva con otras formas de tratamiento de este trastorno. Si resulta que la terapia cognitiva es eficaz, las nuevas investigaciones que determinen qué actitudes disfuncionales son las esenciales en el mantenimiento de la evitación fortalecerán y darán fluidez a esa terapia. La conceptualización que hemos desarrollado sugiere ciertos temas cognitivos como objetos probables de tal investigación.

CAPÍTULO 14

TRASTORNO OBSESIVO-COMPULSIVO DE LA PERSONALIDAD

Si se hace un trabajo, hay que hacerlo bien.
Una puntada a tiempo, ahorra ciento.
Un lugar para cada cosa y cada cosa en su lugar.

El estilo de personalidad obsesivo-compulsivo es muy común, sobre todo en hombres, en la cultura occidental actual (American Psychiatric Association, 2000). Esto se debe en parte al alto valor que la sociedad atribuye a la expresión moderada de algunas de las características de este estilo de personalidad. Estas cualidades incluyen la atención a los detalles, la autodisciplina, el control emocional, la perseverancia, la confiabilidad y la urbanidad. Sin embargo, algunos individuos poseen esas cualidades en una forma tan extrema que generan un deterioro funcional significativo o malestar subjetivo. Por lo tanto, el sujeto que desarrolla un trastorno obsesivo-compulsivo de la personalidad (TOCP) es rígido, perfeccionista, dogmático, rumiador, moralista, inflexible, indeciso y está emocional y cognitivamente bloqueado.

El problema más común que presentan las personas con TOCP es alguna forma de ansiedad. El perfeccionismo, la rigidez y una conducta permanentemente gobernada por fórmulas imperativas predisponen al compulsivo a experimentar la ansiedad crónica característica del trastorno por ansiedad generalizada. Muchos compulsivos se preguntan continuamente si hacen bien las cosas o si están errando, lo cual conduce a la indecisión y posposición de acciones, que son frecuentemente quejas presentadas. En ciertos sujetos la ansiedad crónica se intensifica hasta convertirse en crisis de angustia si se encuentran en un conflicto severo entre su compulsividad y las presiones externas. Por ejemplo, si un compulsivo trabaja en un proyecto y progresa con mucha lentitud debido a su perfeccionismo, su ansiedad puede intensificarse hasta convertirse en angustia. El compulsivo suele comenzar a imaginar las catástrofes que le producirán sus síntomas físicos, tales como las palpitaciones o la falta de aliento. Esto puede conducir al círculo vicioso a veces observable en los pacientes con trastorno por angustia: la mayor preocupación intensifica los síntomas concomitantes, lo cual genera mayor preocupación, y así sucesivamente.

Los pacientes con TOCP también padecen obsesiones y compulsiones específicas en un porcentaje superior al promedio. En un estudio realizado por Rasmussen y Tsuang (1986) se encontró que el 55 % de una muestra de 44 pacientes con síntomas obsesivos o compulsivos tenía un TOCP.

Otro problema que se presenta comúnmente cuando existe este trastorno es la depresión, que puede tomar la forma del trastorno distímico o la depresión mayor unipolar. Los compulsivos suelen llevar una vida chata, aburrida, insatisfactoria, y padecer una depresión crónica moderada. Con el tiempo, algunos se percatan de ello, aunque no comprenden a qué se debe, y llegan a la terapia quejándose de anedonia, aburrimiento, falta de energía y de no disfrutar la vida como parecen hacerlo otras personas. A veces los empuja a la terapia el cónyuge, que los ve deprimidos y deprimentes. Debido a su rigidez, perfeccionismo y fuerte necesidad de tener el control de sí mismos, de sus emociones y de su ambiente, los individuos compulsivos son muy proclives a sentirse abrumados, desesperanzados y deprimidos. Ello puede acaecer cuando pierden el control de sus vidas y sus mecanismos habituales de control resultan ineficaces.

Los individuos compulsivos suelen experimentar diversos trastornos psicosomáticos. Están predispuestos a desarrollar esos problemas a causa de los efectos físicos de su estado de activación y excitación continuas. Es frecuente que padezcan dolor de cabeza o de espalda, estreñimiento o úlcera. También es posible que tengan personalidades de tipo A, con mayor riesgo de problemas cardiovasculares, en particular si a menudo sienten cólera y hostilidad. Los pacientes con estos trastornos suelen ser derivados a la terapia por sus médicos, pues lo común es que el compulsivo piense que esos problemas tienen causas físicas. Puede resultar difícil conseguir que comprendan y reconozcan los aspectos psicológicos de sus patologías.

Algunos pacientes con TOCP se presentan con trastornos sexuales. La incomodidad que al compulsivo le provocan las emociones, la falta de espontaneidad, el control excesivo y la rigidez no favorecen una expresión libre y cómoda de su sexualidad. Las disfunciones sexuales comunes que experimenta el compulsivo son deseo sexual inhibido. incapacidad para llegar al orgasmo, eyaculación precoz y dispareunia.

Por último, los compulsivos pueden llegar a la terapia debido a los problemas que tienen con las personas con las que conviven. Un cónyuge inicia a veces una terapia de pareja a causa del malestar que le provoca la inaccesibilidad emocional, la adicción al trabajo o el escaso tiempo que el compulsivo dedica a la familia. Es posible que una familia con un progenitor compulsivo recurra a la terapia por el estilo rígido y estricto con los hijos, que puede conducir a luchas crónicas con ellos. A veces el director de una empresa envía a terapia a un empleado compulsivo por su continua posposición de decisiones y tareas o su incapacidad para las relaciones interpersonales vinculadas al trabajo.

Perspectiva histórica

La personalidad obsesivo-compulsiva ha sido una de las esferas primordiales de interés en el campo de la salud mental desde los inicios del siglo XX. Freud (1908/1989) y algunos otros psicoanalistas (Abraham, 1921/1953; Jones, 1918/1961) fueron los primeros en desarrollar una teoría y una forma de tratamiento explícitas para esos individuos. Existió alguna confusión con los términos «obsesión» y «compulsión», porque los primeros analistas los emplearon para designar conductas patológicas sintomáticas específicas y también un tipo de trastorno de la personalidad. Tanto al diagnóstico obsesivo-compulsivo del Eje I como al trastorno de la personalidad, TOCP, se les atribuyó por hipótesis un origen en la etapa anal del desarrollo (de 1 a 3 años) y en una inadecuada educación de esfínteres.

Sullivan (1956) escribió sobre el TOCP desde la perspectiva del psicoanálisis interpersonal, una teoría por él elaborada. A juicio de Sullivan el problema primordial de las personas con TOCP es su nivel extremadamente bajo de autoestima. Según su hipótesis, el origen está en un ambiente familiar en el que hay mucha ira y odio, pero en su mayor parte se hallan ocultos detrás de un amor y una delicadeza superficiales. A causa de esto, el compulsivo aprende lo que Sullivan llama «magia verbal». Se usan las palabras para enmascarar o excusar el verdadero estado de cosas. Un ejemplo de ello sería: «Esta azotaina me duele más a mí que a ti». Según Sullivan, los compulsivos aprenden a basarse abiertamente en las palabras y en las reglas externas como guías de la conducta. También teorizó que estos sujetos no desarrollan aptitudes emocionales e interpersonales y que suelen evitar la intimidad por miedo a que los conozcan.

Más recientemente, Millon (1996; Millon, Davis, Millon, Escovar y Meagher, 2000) ha escrito acerca del TOCP desde la perspectiva de su teoría biopsicosocial-evolutiva. Millon ha afirmado que el estilo compulsivo se adapta mucho a las demandas de las sociedades desarrolladas. Identifica al «puro compulsivo», así como a toda una serie de variantes de la personalidad compulsiva, desde el relativamente normal al más patológico. Millon ve al individuo con personalidad compulsiva como aquel que tiene un conflicto entre dos modos de afrontar las relaciones, uno más proclive a la obediencia y otro, al desafío.

Según el modelo de Beck (por ejemplo, en Beck, Rush, Shaw y Emery, 1979), la teoría cognitiva tiene «la base teórica subyacente de que el afecto y la conducta de un individuo están en gran medida determinados por el modo como estructura el mundo. Sus cogniciones... se basan en actitudes o supuestos [...] desarrollados a partir de experiencias previas» (pág. 3).

El primer teórico que escribió extensamente sobre el TOCP desde el punto de vista primordialmente cognitivo fue David Shapiro. Shapiro, formado como psicoanalista, elaboró sus concepciones a causa de su insatisfacción con la teoría psicoanalítica de los trastornos de la personalidad. Este autor delineó la estructura y las características de algunos de los que denominó «estilos neuróticos». Shapiro (1965) escribió que «el estilo general del pensamiento [de una persona] puede considerarse una matriz en la que cristalizan los diversos rasgos, síntomas y mecanismos de defensa» (pág. 2).

Aunque sin presentar una teoría amplia del TOCP, Shapiro examina lo que considera tres de sus características primordiales. La primera es un estilo de pensamiento rígido, intenso, concentrado. Shapiro encontró que los compulsivos muestran una elevada dependencia con respecto al estímulo, lo que es similar en cierto modo a lo que ocurre en personas que tienen algún daño cerebral orgánico. Con esto quería decir que están continuamente atentos y concentrados; pocas veces dejan vagar su atención, por lo cual tienden a resolver bien las tareas técnicas y detalladas pero no disciernen bien las cualidades más globales y sutiles de las cosas, como por ejemplo el tono de una reunión social. Shapiro dice que los compulsivos presentan una «inatención activa». La nueva información o las influencias externas les distraen o perturban, y tratan activamente de que esas distracciones no penetren en el estrecho campo de su atención. Como consecuencia de ello, pocas veces se sorprenden.

La segunda característica que Shapiro discute es la distorsión del sentido de la autonomía. A diferencia de la autodirección basada en la voluntad y la elección propia, el compulsivo deliberada y conscientemente autodirige cada una de sus acciones. Ello quiere decir que el compulsivo ejerce una continua presión y dirección voluntarias sobre sí mismo, semejantes a la de un «supervisor» e incluso pone en marcha un esfuerzo tendiente a dirigir a voluntad los propios deseos y emociones» (Shapiro 1965, págs. 36-37). El aspecto fundamental de la experiencia del compulsivo es la cognición «se debe». Los compulsivos experimentan cualquier relajamiento de la actividad intencional y deliberada como impropia e insegura. Invocan la moral, la lógica, las costumbres sociales, la propiedad, las reglas de la familia y la conducta pasada en situaciones similares, para determinar lo que «se debe» hacer en un caso dado, y después actúan en consecuencia.

La característica final identificada por Shapiro es la pérdida de la realidad o del sentido de convicción sobre el mundo. Como el compulsivo está en gran medida separado de sus deseos, preferencias y sentimientos, sus decisiones, acciones y creencias tienden a ser mucho más tenues que las de la mayoría de las personas. Esto conduce a una continua alternancia entre duda y dogmatismo, que Shapiro vio como intentos recíprocos de abordar este conflicto.

Guidano y Liotti (1983) también han escrito sobre el TOCP desde una perspectiva cognitiva. Su posición es que el perfeccionismo, la necesidad de certidumbre y una fuerte creencia de la existencia de una solución absolutamente correcta para los problemas humanos son las componentes inadaptadas que subyacen tanto en el TOCP como en la conducta ritualista del trastorno obsesivo-compulsivo. Estos autores teorizaron que esas creencias llevan a dudar en exceso, a posponer toda acción, a preocuparse demasiado por los detalles y a la incertidumbre en la toma de decisiones. Guidano y Liotti han encontrado, al igual que Sullivan (1956) y Angyal (1965), que los compulsivos por lo general provienen de hogares en los que recibieron mensajes muy mezclados, contradictorios, de por lo menos uno de los progenitores.

Investigación y datos empíricos

Es poca la investigación definitiva sobre el TOCP. Hasta la fecha, casi todo lo que sabemos sobre el trastorno deriva del trabajo clínico. Sin embargo, existe considerable evidencia de que el TOCP existe como entidad separada. Varios estudios de análisis factorial han hallado que los diferentes rasgos que, según hipótesis, definen el TOCP tienden a ocurrir juntos (A. Hill, 1976; Lazare, Klerman y Armor, 1966; Torgerson, 1980). Sin embargo, hay poca evidencia de que el TOCP tenga su origen en una educación de esfínteres inadecuada, como lo postula la teoría psicoanalítica (Pollock, 1979). Adams (1973), trabajando con niños obsesivos, encontró que los padres también tenían algunos rasgos obsesivos, como ser estrictos y controladores, excesivamente exigentes, carecer de empatía y desaprobar la expresión espontánea de afecto. Aún no se ha determinado qué porcentaje de niños con rasgos de personalidad obsesivo-compulsiva se convierten en adultos con TOCP.

Ya disponemos de algunas investigaciones sobre las bases genéticas y fisiológicas del TOCP. En un estudio de Clifford, Murray y Fulker (1984) se encontró una correlación de los rasgos obsesivos, medidos con la escala de rasgos del inventario de la obsesión de Layton, significativamente más alta en una muestra de gemelos monocigóticos que en una muestra de gemelos dicigóticos. En otro estudio, Smokler y Shevrin (1979) examinaron los estilos de personalidad histriónico y compulsivo en relación con la hemisfericidad cerebral reflejada por los movimientos oculares laterales. Estos autores hallaron que los sujetos compulsivos miraban predominantemente hacia la derecha, lo que indicaba un grado más alto de activación del hemisferio izquierdo, mientras que los histriónicos miraban predominantemente hacia la izquierda. El hemisferio izquierdo ha sido asociado con el lenguaje, el pensamiento analítico y la razón, que son las capacidades más destacables en el compulsivo. El hemisferio derecho se ha asociado con la imaginación y el pensamiento sintético.

En un estudio reciente, Beck y colaboradores (Beck y otros, 2001) investigaron si las creencias disfuncionales discriminaban entre trastornos de la personalidad, incluido el TOCP. En este estudio, se les pasó el Personality Belief Questionnaire (PBQ) a un buen número de pacientes psiquiátricos de ambulatorio (con media de edad de 34,73 años) para evaluar acto seguido su trastorno de personalidad mediante una entrevista clínica estandarizada. Los sujetos también completaron el Structured Clinical Interview for DSM-IV Self Report Questionnaire (SCID-II; First, Spitzer, Gibbons y Williams, 1995). Sus hallazgos mostraron que los pacientes con TOCP (y también los pacientes con trastornos de personalidad por evitación, dependientes, narcisistas y paranoides) defendían creencias (del PBQ) teóricamente ligadas a sus trastornos específicos. Beck y otros (2001) interpretaron estos resultados como pruebas a favor de la teoría cognitiva de los trastornos de la personalidad.

Aunque muchos clínicos han informado de sus buenos resultados tratando el TOCP con terapia cognitiva (por ejemplo, Beck, Freeman y otros, 1990; Freeman, Pretzer, Fleming y Simon, 1990; Pretzer y Hampl, 1994), todavía no disponemos de suficientes investigaciones sobre resultados. Sin embargo, algunos estudios recientes tienden a apoyar el uso de intervenciones de terapia cognitiva con individuos con rasgos compulsivos y TOCP.

Hardy y otros (Hardy, Barkham, Shapiro, Stiles, Rees y Reynolds, 1995) examinaron qué impacto tenían los trastornos de personalidad grupo C en el éxito o fracaso de las psicoterapias breves para la depresión. De sus 114 pacientes deprimidos, veintisiete fueron diagnosticados con un trastorno adicional de la personalidad grupo C (según el DSM-III), es decir, trastorno obsesivo-compulsivo, por evitación o dependiente. Los restantes 87 no padecían esos trastornos de personalidad. Todos los pacientes llevaron a cabo de 8 a 16 sesiones de psicoterapia cognitivo-conductual o psicodinámico-interpersonal. En la mayor parte de las medidas, los pacientes con trastornos de la personalidad presentaban inicialmente una sintomatología más grave que los demás. Entre los que recibieron terapia psicodinámico-interpersonal, los pacientes con trastornos de la personalidad mantuvieron esta diferencia después del tratamiento y en el *follow-up*, al cabo de un año. Entre los que recibieron terapia cognitivo-conductual, no se dieron diferencias significativas en la sintomatología después del tratamiento. La amplitud del tratamiento no tuvo influencia en esos resultados. Debe resaltarse, sin embargo, que Barber y Muenz (1996) hallaron que los individuos con personalidad compulsiva respondían mejor a la terapia psicodinámico-interpersonal que a la cognitiva.

En un estudio comparativo entre terapia cognitiva y medicación, Black, Monahan, Wesner, Gabel y Bowers (1996) estudiaron los rasgos de personalidad anormales en los pacientes con trastornos de pánico. Los resultados indicaron que la terapia cognitiva está asociada con una reducción significativa de los rasgos de personalidad anormales medidos con el Personality Diagnostic Questionnaire Revised (Hyler y Reider, 1987) para los trastornos de personalidad límite, compulsivo, esquizotípico y narcisista.

En un estudio con veintiún pacientes diagnosticados de trastorno obsesivo-compulsivo (TOC), McKay, Neziroglu, Todaro y Yaryura-Tobias (1996), examinaron los cambios en los trastornos de la personalidad después de la terapia cognitiva para el TOC. En los pretests, el número medio de trastornos de la personalidad era de cuatro, mientras que en el postest era de aproximadamente tres.

Sus análisis sugieren que este cambio, aparentemente pequeño, era clínicamente relevante ya que el número de trastornos estaba relacionado a su vez con el resultado del tratamiento. Aunque el tratamiento tuvo éxito a la hora de reducir los síntomas de TOC, la personalidad obsesivo-compulsiva era más resistente al cambio.

Diagnóstico diferencial

Los criterios diagnósticos del DSM-IV-TR para el TOCP aparecen en la tabla 14.1. La evaluación y el diagnóstico de este trastorno no suelen ser difíciles si el clínico tiene presentes y observa sus diversas manifestaciones. En el primer contacto telefónico con el compulsivo, es posible detectar signos de rigidez o indecisión para acordar la primera entrevista. La indecisión del compulsivo se basa en el miedo a cometer un error, y no a desagradar o importunar al terapeuta, como sería el caso de un paciente dependiente.

En el contacto personal, se advierte que el paciente es altisonante y formal, y no particularmente cálido o expresivo. Para expresarse correctamente, el compulsivo suele rumiar mucho sobre cada tema; le puntualiza al terapeuta todos los detalles y considera todas las opciones. A veces sucede lo contrario, habla de manera lenta y dubitativa, lo que también se debe a su ansiedad por expresarse correctamente. El contenido del discurso del compulsivo se refiere mucho más a hechos e ideas que a sentimientos y preferencias. En la información histórica y actual sobre la vida del paciente, entre los posibles indicadores de TOCP se cuentan los siguientes:

1. El paciente se ha criado en el tipo de ambiente familiar rígido y controlador al que nos hemos referido.
2. No tiene relaciones interpersonales estrechas y no se confía a los demás.
3. Su profesión es técnica y exige atención a los detalles (ciencias económicas, derecho, ingeniería).
4. No tiene actividades de tiempo libre, o bien éstas sirven a propósitos determinados, apuntan a metas y no sólo a procurar placer.

A veces es útil el empleo de tests psicológicos formales para diagnosticar el TOCP. El inventario clínico multiaxial de Millon (Millon, Davis y Millon, 1996) fue creado específicamente para diagnosticar trastornos de la personalidad, y suele ayudar a comprender las diversas manifestaciones del TOCP. Las respuestas típicas a los tests proyectivos revelan mucha atención prestada a los pequeños detalles en el Rorschach, e historias largas, detalladas moralizadoras en el test de apercepción temática. El terapeuta deberá considerar si conviene dedicar tiempo y dinero a la realización de tests proyectivos, puesto que es probable que también sin ellos se llegue al diagnóstico y a las comprensiones precisas del paciente.

El modo más simple y económico de diagnosticar el TOCP consiste en preguntarle directamente al paciente, sin tono crítico si le parece que se le aplican los diversos criterios del DSM-IV-TR. La mayoría de los compulsivos están dispuestos a asentir a criterios tales como el de que no se sienten cómodos expresando afecto, o como el perfeccionismo y la dificultad para desprenderse de cosas viejas. Sin embargo, quizá no comprendan la relación entre esas características y los problemas que les han llevado a iniciar la terapia.

El TOCP tiene una serie de elementos en común con otros trastornos del Eje I y el Eje II que pueden necesitar la debida matización para alcanzar un diagnóstico certero (American Psychiatric Association, 2000). La diferencia entre el TOCP y el TOC es relativamente fácil de determinar. El TOC presenta obsesiones y com-

Tabla 14.1. Criterios diagnósticos del DSM-IV-TR para el trastorno obsesivo-compulsivo de la personalidad

Pauta generalizada de preocupación con excesivo orden, perfeccionismo y control mental e interpersonal a costa de una falta de flexibilidad, apertura a los demás y eficiencia, que empieza en la adultez temprana y se presenta en diversos contextos, indicada por cuatro (o más) de los rasgos siguientes:

(1) El sujeto está preocupado por los detalles, normas, listas, órdenes, organizaciones y horarios, al extremo de que se pierde en eso casi todo el tiempo disponible.
(2) Muestra un perfeccionismo que interfiere en la ejecución de las tareas (por ejemplo, es incapaz de completar un proyecto a causa de sus criterios, exageradamente estrictos y casi imposibles de cumplir).
(3) Está excesivamente entregado al trabajo y la productividad, con exclusión de amistades y actividades recreativas (que no se explica, además, por necesidades económicas obvias).
(4) Es excesivamente consciente, escrupuloso e inflexible en lo que respecta a la moral, ética o los valores (no explicados por identificación cultural o religiosa).
(5) Es incapaz de desechar los objetos usados o inútiles, incluso cuando carecen de valor sentimental.
(6) Le cuesta mucho delegar tareas o trabajar con otros a no ser que se ajusten exactamente a su manera de trabajar.
(7) Gasta e invierte el dinero de forma miserable, tanto para él como para los demás; el dinero es visto como algo que hay que reservar para futuras catástrofes.
(8) Muestra rigidez y cabezonería.

Nota: Reproducido con permiso de la American Psychiatric Association (2000, pág. 279). *Copyright* 2000 de American Psychiatric Association.

pulsiones egodistónicas, a diferencia del TOCP. Sin embargo, si se cumplen los criterios para los dos diagnósticos, se deben dar ambos.

El TOCP y el trastorno narcisista de la personalidad (TNP) tienden a compartir el perfeccionismo y la creencia de que los demás no pueden hacer las cosas con la eficiencia que el paciente asume que posee. Una diferencia importante es que los pacientes con TOCP son muy críticos con ellos mismos, mientras que los que padecen de TNP piensan que han alcanzado la perfección. Ambos individuos, los que padecen de TNP y de trastorno de personalidad antisocial carecen de generosidad, pero a ellos mismos sí que se conceden toda clase de beneficios y cuidados. Por el contrario, los sujetos con TOCP son tacaños con ellos mismos y con los demás. El TOCP comparte con el trastorno esquizoide de personalidad (TEP) una aparente formalidad y el aislamiento social. En el caso del TEP, esto conduce a una falta de capacidad para intimar, mientras que en el caso del TOCP, esto da a lugar a una profunda incomodidad con las propias emociones y una excesiva devoción por el trabajo.

En ocasiones, el TOCP puede tener la necesidad de ser diferenciado de un cambio de personalidad producido por la condición médica general del paciente, tales como el efecto de una enfermedad sobre el sistema nervioso central. Los síntomas del TOCP también pueden tener que diferenciarse de los síntomas desarrollados en asociación con el uso crónico de drogas (por ejemplo, el trastorno relacionado con el uso de cocaína).

Conceptualización

La conceptualización del TOPC que usamos en este capítulo integra la visión ofrecida con anterioridad con las definiciones dadas por Freeman y otros (1990) y Pretzer y Hampl (1994). Los principales esquemas que les mueven son: «Debo evitar los errores a todo coste», «Existe un camino/respuesta/conducta correcta en cada situación», «Los errores son intolerables». La mayor parte de los aspectos problemáticos del TOPC son vistos como el resultado de las estrategias que usan esos pacientes para evitar cometer errores: «Debo ser cuidadoso y meticuloso», «Debo prestar atención a los detalles», «Debo percatarme de los errores inmediatamente para estar a tiempo de corregirlos» y «Si uno comete un error, se merece ser criticado». El objetivo de los sujetos compulsivos es eliminar los errores, no sólo minimizarlos. Esto resulta en un deseo de control total sobre sí mismos y su ambiente.

Una importante distorsión cognitiva de estos individuos es el pensamiento dicotómico. La siguiente creencia resume su contenido: «Cualquier desviación de lo que está bien, está automáticamente mal». Más allá de [illegible] muchos problemas intrapersonales descritos con anterioridad, tales creencias conllevan problemas interpersonales porque las relaciones incluyen fuertes emociones y no tienen respuestas libres de ambigüedad. Las relaciones también son un problema porque les amenazan con distraerlos del trabajo y, por lo tanto, provocan errores. La solución del compulsivo es evitar tanto las emociones como las situaciones ambiguas.

Otra importante distorsión cognitiva del TOPC es el pensamiento mágico: «Uno puede prevenir los desastres/errores preocupándose por ellos». Si el perfecto curso de la acción no está claro, es mejor no hacer nada. Por lo tanto, los pacientes compulsivos tienden a evitar los errores por comisión, pero no por omisión. Tienden a ver la vida en términos de catástrofes creyendo que nada excepto su compulsividad les libra de la pereza o la promiscuidad.

El siguiente extracto de un caso demuestra varios aspectos del enfoque cognitivo del TOCP.

El señor S. era un ingeniero blanco de 45 años, casado y con un hijo en edad escolar. Recurrió a la terapia cognitiva después de la exacerbación de un problema crónico: un dolor muscular severo en la espalda, el cuello y los hombros. Padecía ese síntoma desde poco antes de cumplir los treinta. Como al principio pensó que su problema era puramente físico, el señor S. se trató con osteópatas, fisioterapeutas y quiroprácticos y tomó varios relajantes musculares y anti-inflamatorios. Estos tratamientos lo aliviaron hasta cierto punto, pero a los 38 años tuvo un episodio de fuerte dolor y perdió tres meses de trabajo en un proyecto complicado e importante. Entonces comenzó a considerar seriamente la posibilidad de que el dolor de cuello y espalda estuviera relacionado con la tensión psicológica que estaba experimentando.

Este paciente había nacido y había sido criado en una ciudad de tamaño medio de los Estados Unidos y provenía de una familia de clase media, religiosa y conservadora. Él era el más joven de dos niños, con una hermana siete años mayor. El señor S. describía a su padre como un hombre simpático, un tanto ansioso, con el que tenía una relación buena pero no muy estrecha. Se sentía mucho más próximo a su madre y añadió que siempre le importó la opinión que ella tenía de él. De niño, la madre había estado muy ligada a su hijo. A él le gustaba eso, pero también la veía como una mujer muy crítica y un juez severo, con montañas de reglas sobre el modo como supuestamente correspondía comportarse. El señor S. recordó un incidente en particular. Cuando estaba en primer grado, un amigo había conseguido un premio en un concurso al que él también se había presentado. Aunque su madre no lo dijera explícitamente, tuvo la impresión de que ésta estaba insatisfecha y pensaba: «Tu amigo ha conseguido el premio. ¿Por qué no puedes hacerlo tú?».

El señor S. dijo que su infancia había sido razonablemente feliz. Pero en sexto grado empezó a preocuparse por sus notas y sus relaciones sociales. En la escuela mantuvo controlada esa preocupación trabajando con mucho empeño (siempre temeroso de no hacerlo bien), o bien posponiendo ciertas tareas y tratando de no pensar en lo que se suponía que estaba haciendo. Desde el punto de vista social se volvió introvertido, evitativo y emocionalmente pobre. Cuanto menos participaba y se expresaba, parecía correr menor riesgo de ser criticado o rechazado. Estas pautas de conducta se fortalecieron en la adolescencia.

Durante su segundo año de *college*, el señor S. padeció un alto grado de ansiedad por su incapacidad para rendir en el estudio a la altura de sus expectativas. Cada vez le resultaba más difícil realizar los trabajos escritos, porque le preocupaba que no estuvieran lo suficientemente bien. Además, se sentía muy solo y aislado, por estar lejos de casa y por su incapacidad para hacer amigos o tener una relación romántica en el *college*. Se volvió cada vez más pesimista sobre él mismo y su futuro; esto culminó en un episodio depresivo mayor, durante el cual perdió interés por cualquier actividad y pasaba durmiendo la mayor parte del tiempo. Ese estado se prolongó un par de meses, y determinó que el señor S. abandonara los estudios y se incorporara al ejército. La mayor estructuración y el compañerismo del ejército fueron buenos para él; se desenvolvió satisfactoriamente durante los tres años que estuvo en servicio. Entonces volvió a estudiar y obtuvo el título de ingeniero.

Trabajaba como tal desde los 27 años, con un moderado éxito en su carrera. Cuando recurrió al tratamiento, realizaba algunas tareas administrativas y de supervisión; con ellas se sentía menos cómodo que en el trabajo de ingeniería, más estructurado, técnico y detallista, al que dedicaba la mayor parte del tiempo.

El señor S. nunca se sintió cómodo con las mujeres ni tuvo mucho éxito con ellas. Al inicio de su treintena le volvieron a presentar a una mujer a la que había tratado brevemente varios años atrás. Ella le recordaba, lo que le sorprendió y halagó, y empezaron a salir juntos. Se casaron un año más tarde, y al cabo de dos años tuvieron un hijo. El señor S. dijo que su matrimonio era bueno pero en él no había tanta intimidad como le hubiera gustado. Con su mujer se sentía emocional y sexualmente limitado; comprendía que eso formaba parte del problema. El paciente no tenía amigos íntimos, pero participaba marginalmente en diversos grupos cívicos y en la iglesia.

El terapeuta cognitivo puede empezar a formarse una conceptualización del señor S. usando esta información. Enseguida aparecen una serie de temas que sugieren posibles esquemas. Por un lado, el señor S. expresa repetidamente una sensación de su propia inadecuación. Esto se ve en su descripción de la interacción con su madre cuando cursaba primer grado. Su sensación de ser inadecuado en comparación con los demás viene sugerida por su constante pauta de evitación y aislamiento. Incluso afirma que cuanto menos expresivo sea y menos se implique con los demás, menos criticado y rechazado será. Esto conduce a otro tema en la historia del señor S. Parece tener una fuerte expectativa de ser criticado por los demás, desde su madre y sus compañeros de escuela hasta su supervisor en el trabajo. Esa fuerte sensación de ser inadecuado y la expectativa a ser criticado parecen surgir de su perfeccionismo. Teme cometer errores incluso cuando trabaja bien. No puede creer que cualquier cosa que haga, lo esté haciendo suficientemente bien. Ello lo vemos desde sus estudios de secundaria hasta su trabajo actual. Debido a que el señor S. muestra toda una serie de características de TOCP, el terapeuta tendrá presente durante todo el tratamiento la posibilidad de darle ese diagnóstico. De hecho, más adelante surgirá nueva información que acabe de perfilar la conceptualización cognitiva del caso de este paciente.

Enfoque de tratamiento

Además de enseñarles a los pacientes la teoría cognitiva de la emoción, al principio de la terapia cognitiva es importante establecer sus metas, que desde luego están relacionadas con los problemas planteados y que en el caso del compulsivo son del tipo «realizar a tiempo las tareas en la empresa», «reducir la frecuencia de los dolores de cabeza» o «ser capaz de tener orgasmos». Hay que ser concreto en la enumeración de las metas; es más difícil trabajar con metas generales tales como «no estar deprimido». Si al paciente le preocupa sobre todo su depresión, hay que fragmentarla en sus diversos aspectos, tales como no poder levantarse por la mañana o no conseguir terminar nada, para luego trabajar eficazmente sobre el trastorno.

Después de establecidas las metas que el paciente y el terapeuta consideran pertinentes y alcanzables, de mutuo acuerdo, se determina el orden en que serán abordadas, pues suele ser difícil y a menudo improductivo que se trabaje con todas a la vez. Dos criterios posibles para ese ordenamiento son la importancia de cada problema y la facilidad con que se puede resolver. Con frecuencia conviene obtener un éxito temprano y rápido, para reforzar la motivación del paciente y su fe en el proceso terapéutico. Después de determinar las zonas problema, hay que identificar los pensamientos y esquemas automáticos asociados con ellas.

En la terapia cognitiva es vital que al paciente se le presente muy pronto el modelo cognitivo, según el cual los sentimientos y conductas se basan en la percepción de los hechos de la vida, en lo que se piensa sobre ellos y en los significados que se les atribuye. Esto se puede demostrar estando alerta a cualquier cambio de afectos que se produzca en la sesión, y preguntándole al paciente qué pensó inmediatamente antes. Otra demostración consiste en describir, por ejemplo, la situación de alguien que espera a un amigo que se retrasa, listando las diversas emociones que experimenta mientras tanto, como ira, ansiedad o depresión, y relacionándolas con los pensamientos que probablemente las producen: «¿Cómo se atreve a hacerme esperar?», «Quizá tuvo un accidente» o «Esto no hace más que demostrar que no le gusto a nadie».

Por lo general, el problema sobre el que se trabaja es observado semanalmente entre sesiones, mediante un registro de pensamientos disfuncionales (Beck y otros, 1979). El registro de pensamientos disfuncionales le permite al paciente definir la situación, así como cuáles son sus sentimientos y pensamientos cuando se produce el problema. Por lo tanto, un compulsivo que trabaja sobre la posposición de actividades, por ejemplo, registra que está realizando una tarea en la oficina, se siente ansioso, y piensa: «No quiero terminar esta tarea porque no podré realizarla a la perfección». Después de reunir algunos ejemplos análogos de pensamiento automático, el compulsivo ve con claridad que gran parte de su ansiedad y el hecho de que posponga sus tareas se deben al perfeccionismo. A continuación se determinan los supuestos o esquemas subyacentes a los diversos pensamientos automáticos. En el ejemplo del perfeccionismo, un supuesto subyacente posible es: «Para ser una persona valiosa no debo cometer errores». A continuación se ayuda al paciente a comprender cómo aprendió el esquema. Por lo general se ha desarrollado a partir de la interacción con sus padres o con otras figuras significativas, aunque a veces se basa más en normas culturales o se ha generado de un modo más peculiar del sujeto. La terapia, entonces, consiste en orientar al paciente compulsivo para que identifique y comprenda las consecuencias negativas de esos supuestos o esquemas; luego se elaboran maneras de refutarlos, a fin de que dejen de controlar los sentimientos y la conducta produciendo los problemas que le han traído a terapia.

La meta del señor S. en la terapia era eliminar, o por lo menos reducir considerablemente, el dolor que sufría en el cuello y la espalda. A diferencia de muchos pacientes psicosomáticos ya había aceptado que los factores psicológicos desempeñaban una parte importante en su trastorno. El terapeuta examinó el modelo cognitivo con el señor S., que fue totalmente receptivo. La tarea que se le encomendó durante las primeras semanas fue la observación del dolor en el programa de actividades semanales. Cada hora tenía que calificar de 1 a 10 la severidad de la molestia, anotando también lo que estaba haciendo en cada uno de esos momentos. Al principio, el paciente advirtió que el dolor era mayor por la noche, cuando estaba en su casa con la familia. Le costaba comprenderlo, pues por lo general disfrutaba de esos momentos de distensión. Pero recogiendo más información, el señor S. se dio cuenta de que ello se debía a que había aprendido muy bien a distraerse del dolor y no advertía cómo iba aumentando durante el día. A veces la distracción es una técnica útil para los compulsivos, sobre todo con su pensamiento circular e improductivo. Pero en el caso del señor S. interfería en la evaluación del problema. Al tomar más conciencia del dolor, advirtió que comenzaba como una especie de hormigueo, una sensación de calor y quemadura, que se convertía en un dolor moderado primero, y severo después. Bajo un estrés prolongado, los músculos de su cuello y espalda sufrían de espasmos, y tenía que quedarse en cama un par de días.

Estrategia de colaboración

Las personas compulsivas inician la terapia por distintas razones; sin embargo, raramente piden ayuda en referencia a su problema de personalidad. A veces se dan cuenta de que ciertos aspectos de su personalidad, tales como ser perfeccionista, contribuyen a sus problemas psicológicos.

La meta general de la terapia con estos pacientes es ayudarles a modificar o reinterpretar los supuestos problemáticos subyacentes, para que cambien la conducta y las emociones. Los terapeutas cognitivos están por lo general mucho más dispuestos que los terapeutas psicodinámicos (quienes centran mucho más su atención en los factores inconscientes). Si el paciente empieza quejándose de ansiedad, dolor de cabeza o impotencia, el terapeuta cognitivo por lo general aborda esos problemas. A veces el compulsivo exterioriza más sus quejas. Por ejemplo, «Mis supervisores son muy críticos con mi trabajo, sin ninguna razón». Con este tipo de presentación del problema, el trabajo suele ser más difícil. No obstante, también en este caso se puede tratar la queja presentada, estableciendo con claridad que, como la terapia no podrá cambiar directamente la conducta de los supervisores, la meta tendrá que ser modificar la conducta del paciente de un modo tal que lleve a esos supervisores a actuar de otra manera.

Como en todas las terapias, es importante empezar estableciendo rapport con el paciente. Esto puede resultar difícil con los compulsivos a causa de su rigidez, de la incomodidad que les producen las emociones y de la tendencia a subestimar la importancia de las relaciones interpersonales. La terapia cognitiva con el compulsivo tiende a ser de un tipo más «práctico» y centrado en el problema, con menos énfasis en el apoyo emocional y la relación. El rapport suele basarse en el respeto que el paciente le tiene a la capacidad del terapeuta, así como en la creencia de que el terapeuta respeta al paciente y puede serle útil. Es perjudicial que en la terapia se intente demasiado pronto una relación emocional más estrecha de lo que el compulsivo tolera sin incomodidad; el resultado suele ser un abandono precoz del tratamiento. Para más detalles sobre el tema, véase el artículo de Beck (1983) sobre el tratamiento de la depresión autónoma.

Los compulsivos suscitan en el terapeuta diversas reacciones emocionales. Algunos terapeutas encuentran que estos pacientes son algo áridos y aburridos por su falta general de emotividad, y en particular por su tendencia a fijarse en los aspectos fácticos de los acontecimientos, en detrimento de su tonalidad afectiva. También pueden exasperar por su lentitud y por la atención que dedican a los detalles, sobre todo cuando el terapeuta valora la eficiencia y la orientación hacia metas. Algunos terapeutas gustan de la idealización y la dependencia que muchos pacientes desarrollan en la terapia, pero el compulsivo no tiende a establecer este tipo de relación terapéutica, por lo cual les resulta menos gratificante. Hay compulsivos que en la terapia hacen un *acting out* de sus necesidades de control, sea de manera directa o pasivo-agresiva. Por ejemplo, cuando se les asigna una tarea, dicen que ese encargo está fuera de lugar o es estúpido, o bien lo aceptan pero lo olvidan o no tienen tiempo para cumplirlo. Estos pacientes pueden provocar ira y frustración, o generar conflictos relacionados con la propia necesidad del terapeuta de tener el control.

Otra situación problemática puede aparecer cuando los esquemas del terapeuta son también compulsivos. Como hemos señalado antes en este capítulo, en nuestra cultura occidental, las características subclínicas del compulsivo pueden llevarle al éxito. El terapeuta cognitivo puede haber conseguido su éxito académico y profesional a través de la atención al detalle, la intensa preocupación por las cosas, la autodisciplina, la perseverancia, su confiabilidad y demás. Si el terapeuta es también rígido, perfeccionista, demasiado controlado y carente de *insight*, es muy posible que permanezca ciego a la patología que se le presenta. Tales terapeutas no acertarán a ayudar convenientemente a sus pacientes compulsivos.

Las reacciones del terapeuta proporcionan a veces información valiosa sobre los pacientes compulsivos y las fuentes de sus dificultades. No obstante, el terapeuta debe basarse en las necesidades y problemas que presenta el paciente, y no tratar de cambiarlo de acuerdo con sus propios valores. Por ejemplo, el señor S. puede ser mucho menos expresivo de lo que el terapeuta desearía. Como para él tal hecho no es una fuente de dificultades significativas o de malestar subjetivo, no se considera objeto de tratamiento.

Técnicas específicas

Dentro de la amplia estructura general de la terapia cognitiva hay algunas técnicas específicas que son útiles con los pacientes obsesivo-compulsivos. Es importante estructurar las sesiones de terapia estableciendo una agenda con prioridades y utilizando técnicas de resolución de problemas. Esto facilita el trabajo cuando se lidia con características del tipo indecisión, rumiación y la posposición. Nuestra estructuración obliga al paciente a escoger y trabajar con un problema específico hasta conseguir un nivel aceptable. Si al compulsivo le resulta difícil trabajar sobre la estructura, el terapeuta lo guía para que considere sus pensamientos automáticos y relacione cada dificultad con los problemas generales de la indecisión y la posposición. El «programa de actividad semanal» (Beck y otros, 1979), un formulario en el que el paciente proyecta hora por hora las actividades de la semana es muy beneficioso para ayudarle a estructurar su vida y ser más productivo con menos esfuerzo.

El terapeuta no debe extrañarse de que el paciente compulsivo use las técnicas específicas de las que hablamos de una manera perfeccionista. Por ejemplo, no es raro que los pacientes con TOCP traigan a una sesión un grueso montón de registros de pensamientos disfuncionales mecanografiados sin el más mínimo error. Aunque esa hiperresponsabilidad pueda parecer una ventaja para el trabajo, es mejor verlo como una muestra más de su conducta problemática. Otra de sus conductas típicas es vacilar y rumiar en exceso acerca de los registros de pensamientos disfuncionales. Es típico que vayan y vuelvan de la columna de pensamientos automáticos a la de respuestas racionales, sin llegar nunca a una conclusión equilibrada. Esto puede entenderse como una muestra del proceso de pensamiento que tienen cuando están solos. Por lo tanto, para el terapeuta es una oportunidad de trabajar el proceso y el contenido de sus cogniciones.

Las técnicas de relajación y meditación suelen ser útiles en razón de la ansiedad y los síntomas físicos, frecuentes en el compulsivo. Al principio al paciente le cuesta aplicar esas técnicas porque cree que pasar media hora relajándose o meditando es una pérdida de tiempo. Un método terapéutico cognitivo utilizable para abordar las cuestiones de este tipo consiste en listar las ventajas y desventajas de una conducta o creencia específicas. Una desventaja de las técnicas de relajación para el compulsivo es que toman tiempo; la ventaja es que después el paciente puede hacer más cosas porque está despejado y se siente menos ansioso.

Con estos pacientes suele ser útil realizar un experimento conductual. Por ejemplo, en lugar de cuestionar directamente una cierta creencia, el terapeuta adopta respecto de ella una actitud neutral, experimental. Si un hombre de negocios compulsivo piensa que no tiene tiempo para relajarse, el terapeuta le encarga intentar la relajación sólo algunos días; después se comparan los resultados en cuanto a productividad. ¿Qué días es más productivo, los que incluye la relajación o los otros? Los compulsivos tienden a valorar el placer mucho menos que la productividad. Suele ser terapéutico ayudarles a tomar conciencia de esto y evaluar con ellos los supuestos que están detrás de sus valores acerca del papel del placer en la vida.

Varias técnicas cognitivas y conductuales sirven para ayudar al paciente compulsivo a controlar su preocupación y rumiación crónicas. Una vez que ha aceptado que son disfuncionales, se le enseñan técnicas de distracción o detención del pensamiento, para reorientar sus procesos mentales. Si sigue creyendo que preocuparse es útil o productivo, quizás acepte hacerlo sólo durante cierto lapso en el curso del día. Al menos, se libera de ello durante el resto de la jornada. El encargo de tareas graduales mediante la fragmentación de una meta o tarea en pasos definibles específicos también suele dar resultado. Sirve para contrarrestar el pensamiento dicotómico y el perfeccionismo; demuestra que la mayoría de las cosas se logran progresando poco a poco, y no haciéndolas a la perfección desde el principio.

Después de que el señor S. aprendiera a observar con más atención su dolor, resultó claro que con la tensión muscular aparecían asociados tres tipos de situaciones: tener que realizar tareas o encargos; (1) haber pospuesto y (2) tener toda una lista de tareas incompletas pendientes, y (3) la perspectiva de participar en reuniones sociales con personas desconocidas. El terapeuta y el señor S. decidieron trabajar inicialmente con la primera situación, pues se producía con mucha más frecuencia que la tercera, y tendía a ser la causa de la segunda. Por ejemplo, una vez notó que sentía un dolor moderado mientras estaba de pie enjuagando los platos, antes de introducirlos en el lavavajillas. Pensaba que tenían que estar perfectamente limpios antes de ponerlos en la máquina, lo cual hacía la tarea estresante y prolongada. Al reunir algunos ejemplos más de ese tipo el paciente percibió que su perfeccionismo determinaba que durante el día numerosas tareas se volvieran fuentes del estrés que finalmente se manifestaba como dolor. Entonces empezó a buscar los supuestos o esquemas generales subyacentes en sus pensamientos automáticos. Como modelo de su conducta, el señor S. elaboró el diagrama de la figura 14.1.

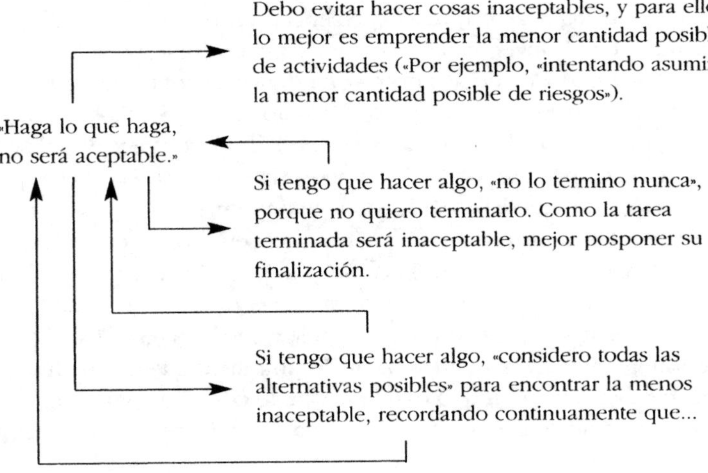

FIGURA 14.1. Modelo del señor S. de su propia conducta.

El terapeuta y él examinaron el significado de esa pauta de pensamiento y conducta.

TERAPEUTA: ¿De modo que experimenta mucho estrés cuando tiene que hacer algo, porque cree que, por más que se esmere, siempre será inaceptable?

PACIENTE: Sí, y creo que por eso tiendo a no tomar decisiones o a posponerlas, para no tener que enfrentarme con esos sentimientos.

TERAPEUTA: ¿Así que evita y pospone para reducir su estrés?

PACIENTE: Sí, eso creo.

TERAPEUTA: ¿Pero eso le da resultado para reducir el estrés?

PACIENTE: No. Aplazar una tarea sólo empeora las cosas. Me gusta pensar que soy una persona responsable, y realmente me fastidia no terminar un trabajo. Cuando pospongo mucho algo, luego sufro los peores episodios de dolor de espalda.

TERAPEUTA: Usted escribió en su diagrama que cree que lo que haga nunca será aceptable. ¿Qué ocurriría si hiciese algo que no fuese aceptable para alguna otra gente? ¿Qué es lo que le perturbaría de eso?

PACIENTE: ¿Qué quiere decir?

TERAPEUTA: ¿Piensa que es posible que haya alguien que haga algo inaceptable para alguna persona y que pese a ello, no le importe?

PACIENTE: Sí, he conocido a algunas personas así. Pero con respecto a mí, pienso que soy inaceptable o deficiente si no hago las cosas a un cierto nivel. Y muchas veces me resulta imposible alcanzar ese nivel.

De modo que según el esquema o creencia nuclear del señor S., si no funcionaba siempre en un nivel muy alto era inaceptable como persona. Puesto que tenía pocas oportunidades de alcanzar el rendimiento suficiente como para ser aceptable, sus síntomas principales (por ejemplo, el estrés físico en la espalda) eran formas de ansiedad. No obstante, a veces se daba por vencido y llegaba a la conclusión de que, de todos modos, siempre sería inaceptable. En esos periodos, como en el *college*, se quedaba desvalido y se deprimía.

Después de descubrir la creencia nuclear del señor S., el centro de atención principal del tratamiento consistió en cambiarla, pues ésa era la fuente principal de los síntomas y también de su TOCP. A través del examen de dicha creencia en las sesiones siguientes, llegó a comprender mejor que había internalizado las normas elevadísimas que creía que su padre le aplicaba. Además se había vuelto muy autocrítico, del mismo modo que la madre le criticaba cuando él no satisfacía las expectativas que ella tenía; también daba por sentado que los demás serían muy críticos con él.

El terapeuta y el señor S. examinaron la validez de esas creencias, considerando en primer lugar si eran o no interpretaciones correctas del pasado. Como tarea para realizar en casa, el paciente listó todas las oportunidades que podía recordar en las que otras personas habían sido muy críticas con él, y también posibles razones alternativas de esa conducta. El señor S. pensaba que probablemente en muchas ocasiones otros lo censuraban sin decirle nada. A continuación, terapeuta y paciente examinaron lo que podían hacer respecto de esa creencia.

TERAPEUTA: De modo que le sigue pareciendo que lo censuran aunque haya encontrado muy pocas pruebas sólidas en el pasado de que esto sea realmente así...

PACIENTE: Sí. Aún pienso a menudo que a los demás no les agrada lo que hago, y entonces no me siento cómodo con ellos.

TERAPEUTA: ¿Cómo le parece que podrá comprobar si esas creencias que usted tiene son o no correctas?

PACIENTE: No lo sé.

TERAPEUTA: Bien, en general, si usted quiere saber cómo piensa otra persona, ¿qué hace?

PACIENTE: Le pregunto...

TERAPEUTA: ¿Y no sería posible que hiciese eso en esas ocasiones? ¿No piensa que podría pedir *feedback* la próxima vez que crea que alguien le desaprueba?

PACIENTE: No estoy seguro. Quizás a ellos no les guste y no me digan la verdad.

TERAPEUTA: Eso es una posibilidad y quizás encontremos una manera de determinarlo con seguridad. Mientras tanto, ¿qué tal si empezamos con alguien a quien usted considere honesto y sin prejuicios? ¿Quién se ajusta a esta descripción?

PACIENTE: Mi jefe es un tipo decente y creo que no tengo que preocuparme constantemente de sus juicios.

TERAPEUTA: ¿Se le ocurre una manera relativamente segura de preguntarle a su jefe que piensa de su trabajo?

PACIENTE: Sí, supongo que le podría decir algo así: «Jack, te veo preocupado por algo. ¿Hay algo que no te gusta en la marcha de mi proyecto?».

TERAPEUTA: Eso suena muy bien. ¿Acepta eso como trabajo para la próxima semana? ¿Podría preguntarle a su jefe una vez, durante esta semana, qué piensa de usted? Pero debe hacerlo cuando piense que su jefe le reprueba algo y entonces anota lo que piensa que él le responderá y luego la respuesta efectiva que le ha dado.

PACIENTE: Ok. Lo intentaré.

Éste es un ejemplo de experimento conductual para poner a prueba una creencia disfuncional específica. Durante las dos semanas siguientes, en varias ocasiones el señor S. les preguntó a otras personas lo que pensaban cuando él creía que tenían una opinión desfavorable sobre su actuación. Descubrió que en todos los casos, salvo en uno, sus conjeturas sobre los pensamientos de los demás eran erróneas. En esa ocasión, uno de sus superiores en el trabajo estaba realmente molesto con el señor S., pero porque se había atrasado en una tarea. El paciente comprendió entonces que lo que causaba problemas e insatisfacción era su forma de posponer las tareas, y no su aptitud.

El señor S., como muchos compulsivos, tenía la creencia de que retrasar las cosas era bueno, porque permitía hacerlas mejor. El terapeuta le hizo evaluar esa creencia, encargándole calificar de 1 a 10 su nivel de aptitud en diversas tareas. Después comparó su rendimiento promedio en las tareas que había realizado con retraso con su rendimiento en las que había realizado a tiempo. El rendimiento promedio era levemente mayor en las tareas que había realizado de inmediato; el señor S. lo atribuyó al mayor estrés que le provocaban las tareas que evitaba.

Otra técnica que demostró su utilidad con el señor S. consistió en hacerle comparar los valores y normas que tenía para sí mismo con los que aplicaba a los demás. Pudo entonces comprender que era mucho más crítico y exigente consigo mismo, y estuvo de acuerdo en que no tenía mucho sentido esa duplicidad de valores. El terapeuta aprovechó para hacer que el paciente se preguntara cuando aparecían sus pensamientos autocríticos, qué pensaría de su propia aptitud si él fuera otra persona. El señor S. encontró que esa técnica le ayudaba a ser más comprensivo y menos crítico consigo mismo. Sin embargo, esto no da resultado con muchos compulsivos porque, muchas veces, estos pacientes son tan críticos y exigentes con los otros como consigo mismo.

El terapeuta y el señor S. también identificaron las distorsiones cognitivas y los modos de pensamiento inadaptados más importantes y frecuentes. Entre ellos se contaban:

1. El pensamiento dicotómico («Si no realizo esta tarea a la perfección, el resultado será horrible»).
2. La magnificación («Sería terrible que no hiciera bien esto»).
3. La generalización excesiva («Si hago algo mal, significa que soy una persona inaceptable»).
4. Los enunciados del tipo «debo» («Debo hacer esto a la perfección»).

El paciente observó el uso de esas pautas con un registro de pensamientos disfuncionales, y percibió cómo elevaban su nivel de estrés y solían hacer descender su nivel de rendimiento.

Mantenimiento del progreso

Es fácil que la mayoría de los pacientes se deslicen de nuevo hacia pautas cognitivas y conductuales con las que están familiarizados, y que son disfuncionales. Esto es sobre todo cierto con los pacientes con un trastorno de la personalidad, pues sus problemas están muy arraigados. La terapia cognitiva tiene la ventaja, sobre otras formas de terapia, de que aborda este problema. Los pacientes llegan a ser muy conscientes de en qué consisten sus problemas, y se les enseñan modos eficaces de abordarlos. Aprenden a emplear herramientas tales como el registro de pensamientos disfuncionales automáticos, con las que se puede trabajar sobre las dificultades fuera del contexto de la terapia.

Cuando nos acercamos al final del tratamiento, es esencial advertirles de que existe la posibilidad de la recaída y que deben estar alerta a las pequeñas recurrencias de los problemas que los llevaron a la terapia. Si esto ocurre, indica la necesidad de realizar algún trabajo más, sea con el terapeuta o bien a solas, empleando las herramientas adquiridas en la terapia. Cuando la terapia termina, es importante que el terapeuta le diga al paciente que es algo corriente que se requieran sesiones ocasionales de refuerzo, de modo que no tendrá que avergonzarse por pedir asistencia si reaparece algún problema. La mayoría de los terapeutas cognitivos incorporan a la terapia sesiones periódicas de refuerzo después de haberse completado la parte principal del tratamiento.

A medida que el señor S. aprendía a reconocer y comprender cada vez mejor las distorsiones de sus procesos mentales, iba dando respuestas racionales más eficaces a sus pensamientos automáticos. Esto ayudó al señor S. a romper las pautas cognitivas y conductuales habituales que le provocaban el dolor muscular. Se dedicaron dos sesiones a trabajar con la ansiedad social, también relacionada con el perfeccionismo y el miedo de ser un impresentable. Como resultado del progreso que ya había realizado en esas esferas, el señor S. comprobó que estaba experimentando menos ansiedad social. También halló que era capaz de seguir haciendo progresos gracias a las mismas técnicas que había aprendido para superar la ansiedad en la realización de tareas.

Después de quince sesiones distribuidas a lo largo de seis meses, el paciente experimentaba pocas veces el dolor de espalda, y cuando eso ocurría por lo general reconocía la fuente del estrés y sus pensamientos disfuncionales automáticos, que a continuación modificaba. En una sesión de seguimiento a los seis meses, el señor S. dijo que continuaba estando relativamente libre de dolor. Había pasado un fin de semana difícil a la espera de tener que pronunciar un discurso, pero logró controlar la situación, preparar el texto y presentarse ante la audiencia con éxito.

Conclusión

De la experiencia clínica y de la investigación se desprende que la terapia cognitiva parece ser un tratamiento eficaz y eficiente del TOCP. A menudo el compulsivo responde muy bien a ciertos aspectos de esta terapia. Entre ellos su carácter de tratamiento centrado en el problema, o el hecho de que emplee diversas formas de tareas para hacer en casa, y también su énfasis en la importancia de los procesos de pensamiento. Estos pacientes suelen preferir enfoques terapéuticos más estructurados y centrados en el problema, y no los enfoques basados en el proceso terapéutico y en la relación de transferencia como medios para lograr el cambio (Juni y Semel, 1982).

CAPÍTULO 15

TRASTORNO PASIVO-AGRESIVO DE LA PERSONALIDAD (TRASTORNO NEGATIVISTA DE LA PERSONALIDAD)

... son los que siempre ven nubarrones en el cielo despejado.

MILLON (1969, pág. 288)

Los criterios diagnósticos actuales para el trastorno pasivo-agresivo de la personalidad (TPAP) han pasado de ser definidos como un conglomerado de conductas de oposición a la autoridad para incorporar un constructo de la personalidad más dimensional llamado genéricamente personalidad negativista (DSM-IV-TR, 2000; Millon, 1969, 1981).[1] Las características específicas del TPAP forman una pauta generalizadora caracterizada por una pauta de antagonismo y negación de las demandas externas, lo cual impide un rendimiento ocupacional y social adecuado para el individuo que lo padece. Algunas de las muestras de esta resistencia pasiva y de este estilo de oposición incluyen la posposición deliberada, la resistencia a la autoridad, la falta de argumentaciones, las protestas reiteradas y las obstrucciones injustificadas. Estos sujetos tienen muchas dificultades para cumplir con fechas de entrega. Cuando efectivamente no cumplen con esos límites temporales suelen racionalizarlo echándole la culpa a «olvidos», a que las demandas son poco razonables, a que las autoridades tienen expectativas poco realistas o incluso a una falta de «justicia» en el establecimiento de fechas límite (Ottaviani, 1990). La naturaleza en gran medida pasiva de esas conductas resistentes puede provocar una tremenda frustración en los demás, lo cual perjudica a las relaciones personales, sociales y laborales. Asimismo el hecho de que no se cumple con las obligaciones y las expectativas es causa de ulterior confrontación. Para empeorar la situación el individuo con TPAP puede pedir a los demás que le ayuden y le guíen, pero al mismo tiempo sabotea y hace caso omiso a las sugerencias que entonces le dan.

El constructo de Millon de la personalidad negativa ha introducido nuevas perspectivas al diagnóstico de tipo fenomenológico, intrapsíquico y biofísico. Estos dominios clínicos adicionales hacen referencia a características típicamente

1. Del DSM-III-R al DSM-IV-TR ha cambiado tanto la clasificación diagnóstica como la ubicación de este trastorno. En el DSM-III-R, se hablaba simplemente de trastorno pasivo-agresivo de la personalidad y se entendía claramente como un trastorno de la personalidad. En el DSM-IV-TR se le añade el calificativo de (trastorno negativista de la personalidad) y se coloca en el apéndice de «Diagnósticos propuestos que necesitan un mayor estudio». Por una cuestión de brevedad, en este capítulo nos referiremos a este constructo simplemente como TPAP.

asociadas con el trastorno de TPAP entre las que se incluyen el resentimiento, un estilo interpersonal opositivo, una visión cognitivamente escéptica, unos objetivos cambiantes, unos mecanismos de desplazamiento pobres, una desorganización crónica y un estado de ánimo irritable. Asociados con estos dominios hallamos que estos pacientes sienten que son malinterpretados, además de una intensa ambivalencia y el malhumor (Millon y Davis, 1996) (tabla 15.1). El enfoque dimensional de este trastorno permite una mejor discriminación en el diagnóstico y una valoración holística, clave para planear un tratamiento clínicamente exhaustivo.

El deterioro social es evidente con un estilo interpersonal opositivo que consiste en enfrentarse con mal humor. A veces, estos sujetos buscan la compañía de los demás, pero debido a su intensa ambivalencia, rechazan y alienan esa misma compañía que buscan. Es posible también que demuestren su ira a través de medios pasivos o activos. Por ejemplo, puede que lleguen a una cita una hora tarde o, más sutilmente, lleguen siempre tarde a trabajar unos quince minutos. Después se ofrecen para quedarse quince minutos más para compensar por la tardanza y entonces racionalizan que el problema es de los otros que más bien no aceptan el «compromiso». Los pacientes con TPAP pueden expresar la ambivalencia con respecto al proceso terapéutico a través de la obstrucción, el desafío, la posposición, la confrontación verbal o la negligencia en las tareas encomendadas.

Los clínicos pueden reconocer fácilmente las características nucleares del TPAP como una renuencia crónica a cumplir con las expectativas (Wetzler y Morey, 1999), más allá del solo hecho de estar irritado acerca de una situación vital (Ottaviani, 1990). Como el término diagnóstico implica, el pasivo-agresivo expresa hostilidad a través de medios encubiertos o pasivos que incluyen las discusiones, el malhumor, el rechazo a las normas y la irritabilidad. Los pacientes pasivo-agresivos también se presentan como malhumorados, con un estado de ánimo cambiante y ambivalentes (Millon, 1969). Malinow (1981) afirma que «el mismo término, pasivo-agresivo, es ambivalente y sugiere una paradoja» (pág. 121). La descripción de ambivalencia activa que hace Millon (1981; Millon y Davis, 1996) define la naturaleza vacilante del paciente con TPAP. Por un lado, el paciente quiere que alguien cuide de él o haga su vida gratificante. Por otro, no quiere perder autonomía o libertad y le disgusta aceptar indicaciones y el poder, en general, de aquellos de los que depende. Por lo tanto, atrapado entre la intensa dependencia y la demanda de autonomía, el paciente con TPAP experimenta un intenso malestar derivado de no sentirse contento o saciado nunca. Es esta permanente insatisfacción lo que puede hacerle parecer depresivo permanentemente malhumorado, tal y como define Schneider (1958). El escepticismo generalizado del pasivo-agresivo tiene un toque narcisista en el hecho de que siente que esos acontecimientos negativos y giros de la vida están de alguna manera conectados con él y en que las demandas externas son vistas como una afrenta personal y por lo tanto ofensivas. El negativismo generalizo del paciente con TPAP se autoalimenta debido a su propia naturaleza (Stone, 1993a).

TABLA 15.1. Dominios clínicos del prototipo negativista (pasivo-agresivo)

NIVEL CONDUCTUAL

(F) Expresivamente resentido. Se resiste a satisfacer las expectativas de los demás, frecuentemente mediante la posposición, la ineficacia y la obstinación, así como desplegando conductas de oposición y fastidiosas; muestra que le gratifica impedir que los demás obtengan placer y el cumplimiento de sus aspiraciones.

(F) En oposición a nivel interpersonal. Asume papeles conflictivos y cambiantes en las relaciones sociales, particularmente dependientes y faltas de aquiescencia y asertividad. Por otro lado, muestra un deseo de independencia hostil. Se muestra resentido y envidioso enfrente de los más afortunados que él. Actúa, reiteradamente, de manera obstructiva e intolerante con los demás, expresando actitudes negativas o incompatibles.

NIVEL FENOMENOLÓGICO

(F) Cognitivamente escéptico Es cínico, dubitativo y no se puede confiar en él. Se enfrenta a los eventos positivos con desconfianza. Las posibilidades futuras son vistas con pesimismo, ira y agitación. Tiene una visión misantrópica de la vida, siempre murmurando, hablando con desdén y haciendo comentarios ácidos hacia aquellos que tienen buena suerte.

(F) Con una pobre imagen de sí mismo. Se ve a sí mismo siempre malinterpretado, sin suerte, poco apreciado, gafado y ninguneado por los demás; reconoce estar frecuentemente desilusionado de la vida, agrio y descontento.

(E) Objetivos cambiantes. Las representaciones internas del pasado comprenden toda una serie de relaciones ambivalentes, puesta en escena de sentimientos contradictorios, inclinaciones conflictivas y recuerdos incompatibles que surgen del deseo de degradar los logros y placeres de los demás, sin que necesariamente lo parezca así.

NIVEL INTRAPSÍQUICO

(F) Mecanismo de desplazamiento. Descarga su ira y otras emociones problemáticas empleando maniobras inconscientes, de manera que cambia a su instigador por personas de menor significación; maneja la desaprobación de los demás con medios pasivos o sustitutivos tales como parecer perplejo o inepto, aparentar ser olvidadizo o indolente.

(E) Organización divergente. Una clara división en la pauta de las estructuras morfológicas tales como las maniobras defensivas o de asunción de situaciones son dirigidas frecuentemente hacia objetivos incompatibles, dejando los conflictos más importantes irresueltos. Se hace muy difícil una completa cohesión psíquica porque la satisfacción de una pulsión o necesidad anula o impide la otra.

NIVEL BIOFÍSICO

(E) Estado de ánimo irritable. Su humor va de lo temperamental, hipersensible e irritado al retiro más hosco; suele mostrar grandes dosis de petulancia e impaciencia e irrazonable desprecio hacia los que detentan la autoridad. Se sienten frustrados y soliviantados con mucha facilidad.

Nota: (F), dominio funcional; (S) dominio estructural. De Millon y Davis (1996, pág. 550). Reproducido con permiso de John Wiley & Sons, Inc. *Copyright* John Wiley & Sons, Inc. (1996).

El paciente con TPAP mantiene un sólido esquema que sostendrá que la asertividad es potencialmente catastrófica. Esto es debido a la creencia de que el desacuerdo o el rechazo pueden poner en riesgo la autonomía personal. Por lo tanto, para evitar que le controlen por medio de esa autoridad, los pacientes con TPAP responden a las demandas externas de una manera pasiva, provocadora e indirecta. Siempre pesimistas y temerosos de la asertividad y la confrontación, los pacientes con TPAP se ven invadidos por una pauta autoderrotista. Esta pauta se instala en sus vidas creando una eficaz vía hacia «la incapacidad para realizar proyectos» (Wetzler y Morey, 1999, pág. 57). Stone (1993a) afirma: «Es posible que rechacen trabajar, los *impasses* en los cambios vitales, el progreso en cualquier dirección, etcétera. Todo ello acaba por minar sus propias ambiciones y esperanzas» (pág. 362). Si le confrontan directamente con sus conductas pasivas, el paciente suele responder con un resentimiento incrédulo, proclamando a los cuatro vientos su inocencia y justificación de sus acciones. En muchos casos, es evidente que es él quien tiene la responsabilidad de sus acciones, pero se empeña en construir contra-argumentos que anulan cualquier idea positiva, con lo cual se hace imposible el deseado beneficio duradero (Stone, 1993a).

El pasivo-agresivo acude a terapia normalmente como resultado de las quejas de las personas de su entorno cuando éste ya ha demostrado su incapacidad para acabar tareas, llevar a cabo encargos o satisfacer expectativas (Freeman, 2002; Ottaviani, 1990). Por ejemplo, alguna figura autoritaria o supervisor en el trabajo pueden haberlo referido a un programa de asistencia al empleado debido a que no cumple con las fechas de entrega, no sigue las indicaciones o mina la moral de los otros empleados. A veces será la pareja quien le aplique presión al sujeto para que busque tratamiento debido a su poca contribución al hogar, a la educación de los niños o incluso a la propia relación. Muchas veces, se les requiere que obtengan un empleo, se inscriban en un curso o sean responsables del cuidado de los niños, cuando no simplemente que hagan algo en casa (Stone, 1993a). Muchos problemas se hallan en las responsabilidades cotidianas tales como pagar facturas, responder a peticiones de información adicional y, en general, todo aquello que tiene que ver con personas que se perciben como la autoridad (por ejemplo, médicos, terapeutas y profesores). Por ejemplo, un paciente con TPAP no cumplía con su obligación de tomar su medicación diaria para la hipertensión y afirmó: «No quiero tener que llevar las pastillas por todas partes. No quiero ser rehén de nada ni de nadie». No sólo se negaba a tomar la medicación, también se negaba a que su terapeuta colaborase con su médico y, finalmente, no apareció por la visita de seguimiento o *follow-up*. En otro caso, la esposa del paciente amenazó con abandonar la relación si éste no iniciaba un tratamiento. Este paciente se había pasado once años intentando acabar un programa de doctorado, cinco de los cuales estuvieron más dedicados a discutir sobre los procedimientos y políticas de la universidad que otra cosa.

Perspectiva histórica

Aunque la expresión de hostilidad, directa o indirecta, es una de las características definitorias del TPAP, tal y como identifican los primeros informes del DSM, sólo la literatura anterior a la Segunda Guerra Mundial capta los dominios clínicos holísticos que Millon propone en el más actual trastorno negativista de la personalidad (Millon y Davis, 1996). La literatura de los primeros años describe algunos precursores del diagnóstico entre los que se hayan componentes cognitivos, interpersonales, de autoimagen y afectivos olvidados en las versiones iniciales del DSM. Esas tempranas formulaciones fueron definidas retrospectivamente como los tipos de personalidad ciclotímica, depresiva con accesos de mal humor, oral-sádico-melancólica y masoquista, propias de sujetos altamente neuróticos y con una conciencia del deber pobre, además de socialmente desadaptados (citado en Millon y Davis, 1996).

Históricamente, el diagnóstico de TPAP se incluyó dentro del texto principal del primer DSM (American Psychiatric Association, 1952) y se mantuvo hasta el mismo DSM-III-R (American Psychiatric Association, 1987). Aunque los términos carácter o estilos pasivo-dependiente y pasivo-agresivo ya aparecían en los primeros trabajos psicoanalíticos, sus orígenes se encuentran en la Segunda Guerra Mundial, donde los requerimientos del momento hicieron que el personal militar necesitase identificar o etiquetar a los reclutas que tenían dificultades para seguir las normas y protocolos del ejército (Malinow, 1981). Los reclutas necesitaban «[...] adaptarse a un amplio rango de situaciones culturales y sociales y a muchos roles diferentes en los que tenían que actuar» (Malinow, 1981, pág. 122), especialmente en el combate. El ejército le pedía a los reclutas que siguiesen órdenes e instrucciones y que entendiesen la necesidad universal de cooperar los unos con los otros. Con este propósito, el Departamento de Defensa definió las pautas de personalidad asociadas con este trastorno, en términos básicamente psicoanalíticos, en una publicación técnica que data justo de después de la Segunda Guerra Mundial (Millon y Davis, 1996). La constelación de síntomas del pasivo-agresivo fue clasificada como la de una reacción inmadura (neurótica) al estrés del ejército. Pero este estrés estaba asociado a conductas inadecuadas de oposición a la autoridad, accesos de ira y agresividad y a una constante de pasividad. Esta publicación se convirtió en el esquema que después siguieron todas las definiciones posteriores de personalidad pasivo-agresiva (Malinow, 1981). La etiqueta de pasivo-agresivo siguió usándose en el ejército hasta el año 1951, en aquellos días por la Standard Veterans Administration Classification (Millon y Davis, 1996). El ejército halló que el 6,1 % de las admisiones psiquiátricas en servicios propios correspondían a este trastorno. Poco después el DSM-I (American Psychiatric Association, 1952) incluyó el diagnóstico de pasivo-agresivo como síndrome y trastorno de la personalidad (Malinow, 1981).

Mientras se preparaba la siguiente revisión del DSM, algunos investigadores expresaron reiteradamente sus dudas acerca del diagnóstico de TPAP, sugiriendo que no se debía incluir como categoría aislada, al menos en el primer borrador del DSM-III. Algunos teorizadores consideraban que este grupo de conductas es meramente una reacción de tipo defensivo que usan algunos sujetos que se hallan en una posición relativamente débil, como es en el caso del servicio militar, y que por lo tanto no se trata de un síndrome de la personalidad (Malinow, 1981). Esto podía incluir a aquellos pacientes insertos en hospitales psiquiátricos o que se enfrentan a evaluaciones psiquiátricas. La idea es que como resultado de estar en una posición de debilidad relativa, adoptan un estilo pasivo-agresivo (Frances, 1980). Sin embargo, los defensores de este diagnóstico siguieron proponiendo su inserción en el DSM-III, y así lo consiguieron.

Millon argumentaba que el trastorno de TPAP debía ser ampliado a un constructo más general, el del trastorno negativista de la personalidad. Su cuadro añadía bastantes nuevas características relacionadas con el primer diagnóstico de TPAP, en vez de centrarse fundamentalmente en la limitada conducta de resistirse a la autoridad. Millon incluía en el constructo del nuevo trastorno propuesto, trastorno negativista de la personalidad (TNP), cuatro nuevos aspectos: irritabilidad, ambivalencia cognitiva, imagen de sí mismo insatisfactoria y ambivalencia en las relaciones interpersonales (Millon y Davis, 1996). Millon intentaba incluir no sólo los aspectos de pasividad que había en la agresión de estos individuos, sino también la ambivalencia activa, a menudo subjetivamente experimentada, de los pacientes con TPAP. Para Millon, su emocionalidad impulsiva y quijotesca es producto de un intenso conflicto entre ideas de dependencia y la necesidad de autoafirmación. Las relaciones personales están fraguadas con altercados y decepciones, provocados frecuentemente por las conductas características de negatividad, de queja y displicencia (Millon y Davis, 1996).

El DSM-IV mantuvo el sistema diagnóstico tal y como estaba y colocó el diagnóstico del TPAP (TNP) dentro de su Apéndice en espera de ulterior investigación y validación como diagnosticó formal. El Grupo de Trabajo del Eje-II del DSM-IV accedió a revaluar los criterios originales propuestos por el borrador de Millon de 1975. El Grupo de Trabajo, reconociendo los cambios fundamentales que se necesitaban en este diagnóstico, tomó la decisión de incluir la definición de TNP, pero para que figurase sólo dentro del Apéndice. El trastorno, categorizado como trastorno pasivo-agresivo (negativista) de la personalidad, se halla listado de esta manera para no aparecer como algo radicalmente distinto del trastorno original de TPAP. Dentro del DSM-IV-TR (American Psychiatric Association, 2000), el diagnóstico de TPAP (TNP) todavía está a la espera de nuevas investigaciones que determinen su validez como diagnóstico de un trastorno de la personalidad, con plena capacidad discriminadora.

Investigación y datos empíricos

Hasta el momento, se ha llevado a cabo muy poca investigación empírica sobre el trastorno de TPAP como principal tema de estudio. Sin embargo tanto McCann (1988) como Millon (1993) afirman que esto es debido, en gran medida, a los criterios restrictivos del diagnóstico original del TPAP. Hasta hace poco, sólo dos estudios habían examinado específicamente al paciente con TPAP.

El primer estudio en ocuparse específicamente del TPAP fue llevado a cabo por Whitman, Trosman y Koenig (1954). Estos autores examinaron el uso operacional del diagnóstico (entonces tan sólo TPAP, sin incluir el negativismo) y su comorbilidad potencial, en un entorno ambulatorio. Usando los criterios del DSM-I (American Psychiatric Association, 1952), los autores examinaron a un total de 400 pacientes ambulatorios que se habían presentado en la clínica para recibir psicoterapia en general. El diagnóstico de TPAP fue el trastorno de personalidad más frecuente, con 92 pacientes con personalidad pasivo-agresiva o pasivo-independiente. Además los pacientes con TPAP finalizaron el tratamiento de forma precoz y abrupta con más frecuencia que ninguno otro tipo de personalidad.

En un estudio longitudinal con pacientes psiquiátricos (Small, Small, Alig y Moore, 1970) se evaluaron las características del TPAP. De los 100 sujetos seleccionados, los pacientes pasivo-agresivos eran con más frecuencia hombres y representaban un 3 % del total (3.682 sujetos). A las visitas de seguimiento tras 7 y 15 años, comparados con 50 sujetos de control con otros trastornos, los sujetos del grupo pasivo-agresivo estaban todavía «en el proceso de completar su educación y no habían obtenido más que empleos temporales» (pág. 975). En ambas reuniones de seguimiento, Small y otros (1970) detectaron varios atributos comunes entre los pacientes con TPAP entre los que se incluía el abuso del alcohol, los problemas interpersonales, la agresión verbal, las tormentas emocionales, la impulsividad y la conducta manipulativa.

En los últimos años, se han llevado a cabo estudios adicionales para validar la diagnosis o examinar sus características. La incidencia de TPAP, en un estudio de Fossati y otros (2000), resultó mayor que en los estudios anteriores. De su muestra de 379 pacientes ambulatorios e internos de la Unidad de Psicología Médica y Psicoterapia del Instituto Científico del Hospital San Raffaele de Milán, 47 sujetos (12,4 %) recibieron un diagnóstico de TPAP tal y como lo define el DSM-IV. De esos pacientes, el 89,4 % recibieron un diagnóstico adicional relativo a otro trastorno de personalidad. En particular los autores subrayaron la significativa correlación entre el TPAP y el trastorno narcisista de la personalidad, el único trastorno de la personalidad que coincide significativamente con el TPAP. Características tales como la grandiosidad y la explotación de los demás también se encuentran presentes en el TPAP. Los autores concluyen que el TPAP puede ser más un subtipo del trastorno narcisista de la personalidad que un trastorno de personalidad en sí mismo.

Vereycken, Vertommen y Corveleyn (2002) investigaron el estilo de personalidad de jóvenes con conflictos crónicos con la autoridad usando el Millon Clinical Multiaxial Inventory-I (MCMI-I; Millon, 1983). Los autores compararon a los jóvenes conflictivos (de tipo crónico y agudo) con sujetos normales, como medida de control. La presencia de conflictos crónicos con la autoridad estaba frecuentemente asociada con el diagnóstico de TPAP (en 28 de 41 pacientes) y, por otro lado, no estaba significativamente relacionada con otros trastornos de la personalidad, lo cual aporta cierta evidencia de que el TPAP es un diagnóstico separado de los demás.

Diagnóstico diferencial

En la actualidad, si un paciente cumple los criterios para el TPAP, se le diagnostica formalmente dentro de esa categoría de trastorno de la personalidad, a no ser que cumpla los criterios para otra categoría (véase tabla 15.2). Aunque muchos pacientes presentan conductas que se pueden considerar pasivo-agresivas (por ejemplo, impuntualidad, resentimiento y absentismo en el tratamiento), el paciente pasivo-agresivo enfoca la vida y sus retos siempre con la misma pauta. Los rasgos no son reactivos y transitorios sino todo lo contrario: crónicos, inflexibles y desadaptativos.

Con los pacientes pasivo-agresivos es difícil completar una entrevista diagnóstica debido a sus respuestas confusas y evasivas. Por ejemplo, un paciente al que se le pregunta directamente: «¿El cielo es azul?» puede responder malhumoradamente: «No donde estoy sentado». Si se le pregunta acerca de su situación laboral, puede responder: «Defíname situación laboral». Esto puede conducir a inagotables discusiones tangenciales para definir palabras o constructos particulares. Parece inevitable que la evaluación tenga que basarse en un frustrante rompecabezas de respuestas incompletas sobre detalles intrascendentes. Una evaluación típica y estándar puede rápidamente transformarse en una discusión, sobre todo cuando el paciente empieza a hacer preguntas adicionales que demuestran que está resentido por el hecho de que le pregunten tanto (demandas externas), como por ejemplo, «¿Por qué es importante eso?» y « ¿Cómo afecta esto a la evaluación?». Con esta manera de batallar, el pasivo-agresivo mantiene su autonomía y, por lo tanto, se muestra poco o nada aquiescente con la figura que detenta la autoridad.

A diferencia del estilo depresivo del sujeto con TPAP, la persona con depresión pura tiene más pensamientos negativos hacia sí mismo que los demás, es más probable que se culpe a sí mismo de su mala suerte y muestra una visión negativa del futuro. De todas formas, no hay que olvidar que también es posible que un paciente con TPAP sufra una depresión, por lo tanto no se ha de pasar por alto la evaluación de conductas de alto riesgo asociadas, como el suicidio, el homicidio o el abuso de sustancias. Otros problemas del Eje I asociados pueden incluir a los trastornos de ansiedad. Los síntomas de la ansiedad se van a presentar, con toda probabilidad, durante los momentos en los cuales se intenta que el paciente sea asertivo, responda a una demanda externa o cuando se le fuerza a escoger un curso de acción específico.

Las características de los trastornos narcisista y límite de la personalidad son muy parecidas y se pueden solapar con el TPAP. El narcisismo se manifiesta en el hecho de que el paciente está muy centrado en su propia mala suerte, en sus actitudes de grandiosidad y en su fuerte incapacidad para empatizar con los demás. Estos dos trastornos se pueden diferenciar en que el narcisista suele ser más activo y directamente agresivo y, en los desacuerdos con las figuras que representan autoridad, no duda en intentar ejercer su dominar. Los narcisistas creen que ellos mismos son la autoridad mientras que los pasivo-agresivos creen que ellos son víctimas de la autoridad. Millon y Davis (1996) afirman que aunque los pacientes con personalidad límite también muestran una gran ambivalencia y vacilación, el trastorno límite de la personalidad es más grave en términos de polaridades cognitivas, cambios en su afectividad y impulsividad conductual.

TABLA 15.2. Criterios diagnósticos del DSM-IV-TR para el trastorno pasivo-agresivo de la personalidad (trastorno negativista de la personalidad)

A. Pauta generalizada de actitudes negativas y resistencia pasiva a las demandas razonables de rendimiento, que empieza en la adultez temprana y se presenta en diversos contextos, indicada por cuatro (o más) de los rasgos siguientes:

(1) Se resiste pasivamente a llevar a cabo rutinas sociales y tareas laborales.
(2) Se queja de que no le entienden ni aprecian.
(3) Es huraño y discutidor.
(4) Critica sin razones y ridiculiza a la autoridad.
(5) Siente envidia y resentimiento hacia aquellos aparentemente más afortunados.
(6) Se queja exagerada y persistentemente de su mala suerte.
(7) Alterna estados de desafío hostil y arrepentimiento.

B. No tiene lugar exclusivamente durante episodios de depresión mayor y no se describe mejor bajo la etiqueta de trastorno distímico.

Nota: Reproducido con permiso de la American Psychiatric Association (2000, pág. 791). *Copyright* 2000 de American Psychiatric Association.

Conceptualización

El perfil cognitivo del paciente con TPAP incluye creencias fundamentales, supuestos condicionales y estrategias compensatorias que explican su negativismo, su ambivalencia, su resistencia, su renuencia a satisfacer las expectativas de los demás y el objetivo permanente de mantener su autonomía. Sus pensamientos automáticos reflejan sus inagotables escepticismo y pesimismo. Esto afecta a la visión que tienen de sí mismos, de los otros y del mundo. Su deseo de contar con el favor de los que detentan el poder (dependencia y reconocimiento) está en contradicción directa con sus creencias de que para mantenerse autónomo deben ignorar las reglas y expectativas de los demás. Para manejar esta ambivalencia, mantienen su independencia a través de la conducta pasiva, pero sin una confrontación directa y sin desafiar a la autoridad. Mantienen el control y autonomía evitando el conflicto y una potencial desaprobación.

Ejemplo clínico

El señor Allen era un banquero de 47 años de edad referido por su supervisor porque no cumplía con las fechas límite de su trabajo, se resistía a la supervisión del personal de más antigüedad y, lo peor, presentaba actitudes negativas con los clientes. Su presentación conductual sugería síntomas de depresión, ansiedad e irritabilidad graves. Por su parte el señor Allen describía a la dirección del banco como terriblemente injusta y creía que allí todos malinterpretaban sus intenciones. Estaba convencido de que había creado un sistema de registro de datos más eficiente y estaba frustrado de que se negasen a implementarlo. Para demostrar la superioridad de su sistema, seguía procesando los datos del banco a través de su propio método, aunque a causa de ello apenas si lograba estar a la altura en su trabajo. El señor Allen no parecía comprender que su continuo rechazo al cumplimiento de las políticas y procedimientos del banco suponía una grave infracción. De hecho, estaba muy enfadado de que su supervisor lo hubiese enviado a terapia. Vivía en la fantasía de que llegaría un tiempo en el que su supervisor reconocería finalmente la superioridad de su sistema de contabilidad.

El señor Allen había tenido siempre problemas con la autoridad, tanto con sus supervisores como con las reglas en general, lo cual era consistente con sus problemas actuales. Era un «solitario» con pocos amigos y pocas relaciones sociales e intereses fuera del trabajo. Fácilmente desanimaba a los demás con sus comentarios ácidos o desalentadores, pero mostraba una muy limitada conciencia del impacto de esas acciones sobre los demás. Como pauta general, hacía proyectos a largo plazo para sí mismo, pero invariablemente éstos no llegaban nunca a puerto. En parte, esto era debido a las muchas discusiones con sus compañeros y a las acaloradas discusiones sobre lo que él veía como reglas arbitrarias.

Cuando se le pregunto si había otros temas que quisiese trabajar en la terapia, el señor Allen habló de cosas globales y ambiguas como «Encontrar la dirección de mi vida» y «Averiguar quién soy en realidad». También nos describió una infancia solitaria, llena de frecuentes traslados y cambios. Sus padres estaban divorciados y su madre era la que se había hecho cargo de él. No tenía ningún contacto con su padre. Sus recuerdos emocionales se limitaban a estar enfadado, resentido y frustrado. Aunque se las arregló para aprobar todos los exámenes, mencionó que nunca acababa los deberes a tiempo. Su vida social era desastrosa. Dijo que nadie le entendía y que las chicas era una especie de misterio para él. Había tenido algunas citas con mujeres, pero nunca se había casado. Su madre había muerto re-

TABLA 15.3. Creencias fundamentales, condicionales y compensatorias

Creencias fundamentales

«¡Nadie debería decirme lo que debo hacer!»
« No puedo depender de nadie.»
« Dar el brazo a torcer significa que no tengo el control.»
« Expresar ira puede causarme dificultades.»
« Las normas son limitantes.»
« La gente no me entiende.»
« La gente no debería cuestionarme.»
«Si les dejo, la gente se aprovechará de mí.»

Creencias condicionales

«Me mantengo independiente, resistiendo a las demandas.»
«Si sigo las normas, pierdo libertad.»
«Si alguien llega a conocerme, seré vulnerable.»
«Si dependo de alguien, no tengo capacidad de decisión.»
«Si hago lo que pienso que es correcto, los demás estarán convencidos de que eso es lo correcto.»
«No imponiéndome directamente estoy a buenas con los demás.»

Creencias compensatorias

«Para permanecer libre debo sortear las normas.»
«No debo seguir los pasos de nadie.»
«Estaré de acuerdo con los demás sólo superficialmente para evitar el conflicto.»
«Debo hacerme valer indirectamente para no ser rechazado.»
«No recibo el crédito que me merezco porque los demás no pueden apreciarme.»
«Tengo maneras particulares de hacer las cosas que los demás no pueden entender.»

cientemente, lo cual le hacía cuestionarse la dirección de su vida futura. Hasta entonces, había imaginado que iba cuidar de su madre hasta los setenta años, y ahora, sin esa responsabilidad, afirmaba no tener mi idea de qué hacer.

Creencias nucleares

Las creencias nucleares y los pensamientos automáticos asociados de este paciente nos hablan de control y resistencia (por ejemplo, «Nadie debe controlarme» y «Dar el brazo a torcer significa no tener el control»). Ajustarse a las normas es sinónimo de pérdida de control, de pérdida de libertad y autonomía, una posición que este paciente es incapaz de tolerar. Esta dificultad o conflicto a la hora de aceptar la influencia de los demás es un aspecto fundamental de su intensa ambivalencia y todo ello crea tales desajustes sociales. La pasividad y el cumplimiento superficial de lo establecido son medios de mantener a distancia las demandas de las personas o de las situaciones de su entorno. Estas personas suelen verse a sí mismas como sufridoras, puesto que no se les reconocen sus contribuciones únicas y singulares. La tabla 15.3 describe las creencias nucleares típicas de estos sujetos.

Las creencias nucleares del señor Allen le llevaban al incumplimiento sistemático de las reglas como medio para proteger su independencia. Sin embargo, para mantenerse a bien con la dirección y evitar la confrontación, cumplía con sus obligaciones sólo de manera superficial (es decir, siguiendo los procedimientos del banco), cuando en realidad continuaba trabajando a su manera. La victimización es un elemento omnipresente en todos sus esquemas de creencias: se aprovechaban de él y le malinterpretaban. Nadie, ni siquiera las autoridades competentes, debería decirle lo que debe hacer. En el trabajo, hablaba todo el tiempo negativamente de la forma de hacer de la dirección y llegaba a presionar a sus compañeros para que adoptasen sus ideas. Les pedía la opinión a sus colegas y después discutía acaloradamente si no le daban la razón.

Creencias condicionales

Las creencias condicionales de los sujetos con TPAP apoyan su característico comportamiento y estilo cognitivo: el cumplimiento superficial de las obligaciones y la magnificación de la idea que tienen de su capacidad para manejar todo tipo de situaciones. Su manera de hacer las cosas es la mejor, la obvia, la única. Por lo tanto, lo mejor para ellos es mostrar una discreta aquiescencia, mientras insertan en su entorno sus «mejores» métodos. La tabla 15.3 describe las creencias condicionales típicas de estos sujetos.

El señor Allen, a pesar de recibir retroalimentación directa de todo lo contrario, seguía convencido de que si continuaba procesando los datos a su manera, con el tiempo, la dirección entendería que la suya era la manera idónea de llevar a cabo el trabajo; de hecho la única manera de hacer las cosas bien. Además tenía la creencia de que si les decía a los colegas y supervisores que estaba siguiendo los procedimientos marcados por la dirección, a corto plazo evitaría la confrontación, pero que en un momento dado, la superioridad de sus métodos sería finalmente reconocida y premiada. El señor Allen no se daba cuenta de que con su limitado rendimiento laboral era, en cierta forma, deshonesto con la empresa. De hecho, para sorpresa de sus compañeros, siempre se mostró indiferente ante las consecuencias que podían tener sus acciones.

Creencias compensatorias

Las creencias compensatorias del paciente con TPAP se basan, en gran medida, en la idea de que es importante contar con el favor de las figuras autoritarias, y que ello se puede conseguir mediante el cumplimiento del deber de forma superficial. Sin embargo, si en cualquier situación esta conformidad superficial se convierte en algo problemático, los pacientes con TPAP se agarran a la creencia de que son objeto de una injusticia extrema. Están convencidos de que no se les reconoce o aprecia la contribución especial y única que están llevando a cabo. Y es que nadie es capaz de entenderlos. En estas estrategias compensatorias vemos una cualidad narcisista que parece un mecanismo protector para evitar el rechazo. Sin embargo los intensos sentimientos de rabia que acompañan a estas creencias contradicen, de alguna manera, la noción de que estas creencias tienen una función protectora, ya que más bien parecen ser el resultado de una herida narcisista. La tabla 15.3 describe las típicas creencias compensatorias de estos sujetos.

Las creencias compensatorias del señor Allen consistían en ideas distorsionadas acerca del rechazo que percibía de su supervisor. En su mente, el rechazo no estaba causado por su insubordinación, sino todo lo contrario: era debido a la incapacidad de su supervisor para reconocer y valorar sus fantásticas ideas. Frecuentemente expresaba una ira, una frustración y un malestar intenso ante la incapacidad del «sistema» para «pensar con originalidad». Cuanto mayor era la presión de su supervisor para que llevase a cabo el trabajo de la manera indicada por la empresa, mayor era su convicción de que debía cambiar los procesos establecidos. Como consecuencia de ello, se sentía intensamente resentido y, a veces, incluso trataba de desvalorizar a cualquier colega que recibiese el reconocimiento de los jefes. A medida que sus compañeros progresaban en la jerarquía de la empresa, el señor Allen se iba convenciendo, más y más, de que le estaban dejando de lado, que no se le tenía en cuenta.

Enfoque de tratamiento

Beck, Freeman y otros (1990) sugieren que, en el tratamiento cognitivo-conductual del TPAP, se debe usar un enfoque colaborativo a la hora de identificar pensamientos automáticos y esquemas relacionados con las conductas disfuncionales, así como con las expresiones inapropiadas de ira. El punto principal del tratamiento es combatir las creencias básicas y las pautas de pensamiento relativas a cómo se perciben ellos y cómo perciben a los demás y al mundo. Modificando esas creencias irracionales se producirá un cambio en sus emociones o afectos, lo cual abre la puerta al cambio conductual.

Estrategia de colaboración

La colaboración es un componente esencial del tratamiento de los pacientes con TPAP, aunque sus creencias nucleares presentarán especiales dificultades para un intercambio terapéutico realmente cooperativo. Debido a que la principal creencia nuclear del paciente con TPAP es resistirse a los dictados de las figuras que detentan la autoridad, todo el proceso terapéutico se halla en peligro desde el inicio. El paciente puede pensar que el terapeuta está intentando imponerle el cambio y la manera en cómo debe llevarlo a cabo. Por lo tanto, es esencial que el paciente se comprometa con el proceso terapéutico; es más, que se implique activamente en el mismo. Esto requiere por parte del terapeuta un buen grado de atención y diligencia para asegurar que el paciente mantiene, en alguna medida, el control de la relación terapéutica. Es crucial que se le pregunte constantemente, que se le solicite retroalimentación, para asegurarnos de que no se siente conducido «como un corderillo». Si el paciente asume que es el terapeuta quien controla la sesión, que se le está exigiendo un cumplimiento ciego, se resistirá pasivamente a la terapia con actitudes como «olvidarse» de hacer las tareas de casa, no presentarse a las sesiones o cancelar citas con débiles excusas. En definitiva, el paciente con TPAP suele resistirse al tratamiento. Como Stone (1993b) señala, «muchos dejan el tratamiento (una actitud pasivo-agresiva en sí misma) antes de que pueda darse cualquier cambio positivo» (pág. 308).

El terapeuta debe identificar, tanto dentro de las sesiones como entre las mismas, los pensamientos automáticos del paciente, especialmente los que se dan en respuesta a cambios afectivos. El terapeuta debe ser capaz de combatir las creencias distorsionadas acerca de que lo controlan aportando evidencia de que el tratamiento es un ejemplo de lo contrario: el paciente ha colaborado a lo largo del proceso y no se le ha ordenado que haga nada. Terapeuta y paciente deben entonces trabajar juntos para identificar aquellas condiciones que están bloqueando o evitando que se lleven a cabo las tareas (Ottaviani, 1990).

El proceso de evaluación del señor Allen fue lento y dificultoso debido a las respuestas evasivas e incompletas que daba. El señor Allen no era capaz de articular cuáles podían ser los objetivos, claros y específicos, para esa terapia. Durante todo el tiempo que duró el tratamiento, se mostró resistente a las sugerencias del terapeuta y, en muchas ocasiones, se quedó encallado en un punto de la agenda terapéutica. Muchas veces hacía preguntas ambiguas (por ejemplo, «¿Dígame quién soy yo?») exigiendo una respuesta del terapeuta. Cuando éste le proponía alguna, respondía de una manera desdeñosa e iracunda. En un intento de establecer una buena colaboración, el terapeuta le pidió su opinión acerca de qué temas quería tratar y en qué dirección debía ir el tratamiento. Su respuestas fueron: «Pero, oiga, ¿no es ése su trabajo: decirme qué debo hacer?» y «Cómo podría saberlo yo; usted es el médico». El señor Allen discutía a todas horas y se mostraba cáustico a la hora de decidir los temas a tratar. Cualquier sugerencia dirigida a mejorar su calidad de vida era sistemáticamente puesta en discusión o, en general, desechada. La descripción de Yalom del sujeto con TPAP resume muchas de las interacciones entre el terapeuta y el señor Allen: «son personas que siempre vienen con sus quejas, pero luego impiden que se les ayude».

Para establecer cierto grado de colaboración, el terapeuta intentó identificar la ambivalencia del paciente, así como sus creencias distorsionadas acerca del control. Para empezar, terapeuta y paciente definieron varios objetivos potenciales que podrían incluirse en la agenda. Después, se animó al señor Allen a que seleccionase y enumerase formalmente aquellas áreas en las que quería trabajar. Esta lista escrita fue firmada tanto por el paciente como por el terapeuta, de manera que quedase claro que se llevaba a cabo una planificación consensuada. Por ejemplo, se anotaron los siguientes objetivos potenciales: mejorar la relación laboral con su supervisor, examinar su contribución a la situación, mejorar sus habilidades sociales, investigar los orígenes de sus síntomas depresivos, aumentar el control de su vida, encontrar medidas para descargar la ira sin dañar a terceros e identificar objetivos a largo plazo para después del tratamiento. Al animar al paciente a decidir sobre qué puntos quería trabajar, el terapeuta no sólo combatió la pasividad, auténtica causa de muchos de sus problemas, sino que favoreció un enfoque asertivo, al menos en lo referente a la agenda terapéutica y los objetivos asociados a ella. A partir de ahí, se pudo debatir cualquier distorsión relacionada con el intento de control por parte del terapeuta:

TERAPEUTA: Así pues, ¿está de acuerdo con los objetivos que hemos anotado? (El terapeuta preguntó después de que el paciente seleccionara tres áreas específicas en las que trabajar).

SEÑOR ALLEN: Me parece una manera correcta de proceder. Sin embargo, es posible que luego cambie de opinión.

TERAPEUTA: Está bien. Mientras podamos hablar de esos cambios y de cómo eso puede afectar a nuestro plan de trabajo.

SEÑOR ALLEN: ¿Querrá decir «su» plan del trabajo?

TERAPEUTA: Espere un momento. No entiendo. ¿Pensaba que estaba de acuerdo con la lista que hemos hecho?

SEÑOR ALLEN: Sí, y lo estoy.

TERAPEUTA: Pues entonces dígame, ¿quiere revisar la lista de objetivos? ¿Se siente inseguro acerca de algo?

Gestión de la confrontación

En la situación descrita, el terapeuta fue capaz de identificar la conducta desafiante del paciente, pero lo que es más importante, no le agobió con una confrontación intensa. Beck y otros (1990) subrayaron que el terapeuta debe evitar combatir las creencias y conductas disfuncionales de manera demasiado agresiva o prematura, ya que la confrontación directa puede activar el esquema nuclear relacionado con las figuras de autoridad y la resistencia automática con la que creen mantener el control y autonomía. En este caso, el terapeuta fue, más tarde, capaz de conectar la ambivalencia del señor Allen con sus respuestas verbales agresivas y desafiantes. Por ejemplo, si mostraba desacuerdo con sus propias elecciones respecto a la agenda terapéutica, el terapeuta podía identificar esta ambivalencia y señalarla como evidencia empírica de la incapacidad del paciente para aceptar sus propias sugerencias.

Una característica fundamental del paciente con TPAP es la ambivalencia entre «la sumisión a los demás y la gratificación de sus propias necesidades» (Millon y Davis, 1996, pág. 570). El señor Allen mostraba en todas sus formas de comunicación este conflicto fundamental entre dependencia y oposición. La dependencia la mostraba buscando todas las respuestas en el terapeuta. Cuando el terapeuta redirigía las cuestiones para encaminarle al autodescubrimiento, a que examinase sus propias necesidades y que pudiese establecer objetivos más concretos, la impaciencia y la acidez del señor Allen se recrudecían. Rechazaba toda sugerencia, opción o recomendación a través de sus medios de comunicación pasivo-agresivos, tales como usar frases largas y cargadas de detalles, una voz demasiado alta o demasiado beligerante, plana y sin inflexiones o directamente con una enorme agresividad verbal. Dentro del microcosmos terapéutico, demostraba una gran incapacidad para expresarse apropiadamente. Su verborrea, combinada con su hostilidad, evitaba cualquier comunicación directa. Era muy difícil establecer objetivos específicos, a los cuales sólo se llegaba tras una constante labor de redirección y definición de sus amorfas afirmaciones. El señor Allen se daba cuenta de que su estilo de personalidad era, a veces, ofensivo y degradante para los demás. Sin embargo, seguía demostrando una gran ambivalencia acerca de cambiar su estilo de interacción, a pesar de que entendía que ello iría en su beneficio. En esta situación, el terapeuta intentó reducir la ambivalencia creando un camino intermedio entre la dependencia (aprender nuevos estilos de interacción con el terapeuta) y seguir siendo tenazmente opositivo a todo cambio. El diálogo socrático, aportando evidencia de que el cambio es beneficioso, y el análisis coste-beneficio, proporcionaron ese camino intermedio necesario para crear un equilibrio entre las polaridades de dependencia y oposición:

TERAPEUTA: ¿Quiere hablar un poco más acerca de otras formas en las que podría interactuar?

SEÑOR ALLEN: Sí. Hay muchas otras maneras.

TERAPEUTA: Pero hacer una sola cosa en cada momento es la única manera de concentrarse en algo. ¿No está de acuerdo?

SEÑOR ALLEN: Sí, estoy de acuerdo, pero lo que realmente pasa por mi mente, subconscientemente, es: ¿quieres realmente cambiar?

TERAPEUTA: ¿Qué partes querría explorar?

SEÑOR ALLEN: Las partes que mejoren mis relaciones con los demás.

TERAPEUTA: ¿Cómo se ve usted relacionándose con los demás de una forma ideal?

SEÑOR ALLEN: Yo quiero ser la mejor persona posible, pero tengo problemas en definir cómo puedo hacerlo. Quiero trabajar en ello y sé que usted está intentando ayudarme, pero veo que de alguna manera me resisto y no es intencionadamente.

TERAPEUTA: ¿Qué quiere decir con que se resiste?

SEÑOR ALLEN: Lo digo porque creo que usted está teniendo dificultades para centrarme.

TERAPEUTA: ¿Y por qué cree que me está siendo difícil centrarle?

SEÑOR ALLEN: No lo sé, es algo que hay en mí. Puedo estar diciendo que quiero cambiar y, en realidad, no quiero cambiar.

TERAPEUTA: Mejor volvamos al tema de las relaciones, ¿de acuerdo?

SEÑOR ALLEN: Sí.

TERAPEUTA: ¿Qué tendría de positivo el que cambiase su manera de interactuar?

SEÑOR ALLEN: Establecería nuevas relaciones y eso sería muy agradable. Seguramente, me haría la vida un poco más fácil.

TERAPEUTA: ¿Cómo de agradables serían esas relaciones?

SEÑOR ALLEN: Bueno, pienso que en nuestra sociedad, nos llevamos bien con la gente si nos comportamos educadamente; siendo amable. Si eres educado la vida resulta un poco más sencilla. Pero si vas por el mundo buscando guerra...

TERAPEUTA: ¿Pero qué cosas positivas tendría eso en usted, directa o indirectamente?

SEÑOR ALLEN: Todas; no veo la manera de que no me beneficiase.

TERAPEUTA: Muy bien, ¿ve cómo no es tan difícil centrarle?

Evitación de las luchas de poder

Las expresiones encubiertas de resistencia hacia el tratamiento pueden incluir: permanecer en silencio; racionalizar la incapacidad para seguir las recomendaciones; responder a la confrontación con crecientes sentimientos de vergüenza, humillación, culpa y resentimiento; aumentar la resistencia a la terapia y al cambio con conductas de oposición o fracasando a propósito o aumentando la sintomatología; incrementar la cantidad de quejas e ira hacia el terapeuta y hacia su aparente incapacidad para ayudar, y sugerir que se va consultar a otros terapeutas (American Psychiatric Association, 1989). Stone (1993b) afirma que «estas actitudes, que aparecen muy pronto, se manifiestan como la típica necesidad de probar la incompetencia del terapeuta» (pág. 308). Para evitar las batallas con el paciente acerca del pago de los honorarios se pueden redactar una reglas claras acerca de los horarios, el pago y el tiempo de duración del tratamiento (Reid, 1988). Esta maniobra debe ser llevada a cabo al inicio del tratamiento y, lo que es más importante, el terapeuta tiene que ser el primero en adherirse a las limitaciones establecidas. Una vez más, esta lista debe ser redactada en colaboración mutua, comprobando que el paciente entiende y está de acuerdo con cada uno de los puntos que se están estableciendo. Las conductas pasivo-agresivas como aparecer tarde en la sesión debido al pensamiento automático de «Nadie me va a decir cuándo tengo que llegar o dejar de llegar» nos proporcionan una buena oportunidad de trabajar estas distorsiones en vivo. Por ejemplo el terapeuta puede sugerirle al paciente la posibilidad de expresar una forma de desafío más directa (por ejemplo, pedir que le den otra hora de sesión) (Ottaviani, 1990).

Consistencia y empatía

A lo largo de todo el tratamiento, el terapeuta debe permanecer constante, objetivo y empático con los pacientes con TPAP. Es muy fácil caer en la trampa de entrar en su estilo de juego, la batalla que tiene lugar en su interior del tipo «por favor, ayúdeme/que le zurzan». Sus ácidas interacciones pueden ser agotadoras y, a veces, muy ofensivas. La continua ambivalencia del paciente hará que vaya y venga, con continuas interrupciones. A medida que el paciente se vaya sintiendo cómodo (dependiente) con las sugerencias del terapeuta, la ambivalencia subyacente puede producir un cambio errático, que conducirá a un rechazo o recaída en el proceso terapéutico (oposicional). El terapeuta necesita identificar consistentemente los pensamientos disfuncionales relacionados con esos cambios y no dejar de combatir las distorsiones. Aunque puede parecer que tales pacientes se divierten con sus miserias, en realidad experimentan una gran incomodidad, angustia y tristeza por lo que les ocurre. En vez de personalizar el negativismo del paciente y ofenderse, el terapeuta debe recordar que puede conceptualizar esas acciones como conductas aprendidas desadaptativas.

Intervenciones específicas

Formación en asertividad

La formación en asertividad pueda ayudar a los pacientes con TPAP a convertir sus expresiones de ira en algo abierto y más funcional (Hollandsworth y Cooley, 1978; Perry y Flannery, 1982). En el caso del señor Allen, la formación en asertividad sirvió como medio para ayudarle a expresar su frustración con la dirección del banco, de una manera más adecuada a nivel social (por ejemplo, haciendo presentaciones formales en vez de sabotajes encubiertos). Dentro de la sesión de tratamiento, el terapeuta siempre dejaba tiempo para que el paciente expresase sus opiniones acerca de cómo iba la terapia. De hecho, hasta le pedía que sugiriese cambios. Todo esto le proporcionó al señor Allen una oportunidad para ser asertivo en el proceso terapéutico de una manera positiva y estructurada. El terapeuta tenía que mantener un equilibrio constante entre vigilar los límites del trabajo terapéutico (por ejemplo, la duración de las sesiones) y su receptividad a las demandas del señor Allen (por ejemplo, los temas a tratar en la terapia).

Automonitoraje y otros controles

Los pacientes con TPAP suelen presentar un estilo antagonista, áspero y malhumorado, que, a veces, los convierte en auténticos especialistas en deprimir a la gente, especialmente cuando intentan que el terapeuta se adhiera a su cínica visión del mundo. Ellos no se dan cuenta de que sus quejas y ofensas son constantes, que agotan a todos los que están a su alrededor y que alejan a aquellos que quieren a su lado. Una manera de combatir los pensamientos automáticos en relación a la idea de que la gente se quiere aprovechar de ellos, que no les entienden o que les quieren controlar, es ayudarles a cobrar conciencia de los cambios afectivos que experimentan (automonitoraje) en relación a los demás. Identificar cómo sienten la ira, los enfados y otros estados emocionales (por ejemplo, a nivel fisiológico) proporciona una valiosa puerta al cambio de sus pensamientos automáticos y sus creencias nucleares subyacentes. Algunos de los deberes que se les puede dar en relación a ello es que registren sus pensamientos automáticos, especialmente después de experimentar una emoción intensa. Para animarles a que lleven a cabo esta tarea, el registro de pensamientos disfuncionales puede ser presentado como un deber para «no perderse» (Ottaviani, 1990). Esta tarea no sólo les permite conectar pensamientos con sentimientos, sino que además les ayuda a identificar aquellas áreas que contribuyen a su depresión o su ansiedad.

Como los sujetos con TPAP tienen problemas de asertividad, puede ser de mucha ayuda que practiquen el monitoraje de las expresiones de ira. Se trata de que analicen y registren su postura, sus inflexiones de voz (por ejemplo, si gritan), el lenguaje corporal (por ejemplo, si señalan), el contacto visual (intenso o evitativo), o el uso de palabras desagradables en la interacción (Prout y Platt, 1983). Otro tipo de monitoraje puede ser que vayan más allá de su propia experiencia e intenten entender cómo se sienten los demás acerca de su estilo ofensivo y mordaz. En este sentido, deberán fijarse en los signos que muestran que las personas se ofenden o pierden el interés en ellos (pérdida de contacto visual, posturas, claves verbales, etcétera). Otro componente importante de la asertividad es el respeto de los derechos de las otras personas y, con estos pacientes, se deberá hablar explícitamente del asunto. Esto incluye el derecho que tienen los demás a enfadarse a causa de la conducta ofensiva del paciente (cosa probable) o a evitarles o protegerse de ellos, por la misma causa.

Formación en habilidades sociales y comunicación

Dos objetivos fundamentales del tratamiento de los sujetos con TPAP son mejorar las habilidades comunicativas y sociales. Las interacciones del paciente con TPAP están fraguadas con intercambios ácidos, negativismo, ausencia de límites mínimos y un estilo de control que alterna entre el silencio pasivo y la invasión de los espacios ajenos. Los pacientes con TPAP frecuentemente carecen de buenas habilidades para escuchar, de reciprocidad y sensibilidad a la retroalimentación o influencia de los demás. En el caso del señor Allen, sus dificultades en las relaciones sociales eran debidas, en parte, a su pobre percepción de los límites sociales y de las claves interpersonales existentes. Por ejemplo, en una ocasión nos explicó una discusión que había tenido con un vecino. El señor Allen había pasado bastante tiempo preguntándole al vecino acerca de su hija de 16 años y sus planes de estudio en la universidad. Al principio el señor Allen hizo las preguntas y comentarios apropiados, pero, al poco tiempo, empezó a ser invasivo. Insistió en que poseía un gran conocimiento sobre comités universitarios de admisión de estudiantes, que, según él, suelen ser injustos y están mal organizados. El señor Allen llegó a pedirle a la chica que fueran a cenar para hablar de sus planes. No se daba cuenta de que violaba unos límites tácitos de la comunicación.

La formación en habilidades sociales ayudó al señor Allen a entender mejor el concepto de que existen unos límites en toda comunicación, unas señales de advertencia de que estamos violando esos límites, y finalmente a cómo expresarse de una manera más respetuosa. Se confeccionaron unas listas que identificaban las buenas habilidades de interacción social y, después, se determinó que áreas deseaba desarrollar. Una de las habilidades que reconocía necesitar aprender era a comunicar los desacuerdos de una manera no ofensiva. El aprendizaje de estas habilidades comunicativas le permitió el uso de encabezamientos como «yo creo», «en mi opinión», el uso de pausas para esperar respuestas, mantener un apropiado contacto visual y responder con menos frases demasiado largas y repletas de detalles. Entre las tareas para realizar fuera de las sesiones se le encomendó conversar con sus compañeros de trabajo y practicar a no elevar el tono de voz, detenerse antes de responder para examinar qué es lo que iba decir (y comprobar que no era ofensivo) y detenerse para que los demás respondiesen. Ya que el señor Allen había identificado que un atributo de todo buen comunicador es saber escuchar, se le pidió que comprobase si realmente escuchaba a los demás escribiendo lo que había dicho después de cada conversación. Después, durante las sesiones, se hacía un *role play* con posibles respuestas alternativas.

Gestión de la ira

Uno de los principales problemas emocionales del paciente con TPAP es la cantidad de reacciones de ira, hostilidad y, sobre todo, de resentimiento que muestran. Para tratar esas desbocadas emociones, los terapeutas necesitan ayudar a los pacientes a gestionar y examinar sus ideas acerca de la «venganza justa» y acerca de los medios que suelen emplear para recuperar lo que los otros les han usurpado: reconocimiento y valoración. Se deben identificar y cuestionar creencias asociadas del tipo «deberían ser castigados» o «nadie entiende nada» (Ottaviani, 1990). También se deben explorar las creencias nucleares referentes al control. Esto último puede resultar difícil ya que requiere que los pacientes se concentren en sus propias conductas y en su propio rendimiento, más que en el maltrato percibido que reciben de los demás. Además, para que aprendan a formarse expectativas realistas se les pedirá que consideren los juicios de los demás. Este proceso descubrirá la cualidad narcisista de sus creencias nucleares, en otras palabras, la superioridad y arrogancia del paciente con TPAP. De hecho, también se mostrarán útiles las estrategias propias del tratamiento del trastorno narcisista de la personalidad.

Debido a las creencias nucleares de que los demás intentan controlarle o minusvalorarle, el sujeto con TPAP tiende a dar respuestas emocionales iracundas. No suelen hacer interpretaciones cognitivas de la situación; todo lo contrario, sus reacciones son producto de una respuesta visceral inmediata. Este proceso puede ser etiquetado como razonamiento basado en las emociones (Ottaviani, 1990), el cual frecuentemente produce errores y distorsiones, a pesar de la noción popular de que uno debe «responder con el corazón». Un análisis de coste-beneficios puede ayudar a identificar las ventajas y desventajas de las reacciones impulsivas y el beneficio de examinar las relaciones entre las creencias fundamentales y sus respuestas emocionales asociadas.

Mantenimiento del progreso

Las creencias fundamentales de los pacientes con TPAP, la importancia de mantener el control, de resistirse a la planificación, a tener en cuenta las sugerencias de los demás y, en general, a la conformidad con las instituciones, son fácilmente reactivables. Las situaciones que colocan al paciente bajo la dirección de una autoridad pueden desencadenar su típico esquema de control/resistencia y poner en peligro cualquier beneficio terapéutico realizado. Para ayudar al paciente a manejar proactivamente las situaciones de riesgo, puede ser útil crear, antes de terminar el tratamiento, una lista que identifique riesgos o situaciones que puedan activar los antiguos esquemas. Otra buena medida para mantener el progreso será programar visitas de seguimiento para revisar conductas y áreas problemáticas. Por último, para consolidar las nuevas habilidades, ampliar su campo de aplicación y apoyar la modificación de los esquemas, se recomienda continuar el trabajo en terapia de grupo.

Conclusión

Las características de negativismo, ambivalencia, resistencia, negativa a satisfacer las expectativas de los demás y la obsesión por mantener la autonomía que muestran los sujetos con TPAP son auténticos retos para la intervención terapéutica. Los terapeutas deben contrarrestar el escepticismo y el pesimismo aparentemente inagotable de sus pacientes y permitirles, al mismo tiempo, que mantengan un suficiente nivel de control del proceso terapéutico. Las creencias nucleares de control y resistencia pueden ser elicitadas y modificadas a través de una serie de técnicas específicas, entre las que se incluyen la formación en asertividad y comunicación, la gestión de la ira y el monitoraje propio y externo.

CAPÍTULO 16

SÍNTESIS Y PERSPECTIVAS PARA EL FUTURO

El concepto de trastorno de la personalidad está en cambio constante. El desarrollo de las ediciones sucesivas del *Diagnostic and Statistical Manual of Mental Disorders* de la American Psychiatric Association, ha supuesto toda una serie de cambios significativos en la visión teórica, la gama de problemas, las definiciones y la terminología usada para definir los trastornos de la personalidad. Se identifican nuevos trastornos mientras que otros se eliminan. Por ejemplo, la personalidad inadecuada (301.82) y la personalidad asténica (301.7) del DSM-II desaparecieron en el DSM-III. El trastorno narcisista de la personalidad (301.81) apareció por primera vez en el DSM-III. El trastorno pasivo-agresivo de la personalidad fue desclasificado como trastorno formal para pasar a ser un diagnóstico provisional en el DSM-IV-TR. Otras denominaciones cambian. Por ejemplo, la personalidad emocionalmente inestable (51.0) del DMS-I se convirtió en la personalidad histérica (301.5) en el DSM-II y en el trastorno histriónico de la personalidad (301.5) en el DSM-III y el DSM-IV-TR. Blashfield y Breen (1989) sostienen que la validez de muchas de las actuales categorías diagnósticas de los trastornos de la personalidad es escasa, y que en varios casos existen niveles altos de superposición de significados.

La actual confusión se acentúa cuando consideramos las diferencias entre los criterios del DSM-IV-TR y los de la *International Classification of Diseases* (ICD; World Health Organization, 1998), para los trastornos de la personalidad. Es esencial que la investigación en curso delimite mejor las categorías del Eje II e identifique los diagnósticos específicos que posibilitan el diagnóstico diferencial. Además, es importante que las categorías diagnósticas ofrezcan al clínico un marco conceptual capaz de conducir a estrategias e intervenciones útiles.

Evaluación

La efectividad de un tratamiento parte de una correcta evaluación y conceptualización del caso. Uno de los objetivos más importantes de esa evaluación es asegurarse de que se diferencian rasgos permanentes de estados pasajeros atribuibles a circunstancias o trastornos sintomáticos y que se tienen en cuenta las implicaciones de los sesgos culturales. El terapeuta cognitivo debe integrar diferentes fuentes de datos, entre las que se incluyen entrevistas de diagnóstico, revisión de datos colaterales, observaciones conductuales y cuestionarios de autoinforme. Mediante el uso de instrumentos diseñados específicamente como el Personality Belief Questionnaire (Beck y Beck, 1991) o el Schema Questionnaire (Young, 2002b) se pueden detectar los detalles ideográficos de las creencias operativas del paciente. A partir de ahí, podrán identificarse las dimensiones relativas de las características de la personalidad.

Cuestiones clínicas

Como muestran los capítulos precedentes, se ha efectuado un progreso considerable en la aplicación de la terapia cognitiva a los tratamientos de los problemas de la personalidad. Sin embargo, el clínico se enfrenta al reto de que deberá tratar trastornos complejos sin protocolos de tratamiento validados empíricamente. Otro problema es que, en gran medida, los tratamientos de cada uno de los trastornos de la personalidad han sido, normalmente, considerados aisladamente. Sin embargo, raramente los individuos que buscan ayuda caen en una sola categoría diagnóstica. Cuando los individuos con trastornos de la personalidad acuden a consulta, pueden presentar características de varios trastornos sin que cumplan completamente con ninguna de las definiciones unívocas que poseemos. En ocasiones, responden a varios diagnósticos por igual. Para acabar de complicar el asunto, estos pacientes suelen poseer también trastornos del Eje I.

No es sencillo proporcionar un tratamiento efectivo en las situaciones complejas que nos encontramos en la práctica clínica. Afortunadamente, los terapeutas no empiezan de la nada a la hora de planificar un tratamiento con estos pacientes. En este volumen hemos proporcionado las bases generales de la terapia cognitiva para estos casos. Podemos resumir lo expuesto en los siguientes puntos:

1. *Las intervenciones son más eficaces cuando se basan en una conceptualización individualizada de los problemas del paciente.* Los pacientes con trastornos de la personalidad son complejos y el terapeuta frecuentemente se enfrenta con la dificultad de escoger entre muchos objetivos y una amplia variedad de técnicas de intervención posibles. Si el terapeuta no posee un plan claro, esto no sólo hace que el tratamiento pueda resultar confuso y desorganizado, sino que la intervención que puede parecer apropiada después de un análisis superficial del paciente puede aparecer como ineficaz y contraproducente. Turkat y colaboradores (sobre todo en Turkat y Maisto, 1985) han demostrado el valor de la conceptualización individualizada de los problemas basada en una evaluación detallada y una comprobación con datos adicionales observando los efectos de las intervenciones.

Las conceptualizaciones presentadas en este volumen pueden proporcionar un punto de arranque, pero es importante basar las intervenciones en una conceptualización individualiza más que en una presunción de que la conceptualización «estándar» se ajustará a todos los pacientes que poseen una determinada diagnosis. Aunque el desarrollo y la comprensión de un paciente complejo no es tarea sencilla, la terapia cognitiva puede ser un proceso autocorrectivo a través del cual «ajustar el tiro». Cuando el terapeuta inicia la conceptualización a partir de una evaluación inicial y después basa su intervención en esta conceptualización, los resultados de esas intervenciones proporcionan un valioso *feedback*. La prueba final de cualquier conceptualización es si explica la conducta pasada, la presente y además predice la futura. Si las intervenciones se demuestran ineficaces o producen resultados inesperados, esto demuestra que la conceptualización es inadecuada. El examen de los pensamientos y sentimientos evocados por las intervenciones proporcionan datos valiosos para refinar la conceptualización y el plan de tratamiento.

2. *Es importante que terapeuta y paciente trabajen en cooperación en pos de metas compartidas y claramente identificadas.* Con pacientes tan complejos como los que poseen trastornos de la personalidad, es necesario que la terapia tenga metas claras y congruentes. Sólo así podremos evitar saltar de un problema a otro sin realizar ningún progreso duradero. Pero es importante que esas metas se establezcan de común acuerdo, para reducir al mínimo la disconformidad por parte del paciente y las luchas de poder que suelen obstaculizar el tratamiento de los pacientes con trastornos de la personalidad. No es fácil definir las metas compartidas del tratamiento porque los pacientes pueden presentar quejas muy vagas y, al mismo tiempo, pueden ser renuentes a modificar las conductas que el terapeuta considera particularmente problemáticas. El tiempo y el esfuerzo dedicado a establecer las metas de común acuerdo será una buena inversión. Es probable que maximice la motivación para el cambio del paciente, minimice la resistencia y haga más fácil mantener la concentración en el tratamiento.

3. *Es importante concentrar más atención de lo habitual en la relación terapeuta-paciente.* En la terapia cognitiva, como en cualquier otro enfoque terapéutico, es necesario establecer una buena relación terapéutica. Las terapias conductual y cognitivo-conductual acostumbran a ser capaces de establecer una relación colaborativa desde el principio para después proceder sin prestar excesiva atención a los aspectos interpersonales. Sin embargo, trabajando con pacientes con trastornos de la personalidad, la terapia no suele ser tan directa. Los esquemas, las creencias y los supuestos disfuncionales que desvían las percepciones que tiene el paciente de los demás van probablemente a sesgar su percepción del terapeuta. Las conductas disfuncionales que manifiesta en sus rela-

ciones externas a la terapia también se manifestarán en la relación paciente-terapeuta. Pensemos que, si no se manejan adecuadamente, las dificultades en la relación paciente-terapeuta pueden hacer acabar con la terapia. Sin embargo, también es cierto que su aparición proporciona la oportunidad de realizar un trabajo más eficaz, puesto que le permiten al terapeuta la observación y la intervención en vivo en vez de confiar en los informes del propio paciente acerca de sus problemas interpersonales que tienen lugar entre sesiones (Freeman, Pretzer, Fleming y Simon, 1990; Linehan, 1987a; Mays, 1985; Padesky, 1986).

Un tipo de problema de la relación terapeuta-paciente que es más común entre los pacientes con un trastorno de la personalidad es el fenómeno tradicionalmente llamado de «transferencia». Este término se usa tradicionalmente para referirse a aquellas ocasiones en las que el paciente manifiesta una persistente y extrema malinterpretación del terapeuta basándose en su experiencia previa con otras relaciones significativas. Los sujetos con trastornos de la personalidad están alerta ante cualquier indicación de que lo que temen pueda producirse, y reaccionan dramáticamente cuando la conducta del terapeuta parece confirmar sus previsiones. Cuando se producen esas fuertes respuestas emocionales, es importante que el terapeuta advierta lo que sucede, llegue pronto a una comprensión clara de lo que piensa el paciente y despeje de modo directo, pero con sensibilidad, los errores de concepción y comprensión. Aunque esas reacciones pueden complicar mucho la terapia, también proporcionan una oportunidad para identificar las creencias, expectativas y estrategias interpersonales que juegan un papel importante en los problemas del paciente. También son oportunidades de que el terapeuta responda al paciente mostrando su disconformidad con sus creencias y expectativas disfuncionales.

4. *Considerar la posibilidad de comenzar con intervenciones que no pongan al paciente en situación de tener que revelar muchas cosas sobre sí mismo.* Muchos pacientes con trastornos de la personalidad se sienten incómodos cuando tienen que hablar de sí mismos en el seno de la terapia. Algunos pueden mostrar falta de confianza en el terapeuta, la incomodidad que les produce la intimidad, incluso en niveles moderados, el temor al rechazo, etc. En la medida de lo posible debe comenzarse el tratamiento atacando un problema que pueda abordarse mediante intervenciones conductuales que no obliguen al paciente a revelar mucho sobre sí mismo, aunque a veces se puede empezar con intervenciones conductuales que introducen gradualmente a la apertura. Esto da tiempo al paciente para sentirse cada vez más cómodo con la terapia y al terapeuta para ganarse la confianza del paciente y explorar las razones de su incomodidad y hermetismo.

5. *Las intervenciones que aumentan la sensación que el paciente tiene de su propia eficacia, a menudo reducen la intensidad de la sintomatología y facili-*

tan otras intervenciones. La intensidad de las respuestas emocionales y conductuales de los sujetos con trastornos de la personalidad es debida, frecuentemente, a las dudas que tiene el paciente acerca de su habilidad para manejar situaciones problemáticas particulares. Esta duda respecto de la propia habilidad no sólo intensifica las respuestas emocionales a la situación sino que también predisponen a que el sujeto dé respuestas drásticas. Cuando sea posible incrementar la confianza del paciente en cuanto a sus posibilidades de manejar las situaciones problemáticas a medida que aparezcan, se reducirá el nivel de ansiedad del paciente y se moderará, en general, su sintomatología, capacitándole para reaccionar más deliberadamente, lo que facilitará otras intervenciones. El sentido de autoeficacia, su confianza de que puede enfrentarse a situaciones difíciles, pueden mejorar corrigiendo cualquier exageración de las demandas de la situación o minimización de la capacidad del paciente e incrementando sus habilidades para manejarse en general, o mediante una combinación de ambas (Freeman y otros, 1990; Pretzer, Beck y Newman, 1989).

6. *El terapeuta no debe confiar principalmente en las intervenciones verbales.* Cuanto más graves son los problemas del paciente, más importante es el uso de las intervenciones conductuales para lograr el cambio cognitivo y de la conducta (Freeman y otros, 1990). El *role playing* dentro de la sesión y una jerarquía gradual de «experimentos conductuales» entre sesiones proporciona una oportunidad para que se dé la desensibilización, ayuda al paciente a dominar nuevas habilidades y puede ser muy eficaz para cuestionar las expectativas poco realistas. Cuando sólo se disponga de intervenciones puramente verbales, suelen ser más eficaces los ejemplos concretos de la vida real que las discusiones filosóficas y abstractas.

7. *El terapeuta debe tratar de identificar y abordar los miedos del paciente antes de implementar los cambios.* Los pacientes con trastornos de la personalidad suelen tener miedos, fuertes pero no expresados, a los cambios que ellos mismos persiguen o que se les pide que realicen en el curso de la terapia; si no se empieza por abordar esos miedos, suele ser inútil que se intente inducir al paciente a seguir avanzando (Mays, 1985). Pero si el terapeuta examina las expectativas y preocupaciones del paciente antes de intentar cada cambio, es probable que se reduzca su nivel de ansiedad respecto de la terapia y que aumente su conformidad.

8. *El terapeuta debe ayudar al paciente a manejar adaptativamente las emociones aversivas.* Los pacientes con trastornos de la personalidad suelen experimentar reacciones emocionales aversivas muy intensas en situaciones específicas. Estas intensas reacciones pueden llegar a ser un problema por sí mismas, pero además, los intentos del sujeto por evitar experimentar esas emociones, de

escapar de esas emociones, y sus respuestas cognitivas y conductuales a esas mismas emociones frecuentemente juegan un importante papel en los problemas del paciente. Muchas veces, la incapacidad del sujeto para tolerar las sensaciones aversivas le bloquea y no pueden manejar las emociones de forma adaptativa, lo cual perpetua los miedos acerca de las consecuencias de experimentar esas emociones. Cuando éste sea el caso, es importante trabajar sistemáticamente para incrementar la capacidad del paciente para tolerar y manejar los sentimientos intensos (Farrell y Shaw, 1994).

9. *El terapeuta debe ayudar a los pacientes a manejar las emociones aversivas que pueden despertar las intervenciones terapéuticas.* Además de las emociones intensas que los pacientes experimentan en su vida cotidiana, la misma terapia puede provocar emociones muy fuertes. Cuando la terapia se enfrenta a los propios miedos de la persona (al llevar a cabo grandes cambios en su vida, al provocar un descubrimiento en ella, al hacer referencia a recuerdos dolorosos y demás), es posible que aparezca toda una serie de respuestas emocionales negativas. Es importante, por lo tanto, que el terapeuta sepa reconocer qué emociones dolorosas ha provocado para que el paciente las entienda y las pueda manejar. De no ser así, existe el riesgo de que esas emociones aparten al paciente de la terapia. Si el terapeuta tiene el hábito de obtener de forma regular retroalimentación (*feedback*) del paciente y estar atento a las señales no verbales de sus reacciones emocionales durante la sesión, no suele ser difícil reconocer las reacciones emocionales problemáticas de las que hablamos. Cuando aparezcan esas reacciones, es importante que el terapeuta comprenda los pensamientos y sentimientos del paciente de manera que pueda ayudarle a entender sus propias reacciones. A menudo, la intensidad de las reacciones del paciente puede ser aminorada reduciendo el ritmo de la terapia, yendo a pasos más pequeños. Es esencial adaptar el ritmo de la terapia al paciente de manera que los beneficios superen a los inconvenientes y, sobre todo, asegurarse de que el paciente es consciente de ello.

10. *El terapeuta debe prever que habrá problemas con la ejecución de las tareas.* Entre los pacientes con trastornos de la personalidad, son muchos los factores que inducen una tasa alta de no ejecución de las tareas encomendadas. Además de las complejidades de la relación terapeuta-paciente y de los fuertes miedos a los que acabamos de referirnos, las conductas disfuncionales de los pacientes con trastornos de la personalidad están muy enraizadas y son a menudo reforzadas por ciertos aspectos del entorno. Sin embargo, estos episodios no son sólo un impedimento para el progreso, sino que también pueden convertirse en una oportunidad para intervenir. La respuesta más importante puede ser el incremento de la colaboración y la evaluación de cualquier problema que pueda interferir con la mutua participación en la terapia. A través de este proceso de colaboración, pue-

den trabajarse ulteriores temas que bloquean el progreso del paciente. En este sentido, una buena estrategia es establecer un plan para determinar qué pensamientos pasan por la mente del paciente cuando decide no llevar a cabo los deberes asignados; ello suele revelar los impedimentos más significativos que se necesitan superar.

11. *El terapeuta no debe dar por supuesto que el paciente vive en un ambiente razonable.* Algunas conductas, como la asertividad, suelen ser muy adaptativas y ello nos puede llevar a asumir que son siempre positivas. Sin embargo, los pacientes con trastornos de la personalidad son el producto de familias seriamente atípicas o disfuncionales, y siguen viviendo en ambientes atípicos. Al implementar los cambios, es importante evaluar las respuestas probables de las personas significativas del ambiente del paciente, y no dar por sentado que reaccionarán automáticamente de un modo razonable. Frecuentemente, es útil que el paciente experimente con las nuevas conductas en situaciones de bajo riesgo. Ello despertará menos ansiedad y proporcionará al paciente la oportunidad de pulir sus habilidades antes de enfrentarse a situaciones más comprometidas.

12. *Establecer límites es una parte esencial del programa general de tratamiento.* Establecer límites firmes y razonables sirve para varios propósitos en la terapia de los pacientes del Eje II. En primer lugar, ayuda al paciente a organizar su vida y a protegerse de sus propios excesos conductuales, que le habrán causado problemas a él mismo y a otros. En segundo lugar, proporciona una oportunidad al terapeuta de establecer un enfoque estructurado, razonado, de la solución de problemas. Tercero, ofrece una estructura que le permite al terapeuta mantener el control de una relación terapéutica prolongada y tal vez tormentosa. Finalmente, unos límites apropiados minimizan el riesgo de que el terapeuta sienta que el paciente le toma la delantera, con el resentimiento correspondiente.

En un momento dado, puede parecer una buena idea que el terapeuta sea generoso y se ofrezca con especial intensidad al paciente que sufre mucho malestar, pero tal «generosidad» puede volverse en su contra. Al principio, puede parecer razonable modificar el tratamiento para que el paciente que lo pasa muy mal se adapte a él, pero si ello se convierte en una exigencia a largo plazo, tendremos delante un problema. Si, al final, la situación llega a provocarle resentimiento al terapeuta, entonces el problema se convierte en grave. En fin, es muy importante no reforzar conductas disfuncionales respondiendo de forma que se recompense al paciente por sufrir malestar.

13. *El terapeuta debe prestar atención a sus propias reacciones emocionales en el curso de la terapia.* La interacción con los pacientes que presentan trastornos de la personalidad puede suscitar en el terapeuta reacciones emocionales

fuertes, que oscilan entre la tristeza empática y la cólera, el desaliento, el miedo o la atracción sexual intensos. Es importante que el terapeuta tome conciencia de sus propias reacciones de manera que constituyan una útil fuente de datos. El terapeuta puede emplear técnicas cognitivas (como el registro de pensamientos disfuncionales; Beck, Rush, Shaw y Emery, 1979), revisar su conceptualización del caso y consultar con un colega más objetivo. Las emociones del terapeuta deben ser consideradas una respuesta normal que nos informa del proceso de la terapia; no son errores *per se*. Cualquier intento por evitar o suprimir esas respuestas emocionales puede incrementar el riesgo de manejar mal la interacción terapéutica.

Las respuestas emocionales no se producen por azar. Una respuesta emocional inusualmente fuerte por parte del terapeuta es frecuentemente una reacción a algún aspecto de la conducta del paciente, aunque también puede haber otros determinantes más importantes, tales como el mismo pasado del terapeuta o sus problemas profesionales. El reconocimiento de las propias respuestas del terapeuta acelera la identificación de las pautas cognitivas del paciente ya que las respuestas del terapeuta son una cosa automática, mucho más rápida que cualquier trabajo intelectivo.

El terapeuta debe reconocer sus respuestas emocionales para reflexionar con cuidado sobre si tiene que revelarlas o no y, en caso de hacerse evidentes, saber cómo manejarlas. Por un lado, los pacientes con trastornos de la personalidad pueden reaccionar muy fuerte ante una revelación del terapeuta; es posible que tal información sea malinterpretada. Por otro lado, si el terapeuta oculta una reacción que el paciente percibe de todos modos a través de claves no verbales, es posible que sea también malinterpretado o que provoque desconfianza. Esta decisión debe ser considerada dentro del amplio contexto de la conceptualización del caso, la situación actual del paciente, el estado de la relación terapéutica y el nivel de activación del terapeuta junto a su capacidad para manejar esas situaciones.

14. *El terapeuta debe ser realista respecto de la duración de la terapia, sus metas y las normas para la autoevaluación.* Muchos terapeutas que usan enfoques conductuales y cognitivo-conductuales de la terapia están acostumbrados a conseguir muy buenos resultados en un tiempo relativamente corto. Cuando la terapia avanza lentamente, es muy fácil frustrarse o enfadarse con el paciente «resistente», o autocriticarse y desanimarse cuando la terapia va mal. Cuando el tratamiento no tiene éxito, hay que recordar que la capacidad del terapeuta no es el único factor que influye en el resultado. Cuando la terapia avanza con lentitud, tiene importancia que no se abandone prematuramente ni se insista en aplicar un enfoque de tratamiento que fracasa. Las intervenciones conductuales y cognitivo-conductuales pueden lograr cambios sustanciales, aparentemente duraderos, pero

en ciertos casos los resultados son más modestos y en algunos es muy poco lo que se consigue, al menos a corto plazo.

Conclusión

Durante la pasada década hemos asistido a un rápido crecimiento del conocimiento de los trastornos de la personalidad, desde un punto de vista cognitivo. Quizás la nueva frontera de nuestro trabajo, además de establecer mejor la eficacia clínica del tratamiento cognitivo de los trastornos del Eje II, sea articular el proceso de cambio en los trastornos de la personalidad. A medida que avanzamos en esta primera década del siglo XXI, vislumbramos nuevas esperanzas de que ciertos estados, alguna vez considerados refractarios a las intervenciones terapéuticas, resultaran modificables, como ya lo son los trastornos afectivos o por ansiedad.

BIBLIOGRAFÍA

Abraham, K., «The influence of oral eroticism on character formation» (1924), en *Selected papers on psychoanalysis*, Londres, Hogarth Press, 1927.

—, «Manifestations of the female castration complex» (1920), en *Selected papers of Karl Abraham*, Londres, Hogarth Press, 1949.

—, «Contributions to the theory of the anal character» (1921), en *Selected papers of Karl Abraham*, Nueva York, Basic Books, 1953.

Adams, P., *Obsessive children: A sociopsychiatric study*, Nueva York, Brunner/Mazel, 1973.

Adams, H. E., J. A. Bernat y K. A. Luscher, «Borderline personality disorder: An overview», en P. B. Sutker y H. E. Adams (comps.), *Comprehensive handbook of psychopathology*, Nueva York, Kluwer Academic/Plenum Press, 2001, págs. 491-507.

Adler, A., *The practice and theory of individual psychology* (1929), Birmingham, AL, Classics of Psychiatry y Behavioral Sciences Library, 1991.

American Psychiatric Association, *Diagnostic and statistical manual of mental disorders*, 1ª ed., Washington, D. C., American Psychiatric Association, 1952.

—, *Diagnostic and statistical manual of mental disorders*, 2ª ed., Washington, D. C., American Psychiatric Association, 1968.

—, *Diagnostic and statistical manual of mental disorders*, 3ª ed., Washington, D. C., American Psychiatric Association, 1980 (trad. cast.: *DSM-III: manual diagnóstico y estadístico de los trastornos mentales*, Barcelona, Masson, 1984).

—, *Diagnostic and statistical manual of mental disorders*, 3ª ed. rev., Washington, D. C., American Psychiatric Association, 1987 (trad. cast.: *DSM-III-R: manual diagnóstico y estadístico de los trastornos mentales*, Barcelona, Masson, 1995).

—, «Passive-aggressive personality disorder», en *Treatments of psychiatric disorders: A task force report of the American Psychiatric Association*, Washington, D. C., American Psychiatric Association, 1989, págs. 2.783-2.789.

—, *Diagnostic and statistical manual of mental disorders*, 4ª ed., Washington, D. C., American Psychiatric Association, 1994 (trad. cast.: *DSM-IV: manual diagnóstico y estadístico de los trastornos mentales*, Barcelona, Masson, 1995).

—, *Diagnostic and statistical manual of mental disorders*, 4ª ed. rev., Washington, D. C., American Psychiatric Association, 2000.

American Psychiatric Association, *Ethical principles of psychologists and code of conduct*, Washington, D. C., American Psychiatric Association, 2002.

Anderson, R., *Neuropsychiatry in World War II*, vol. 1, Washington, D. C., Office of the Surgeon General, Department of the Army, 1966.

Angyal, A., *Neurosis and treatment: A holistic theory*, Nueva York, Viking Press, 1965.

Arntz, A., «Treatment of borderline personality disorder: A challenge for cognitive-behavioural therapy», en *Behaviour Research and Therapy*, nº 32, 1994, págs. 419-430.

—, «Do personality disorders exist?: On the validity of the concept and its cognitive-behavioural formulation and treatment», en *Behaviour Research and Therapy*, nº 37, 1999a, págs. S97-S134.

—, *Borderline personality disorder*, lectura invitada presentada en el 29th annual Congress of the European Association for Behavioural and Cognitive Therapies, Dresde, Alemania, 1999b.

Arntz, A., C. Appels y S. Sieswerda, «Hypervigilance in borderline personality disorder: A test with the emotional Stroop paradigm», en *Journal of Personality Disorders*, nº 14, 2000, págs. 366-373.

Arntz, A., R. Dietzel y L. Dressen, «Assumptions in borderline personality disorder: Specificity, stability, and relationship with etiological factors», en *Behaviour Research and Therapy*, nº 37, 1999, págs. 545-557.

Arntz, A., L. Dressen, E. Schouten y A. Weertman, «Beliefs in personality disorders: A test with the Personality Disorder Belief Questionnaire», en *Behavior Research and Therapy*, en prensa.

Arntz, A., J. Klokman y S. Sieswerda, «An experimental test of the Schema Mode Model of borderline personality disorder», en *Journal of Behavior Therapy and Experimental Psychiatry*, manuscrito aceptado pendiente de revision, 2003.

Arntz, A. y G. Veen, «Evaluations of others by borderline patients», en *Journal of Nervous and Mental Disease*, nº 189, 2001, págs. 513-521.

Arntz, A. y A. Weertman, «Treatment of childhood memories: Theory and practice», en *Behaviour Research and Therapy*, nº 37, 1999, págs. 715-740.

Baker, J. D., E. W. Capron y J. Azorlosa, «Family environment characteristics of persons with histrionic and dependent personality disorders», en *Journal of Personality Disorders*, nº 10, 1996, págs. 82-87.

Baker, L., K. R. Silk, D. Westen, J. T. Nigg y N. E. Lohr, «Malevolence, splitting, and parental ratings by borderlines», en *Journal of Nervous and Mental Disease*, nº 180, 1992, págs. 258-264.

Bandura, A., *Social learning theory*, Englewood Cliffs, NJ, Prentice-Hall, 1977.

Barber, J. P. y L. R. Muenz, «The role of avoidance and obsessiveness in matching patients to cognitive and interpersonal psychotherapy: Empirical findings from the Treatment for Depresión Collaborative Research Program», en *Journal of Consulting and Clinical Psychology*, vol. 64, nº 5, 1996, págs. 951-958.

Bartlett, F. C., *Remembering*, Nueva York, Columbia University Press, 1932 (trad. cast.: *Recordar: estudio de psicología experimental y social*, Madrid, Alianza, 1995).

—, *Thinking: An experimental and social study*, Nueva York, Basic Books, 1958.

Baumbacher, G. y F. Amini, «The hysterical personality disorder: A proposed clarification of a diagnostic dilemma», en *International Journal of Psychoanalytic Psychotherapy*, nº 8, 1980-1981, págs. 501-532.

Baumeister, R., «Violent pride», en *Scientific American*, vol. 284, nº 4, abril de 2001, págs. 96-101.

Baumeister, R., B. Bushman y W. K. Campbell, «Self-esteem, narcissism, and aggression: Does violence result from low self-esteem or from threatened egotism?», en *Current Directions in Psychological Science*, nº 9, 2000, págs. 26-29.

Baumeister, R., L. Smart y J. Boden, «Relation of threatened egotism to violence and aggression: The dark side of high self-esteem», en *Psychological Review*, nº 103, 1996, págs. 5-33.

Beck, A. T., «Thinking and depression: I. Idiosyncratic content and cognitive distortions», en *Archives of General Psychiatry*, nº 9, 1963, págs. 324-344.

—, «Thinking and depression: II. Theory and therapy», en *Archives of General Psychiatry*, nº 10, 1964, págs. 561-571.

—, «Depression Clinical, experimental and theoretical aspects», Nueva York, Harper & Row, 1967; reimpreso como *Depression: Causes and treatment*, Filadelfia, University of Pennsylvania, 1972.

—, *Cognitive therapy and the emotional disorders*, Nueva York, International Universities Press, 1976.

—, «Cognitive therapy of depression: New perspectives», en P. J. Clayton y J. E. Barrett (comps.), *Treatment of depression: Old controversies and new approaches*, Nueva York, Raven Press, 1983.

—, *Love is never enough*, Nueva York, Harper & Row, 1988 (trad. cast.: *Con el amor no basta*, Barcelona, Paidós, 1998).

—, *Cognitive therapy of borderline personality disorder and attempted suicide*, trabajo presentado en el 1st annual conference of the Treatment and Research Advancements Association for Personality Disorders, Bethesda, MD, diciembre de 2002.

Beck, A. T. y J. S. Beck, *The Personality Belief Questionnaire*, Bala Cynwyd, PA, Beck Institute for Cognitive Therapy and Research, 1991.

Beck, A. T., A. C. Butler, G. K. Brown, K. K. Dahlsgaard, C. F. Newman y J. S. Beck, «Dysfunctional beliefs discriminate personality disorders», en *Behaviour Research and Therapy*, vol. 39, nº 10, 2001, págs. 1.213-1.225.

Beck, A. T. y G. Emery, con R. L. Greenberg, *Anxiety disorders and phobias: A cognitive perspective*, Nueva York, Basic Books, 1985.

Beck, A. T., A. Freeman y otros, *Cognitive therapy of personality disorders*, Nueva York, Guilford Press, 1990 (trad. cast.: *Terapia cognitiva de los trastornos de la personalidad*, Barcelona, Paidós, 1995).

Beck, A. T., A. J. Rush, B. F. Shaw y G. Emery, *Cognitive therapy of depression*, Nueva York, Guilford Press, 1979 (trad. cast.: *Terapia cognitiva de la depresión*, Bilbao, Desclée de Brouwer, 1998).

Beck, J. S., *Cognitive therapy: Basics and beyond*, Nueva York, Guilford Press, 1995 (trad. cast.: *Terapia cognitiva: conceptos básicos y profundización*, Barcelona, Gedisa, 2000).

Bentall, R. P. y S. Kaney, «Content-specific information processing and persecutory delusions: An investigation using the emotional Stroop test», en *British Journal of Medical Psychology*, nº 62, 1989, págs. 355-364.

Bentall, R. P., P. Kinderman y S. Kaney, «The self, atributional processes and abnormal beliefs: Towards a model of persecutory delusions», en *Behaviour Research and Therapy*, nº 32, 1994, págs. 331-341.

Berk, M. S., E. M. Forman, G. R. Henriques, G. K. Brown y A. T. Beck, *Characteristics of suicide attempters with borderline personality disorder*, trabajo presentado en la conferencia anual de la American Psychological Association, Chicago, agosto de 2002.

Bernstein, D. A. y T. D. Borkovec, *Progressive relaxation training: A manual for the helping professionals*, Champaign, IL, Research Press, 1976.

Bijttebier, P. y H. Vertommen, «Doping strategies in relation to personality disorders», en *Personality and Individual Differences*, nº 26, 1999, págs. 847-856.

Bird, J., «The behavioural treatment of hysteria», en *British Journal of Psychiatry*, nº 134, 1979, págs. 129-137.

Birtchnell, J., «Dependence and its relationship to depression», en *British Journal of Medical Psychology*, nº 57, 1984, págs. 215-225.

Black, D. W., P. Monahan, R. Wesner, J. Gabel y W. Bowers, «The effect of fluvoxamine, cognitive therapy, and placebo on abnormal personality traits in 44 patients with panic disorder», en *Journal of Personality Disorders*, vol. 10, nº 2, 1996, págs. 185-194.

Blackburn, R. y J. M. Lee-Evans, «Reactions of primary and secondary psychopaths to anger-evoking situations», en *British Journal of Clinical Psychology*, nº 24, 1985, págs. 93-100.

Blashfield, R. K. y M. J. Breen, «Face validity of the DSM-III-R personality disorders», en *American Journal of Psychiatry*, nº 146, 1989, págs. 1.575-1.579.

Bohus, M., M. Limberger, U. Ebner, F. X. Glocker, B. Schwarz, M. Wernz y K. Lieb, «Pain perception during self-reported distress and calmness in patients with borderline personality disorder and self-mutilating behaviour», en *Psychiatric Research*, nº 95, 2000, pág. 251-260.

Bornstein, R. F., «Sex differences in dependent personality disorder prevalence rates», en *Clinical Psychology: Science and Practice*, nº 3, 1996, págs. 1-12.

Bornstein, R. F., «Histrionic personality disorder, physical attractiveness, and social adjustment», en *Journal of Psychopathology and Behavioral Assessment*, nº 21, 1999, págs. 79-94.

Bourne, E. J., *The anxiety and phobia workbook*, 2ª ed., Oakland, CA, New Harbinger, 1995.

Bowlby, J., *Attachment and loss*, vol. 1, *Attachment*, Nueva York, Basic Books, 1969 (trad. cast.: *El vínculo afectivo*, Barcelona, Paidós, 1997).

—, «The making and breaking of affectional bonds», en *British Journal of Psychiatry*, nº 130, 1977, págs. 201-210.

Breier, A. y J. S. Strauss, «Self control in psychotic disorders», en *Archives of General Psychiatry*, nº 130, 1983, págs. 201-210.

Breuer, J. y S. Freud, «Studies of hysteria» (1893-1895), en J. Strachey (comp.), *The standard edition of the complete psychological works of Sigmund Freud*, Londres, Hogarth Press, vol. 2, 1955, págs. 1-311.

Brown, E. J., R. G. Heimberg y H. R. Juster, «Social phobia subtype and avoidant personality disorder: Effect on severity of social phobia, impairment, and outcome of cognitive-behavioral treatment», en *Behavior Therapy*, nº 26, 1995, págs. 467-486.

Brown, G. K., C. F. Newman, S. Charlesworth y P. Crits-Cristoph, «An open clinical trial of cognitive therapy for borderline personality disorder», en *Journal of Personality Disorders*, en prensa.

Bushman, B. y R. Baumeister, «Threatened egotism, narcissism, self-esteem, and direct and desplaced agresión: Does self-love or self-hate lead to violence?», en *Journal of Personality and Social Psychology*, nº 75, 1998, págs. 219-229.

Buss, A. H., «Personality: Primitive heritage and human distinctiveness», en J. Aronoff, A. I. Robin y R. A. Zucker (comps.), *The emergence of personality*, Nueva York, Springer, 1987, págs. 13-48.

Butler, A. C. y A. T. Beck, *Parallel forms of the Personality Belief Questionnaire*, manuscrito en preparación, 2002.

Butler, A. C., G. K. Brown, A. T. Beck y J. R. Grisham, «Assessment of dysfunctional beliefs in borderline personality disorder», en *Behaviour Research and Therapy*, vol. 40, nº 1, 2002, págs. 1.231-1.240.

Cadenhead, K. S., W. Perry, K. Shafer y D. L. Braff, «Cognitive functions in schizotypal personality disorder», en *Schizophrenia Research*, nº 37, 1999, págs. 123-132.

Cale, E. M. y S. O. Lilienfeld, «Histrionic Personality Disorder and Antisocial Personality Disorder: Sex-differentiated manifestations of psychopathy?», en *Journal of Personality Disorders*, nº 16, 2002, 57-72.

Cameron, N., *Personality development and psychopathology: A dynamic approach*, Boston, Houghton-Mifflin, 1963.

—, «Paranoid conditions and paranoia», en S. Arieti y E. Brody (comps.), *American handbook of psychiatry*, Nueva York, Basic Books, 1974, vol. 3, págs. 676-693.

Campbell, R. J., *Psychiatric dictionary*, 5ª ed., Nueva York, Oxford University Press, 1981.

Chadwick, P. y C. F. Lowe, «The measurement and modification of delusional beliefs», en *Journal of Consulting and Clinical Psychology*, nº 58, 1990, págs. 225-232.

Chambless, D. L. y D. A. Hope, «Cognitive approaches to the psychopathology and treatment of social phobia», en P. M. Salkovskis (comp.), *Frontiers of cognitive therapy*, Nueva York, Guilford Press, 1996, págs. 345-382.

Chambless, D. L., B. Renneberg, A. Goldstein y E. J. Gracely, «MCMI-diagnosed personality disorders among agoraphobic outpatients: Prevalence and relationship to severity and treatment outcome», en *Journal of Anxiety Disorders*, vol. 6, nº 3, 1992, págs. 193-211.

Chatham, P. M., *Treatment of the borderline personality*, Nueva York, Jason Aronson, 1985.

Clark, D. A. y A. T. Beck, con B. A. Alford, *Scientific foundations of cognitive theory and therapy of depression*, Nueva York, Wiley, 1999.

Clark, D. M., «Anxiety disorders: Why they persist and how to treat them», en *Behaviour Research and Therapy*, nº 37 (supl.), 1999, págs. 5-27.

Clark, L. A., *Manual for the Schedule for Nonadaptive and Adaptive Personality*, Mineápolis, University of Minnesota Press, 1993.

—, «Dimensional approaches to personality disorder assessment and diagnosis», en C. R. Cloninger (comp.), *Personality and psychopathology*, Washington, D. C., American Psychiatric Press, 1999, págs. 219-244.

Clarkin, J. F., H. Koenigsberg, F. Yeomans, M. Selzer, P. Kernberg y O. F. Kernberg, «Psychodynamische psychotherapie bij de borderline patient», en J. J. L. Derksen y H. Groen (comps.), *Handbook voor de behandeling van borderline patiënten*, Utrecht, De Tijdstroom, 1994, págs. 69-82.

Cleckley, H., *The mask of sanity*, 5ª ed., St. Louis, Mosby, 1976.

Clifford, C. A., R. M. Murray y D. W. Fulker, «Genetic and environmental influences on obsessional traits and symptoms», en *Psychological Medicine*, vol. 14, nº 4, 1984, págs. 791-800.

Colby, K. M., «Modeling a paranoid mind», en *Behavioral and Brain Sciences*, nº 4, 1981, págs. 515-560.

Colby, K. M., W. S. Faught y R. C. Parkinson, «Cognitive therapy of paranoid conditions: Heuristic suggestions based on a computer simulation model», en *Cognitive Therapy and Research*, nº 3, 1979, págs. 55-60.

Colvin, C. R., J. Block y D. C. Funder, «Overly positive self-evaluations and personality: Negative implications for mental health», en *Journal of Personality and Social Psychology*, nº 68, 1995, págs. 1.152-1.162.

Coolidge, F. L., L. L. Thede y K. L. Jang, «Heritability of personality disorders in childhood: A preliminary investigation», en *Journal of Personality Disorders*, nº 15, 2001, págs. 33-40.

Costa, P. T. y R. R. McCrae, «The five-factor model of personality and its relevant to personality disorders», en *Journal of Personality Disorders*, nº 6, 1992, págs. 343-359.

Cowdry, R. W. y D. Gardner, «Pharmacotherapy of borderline personality disorder: alprazolam, carmabazepine, trifluoperazine and tranylcypromine», en *Archives of General Psychiatry*, n1 45, 1988, págs. 111-119.

Cowdry, R. W., D. Gardner, K. O'Leary, E. Leibenluft y D. Rubinow, «Mood variability: A study of four groups», en *American Journal of Psychiatry*, nº 148, 1991, págs. 1.505-1.511.

Dattilio, F. M. y C. A. Padesky, *Cognitive therapy with couples*, Sarasota, FL, Professional Resource Exchange, 1990 (trad. cast.: *Terapia cognitiva por parejas*, Bilbao, Desclée de Brouwer, 1995).

Davidson, K. M. y P. Tyrer, «Cognitive therapy for antisocial and borderline personality disorders: Single case study series», en *British Journal of Clinical Psychology*, nº 35, 1996, págs. 413-429.

Davis, D. y S. Hollon, «Reframing resistance and non-compliance in cognitive therapy», en *Journal of Psychotherapy Integration*, vol. 9, nº 1, 1999, págs. 33-55.

Delphin, M. E., «Gender and ethnic bias in the diagnosis of antisocial and borderline personality disorders», en *Dissertation Abstracts International, Humanities and Social Sciences*, nº 63, agosto de 2002, pág. 767A.

Diaferia, G., G. Sciuto, G. Perna, L. Bernardeschi, M. Battaglia, S. Rusmini y L. Bellodi, «DSM-III-R personality disorders in panic disorder», en *Journal of Anxiety Disorders*, nº 7, 1993, págs. 153-161.

DiGiuseppe, R., «The implication of the philosophy of science for rational-emotive theory and therapy», en *Psychotherapy*, vol. 23, nº 4, 1986, págs. 634-639.

—, «Cognitive therapy with children», en A. Freeman, K. M. Simon, L. Beutler y H. Arkowitz (comps.), *Comprehensive handbook of cognitive therapy*, Nueva York, Plenum Press, 1989, págs. 515-533.

—, *Redirecting anger toward self change*, World Rounds Video, Nueva York, AABT, 2001.

Dimeff, L. A., J. McDavid y M. M. Linehan, «Pharmacotherapy for borderline personality disorder: A review of the literature and recommendations for treatment», en *Journal of Clinical Psychology in Medical Settings*, nº 6, 1999, págs. 113-138.

Dlugos, R. F. y M. L. Friedlander, «Passionately committed psychotherapists: A qualitative study of their experience», en *Professional Psychology: Research and Practice*, vol. 32, nº 3, 2001, págs. 298-304.

Dobson, K. S. y D. Pusch, «Towards a definition of the conceptual and empirical boundaries of cognitive therapy», en *Australian Psychologist*, nº 28, 1993, págs. 137-144.

Dowd, E. T., *Cognitive hypnotherapy*, Northvale, NJ, Jason Aronson, 2000.

Dowrick, P. W. (comp.), *Practical guide to using video in the behavioural sciences*, Nueva York, Wiley, 1991.

Dreessen, L. y A. Arntz, «The impact of personality disorders on treatment outcome of anxiety disorders: Best-evidence synthesis», en *Behaviour Research and Therapy*, nº 36, 1998, págs. 483-504.

Dreessen, L., A. Arntz, C. Luttels y S. Sallaerts, «Personality disorders do not influence the results of cognitive behaviour therapies for anxiety disorders», en *Comprehensive Psychiatry*, nº 35, 1994, págs. 265-274.

Dumas, P., M. Souad, S. Bouafia, C. Gutknecht, R. Ecochard, J. Dalery, T. Rochet y T. D'Amato, «Cannabis use correlates with schizotypal personality traits in healthy students», en *Psychiatry Research*, nº 109, 2002, págs. 27-35.

Dutton, D. G. y S. D. Hart, «Risk markers for family violence in a federally incarcerated population», en *International Journal of Law and Psychiatry*, nº 15, 1992, págs. 101-112.

D'Zurilla, T. J. y M. R. Goldfried, «Problem solving and behavior modification», en *Journal of Abnormal Psychology*, nº 78, 1971, págs. 107-126.

Easser, B. R. y S. R. Lesser, «Hysterical personality: A reevaluation», en *Psychoanalytic Quarterly*, nº 34, 1965, págs. 390-415.

Eisely, L., *Darwin's century*, Garden City, NY, Doubleday/Anchor, 1961.

Ellis, A., *Reason and emotion in psychotherapy*, Nueva York, Lyle Stuart, 1962 (trad. cast.: *Razón y emoción en psicoterapia*, Bilbao, Desclée de Brouwer, 1998).

—, *Overcoming resistance: Rational-emotive therapy with difficult clients*, Nueva York, Springer, 1985.

Ellis, H., «Auto-eroticism: A psychological study», en *Alienist and Neurologist*, nº 19, 1898, págs. 260-299.

Erikson, E., *Childhood and society*, Nueva York, Norton, 1950.

Esman, A. H., «Dependent and passive-aggressive personality disorders», en A. M. Cooper, A. J. Frances y M. H. Sacks (comps.), en *The personality disorders and neuroses*, Nueva York, Basic Books, 1986, págs. 283-289.

Fagan, T. J. y F. T. Lira, «The primary and secondary sociopathic personality: Differences in frequency and severity of antisocial behavior», en *Journal of Abnormal Psychology*, vol. 89, nº 3, 1980, págs. 493-496.

Fahy, T. A., I. Eisler y G. F. Russell, «Personality disorder and treatment response in bulimia nervosa», en *British Journal of Psychiatry*, nº 162, 1993, págs. 765-770.

Farrell, J. M. y I. A. Shaw, «Emotion awareness training: A prerequisite to effective cognitive-behavioral treatment of borderline personality disorder», en *Cognitive and Behavioral Practice*, nº 1, 1994, págs. 71-91.

Felske, U., K. J. Perry, D. L. Chambless, B. Renneberg y A. J. Goldstein, «Avoidant personality disorder as a predictor for treatment outcome among generalized social phobics», en *Journal of Personality Disorders*, nº 10, 1996, págs. 174-184.

Fenichel, O., *The psychoanalytic theory of neuroses*, Nueva York, Norton, 1945 (trad. cast.: *Teoría psicoanalítica de las neurosis*, Barcelona, Paidós, 1984).

First, M. B., R. L. Spitzer, M. Gibbon y J. B. W. Williams, «The Structured Clinical Interview for DSM-III-R Personality Disorders (SCID-II): Part I. Description», en *Journal of Personality Disorders*, nº 9, 1995, págs. 83-91.

Fleming, B. y J. Pretzer, «Cognitive-behavioral approaches to personality disorders», en M. Hersen, R. M. Eisler y P. M. Miller (comps.), *Progress in behaviour modification*, vol. 25, Newbury Park, CA, Sage, 1990, págs. 119-151.

Fonagy, P., T. Leigh, M. Steele, H. Steele, R. Kennedy, G. Mattoon y otros, «The relation of attachment status, psychiatric classification, and response to psychotherapy», en *Journal of Consulting and Clinical Psychology*, nº 64, 1996, págs. 22-31.

Fossati, A., F. Madeddu y C. Maffei, «Borderline personality disorder and childhood sexual abuse: A meta-analytic study», en *Journal of Personality Disorders*, nº 13, 1999, págs. 268-280.

Fossati, A., C. Maffei, M. Bagnato, D. Donati, M. Donini, M. Fiorelli y L. Norella, «A psychometric study of DSM-IV passive-aggressive (negativistic) personality disorder criteria», en *Journal of Personality Disorders*, vol. 14, nº 1, 2000, págs. 72-83.

Frances, A., «The DSM-III personality disorders section: A commentary», en *American Journal of Psychiatry*, vol. 137, nº 9, 2000, págs. 1.050-1.054.

—, «Dependency and attachment», en *Journal of Personality Disorders*, nº 2, 1988, pág. 125.

Freeman, A., «Understanding personal, cultural, and religious schema in psychotherapy», en A. Freeman, N. Epstein y K. Simon (comps.), *Depression in the family*, Nueva York, Haworth Press, 1987, págs. 79-99.

—, «Cognitive therapy of personality disorders», en C. Perris y M. Eismann (comps.), *Cognitive psychotherapy: An update*, Umea, DOPW Press, 1988, págs. 49-52.

—, *Clinical applications of cognitive therapy*, Nueva York, Plenum Press, 1990.

—, «Cognitive-behavioral therapy for severe personality disorders», en S. G. Hofmann y M. C. Thompson (comps.), *Treating chronic and severe mental disorders*, Nueva York, Guilford Press, 2002, págs. 382-402.

Freeman, A. y F. M. Datillio (comps.), *Comprehensive casebook of clinical psychology*, Nueva York, Plenum Press, 1992.

Freeman, A. y M. Dolan, «Revisiting Prochaska and DiClemente's stages of change theory: An expansion and specification to aid in treatment planning and outcome evaluation», en *Cognitive and Behavioral Practice*, vol. 8, nº 3, 2001, págs. 224-234.

Freeman, A. y R. Leaf, «Cognitive therapy applied to personality disorders», en A. Freeman, K. Simon, L. Beutler y H. Arkowitz (comps.), *Comprehensive handbook of cognitive therapy*, Nueva York, Plenum Press, 1989, págs. 403-433.

Freeman, A., J. Pretzer, B. Fleming y K. M. Simon, *Clinical applications of cognitive therapy*, Nueva York, Plenum Press, 1990.

Freeston, M. H., J. Rheaume y R. Ladoucer, «Correcting faulty appraisals of obsessional thoughts», en *Behaviour Research and Therapy*, nº 34, 1996, págs. 433-446.

Freud, S., «Three essays on the theory of sexuality» (1905), en J. Strachey (comp.), *The standard edition of the complete psychological works of Sigmund Freud*, vol. 7, Londres, Hogarth Press, 1953, págs. 255-268 (trad. cast.: «Tres ensayos para una teoría sexual», en *Obras completas*, Madrid, Biblioteca Nueva, 1997).

—, «Notes upon a case of obsessional neurosis» (1909), en J. Strachey (comp.), *The standard edition of the complete psychological works of Sigmund Freud*, vol. 10, Londres, Hogarth Press, 1955, págs. 151-320 (trad. cast.: «Análisis de un caso de neurosis obsesiva», en *Obras completas*, Madrid, Biblioteca Nueva, 1997).

—, «On narcissism: An introduction» (1914), en J. Strachey (comp.), *The standard edition of the complete psychological works of Sigmund Freud*, vol. 14, Londres, Hogarth Press, 1955, págs. 67-102 (trad. cast.: «Introducción al narcisismo», en *Obras completas*, Madrid, Biblioteca Nueva, 1997).

—, «Character and anal eroticism» (1908), en P. Gay (comp.), *The Freud Reader*, Nueva York, Norton, 1989, págs. 293-297 (trad. cast.: «El carácter y el erotismo anal», en *Obras completas*, Madrid, Biblioteca Nueva, 1997).

Gardner, D. L. y R. W. Cowdry, «Alprazolam-induced descontrol in borderline personality disorder», en *American Journal of Psychiatry*, nº 142, 1985, págs. 98-100.

Gasperini, M., M. Provenza, P. Ronchi, P. Scherillo, L. Bellodi y E. Smeraldi, «Cognitive processes and personality disorders in affective patients», en *Journal of Personality Disorders*, nº 3, 1989, págs. 63-71.

Giesen-Bloo, J. y A. Arntz, «World assumptions and the role of trauma in borderline personality disorder», en *Journal of Behavior Therapy and Experimental Psychiatry*, manuscrito aceptado pendiente de revision, 2003.

Giesen-Bloo, J., A. Arntz, R. van Dyck, P. Spinhoven y W. van Tilburg, *Outpatient treatment of borderline personality disorder: Analytical psychotherapy versus cognitive behavior therapy*, trabajo presentado en el World Congress of Behavioral and Cognitive Therapies, Vancouver, julio de 2001.

—, *Outpatient treatment of borderline personality disorder: Schema focused therapy vs. transference focused psychotherapy, preliminary results of an ongoing multicenter trial*, trabajo presentado en el symposium «Transference Focused Psychotherapy for Borderline Personality», Nueva York, noviembre de 2002.

Gilbert, P., *Human nature and suffering*, Hillsdale, NJ, Erlbaum, 1989.

Gilligan, C., *In a different voice*, Cambridge, MA, Harvard University Press, 1982.

Gilson, M. L., «Depression as measured by perceptual bias in binocular rivalry», en *Dissertation Abstracts International*, vol. 44, nº 8B, pág. 2.555, University Microfilms, nº AAD83-27.351, 1983.

Goldstein, A. P., J. Martens, J. Hubben, H. A. Van Belle, W. Schaaf, H. Wirsma y A. Goedhart, «The use of modeling to increase independent behavior», en *Behaviour Research and Therapy*, nº 11, 1973, págs. 31-42.

Goldstein, W., *An introduction to the borderline conditions*, Northvale, NJ, Jason Aronson, 1985.

Gradman, T. J., L. W. Thompson y D. Gallagher-Thompson, «Personality disorders and treatment outcome», en E. Rosowsky, R. C. Abrams y R. A. Zweig (comps.), *Personality disorders in older adults: Emerging issues in diagnosis and treatment*, Mahwah, NJ, Erlbaum, 1999, págs. 69-94.

Greenberg, D. y A. Stravynski, «Patients who complain of social dysfunction: I. Clinical and demographic features», en *Canadian Journal of Psychiatry*, nº 30, 1985, págs. 206-211.

Greenberg, R. P. y R. F. Bornstein, «The dependent personality: I. Risk for physical disorders», en *Journal of Personality Disorders*, nº 2, 1988, págs. 126-135.

Greenberg, R. P. y P. J. Dattore, «The relationship between dependency and the development of cancer», en *Psychosomatic Medicine*, nº 43, 1981, págs. 35-43.

Greenberger, D. y C. A. Padesky, *Mind over mood: Change how you feel by changing the way you think*, Nueva York, Guilford Press, 1995.

Gresham, F. M., D. L. MacMillan, K. M. Bocian, S. L. Ward y S. R. Forness, «Comorbidity of hyperactivity-impulsivity-inattention and conduct problems: Risk factors in social, affective, and academic domains», en *Journal of Abnormal Child Psychology*, nº 26, 1998, págs. 393-406.

Guidano, V. F. y G. Liotti, *Cognitive processes and emotional disorders*, Nueva York, Guilford Press, 1983.

Gunderson, J. G., «The borderline patient's intolerance of aloneness: Insecure attachments and therapist availability», en *American Journal of Psychiatry*, nº 153, 1996, págs. 752-758.

Gunderson, J. G., A. F. Frank, E. F. Ronningstam, S. Wachter, V. J. Lynch y P. J. Wolf, «Early discontinuance of borderline patients from psychotherapy», en *Journal of Nervous and Mental Disease*, nº 177, 1989, págs. 38-42.

Gunderson, J. G. y M. Singer, «Defining borderline patients: An overview», en *American Journal of Psychiatry*, nº 132, 1975, págs. 1-9.

Gunderson, J. G. J. Triebwasser, K. A. Phillips y C. N. Sullivan, «Personality and vulnerability to affective disorders», en C. Robert Cloninger (comp.), *Personality and psychopathology*, Washington, D. C., American Psychiatric Press, 1999, págs. 3-32.

Habel, U., E. Kuehn, J. B. Salloum, H. Devos y F. Schneider, «Emocional processing in the psychopathic personality». en *Aggressive Behavior*, vol. 28, nº 5, 2002, págs. 394-400.

Hardy, G. E., M. Barkham, D. A. Shapiro, W. B. Stiles, A. Rees y S. Reynolds, «Impact of Cluster C personality disorders on outcomes of contrasting brief psychotherapies for depression», en *Journal of Consulting and Clinical Psychology*, vol. 63, nº 6, 1995, págs. 997-1.004.

Hare, R., «A checklist for the assessment of psychopathy», en M. H. Ben-Aron, S. J. Hucker y C. Webster (comps.), *Clinical criminology*, Toronto, M and M Graphics, 1985, págs. 157-167.

—, «Twenty years of experience with the Cleckley psychopath», en W. Reid, D. Dorr, J. Walker y J. Bonner (comps.), en *Unmasking the psychopath*, Nueva York, Norton, 1986, págs. 3-27.

Hawton, K. y J. Kira, «Problem-solving», en K. Hawton, P. Salkovskis, J. Kirk y D. Clark (comps.), *Cognitive behavior therapy for psychiatric problems*, Oxford, UK, Oxford University Press, 1989, págs. 406-449.

Head, S. B., J. D. Baker y D. A. Williamson, *Journal of Personality Disorders*, nº 5, 1991, págs. 256-263.

Heimberg, R. G., «Social phobia, avoidant personality disorder and the multiaxial conceptualization of interpersonal anxiety», en P. M. Salkovskis (comp.), *Trends in cognitive and behavioural therapies*, Londres, Wiley, 1996, págs. 43-61.

Herbert, J. D., D. A. Hope y A. S. Bellack, «Validity of the distinction between generalized social phobia and avoidant personality disorder», en *Journal of Abnormal Psychology*, nº 101, 1992, págs. 332-339.

Herman, J. L., J. C. Perry y B. A. van der Kolk, «Childhood trauma in borderline personality disorder», en *American Journal of Psychiatry*, nº 146, 1989, págs. 490-495.

Herman, J. L. y B. A. van der Kolk, «Traumatic origins of borderline personality disorder», en B. A. van der Kolk (comp.), *Psychological trauma*, Washington, D. C., American Psychiatric Press, 1987.

Herpertz, S. C., T. M. Dietrich, B. Wenning, T. Krings, S. G. Erberich, K. Willmes y otros, «Evidence of abnormal amygdala functioning in borderline personality disorder: A functional MRI study», en *Biological Psychiatry*, nº 50, 2001, págs. 292-298.

Herpertz, S. C., U. B. Schwenger, H. J. Kunert, G. Lukas, U. Gretzer, J. Nutzmann y otros, «Emotional responses in patients with borderline as compared with avoidant personality disorder», en *Journal of Personality Disorders*, nº 14, 2000, págs. 328-337.

Herpertz, S. C., U. Perth, G. Lukas, M. Qunaibi, A. Schuerkens, H. J. Kunert y otros, «Emotion in criminal offenders with psychopathy and borderline personality disorder», en *Archives of General Psychiatry*, nº 58, 2001, págs. 737-745.

Heumann, K. A. y L. C. Morey, «Reliability of categorical and dimensional judgements of personality disorder», en *American Journal of Psychiatry*, nº 147, 1990, págs. 498-500.

Hill, A. B., «Methodological problems in the use of factor analysis: A critical review of the experimental evidence for the anal character», en *British Journal of Medical Psychology*, nº 49, 1976, págs. 145-159.

Hill, D. C., «Outpatient management of passive-dependent women», en *Hospital and Community Psychiatry*, nº 21, 1970, págs. 38-41.

Hinkle, L. E., «Ecological observations on the relation of physical illness, mental illness and the social environment», en *Psychosomatic Medicine*, nº 23, 1961, págs. 289-296.

Hogan, R., «Personality psychology: Back to basics», en J. Aronoff, A. I. Robin y R. A. Zucker (comps.), *The emergence of personality*, Nueva York, Springer, 1987, págs. 141-188.

Hollandsworth, J. y M. Cooley, «Provoking anger and gaining compliance with assertive versus aggressive responses», en *Behavior Therapy*, nº 9, 1978, págs. 640-646.

Hollon, S. D., P. C. Kendall y A. Lumry, «Specificity of depressogenic cognitions in clinical depression», en *Journal of Abnormal Psychology*, vol. 95, nº 1, 1986, págs. 52-59.

Horney, K., *Our inner conflicts*, Nueva York, Norton, 1945.

—, *Neurosis and human growth*, Nueva York, Norton, 1950.

Horowitz, M. (comp.), *Hysterical personality*, Nueva York, Jason Aronson, 1977.

Hyler, S. E. y R. O. Rieder, *PDQ-R: Personality Diagnostic Questionnaire-Revised*, Nueva York, New York State Psychiatric Institute, 1987.

Ingram, R. E. y S. D. Hollon, «Cognitive therapy for depression from an information processing perspective», en R. E. Ingram (comp.), *Information processing approaches to clinical psychology*, Nueva York, Academic Press, 1986, págs. 261-284.

Janssen, S. A. y A. Arntz, «Real-life stress and opioid-mediated analgesia in novice parachute jumpers», en *Journal of Psychophysiology*, nº 15, 2001, págs. 106-113.

Johnson, J. J., P. Cohen, E. M. Smailes, A. E. Skodol, J. Brown y J. M. Oldham, «Childhood verbal abuse and risk for personality disorders during adolescence and early adulthood», en *Comprehensive Psychiatry*, nº 42, 2001, págs. 16-23.

Johnson, J. J., E. M. Smailes, P. Cohen, J. Brown y D. P. Bernstein, «Associations between four types of childhood neglect and personality disorder symptoms during adolescence and early adulthood: Findings of a community-based longitudinal study», en *Journal of Personality Disorders*, nº 14, 2000, págs. 171-187.

Johnson, S., *Humanizing the narcissistic style*, Nueva York, Norton, 1987.

Jones, E., «Anal erotic character traits» (1918), en *Papers on psychoanalysis*, Boston, Beacon Press, 1961.

Juni, S. y S. R. Semen, «Person perception as a function or orality and anality», en *Journal of Social Psychology*, nº 118, 1982, págs. 99-103.

Kagan, J., «Temperamental contributions to social behaviour», en *American Psychologist*, vol. 44. nº 4, 1989, págs. 668-674.

Kass, D. J., F. M. Silvers y G. M. Abrams, «Behavioral group treatment of hysterica», en *Archives of General Psychiatry*, nº 26, 1972, págs. 42-50.

Kegan, R., «The child behind the mask: Sociopathy as a developmental delay», en W. Reid, D. Dorr, J. Walker y J. Bonner (comps.), *Unmasking the psychopath*, Nueva York, Norton, 1986, págs. 45-77.

Kelly, G., *The psychology of personal constructs*, Nueva York, Norton, 1955 (trad. cast.: *Psicología de los constructos personales*, Barcelona, Paidós, 2001).

Kemperman, I., M. J. Russ, W. C. Clark, T. Kakuma, E. Zanine y K. Harrison, «Pain assessment in self-injurious patients with borderline personality disorder using signal detection theory», en *Psychiatry Research*, nº 70, 1997, págs. 175-183.

Kendler, K. S. y A. M. Gruenberg, «Genetic relationship between Paranoid Personality Disorder and the "schizophrenic spectrum" disorders», en *American Journal of Psychiatry*, nº 139, 1982, págs. 1.185-1.186.

Kernberg, O. F., *Borderline conditions and pathological narcissism*, Nueva York, Jason Aronson, 1975 (trad. cast.: *Desórdenes fronterizos y narcisismo patológico*, Barcelona, Paidós, 2001).

—, *Object relations theory and clinical psycho-analysis*, Nueva York, Jason Aronson, 1976.

—, *Severe personality disorders: Psychotherapeutic strategies*, New Haven, Yale University Press, 1984.

—, «A psychoanalytic theory of personality disorders», en J. F. Clarkin y M. F. Lenzeweger (comps.), *Major theories of personality disorder*, Nueva York, Guilford Press, 1996, págs. 106-137.

Kernberg. O. F., M. A. Selzer, H. W. Koenigsberg, A. C. Carr y A. H. Appelbaum, *Psychodynamic psychotherapy of borderline patients*, Nueva York, Basic Books, 1989.

Kernis, M. H., B. D. Grannemann y L. C. Barclay, «Stability and level of self-esteem as predictors of anger arousal and hostility», en *Journal of Personality and Social Psychology*, nº 56, 1989, págs. 1.013-1.022.

Kimmerling, R., A. Zeiss y R. Zeiss, «Therapist emotional responses to patients: Building a learning-based language», en *Cognitive and Behavioral Practice*, nº 7, 2000, págs. 312-321.

Kingdon, D. G. y D. Turkington, *Cognitive-behavioral therapy of schizophrenia*, Nueva York, Guilford Press, 1994.

Klein, M. H., L. S. Benjamin, R. Rosenfeld, C. Treece, J. Husted y J. H. Greist, «The Wisconsin Personality Disorders Inventory: Development, reliability, and validity», en *Journal of Personality Disorders*, nº 7, 1993, págs. 285-303.

Klonsky, E. D., T. F. Oltmanns, E. Turkheimer y E. R. Fiedler, «Recollections of conflict with parents and family support in the personality disorders», en *Journal of Personality Disorders*, nº 14, 2000, págs. 327-338.

Kochen, M., «On the generality of PARRY, Colby's paranoia model», en *The Behavioral and Brain Sciences*, nº 4, 1981, págs. 540-541.

Koenigsberg, H., R. Kaplan, M. Gilmore y A. Cooper, «The relationship between syndrome and personality disorder in DSM-III: Experience with 2,462 patients», en *American Journal of Psychiatry*, nº 142, 1985, págs. 207-212.

Kohlberg, L., *The psychology of moral development*, Nueva York, Harper Row, 1984 (trad. cast.: *Psicología del desarrollo moral*, Bilbao, Desclée de Brouwer, 1992).

Kohut, H., *The analysis of the self*, Nueva York, International Universities Press, 1971.

Kolb, L. C., *Noyes' clinical psychiatry*, 7ª ed., Filadelfia, Saunders, 1968.

Koocher, G. y P. Keith-Spiegel, *Ethics in psychology: Professional standards and cases*, 2ª ed., Nueva York, Oxford University Press, 1998.

Koons, C. R., C. J. Robbins, J. L. Tweed, T. R. Lynch, A. M. González, J. Q. Morse y otros, «Efficacy of dialectical behavior therapy in women with borderline personality disorder», en *Behavior Therapy*, nº 32, 2001, págs. 371-390.

Kraeplin, E., *Psychiatrie: Ein Lehrbuch*, 8ª ed., vol. 3, Leipzig, Barth, 1913.

Kretschmer, E., *Physique and character*, Londres, Routledge Kegan Paul, 1936.

Kuyken, W., N. Kurzer, R. J. DeRubeis, A. T. Beck y G. K. Brown, «Response to cognitive therapy in depression: The role of maladaptive beliefs and personality disorders», en *Journal of Consulting and Clinical Psychology*, vol. 69, nº 3, 2001, págs. 560-566.

Layden, M. A., C. F. Newman, A. Freeman y S. B. Morse, *Cognitive therapy of borderline personality disorder*, Boston, Allyn & Bacon, 1993.

Lazare, A. G. L. Klerman y D. Armor, «Oral obsessive and hysterical personality patterns», en *Archives of General Psychiatry*, nº 14, 1966, págs. 624-630.

—, «Oral obsessive and hysterical personality patterns: Replication of factor analysis in an independent sample», en *Journal of Psychiatric Research*, nº 7, 1970, págs. 275-290.

Lee, C. W., G. Taylor y J. Dunn, «Factor structure of the Schema Questionnaire in a large clinical sample», en *Cognitive Therapy and Research*, nº 23, 1999, págs. 441-451.

Levy, D., *Maternal overprotection*, Nueva York, Norton, 1966.

Liberman, R., W. De Risis y K. Mueser, *Social skills training for psychiatric patients*, Nueva York, Pergamon Press, 1989.

Like, R. y S. J. Zyzanski, «Patient satisfaction with the clinical encounter: Social psychological determinants», en *Social Science in Medicine*, vol. 24, nº 4, 1987, págs. 351-357.

Lilienfeld, S. O., C. Van Valkenburg, K. Larntz y H. S. Akiskal, «The relationship of histrionic personality disorder to antisocial personality and somatization disorders», en *American Journal of Psychiatry*, nº 143, 1986, págs. 718-722.

Linehan, M. M., «Dialectical behavior therapy in groups: Treating borderline personality disorders and suicidal behavior», en C. M. Brody (comp.), *Women in groups*, Nueva York, Springer, 1987a.

—, «Dialectical behavior therapy: A cognitive behavioural approach to parasuicide», en *Journal of Personality Disorders*, nº 1, 1987b, págs. 328-333.

—, *Cognitive-behavioral treatment of borderline personality disorder*, Nueva York, Guilford Press, 1993 (trad. cast.: *Manual de tratamiento de los trastornos de personalidad límite*, Barcelona, Paidós, 2003).

Linehan, M. M., H. E. Armstrong, A. Suárez, D. Allmon y H. L. Heard, «Cognitive-behavioral treatment of chronically parasuicidal borderline patients», en *Archives of General Psychiatry*, nº 48, 1991, págs. 1.060-1.064.

Linehan, M. M. y H. L. Heard, «Borderline personality disorder: Costs, course, and treatment outcomes», en N. E. Miller y K. M. Magruder (comps.), *Cost-effectiveness of psychotherapy: A guide for practitioners, researchers, and policy-makers*, Nueva York, Oxford University Press, 1999, págs. 291-305.

Linehan, M. M., H. L. Heard y H. E. Armstrong, «Naturalistic follow-up of a behavioural treatment for chronically parasuicidal borderline patients», en *Archives of General Psychiatry*, nº 50, 1993, págs. 971-974.

Linehan, M. M., H. Schmidt, L. A. Dimeff, J. C. Craft, J. Kanter y K. Comtois, «Dialectical behavior therapy for patients with borderline personality disorder and drug-dependence», en *American Journal on Addictions*, nº 8, 1999, págs. 279-292.

Linehan, M. M., D. A. Tutek y H. L. Heard, *Interpersonal and social treatment outcomes in borderline personality disorder*, trabajo presentando en la 26ª conferencia anual de la Association for Advancement of Behavior Therapy, Boston, noviembre de 1992.

Lion, J. R. (comp.), *Personality disorders: Diagnosis and management*, Baltimore, Williams & Wilkens, 1981 (trad. cast.: *Trastornos de personalidad*, Barcelona, Salvat, 1978).

Livesley, W. J., *Dimensional Assessment of Personality Pathology – Basic Questionnaire*, manuscrito no publicado, University of British Columbia, 1990.

Livesley, W. J., K. Jang, M. L. Schroeder y D. N. Jackson, «Genetic and environmental factors in personality dimensions», en *American Journal of Psychiatry*, nº 150, 1993, págs. 1.826-1.831.

Loranger, A. W., «Diagnosis of personality disorders: General considerations», en R. Michels (comp.), *Psychiatry*, vol. 1, Filadelfia, Lippincott, 1991, págs. 1-14.

—, «Categorical approaches to assessment and diagnosis of personality disorders», en C. Robert Cloninger (comp.), *Personality and psychopathology*, Washington, D. C., American Psychiatric Press, 1999, págs. 201-217.

Loranger, A. W., M. F. Lenzenweger, A. F. Gartner, S. V. Lehman, J. Herzig, G. K. Zammit y otros, «Trait-state artefacts and the diagnosis of personality disorders», en *Archives of General Psychiatry*, nº 48, 1991, págs. 720-728.

Loranger, A. W., V. L. Susman, J. M. Oldham y L. M. Russakoff, «The Personality Disorder Examination: A preliminary report», en *Journal of Personality Disorders*, nº 1, 1987, págs. 1-13.

Lubrosky, L., A. T. McLellan, G. E. Woody, C. P. O'Brien y A. Auerbach, «Therapist success and its determinants», en *Archives of General Psychiatry*, nº 42, 1985, págs. 602-611.

MacKinnon, R. A. y R. Michaels, *The psychiatric interview in clinical practice*, Filadelfia, Saunders, 1971, págs. 110-146.

Maffei, C., A. Fossati, I. Agnostoni, A. Barraco, M. Bagnato, D. Deborah y otros, «Interrater reliability and internal consistency of the Structured Clinical Interview for DSM-IV Axis II Personality Disorders (SCID-II), version 2.0», en *Journal of Personality Disorders*, vol. 11, nº 3, 1997, págs. 279-284.

Mahoney, M., «Behaviorism, cognitivism, and human change processes», en M. A. Reda y M. Mahoney (comps.), *Cognitive psychotherapies: Recent developments in theory, research, and practice*, Cambridge, MA, Ballinger, 1984, págs. 3-30.

Malinow, K., «Passive-aggressive personality», en J. Lion (comp.), *Personality disorders diagnosis and management (revised for DSM III)*, 2ª ed., Baltimore, Williams & Wilkins, 1981 (trad. cast.: *Trastornos de personalidad*, Barcelona, Salvat, 1978), págs. 121-132.

Malmquist, C. P., «Histeria in childhood», en *Postgraduate Medicine*, nº 50, 1971, págs. 112-117.

Marchand, A., L. R. Goyer, G. Dupuis y N. Mainguy, «Personality disorders and the outcome of cognitive behavioural treatment of panic disorder with agoraphobia», en *Canadian Journal of Behavioural Science*, nº 30, 1998, págs. 14-23.

Marmor, J., «Orality in the hysterical personality», en *Journal of the American Psychoanalytic Association*, nº 1, 1953, págs. 656-671.

Martin, J., W. Martin y A. G. Slemon, «Cognitive mediation in person-centered and rational-emotive therapy», en *Journal of Counseling Psychology*, vol. 34, nº 3, 1987, págs. 251-260.

Masterson, J. F., *Treatment of the borderline adolescent: A developmental approach*, Nueva York, Brunner/Mazel, 1985.

Mavissakalian, M. y M. S. Hamman, «DSM-III personality disorder in agoraphobia: II. Changes with treatment», en *Comprehensive Psychiatry*, nº 28, 1987, págs. 356-361.

Mays, D. T., «Behavior therapy with borderline personality disorders: One clinician's perspective», en D. T. Mays y C. M. Franks (comps.), *Negative outcome in psychotherapy and what to do about it*, Nueva York, Springer, 1985, págs. 301-311.

McCann, J., «Passive-aggressive personality disorder: A review», en *Journal of Personality Disorders*, vol. 2, nº 2, 1988, págs. 170-179.

McCown, W., H. Galina, J. Johnson, P. DeSimone y J. Posa, «Borderline personality disorder and laboratory induced cold pressor pain: Evidence of stress-induced analgesia», en *Journal of Psychopathology and Behavioral Assessment*, nº 15, 1993, págs. 87-95.

McCreery, C. y G. Claridge, «Healthy schizotypy: The case of out-of-the-body experiences», en *Personality and Individual Differences*, nº 32, 2002, págs. 141-154.

McDougall, W., *An introduction to social psychology*, 14ª ed., Boston, John W. Luce, 1921.

McGinn, L. K. y J. E. Young, «Schema-focused therapy», en P. M. Salkovskis (comp.), *Frontiers of cognitive therapy*, Nueva York, Guilford Press, 1996, págs. 182-207.

McKay, D., F. Neziroglu, J. Todaro y J. A. Yaryura-Tobias, «Changes in personality disorders following behavior therapy for obsessive-compulsive disorder», en *Journal of Anxiety Disorders*, vol. 10, nº 1, 1996, págs. 47-57.

Merbaum, M. y J. N. Butcher, «Therapists' liking of their psychotherapy patients: Some issues related to severity of disorder and treatability», en *Psychotherapy: Theory, Research and Practice*, vol. 19, nº 1, 1982, págs. 69-76.

Mersch, P. P. A., M. A. Jansen y A. Arntz, «Social phobia and personality disorder: Severity of complaint and treatment effectiveness», en *Journal of Personality Disorders*, nº 9, 1995, págs. 143-159.

Millon, T., *Modern psychopathology: A biosocial approach to maladaptive learning and functioning*, Filadelfia, Saunders, 1969 (trad. cast.: *Psicopatología moderna*, Barcelona, Salvat, 1981).

—, *Disorders of personality: DSM-III, Axis II*, Nueva York, Wiley, 1981.

—, *Manual for the Millon Clinical Multiaxial Inventory-I (MCMI-I)*, Mineápolis, National Computer Systems, 1983.

—, *Personality and its disorders*, Nueva York, Wiley, 1985 (trad. cast.: *La personalidad y sus trastornos*, Barcelona, Martínez Roca, 1994).

—, «Negativistic (passive-aggressive) personality disorder», en *Journal of Personality Disorders*, vol. 7, nº 1, 1993, págs. 78-85.

—, *Disorders of personality DSM-IV and beyond*, 2ª ed., Nueva York, Wiley, 1996 (trad. cast.: *Trastornos de la personalidad: más allá del DSM-IV*, Barcelona, Masson, 1998).

Millon, T. y R. Davis, «Negativistic personality disorders: The vacillating pattern», en T. Millon, *Disorders of personality: DSM-IV and beyond*, 2ª ed., 1996 (trad. cast.: *Trastornos de la personalidad: más allá del DSM-IV*, Barcelona, Masson, 1998), págs. 541-574.

Millon, T., R. D. Davis y C. Millon, *The Millon Clinical Multiaxial Inventory-III manual*, Minnetonka, MN, National Computer System, 1996.

Millon, T., R. Davis, C. Millon, L. Escovar y S. Meagher, *Personality disorders in modern life*, Nueva York, Wiley, 2000 (trad. cast.: *Trastornos de la personalidad en la vida moderna*, Barcelona, Masson, 2001).

Millon, T., C. Millon y R. D. Davis, *Millon Clinical Multiaxial Inventory-III*, Mineápolis, National Computer Systems, 1994.

Mooney, K. A. y C. A. Padesky, «Applying client creativity to recurrent problems: Constructing possibilities and tolerating doubt», en *Journal of Cognitive Psychotherapy: An International Quarterly*, vol. 14, nº 2, 2000, págs. 149-161.

Morey, L. C., M. H. Waugh y R. K. Blashfield, «MMPI scores for the DSM-III personality disorders: Their derivation and correlates», en *Journal of Personality Assessment*, nº 49, 1985, págs. 245-251.

Morrison, A. P., «A cognitive analysis of the maintenance of auditory hallucinations: Are voices to schizophrenia what bodily sensations are to panic?», en *Behavioural and Cognitive Psychotherapy*, nº 26, 1998, págs. 289-302.

Morrison, A. P. y J. C. Renton, «Cognitive therapy for auditory hallucinations: A theory-based approach», en *Cognitive and Behavioral Practice*, nº 8, 2001, págs. 147-169.

Najavits, L., «Researching therapist emotions and countertransference», en *Cognitive and Behavioral Practice*, nº 7, 2000, págs. 322-328.

Nakao, K., J. G. Gunderson, K. A. Phillips. N. Tanaka, K. Yorifuji, J. Takaishi y T. Nishimura, «Functional impairment in personality disorders», en *Journal of Personality Disorders*, nº 6, 1992, págs. 24-33.

Nelson-Gray, R. O., D. Johnson, L. W Foyle, S. S. Daniel y R. Harmon, «The effectiveness of cognitive therapy tailored to depressives with personality disorders», en *Journal of Personality Disorders*, nº 10, 1996, págs. 132-152.

Nestadt, G., A. J. Romanoski, R. Chahal, A. Merchant, M. F. Folstein, E. M. Gruenberg y P. R. McHugh, «An epidemiological study of histrionic personality disorder», en *Psychological Medicine*, nº 20, 1990, págs. 413-422.

Newman, C., «Maintaining professionalism in the face of emotional abuse from clients», en *Cognitive and Behavioral Practice*, nº 4, 1997, págs. 1-29.

Newman, C. F., «Showing up for your own life: Cognitive therapy of avoidant personality disorder», en *In Session: Psychotherapy in Practice*, vol. 4, nº 4, 1999, págs. 55-71.

Neziroglu, F., D. McKay, J. Todaro y J. A. Yaryura-Tobias, «Effect of cognitive behavior therapy on persons with body dysmorphic disorder and comorbid axis II diagnosis», en *Behavior Therapy*, nº 27, 1996, págs. 67-77.

Norcross, J. C., J. O. Prochaska y K. M. Gallagher, «Clinical psychologists in the 1980's: II. Theory, research, and practice», en *The Clinical Psychologist*, vol. 42, nº 3, 1989, págs. 45-53.

Ogata, S. N., K. R. Silk, S. Goodrich, N. E. Lohr, D. Westen y E. M. Hill, «Childhood sexual and physical abuse in adult patients with borderline personality disorder», en *American Journal of Psychiatry,* nº 147, 1990, págs. 1.008-1.013.

O'Leary, K. M., R. W. Cowdry, D. L. Gardner, E. Leibenluft, P. B. Lucas y R. de-Jong-Meyer, «Dysfunctional attitudes in borderline personality disorder», en *Journal of Personality Disorders,* nº 5, 1991, págs. 233-242.

Olin, S. S., A. Raine, T. D. Cannon y J. Parnas, «Childhood behavior precursors of schizotypal personality disorder», en *Schizophrenia Bulletin,* nº 23, 1997, págs. 93-103.

O'Reilly, T., R. Dunbar y R. P. Bentall, «Schizotypy and creativity: An evolutionary connection?», en *Personality and Individual Differences,* nº 31, 2001, págs. 1067-1078.

Organización Mundial de la Salud, *International classification of disesases,* 5ª ed., 9ª rev., Ginebra, autor, 1998.

Ottaviani, R., «Passive-aggressive personality disorder», en A. T. Beck, A. Freeman y otros», en *Cognitive therapy of personality disorders,* Nueva York, Guilford Press, 1990 (trad. cast.: *Terapia cognitiva de los trastornos de la personalidad,* Barcelona, Paidós, 1995), págs. 333-349.

Overholser, J. C., «Facilitating autonomy in passive-dependent persons: An integrative model», en *Journal of Contemporary Psychotherapy,* nº 17, 1987, págs. 250-269.

—, «Categorical assessment of the dependent personality disorder in depressed inpatients», en *Journal of Personality Disorders,* nº 5, 1991, págs. 243-255.

—, «Interpersonal dependency and social loss», en *Personality and Individual Differences,* nº 13, 1991, págs. 17-23.

Overholser, J. C., R. Kabakoff y W. H. Norman, «Personality characteristics in depressed and dependent psychiatric inpatients», en *Journal of Personality Assessment,* nº 53, 1989, págs. 40-50.

Padesky, C. A., *Personality disorders: Cognitive therapy into the 90's,* trabajo presentado en la Second International Conference on Cognitive Psychotherapy, Umea, Suecia , 18-20 de septiembre de 1986.

—, «Schema as self prejudice», en *International Cognitive Therapy Newsletter,* nº 5/6, 1993, págs. 16-17.

—, «Schema change processes in cognitive therapy», en *Clinical Psychology and Psychotherapy,* nº 1, 1994, págs. 267-278.

Padesky, C. A. con D. Greenberger, *Clinician's Guide to Mind Over Mood,* Nueva York, Guilford Press, 1995.

Paris, J., «The treatment of borderline personality disorder in light of the research on its long term outcome», en *Canadian Journal of Psychiatry,* nº 38 (supl. 1), 1993, págs. S28-S34.

Patrick, M., R. P. Hobson, D. Castle, R. Howard y B. Maughan, «Personality disorder and the mental representation of early social experience», en *Developmental Psychopathology,* nº 6, 1994, págs. 375-388.

Pérez, M., J. Pettit, C. David, J. Kistner y T. Joiner, «The interpersonal consequences of inflated self-esteem in an inpatient psychiatric youth sample», en *Journal of Consulting and Clinical Psychology*, vol. 69, nº 4, 2001, págs. 712-716.

Perris, C. y P. D. McGorry, *Cognitive psychotherapy of psychotic and personality disorders: Handbook of theory and practice*, Nueva York, Wiley, 1998 (trad. cast.: *Psicoterapia cognitiva para los trastornos psicóticos y de personalidad: manual teórico-práctico*, Bilbao, Desclée de Brouwer, 2004).

Perry, J. y R. Flannery, «Passive-aggressive personality disorder treatment implications of a clinical typology», en *Journal of Nervous and Mental Disease*, vol. 170, nº 3, 1982, págs. 164-173.

Person, E. S., «Manipulativeness in entrepreneurs and psychopaths», en W. Reid, D. Dorr, J. Walker y J. Bonner (comps.), *Unmasking the psychopath*, Nueva York, Norton, 1986, págs. 256-273.

Persons, J., «The advantages of studying psychological phenomena rather than psychiatric diagnoses», en *American Psychologist*, nº 41, 1986, págs. 1.252-1.260.

Persons, J. B., B. D. Burns y J. M. Perloff, «Predictors of drop-out and outcome in cognitive therapy for depression in a private practice setting», en *Cognitive Therapy and Research*, nº 12, 1988, págs. 557-575.

Peselow, E. D., M. P. Sanfilipo y R. R. Fieve, «Patients' and informants' reports of personality traits during and after major depression», en *Journal of Abnormal Psychology*, vol. 103, nº 4, 1994, págs. 819-824.

Peters, E. R., S. A. Joseph y P. A. Garety, «Measurement of delusional ideation in the normal population: Introducing the PDI (Peters et al. Delusions Inventory)», en *Schizophrenia Bulletin*, nº 25, 1999, págs. 553-576.

Pfohl, B., «Histrionic personality disorder: A review of available data and recommendations for DSM-IV», en *Journal of Personality Disorders*, vol. 5, nº 2, 1991, págs. 150-166.

—, «Axis I and Axis II: Comorbidity or confusion?», en C. Robert Cloninger (comp.), *Personality and psychopathology*, Washington, D. C., American Psychiatric Press, 1999, págs. 83-98.

Pfohl, B., N. Blum, M. Zimmerman y D. Stangl, *Structured Interview for DSM-III-R Personality (SIDP-R)*, Iowa City, University of Iowa, Department of Psychiatry, 1989.

Piaget, J., *The language and thought of the child*, Nueva York, Harcourt, Brace, 1926 (trad. cast.: *El lenguaje y el pensamiento del niño pequeño*, Barcelona, Paidós, 1987).

—, *The origin of intelligence in children* (1936), Nueva York, International Universities Press, 1952 (trad. cast.: *El nacimiento de la inteligencia en el niño*, Barcelona, Crítica, 2000).

Pilkonis, P., «Personality prototypes among depressives: Themes of dependency and autonomy», en *Journal of Personality Disorders*, nº 2, 1988, págs. 144-152.

Pilkonis, P. A., C. L. Heape, J. M. Proietti, S. W. Clark, J. D. McDavid y T. E. Pitts, «The reliability and validity of two structured diagnostic interviews for personality disorders», en *Archives of General Psychiatry*, vol. 52, nº 12, 1995, págs. 1.025-1.033.

Pilkonis, P. A., C. L. Heape, J. Ruddy y P. Serrao, «Validity in the diagnosis of personality disorders: The use of the LEAD standard», en *Psychological Assessment*, vol. 3, nº 1, 1991, págs. 46-54.

Pitman, R. K., B. A. van der Kolk, S. P. Orr y M. S. Greenberg, «Naloxone-reversible analgesic response to combat-related stimuli in posttraumatic stress disorder», en *Archives of General Psychiatry*, nº 47, 1990, págs. 541-544.

Pollack, J. M., «Obsessive-compulsive personality: A review», en *Psychological Bulletin*, nº 86, 1979, págs. 225-241.

Pretzer, J., «Borderline personality disorder», en A. T. Beck, A. Freeman y otros, *Cognitive therapy of personality disorders*, Nueva York, Guilford Press, 1990, págs. 176-207.

Pretzer, J. L., *Paranoid personality disorder: A cognitive view*, trabajo presentado en el encuentro de la Association for the Advancement of Behavior Therapy, Houston, TX, noviembre de 1985.

—, «Paranoid personality disorder: A ccognitive view», *International Cognitive Therapy Newsletter*, vol. 4, nº 4, 1988, págs. 10-12.

Pretzer, J., A. T. Beck y C. F. Newman, «Stress and stress management: A cognitive view», *Journal of Cognitive Psychotherapy: An International Quarterly*, nº 3, 1989, págs. 163-179.

Pretzer, J. y S. Hampl, «Cognitive behavioural treatment of obsessive compulsive personality disorder», *Clinical Psychology and Psychotherapy*, vol. 1, nº 5, 1994, págs. 298-307.

Pretzer, J. L. y A. T. Beck, «A cognitive theory of personality disorders», en J. F. Clarkin y M. F. Lenzenweger (comps.), *Major theories of personality disorder*, Nueva York, Guilford Press, 1996, págs. 36-105.

Prochaska, J. O. y C. C. DiClemente, «Transtheoretical therapy: Toward a more integrative model of change», *Psychotherapy: Theory, Research and Practice*, vol. 19, nº 3, 1982, págs. 276-288.

Prochaska, J. O. y J. C. Norcross, *Systems of psychotherapy: A transtheoretical analysis*, 5ª ed., Pacific Grove, CA, Brooks, Cole, 2003.

Prout, M. y J. Platt, «The development and maintenance of passive-agressiveness: The behavioral approach», en R. Parsons y R. Wicks (comps.), *Passive agressiveness theory and practice*, Nueva York, Brunner, Mazel, 1983, págs. 25-43.

Quay, H. C., D. K. Routh y S. K. Shapiro, «Psychopathology of childhood: From description to validation», *Annual Review of Psychology*, nº 38, 1987, págs. 491-532.

Rabins, P. V. y P. R. Slavney, «Hysterical traits and variability of mood in normal men», *Psychological Medicine*, nº 9, 1979, págs. 301-304.

Rakos, R. F., *Assertive behavior: Theory, research, and training*, Nueva York, Routledge, 1991.

Raskin, R., J. Novacek y R. Hogan, «Narcissistic self-esteem management», *Journal of Personality and Social Psychology*, nº 60, 1991, págs. 911-918.

Rasmussen, S. y M. Tsuang, «Clinical characteristics and family history in DSM-III obsessive-compulsive disorder», *American Journal of Psychiatry*, nº 143, 1986, págs. 317-322.

Rehm, L., «A self-control model of depression», *Behavior Therapy*, nº 8, 1977, págs. 787-804.

Reich, J. H., «Instruments measuring DSM-III and DSM-III-R personality disorders», *Journal of Personality Disorders*, nº 1, 1987, págs. 220-240.

Reich, W., *Character analysis*, Nueva York, Farrar, Strauss & Giroux, 1972 (trad. cast.: *Análisis del carácter*, Barcelona, Paidós, 1995).

Reich, J. y R. Noyes, «A comparison of DSM-III personality disorders in acutely ill panic and depressed patients», *Journal of Anxiety Disorders*, nº 1, 1987, págs. 123-131.

Reich, J., R. Noyes y E. Troughton, «Dependent personality disorder associated with phobic avoidance in patients with panic disorder», *American Journal of Psychiatry*, nº 144, 1987, págs. 323-326.

Reid, W. H. (comp.), *The treatment of the antisocial syndromes*, Nueva York, Van Nostrand, 1981.

—, *The treatment of psychiatric disorders: Revised for the DSM-III-R*, Nueva York, Brunner, Mazel, 1988.

Rennenberg, B., K. Heyn, R. Gebhard y S. Bachmann, «Facial expression of emotions in borderline personality disorder and depression», *Journal of Behavior Therapy and Experimental Psychiatry*, en prensa.

Rhodewalt, F. y C. Morf, «Self and interpersonal correlates of the Narcissistic Personality Inventory: A review and new findings», *Journal of Research Personality*, nº 29, 1995, págs. 1-23.

Robins, L. N., *Deviant children grow up: A sociological and psychiatric study of sociopathic personality*, Oxford, Williams & Wilkens, 1966.

Rossi, A. y E. Daneluzzo, «Schizotypal dimensions in normals and schizophrenic patients: A comparison with other clinical samples», *Schizophrenia Research*, nº 54, 2002, págs. 67-75.

Russ, M. J., S. D. Roth, A. Lerman, T. Kakuma, K. Harrison, R. D. Shindledecker, J. Hull y S. Mattis, «Pain perception in self-injurious patients with borderline personality disorder», *Biological Psychiatry*, nº 32, 1992, págs. 501-511.

Russ, M. J., S. D. Roth, T. Kakuma, K. Harrison, R. D. Shindledecker y J. W. Hull, «Pain perception in self-injurious borderline patients: nalaxone effects», *Biological Psychiatry*, nº 35, 1994, págs. 207-209.

Salkovskis, P. (comp.), *Frontiers of cognitive therapy*, Nueva York, Guilford Press, 1996.

Sanderson, W. C., A. T. Beck y L. K. McGinn, «Cognitive therapy for generalized anxiety disorder: Significance of co-morbid personality disorders», *Journal of Cognitive Psychotherapy: An International Quarterly*, nº 8, págs. 13-18.

Saul, L. J. y S. L. Warner, *The psychotic personality*, Nueva York, Van Nostrand, 1982.

Scarr, S., «Personality and experience: Individual encounters with the world», en J. Aronoff, A. I. Robin y R. A. Zucker (comps.), *The emergence of personality*, Nueva York, Springer, págs. 66-70.

Schmidt, N. B., T. E. Joiner, J. E. Young y M. J. Telch, «The Schema Questionnaire: Investigation of psychometric properties and the hierarchical structure of a measure of maladaptive schemas», *Cognitive Therapy and Research*, nº 19, 1995, págs. 295-321.

Schneider, K., *Psychopathic personalities* (1923), Springfield, IL, Charles C. Thomas, 1958 (trad. cast.: *Las personalidades psicopáticas*, Madrid, Morata, 1980).

Sciuto, G., G. Diaferia, M. Battaglia, G. P. Perna, A. Gabriele y L. Bellodi, «DSM-III-R personality disorders in panic and obsessive compulsive disorder: A comparison study», *Comprehensive Psychiatry*, vol. 32, nº 5, 1991, págs. 450-457.

Scrimali, T. y L. Grimaldi, «Schizophrenia and Cluster A personality disorders», *Journal of Cognitive Psychotherapy: An International Quarterly*, vol. 10, nº 4, 1996, págs. 291-304.

Shapiro, D., *Neurotic styles*, Nueva York, Basic Books, 1965.

Shea, M. T., P. A. Pilkonis, E. Beckham, J. F. Collins, I. Elkins, S. M. Sotsky y J. P. Docherty, «Personality disorders and treatment outcome in the NIMH Treatment of Depression Collaborative Research Program», *American Journal of Psychiatry*, nº 147, 1990, págs. 711-718.

Shelton, J. L. y R. L. Levy, *Behavioral assignments and treatment compliance: A handbook of clinical strategies*, Champaign, IL, Research Press, 1981.

Sieswerda, S. y A. Arntz, *Schema-specific emotional STROOP effects in BPD patients*, trabajo presentado en el World Congress of Behavioral and Cognitive Therapies, Vancouver, 17-21 de julio de 2001.

Skodol, A., P. Buckley y E. Charles, «Is there a characteristic pattern to the treatment history of clinical outpatients with borderline personality disorder?», *Journal of Mental and Nervous Disease*, nº 171, 1983, págs. 405-410.

Slavney, P. R., «The diagnosis of hysterical personality disorder: A study of attitudes», *Comprehensive Psychiatry*, nº 19, 1978, págs. 501-507.

—, «Histrionic personality and antisocial personality: Caricatures of stereotypes?», *Comprehensive Psychiatry*, nº 25, 1984, págs. 129-141.

Slavney, P. R., J. C. S. Breitner y P. V. Rabins, «Variability of mood and hysterical traits in normal women», *Journal of Psychiatric Research*, nº 13, 1977, págs. 155-160.

Slavney, P. R. y P. R. McHugh, «The hysterical personality», *Archives of General Psychiatry*, nº 30, 1974, págs. 325-332.

Slavney, P. y G. Rich, «Variability of mood and the diagnosis of hysterical personality disorder», *British Journal of Psychiatry*, nº 136, 1980, págs. 402-404.

Small, I., J. Small, V. Alig y D. Moore, «Passive-agressive personality disorder: A search for a syndrome», *American Journal of Psychiatry*, vol. 126, nº 7, 1970, págs. 973-983.

Smokler, I. A. y H. Shevrin, «Cerebral lateralization and personality style», *Archives of General Psychiatry*, nº 36, 1979, págs. 949-954.

Smucker, M. R., C. Dancu, E. B. Foa y J. L. Niedree, «Imagery rescripting: A new treatment for survivors of childhood sexual abuse suffering from posttraumatic stress», *Journal of Cognitive Psychotherapy*, nº 9, 1995, págs. 3-17.

Soloff, P. H., «Is there any drug treatment of choice for the borderline patient?», *Acta Psychiatrica Scandinavica*, nº 379, 1994, págs. 50-55.

Spitzer, R. L., «Psychiatric diagnosis: Are clinicians still necessary?», *Comprehensive Psychiatry*, nº 24, 1983, págs. 399-411.

Spivack, G. y M. B. Shure, *Social adjustment of young children: A cognitive approach to solving real-life problems*, San Francisco, Jossey-Bass, 1974.

Springer, T., N. E. Lohr, H. A. Buchtel y K. R. Silk, «A preliminary report of short-term cognitive-behavioral group therapy for inpatients with personality disorders», *Journal of Psychotherapy Practice and Research*, nº 5, 1995, págs. 57-71.

Standage, K., C. Bilsbury, S. Jain y D. Smith, «An investigation of role-taking in histrionic personalities», *Canadian Journal of Psychiatry*, nº 29, 1984, págs. 407-411.

Stanley, B., E. Bundy y R. Beberman, «Skills training as an adjunctive treatment for personality disorders», *Journal of Psychiatric Practice*, vol. 7, nº 5, 2001, págs. 324-335.

Stein, K. F., «Affect instability in adults with a borderline personality disorder», *Archives of Psychiatric Nursing*, nº 10, 2001, págs. 32-40.

Steiner, J. L., J. K. Tebes, W. H. Sledge y M. L. Walker, «A comparison of structured clinical interview for DSM-III-R and clinical diagnoses», *Journal of Nervous and Mental Disease*. vol. 183, nº 6, 1995, págs. 365-369.

Steiner, J. L., J. K. Tebes, W. H. Sledge, W. H. Walker y M. Loukides, «A comparison of the Structured Clinical Interview for DSM-III-R and clinical diagnoses», *Journal of Nervous and Mental Disease*, vol. 183, nº 6, 1995, págs. 365-369.

Stern, A., «Psychoanalytic investigations of and therapy in the borderline group of neuroses», *Psychoanalytic Quarterly*, nº 7, 1938, págs. 467-489.

Stone, M., *Abnormalities of personality: Within and beyond the realm of treatment*, Nueva York, Norton, 1993a.

—, «Long-term outcome in personality disorders», *British Journal of Psychiatry*, nº 162, 1993b, págs. 299-313.

—, «Gradations of antisociality and rersponsiveness to psychosocial therapies», en J. G. Gunderson y G. O. Gabbards (comps.), *Psychotherapy for personality disorders*, Washington D. C., American Psychiatric Press, 2000, págs. 95-130.

Stravynski, A., I. Marks y W. Yule, «Social skills problems in neurotic outpatients: Social skills training with and without cognitive modification», *Archives of General Psychiatry*, nº 39, 1982, págs. 1.378-1.385.

Sullivan, H. S., *Clinical studies in psychiatry*, Nueva York, Norton, 1956.

Swann, W. B., Jr., «To be known or to be adored: The interplay of self-enhancement and self-verification», en E. T. Higgins y R. M. Sorrentino (comps.), *Handbook of motivation and cognition*, Nueva York, Guilford Press, vol. 2, págs. 408-448.

Tellegen, A., *Multidimensional Personality Questionnaire*, Mineápolis, University of Minnesota Press, 1993.

Temoshok, L. y B. Heller, «Hysteria», en R. J. Daitzman (comp.), *Diagnosis and intervention in behavior therapy and behavioral medicine*, Nueva York, Springer, 1983, págs. 204-294.

Torgerson, S., «The oral, obsessive and hysterical personality syndromes», *Archives of General Psychiatry*, nº 37, 1980, págs. 1.272-1.277.

Trull, T. J., «Structural relations between borderline personality disorder features and putative eticological correlates», *Journal of Abnormal Psychology*, nº 110, 2001, págs. 471-481.

Trull, T. J., A. H. Goodwin, L. H. Shopp, T. L. Hillenbrand y T. Schuster, «Psychometric properties of a cognitive measure of personality disorders», *Journal of Personality Assessment*, vol. 61, nº 3, 1993, págs. 536-546.

Trull, T. J., T. A. Widiger y P. Guthrie, «Categorical versus dimensional status of borderline personality disorders», *Clinical Psychology Review*, nº 7, 1990, págs. 49-75.

Turkat, I. D., «Formulation of paranoid personality disorder», en I. D. Turkat (comp.), *Behavioral case formulation*, Nueva York, Plenum Press, 1985, págs. 157-198.

—, «The behavioral interview», en A. R. Ciminiero, K. S. Calhoun y H. E. Adams (comps.), *Handbook of behavioral assessment*, Nueva York, Wiley, 2ª ed., 1986, págs. 109-149.

—, «The initial clinical hypothesis», *Journal of Behavior Therapy and Experimental Psychiatry*, nº 18, 1987, págs. 349-356.

—, *The personality disorders: A psychological approach to clinical management*, Nueva York, Pergamon Press, 1990.

Turkat, I. D. y D. S. Banks, «Paranoid personality and its disorder», *Journal of Psychopathology and Behavioral Assessment*, nº 9, 1987, págs. 295-304.

Turkat, I. D. y C. R. Carlson, «Data-based versus symptomatic formulation of treatment: The case of a dependent personality», *Journal of Behavioral Therapy and Experimental Psychiatry*, nº 15, 1984, págs. 153-160.

Turkat, I. D. y S. A. Maisto, «Personality disorders: Application of the experimental method to the formulation and modification of personality disorders», en D. H. Barlow (comp.), *Clinical handbook of psychological disorders: A step-by-step treatment manual*, Nueva York, Guilford Press, 1985, págs. 503-570.

Turner, R. M., «The effects of personality disorder diagnosis on the outcome of social anxiety symptom reduction», *Journal of Personality Disorders*, nº 1, 1987, págs. 136-143.

—, «Case study evaluations of a bio-cognitive-behavioral approach for the treatment of borderline personality disorder», *Behavior Therapy*, nº 20, 1989, págs. 477-489.

Vaillant, G. E., «Natural history of male psychological health: IV. What kinds of men do not get psychosomatic illness?», *Psychosomatic Medicine*, nº 40, 1978, págs. 420-431.

Van Asselt, A. D. I., C. D. Dirksen, J. L. Severens y A. Arntz, *Societal costs of illness in BPD patients: results from bottom-up and top-down estimations*, manuscrito validado para publicación, 2002.

Van den Bosch, L. M. C., R. Verheul, G. M. Schippers y W. van den Brink, «Dialectical behavior therapy of borderline patients with and without substance use problems: Implementation and long term effects», *Addictive Behaviors*, nº 900, 2002, págs. 1-13.

Van IJzendoorn, M. H., C. Schuengel y M. J. Bakermans-Kranenburg, «Disorganized attachment in early childhood: Meta-analysis of precursors, concomitants, and sequelae», *Development and Psychopathology*, nº 11, 1999, págs. 225-249.

Van Os, J., M. Hanssen, R. V. Bijl y A. Ravelli, «Strauss (1969) revisited: A psychosis continuum in the normal population?», *Schizophrenia Research*, nº 45, 2000, págs. 11-20.

Van Velzen, C. J. M. y P. M. G. Emmelkamp, «The assessment of personality disorders: Implications for cognitive and behavior therapy», *Behaviour Research and Therapy*, vol. 34, nº 8, 1996, págs. 655-668.

Veen, G. y A. Arntz, «Multidimensional dichotomous thinking characterizes borderline personality disorder», *Cognitive Therapy and Research*, nº 24, 2000, págs. 23-45.

Ventura, J., R. P. Liberman, M. F. Green, A. Shaner y J. Mintz, «Training and quality assurance with Structured Clinical Interview for DSM-IV (SCID-I/P)», *Psychiatry Research*, vol. 79, nº 2, 1998, págs. 163-173.

Vereycken, J., H. Vertommen y J. Corveleyn, «Authority conflicts and personality disorders», *Journal of Personality Disorders*, vol. 16, nº 1, págs. 41-51.

Veterans Administration, *Standard classification of diseases*, Washington, D. C., Autor, 1951.

Vieth, I., *Hysteria: History of a disease*, Chicago, University of Chicago Press, 1963.

Wachtel, P. L. (comp.), *Resistance: Psychodynamic and behavioral approaches*, Nueva York, Plenum Press, 1982.

Waldinger, R. J. y J. C. Gunderson, «Completed psychotherapies with borderline patients», *American Journal of Psychiatry*, nº 38, 1984, págs. 190-202.

—, *Effective psychotherapy with borderline patients: Case studies*, Nueva York, Macmillan, 1987.

Waller, G. y J. Button, «Processing of threat cues in borderline personality disorder», *Behavioural and Cognitive Psychotherapy*, en prensa.

Ward, L. G., M. L. Freidlander y W. K. Silverman, «Children's depressive symptoms, negative self-statements, and causal attributions for success and failure», *Cognitive Therapy and Research*, vol. 11, nº 2, 1987, págs. 215-227.

Weaver, T. L. y G. A. Clum, «Early family environment and traumatic experiences associated with borderline personality disorder», *Journal of Consulting and Clinical Psychology*, nº 61, 1993, págs. 1.068-1.075.

Weertman, A. y A. Arntz, *Treatment of childhood memories in personality disorders: A controlled study contrasting methods focusing on the present and methods focusing on childhood memories*, trabajo presentado en el World Congress of Behavioral and Cognitive Therapies, Vancouver, 17-21 de julio de 2001.

Weiss, M., P. Zelkowitz, R. B. Feldman, J. Vogel, M. Heyman y J. Paris, «Psychopathology in offspring of mothers with borderline personality disorder: A pilot study», *Canadian Journal of Psychiatry*, nº 41, 1996, págs. 285-290.

Wellburn, K., M. Coristine, P. Dagg, A. Pontefract y S. Jordan, «The Schema Questionnaire-Short Form: Factor analysis and relationship between schemas and symptoms», *Cognitive Therapy and Research*, vol. 26, nº 4, 2002, págs. 519-530.

Wells, A., *Cognitive therapy for anxiety disorders*, Londres, Wiley, 1997.

West, M. y A. E. R. Sheldon, «Classification of pathological attachment patterns in adults», *Journal of Personality Disorders*, nº 2, 1988, págs. 153-159.

Westen, D., «Social cognition and object relations», *Psychological Bulletin*, nº 109, 1991, págs. 429-455.

Wetzler, S. y L. Morey, «Passive-aggressive personality disorder: The demise of a syndrome», *Psychiatry*, vol. 62, nº 1, 1999, págs. 49-59.

Whitman, R., H. Trosman y R. Koenig, «Clinical assessment of passive-aggressive personality», *Archives of Neurology and Psychiatry*, nº 72, 1954, págs. 540-549.

Widiger, T. A., «Categorical versus dimensional classification: Implications from and for research», *Journal of Personality Disorders*, nº 6, 1992, págs. 287-300.

Widiger, T. A. y A. Frances, «Interviews and inventories for the measurement of personality disorders», *Clinical Psychology Review*, nº 7, 1987, págs. 49-75.

Wilkins, S. y P. H. Venables, «Disorder of attention in individuals with schizotypal personality», *Schizophrenia Bulletin*, nº 18, 1992, págs. 717-723.

Wink, P., «Two faces of narcissism», *Journal of Personality and Social Psychology*, nº 61, 1991, págs. 590-597.

Woody, G. E., A. T. McLellan, L. Luborsky y C. P. O'Brien, «Sociopathy and psychotherapy outcome», *Archives of General Psychiatry*, nº 42, 1985, págs. 1.081-1.086.

Woolson, A. M. y M. G. Swanson, «The second time around: Psychotherapy with the "hysterical woman"», *Psychotherapy: Theory, Research and Practice*, nº 9, 1972, págs. 168-175.

Wright, J. y D. Davis, «The therapeutic relationship in cognitive behavioral therapy: Patient perceptions and therapist responses», *Cognitive and Behavioral Practice*, nº 1, 1994, págs. 25-45.

Yalom, I., *The theory and practice of group psychotherapy*, 3ª ed., Nueva York, Basic Books, 1985.

Yeomans, F. E., M. A. Selzer y J. F. Clarkin, «Studying the treatment contract in intensive psychotherapy with borderline patients», *Psychiatry*, nº 56, 1993, págs. 254-263.

Young, J. E., *Cognitive therapy with difficult patients*, workshop presentado en la reunión de la Association for Advancement of Behavior Therapy, Filadelfia, noviembre de 1984.

—, *Cognitive therapy for personality disorders: A schema-focused approach*, Sarasota, FL, Professional Resource Exchange, 1990.

—, *Cognitive therapy for personality disorders: A schema-focused approach*, ed. revisada, Sarasota, FL, Professional Resource Exchange, 1994.

—, *Schema theory*, 2002a, <http://www.schematherapy.com/id30.htm>.

—, *Overview of schema inventories*, 2002b, <http://www.schematherapy.com/id49.htm>.

Young, J. E. y G. Brown, «Schema Questionnaire», en J. E. Young (comp.), *Cognitive therapy for personality disorders: A schema-focused approach*, ed. revisada, Sarasota, FL, Professional Resource Exchange, 1994, págs. 63-76.

Young, J. E., J. Klosko y M. E. Weishaar, *Schema therapy: A practitioner's guide*, Nueva York, Guilford Press, 2003.

Zanarini, M. C., *Role of sexual abuse in the etiology of borderline personality disorder*, Washington, D. C., American Psychiatric Press, 1997.

—, «Childhood experiences associated with the development of borderline personality disorder», *Psychiatric Clinics of North America*, nº 23, 2000, págs. 89-101.

Zetzel, E., «The so-called good hysteric», *International Journal of Psycho-Analysis*, nº 49, 1968, págs. 256-260.

Zimmerman, M., «Diagnosing personality disorders: A review», *Archives of General Psychiatry*, nº 51, 1994, págs. 225-245.

Zimmerman, M., B. Pfohl, W. Coryell, D. Stangl y C. Corenthal, «Diagnosing personality disorders in depressed patients», *Archives of General Psychiatry*, nº 45, 1988, págs. 733-737.

Zimmerman, M., B. Pfohl, D. Stangl y C. Corenthal, «Assessment of DSM-III personality disorders: The importance of interviewing an informant», *Journal of Clinical Psychiatry*, nº 47, 1986, págs. 261-263.

Zimmerman, M., B. Pfohl, D. Stangl y W. Coryell, «The validity of DSM-III Axis IV», *American Journal of Psychiatry*, vol. 142, nº 12, 1985, págs. 1.437-1.441.

Zlotnick, C., L. Rothschild y M. Zimmerman, «The role of gender in the clinical presentation of patients with borderline personality disorder», *Journal of Personality Disorders*, vol. 16, nº 3, 2002, págs. 277-282.

Zuroff, D. y M. Mongrain, «Dependency and self-criticism: Vulnerability factors for depressive affective states», *Journal of Abnormal Psychology*, nº 96, 1987, págs. 14-22.

Zwemwer, W. A. y J. L. Deffenbacher, «Irrational beliefs, anger, and anxiety», *Journal of Counseling Psychology*, vol. 31, nº 3, 1984, págs. 391-393.

ÍNDICE ANALÍTICO